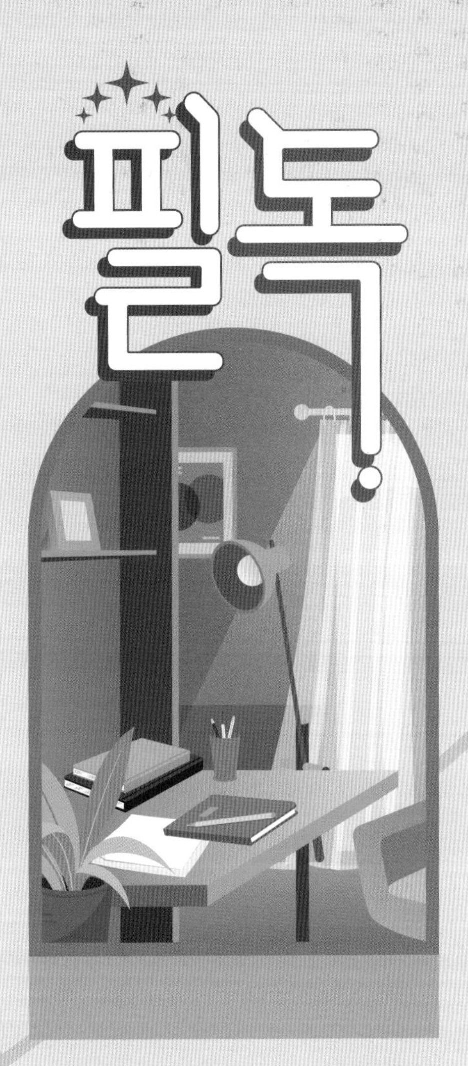

중학 국어 | **문법**

정답과 해설은 EBS 중학사이트(mid.ebs.co.kr)에서 다운로드 받으실 수 있습니다.

교재 내용 문의 교재 내용 문의는 EBS 중학사이트 (mid.ebs.co.kr)의 교재 Q&A 서비스를 활용하시기 바랍니다.

교재 정오표 공지 발행 이후 발견된 정오 사항을 EBS 중학사이트 정오표 코너에서 알려 드립니다. **교재학습자료 ▶ 교재 ▶ 교재 정오표**

교재 정정 신청 공지된 정오 내용 외에 발견된 정오 사항이 있다면 EBS 중학사이트를 통해 알려 주세요. **교재학습자료 ▶ 교재 ▶ 교재 선택 ▶ 교재 Q&A**

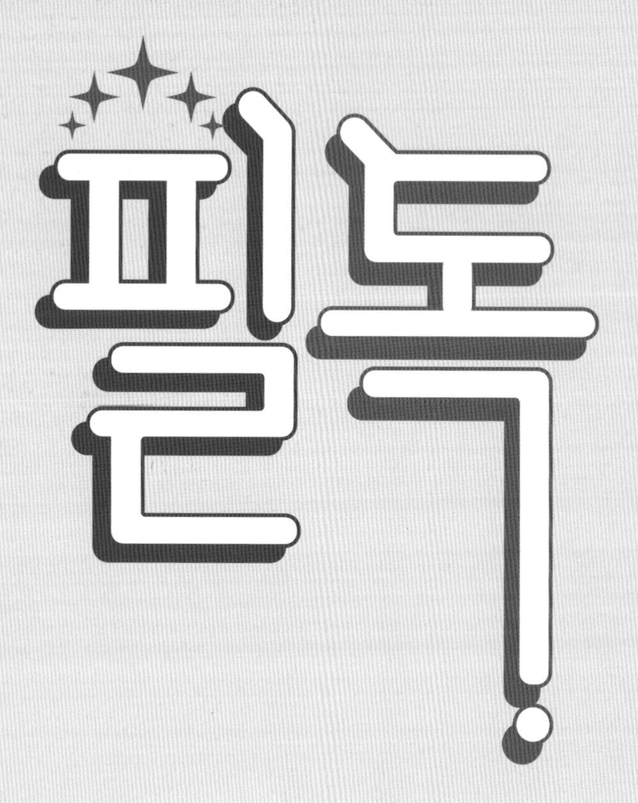

중학 국어로 수능 잡기 시리즈

과목 학년	중학 1학년	중학 2학년	중학 3학년
문학	문학 1	문학 2	문학 3
비문학 독해	비문학 독해 1	비문학 독해 2	비문학 독해 3
문법	문법, 문법 완성 2000제		
문학 작품 읽기	교과서 시, 교과서 소설		

중학 국어 | **문법**

이 책의 구성과 특징

궁금이와 함께하는 "필독 중학 국어, 문법 프로젝트!"

◉ 2015 개정 교육 과정에 제시된 '문법' 영역의 성취 기준을 바탕으로, 꼭 알아야 할 중학 국어 문법을 한 권으로 정리하였습니다.
◉ 하루 30분~1시간씩 22+6일동안 꾸준히 공부할 수 있도록 교재를 구성하여 체계적이고 계획적인 학습을 도와줍니다.
◉ '개념'을 학습한 후 '확인 문제'와 함께 '내신 대비 문제', '기출 문제'까지 모두 풀어 볼 수 있도록 하여 중학 국어 문법은 물론, 대수능 국어 영역의 문법까지 한번에 대비할 수 있습니다.

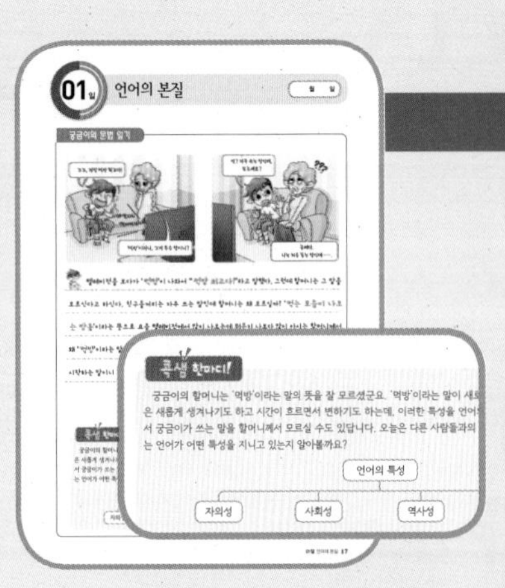

궁금이의 문법 일기

국어의 다양한 문법 현상을 확인할 수 있는 일상의 에피소드를 그림 일기 형식으로 보여 주었습니다.

콕샘 한마디!

문법 일기와 관련하여 오늘 학습할 내용을 미리 설명하고 도식으로 간단히 정리하였습니다.

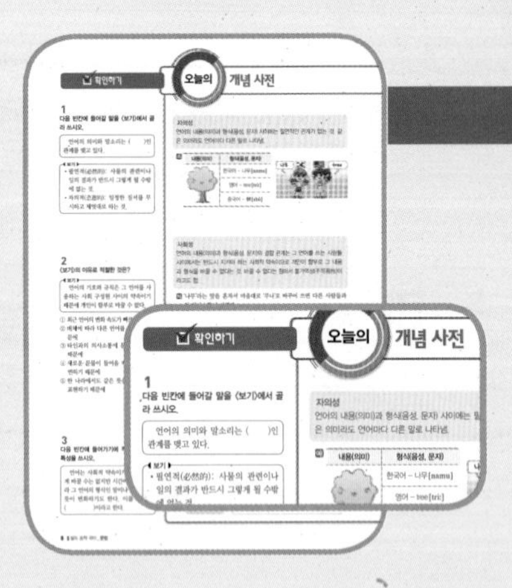

오늘의 개념 사전

중학 국어 문법의 개념 중 핵심 요소들을 정리하여 사전식으로 제시하였습니다.

확인하기

개념 사전에서 학습한 내용들을 간단한 문제로 다시 한번 확인하도록 하였습니다.

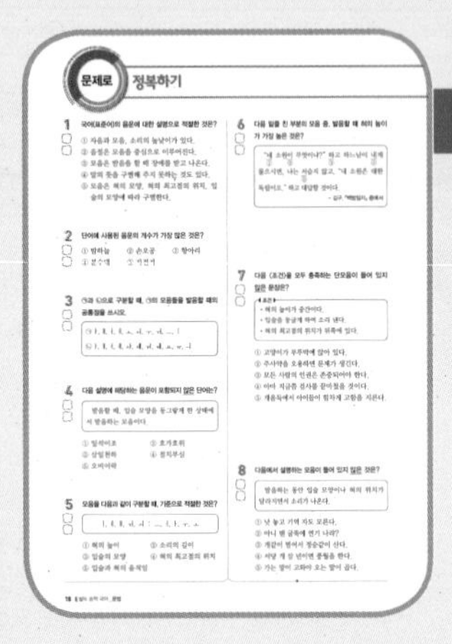

문제로 정복하기

앞에서 공부한 내용들을 좀 더 심화하여 학습할 수 있도록 다양한 유형의 문제들을 제시하였습니다. 문법 개념을 적용하여 문제를 풀어 보는 과정을 통해 문법의 기초를 다질 수 있습니다.

문제 번호 아래에 있는 ▢▢에 통과 여부를 표시하고 틀린 문제는 꼭 다시 풀어 보도록 합시다.

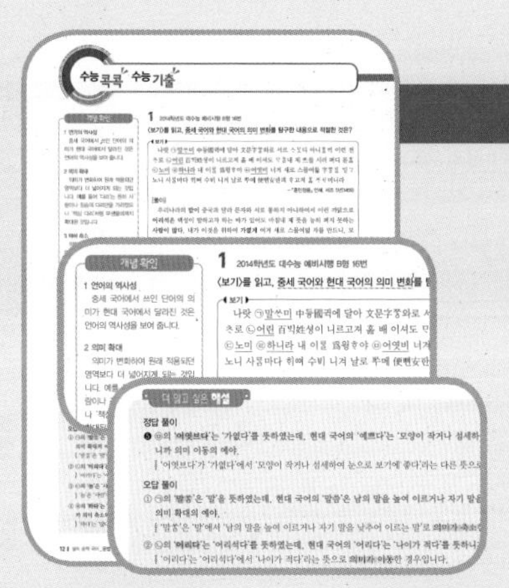

수능 콕콕 수능 기출

대수능과 모의평가 등에 출제되었던 기출 문제를 살펴보며 대수능 국어 영역에 대한 감을 익힐 수 있습니다.

개념 확인
기출 문제에 제시된 개념들에 대해 상세히 설명하였습니다.

더 알고 싶은 해설
기출 문제에 대한 정답 해설과 오답 해설을 알기 쉽게 풀이하였습니다.

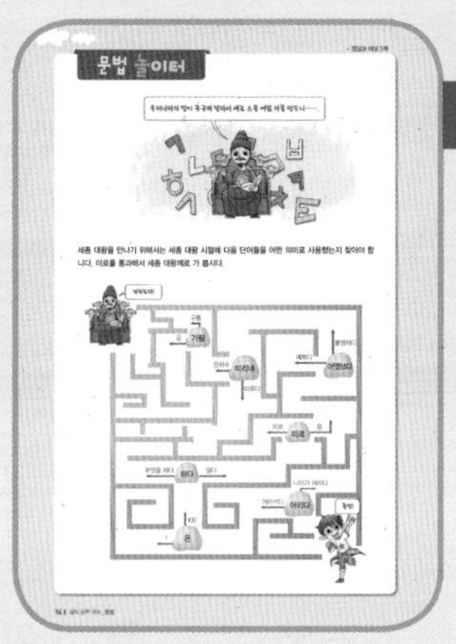

문법 놀이터

오늘 학습한 개념들을 게임을 통해 확인하는 코너입니다. 앞에서 공부한 내용들을 하나씩 적용하다 보면 모든 문제들을 가볍게 해결할 수 있을 것입니다.

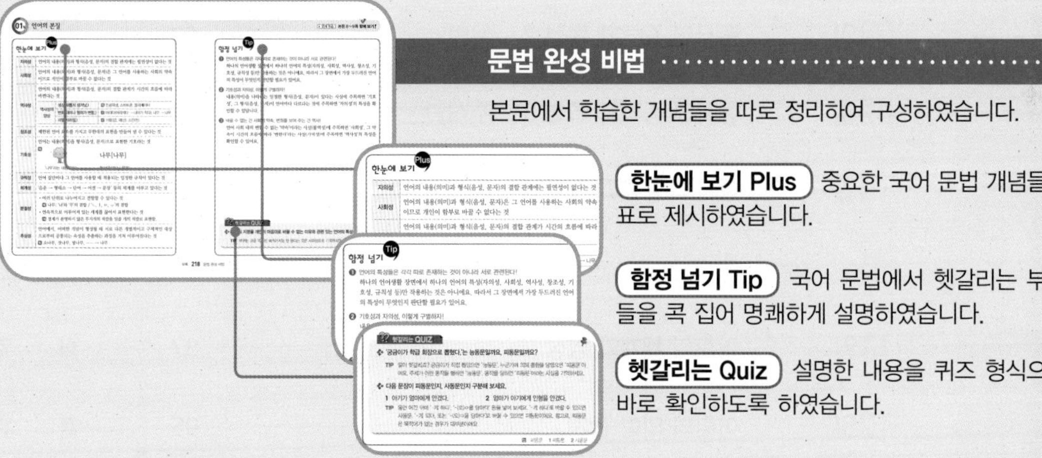

문법 완성 비법

본문에서 학습한 개념들을 따로 정리하여 구성하였습니다.

한눈에 보기 Plus 중요한 국어 문법 개념들을 표로 제시하였습니다.

함정 넘기 Tip 국어 문법에서 헷갈리는 부분들을 콕 집어 명쾌하게 설명하였습니다.

헷갈리는 Quiz 설명한 내용을 퀴즈 형식으로 바로 확인하도록 하였습니다.

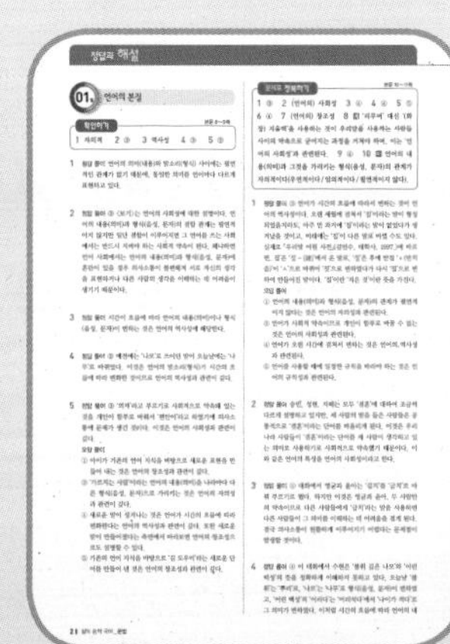

본문의 문제들에 대해 정답 풀이와 오답 풀이를 자세하게 제시하고 친절하게 설명하였습니다.

이 책의 차례

중학 국어 문법의 성취 기준

성취 기준	교재
언어의 본질에 대한 이해를 바탕으로 하여 국어생활을 한다.	01일: 언어의 본질
음운의 체계를 알고 그 특성을 이해한다.	02일: 음운의 체계와 특성 1 – 모음 03일: 음운의 체계와 특성 2 – 자음
단어를 정확하게 발음하고 표기한다.	04일: 정확한 발음과 표기 1 – 표기와 발음의 원리 05일: 정확한 발음과 표기 2 – 받침의 발음 06일: 정확한 발음과 표기 3 – 기타 발음과 표기
품사의 종류를 알고 그 특성을 이해한다.	07일: 품사의 종류와 특성 1 – 체언 08일: 품사의 종류와 특성 2 – 용언 09일: 품사의 종류와 특성 3 – 수식언 10일: 품사의 종류와 특성 4 – 관계언, 독립언
어휘의 체계와 양상을 탐구하고 활용한다.	11일: 어휘의 체계와 양상 12일: 어휘의 의미 관계
문장의 짜임과 양상을 탐구하고 활용한다.	13일: 문장과 문장 구성의 단위 14일: 문장 성분 1 – 주성분 15일: 문장 성분 2 – 부속 성분, 독립 성분 16일: 문장 성분의 올바른 사용 17일: 문장 구조의 짜임과 표현 효과 18일: 문장의 짜임 1 – 이어진문장 19일: 문장의 짜임 2 – 안은문장
담화의 개념과 특성을 이해한다.	20일: 담화의 개념과 특징
한글의 창제 원리를 이해한다.	21일: 한글의 창제 원리
통일 시대의 국어에 관심을 가지는 태도를 지닌다.	22일: 남북한의 언어

01일 언어의 본질

월 일

궁금이의 문법 일기

텔레비전을 보다가 '먹방'이 나와서 "먹방 최고다!"라고 말했다. 그런데 할머니는 그 말을 모르신다고 하신다. 친구들끼리는 자주 쓰는 말인데 할머니는 왜 모르실까? '먹는 모습이 나오는 방송'이라는 뜻으로 요즘 텔레비전에서 많이 나오는데 뭐든지 나보다 많이 아시는 할머니께서 왜 '먹방'이라는 말을 모르시는지 이상했다. 하긴 '케미, 티엠아이'처럼 친구들 사이에서 요즘 쓰기 시작하는 말이니 잘 모르시는 것 같다. 아무래도 세대 차이(?)가 나는가 보다.

콕샘 한마디!

궁금이의 할머니는 '먹방'이라는 말의 뜻을 잘 모르셨군요. '먹방'이라는 말이 새로 생긴 말이기 때문이지요. 말은 새롭게 생겨나기도 하고 시간이 흐르면서 변하기도 하는데, 이러한 특성을 언어의 역사성이라고 하지요. 그래서 궁금이가 쓰는 말을 할머니께서 모르실 수도 있답니다. 오늘은 다른 사람들과의 원활한 의사소통에 도움이 되는 언어가 어떤 특성을 지니고 있는지 알아볼까요?

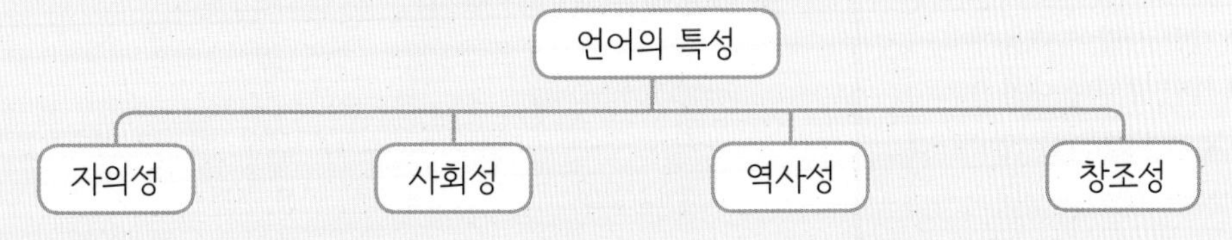

✓ 확인하기

1
다음 빈칸에 들어갈 말을 〈보기〉에서 골라 쓰시오.

> 언어의 의미와 말소리는 (　　　)인 관계를 맺고 있다.

보기
- 필연적(必然的): 사물의 관련이나 일의 결과가 반드시 그렇게 될 수밖에 없는 것.
- 자의적(恣意的): 일정한 질서를 무시하고 제멋대로 하는 것.

2
〈보기〉의 이유로 적절한 것은?

보기
> 언어의 기호와 규칙은 그 언어를 사용하는 사회 구성원 사이의 약속이기 때문에 개인이 함부로 바꿀 수 없다.

① 최근 언어의 변화 속도가 빠르기 때문에
② 매체에 따라 다른 언어를 사용하기 때문에
③ 타인과의 의사소통에 문제가 생기기 때문에
④ 새로운 문물이 들어올 때마다 언어가 변하기 때문에
⑤ 한 나라에서도 같은 뜻을 여러가지로 표현하기 때문에

3
다음 빈칸에 들어가기에 적절한 언어의 특성을 쓰시오.

> 언어는 사회적 약속이기 때문에 쉽게 바꿀 수는 없지만 시간이 흐름에 따라 그 언어의 형식인 말이나 내용인 그 뜻이 변화하기도 한다. 이를 언어의 (　　　　　)이라고 한다.

오늘의 개념 사전

자의성
언어의 내용(의미)과 형식(음성, 문자) 사이에는 필연적인 관계가 없는 것. 같은 의미라도 언어마다 다른 말로 나타냄.

예

내용(의미)	형식(음성, 문자)
(나무 그림)	한국어 – 나무[namu]
	영어 – tree[triː]
	중국어 – 树[shù]

나무
tree

사회성
언어의 내용(의미)과 형식(음성, 문자)의 결합 관계는 그 언어를 쓰는 사람들 사이에서는 반드시 지켜야 하는 사회적 약속이므로 개인이 함부로 그 내용과 형식을 바꿀 수 없다는 것. 바꿀 수 없다는 점에서 불가역성(不可易性)이라고도 함.

예 '나무'라는 말을 혼자서 마음대로 '무나'로 바꾸어 쓰면 다른 사람들과의 의사소통이 어렵다.

역사성
언어의 내용(의미)과 형식(음성, 문자)의 결합 관계가 시간의 흐름에 따라 바뀌는 것. 변할 수 있다는 점에서 가역성(可易性)이라고도 함.

예 언어 내용(의미)의 변화

15세기 국어	어리다: '어리석다'라는 뜻으로 사용
	↓ 시간이 흐르면서 '어리다'의 의미가 변화함.
현대 국어	어리다: '나이가 적다'라는 뜻으로 사용

예 언어 형식(음성, 문자)의 변화

15세기 국어	나모
	↓ 시간이 흐르면서 '(나무 그림)'의 형식이 변화함.
현대 국어	나무

예 언어 내용(의미)과 형식(음성, 문자)의 변화

15세기 국어	온[百], 즈믄[千]
	시간이 흐르면서 사라지거나 새롭게 생겨남.
현대 국어	스마트폰, 인공 지능

▶연계 학습 부록 218쪽으로 한번 더!

창조성
한정된 기호 체계를 가지고 무수히 많은 상황을 표현할 수 있다는 것

예 '밥을 먹다.'라는 문장을 배운 아이가 기존의 언어 지식을 바탕으로 '과자를 먹다.', '사과를 먹다.'라는 상황에도 '먹다'를 사용한다.

인간과 동물 언어의 차이

본능에 따라 일정한 표현만 반복하는 동물의 언어와는 달리 인간의 언어는 새로운 상황에 대해서 표현할 수 있다.

예 꿀벌의 언어: 꿀벌도 꿀의 위치, 거리 등을 8자 형태의 춤을 통해 나타낸다. 하지만 꿀벌의 언어는 단지 꿀에 대한 정보를 전달해 줄 뿐 새로운 상황을 표현할 수 없기 때문에 창조성을 가지지 못한다.

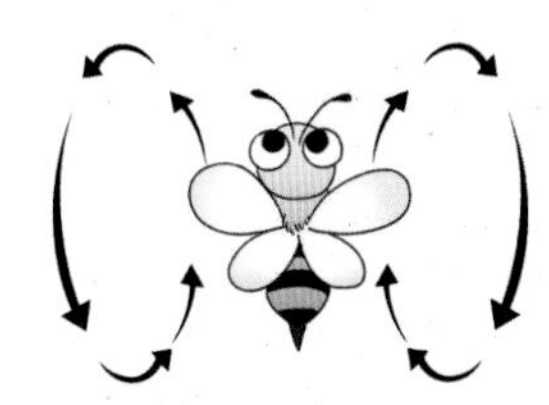

그 밖의 언어의 특성

기호성
언어는 음성이나 문자라는 형식을 통해 내용(의미)을 나타내는 기호라는 것

예

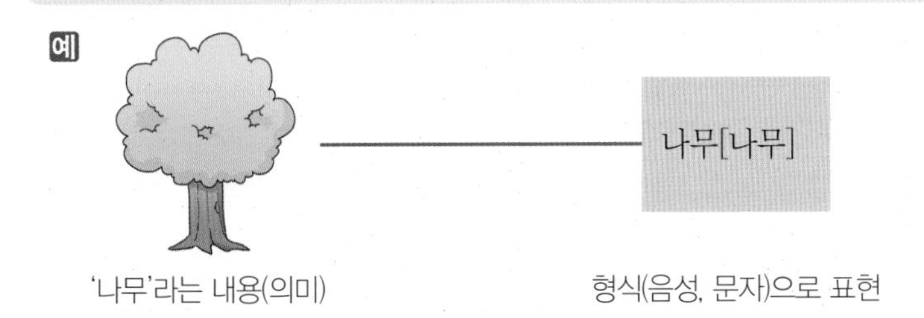

규칙성
언어에는 단어나 구절, 문장을 만들거나 발음할 때 적용되는 일정한 규칙이 있다는 것

예 철수가 먹다 밥을.(×) / 철수가 밥을 먹다.(○)

한국어의 어순은 '주어 – 목적어 – 서술어'의 순서로 서술어가 끝에 위치해야 한다. 이와 같이 규칙을 지킬 때 정확하고 바른 표현이 된다. 따라서 한국어의 규칙에 맞게 '철수가 밥을 먹다.'의 순서로 써야 바른 문장이 된다.

• 정답과 해설 2쪽

확인하기

4
다음 상황과 관계 깊은 언어의 특성으로 적절한 것은?

① 자의성 ② 사회성
③ 역사성 ④ 창조성
⑤ 규칙성

5
언어의 특성과 그 예를 연결한 것으로 적절하지 않은 것은?

① 창조성: '엄마, 사랑해.'를 배운 아이가 '아빠, 사랑해.'로 활용할 수 있다.
② 자의성: '가르치는 사람'을 한국어로는 '선생님', 영어로는 'teacher'라고 한다.
③ 자의성: '의자'를 내 마음대로 '편안이'라고 불렀더니 아무도 무엇을 말하는지 모른다.
④ 역사성: 다양한 응용 프로그램을 활용할 수 있는 휴대 전화가 등장하면서 '스마트폰'이라는 말이 생겼다.
⑤ 창조성: 지도를 보이거나 지름길을 찾아 주어 운전을 도와주는 장치를 개발하여 '길 도우미'라는 이름을 붙였다.

문제로 정복하기

1 다음은 언어의 특성에 대하여 나눈 대화이다. 언어의 특성을 잘못 이해하고 있는 것은?

① 사람이 살기 위하여 지은 건물을 우리말로는 '집[집]'이라고 하지만 영어로는 'house[하우스]'라고 해. 이것만 봐도 언어가 가리키는 뜻과 말소리의 관계가 자의적이라고 할 수 있어.
② 언어가 가리키는 뜻과 말소리의 관계는 그 언어를 사용하는 사람들 사이의 약속으로 맺어진 거야. 그러니까 우리나라 사람이라면 개인이 마음대로 '집'을 '가게'라고 바꿔 부를 수는 없지.
③ 맞아. 오랜 세월에 걸쳐서 '집'이라는 우리말이 형성되었으니까, '집'이라는 말은 과거에도 '집'이었고, 미래에도 '집'일 거야.
④ 하지만 언어는 오랜 시간에 걸쳐서 변하기도 한다고 했어. 그러니까 미래에는 '집'이 '집'이 아닐 수도 있지.
⑤ 아무튼 '나는 집에서 살고 있다.'라고 표현하지 않고 '집은 나에서 살고 있다.'라고 표현하면 그 문장은 우리말 규칙에 어긋난다고 할 수 있어.

2 다음 대화를 들은 사람들이 같은 단어를 떠올렸다고 할 때, 이와 가장 관련이 깊은 언어의 특성을 쓰시오.

> 승민: 사랑하는 남자와 여자가 함께 살기로 약속하는 거지.
> 성현: 사랑하는 남녀가 아이도 낳고 행복하게 살기 위해서 하는 거야.
> 지혜: 성인 남녀가 정식으로 부부 관계를 맺는 것이라고 할 수 있지.

3 다음 대화에서 아주머니의 반응을 고려할 때, ㉮가 언어생활에 미치는 영향으로 가장 적절한 것은?

> 영균: 오늘부터 난 내가 좋아하는 ㉮ '김치'를 '금치'로 바꿔 부르기로 했어.
> 윤아: '금치'? '김치'가 '금'처럼 귀하다는 뜻을 담고 있겠구나. 그럼, '금치'를 사러 시장에 가 볼까?
> 영균: (시장 입구에서) 아주머니, '금치'는 어디서 팔아요?
> 아주머니: (당황한 표정으로) '금치'? '금치'가 어떻게 생겼니?

① 예상치 못한 새로운 언어가 창조될 것이다.
② 언어가 경제적 원리에 따라 쉽게 바뀔 것이다.
③ 유행처럼 새로운 말이 많이 만들어질 것이다.
④ 의사소통에 어려움이 생겨 혼란을 겪을 것이다.
⑤ 어휘의 수가 늘어나 결국은 언어생활이 풍요로워질 것이다.

4 다음 대화를 통해 알 수 있는 언어의 특성을 바르게 이해한 반응으로 가장 적절한 것은?

> (수현은 꿈에서 조선 시대로 가서 우거진 나무를 바라보고 있는 선비를 만난다.)
> 선비: 불휘 깊은 나모 아래 쉬어 갈까?
> 수현: '불휘 깊은 나모'가 뭐예요?
> 선비: 어린 백성이로다.
> 수현: 저 어리지 않아요.
> ※ 어리다: 중세 국어에서 '어리석다'의 뜻으로 쓰임.

① 원래 있던 대상이 없어지면 그 언어도 사라질 수 있구나.
② 새로운 개념이 생기면 그에 따라 언어도 새로 생기는구나.
③ 언어가 변하는 것은 결국 그 언어에 담긴 의미가 변하는 것이구나.
④ 시간의 흐름에 따라서 언어의 내용뿐만 아니라 형식도 달라지는구나.
⑤ 같은 시대에도 하나의 의미를 표현하는 다양한 형식의 언어가 쓰이는구나.

5 언어의 창조성과 관계가 깊은 것은?

① '밥'이라는 말소리와 '밥'이라는 뜻은 자의적인 관계에 있다.
② 철수가 '무궁화'를 '진달래'라고 말해서 의사소통이 되지 않았다.
③ '인공위성'이라는 말은 조선 시대에는 없었지만, 오늘날에는 사용되고 있다.
④ '사람이 걸터앉는 데 쓰는 기구'를 나타낼 때 국어에서는 '의자'라는 말을 쓰기로 약속되어 있다.
⑤ 아이가 '우유'라는 단어와 '맘마 먹자.'라는 문장을 배운 후 '우유 먹자.'라는 문장을 새롭게 만들어 썼다.

6 다음 예에서 가장 두드러진 언어의 특성은?

> 조선 시대에는 '감기'를 '고뿔', '강'을 '가람'이라 하였다. 그런데 지금은 '고뿔, 가람'이라는 말 대신 '감기', '강'이라는 말을 사용해야 의미를 정확하게 전달할 수 있다.

① 언어는 일종의 기호 체계이다.
② 언어에는 역사의식이 담겨 있다.
③ 시간의 흐름에 따라 언어의 내용이 바뀌기도 한다.
④ 시간의 흐름에 따라 언어의 형식이 바뀌기도 한다.
⑤ 언어는 그 언어를 사용하는 사람들 사이의 약속이다.

7 다음 빈칸에 들어갈 언어의 특성을 쓰시오.

> 인간은 말을 할 때에 배웠거나 들어 본 적이 있는 문장을 기억해서 그대로 사용하는 것이 아니라, 새로운 문장을 만들어 쓴다. 이렇게 우리가 사용하는 말이 늘 새롭다는 것, 즉 (   )을 지니고 있다는 것은 인간의 언어가 다른 동물들이 사용하는 의사소통 수단과 크게 다른 점이다.

8 다음 글에서 밑줄 친 부분이 제대로 시행되기 위해 반드시 거쳐야 할 과정을 언어의 특성과 관련하여 서술하시오.

> 국립국어원의 '말다듬기위원회'에서는 '리무버(remover)'의 다듬은 말로 '(화장) 지움액'을 최종 선정하였습니다. '리무버'는 '특정한 물질을 제거하기 위해 사용하는 전용 물질'을 이르는 말입니다. 앞으로 여러분께서도 '리무버' 대신 '(화장) 지움액'을 사용해 주시기 바랍니다.

9 다음 상황과 가장 관계 깊은 언어의 특성은?

> 학생 1: 포도가 많이 열렸네.
> 학생 2: 청포도가 주저리주저리 열렸네.
> 학생 3: 주저리주저리 열린 청포도.
> 학생 4: 같은 상황을 다양한 문장으로 표현할 수 있구나!

① 자의성 ② 사회성 ③ 역사성
④ 창조성 ⑤ 기호성

10 다음 상황과 관계 깊은 언어의 특성을 서술하시오.

멍멍[멍멍]
Bowwow[바우와우]
汪汪[왕왕]

수능 콕콕 수능 기출

개념 확인

1 언어의 역사성
중세 국어에서 쓰인 단어의 의미가 현대 국어에서 달라진 것은 언어의 역사성을 보여 줍니다.

2 의미 확대
의미가 변화하여 원래 적용되던 영역보다 더 넓어지게 되는 것입니다. 예를 들어 '다리'는 원래 사람이나 짐승의 다리만을 가리켰으나 '책상 다리'처럼 무생물에까지 확대된 것입니다.

3 의미 축소
의미가 변화하여 원래 적용되던 영역보다 좁아지게 되는 것입니다. 예를 들어 중세 국어에서 '얼굴'은 '형체(形體)'를 뜻했으나 오늘날에는 '눈, 코, 입이 있는 머리의 앞면'을 이르는 말로 의미가 축소되었습니다.

4 의미 이동
중세 국어에서 '어리다'는 '어리석다'라는 의미로 쓰였지만 오늘날에는 '나이가 적다'라는 의미로 쓰입니다. 이 경우는 아예 의미가 바뀌었으므로 의미 이동에 해당합니다.

1 2014학년도 대수능 예비시행 B형 16번

〈보기〉를 읽고, 중세 국어와 현대 국어의 의미 변화[1]를 탐구한 내용으로 적절한 것은?

〈보기〉

나랏 ㉠말ᄊᆞ미 中듕國귁에 달아 文문字ᄍᆞᆼ와로 서르 ᄉᆞᄆᆞᆺ디 아니ᄒᆞᆯᄊᆡ 이런 젼ᄎᆞ로 ㉡어린 百ᄇᆡᆨ姓셩이 니르고져 호ᇙ 배 이셔도 ᄆᆞᄎᆞᆷ내 제 ᄠᅳ들 시러 펴디 몯ᄒᆞᇙ ㉢노미 ㉣하니라 내 이ᄅᆞᆯ 爲윙ᄒᆞ야 ㉤어엿비 너겨 새로 스믈여듧 字ᄍᆞᆼᄅᆞᆯ ᄆᆡᇰᄀᆞ노니 사ᄅᆞᆷ마다 ᄒᆡᅇᅧ 수ᄫᅵ 니겨 날로 ᄡᅮ메 便뼌安안킈 ᄒᆞ고져 ᄒᆞᇙ ᄯᆞᄅᆞ미니라

– 『훈민정음』 언해, 세조 5년(1459)

[풀이]

우리나라의 **말이** 중국과 달라 문자와 서로 통하지 아니하여서 이런 까닭으로 **어리석은** 백성이 말하고자 하는 바가 있어도 마침내 제 뜻을 능히 펴지 못하는 **사람이 많다.** 내가 이것을 위하여 **가엾게** 여겨 새로 스물여덟 자를 만드니, 모든 사람들로 하여금 쉽게 익혀 날마다 쓰는 데 편하게 하고자 할 따름이다.

① ㉠의 '말쏨'은 '말'을 뜻하였는데, 현대 국어의 '말씀'은 남의 말을 높여 이르거나 자기 말을 낮추어 이르는 말을 뜻하니까 의미 확대[2]의 예야.
② ㉡의 '어리다'는 '어리석다'를 뜻하였는데, 현대 국어의 '어리다'는 '나이가 적다'를 뜻하니까 의미 축소[3]의 예야.
③ ㉢의 '놈'은 '사람'을 뜻하였는데, 현대 국어의 '놈'은 남자를 낮잡는 의미로 쓰이니까 의미 확대의 예야.
④ ㉣의 '하다'는 '많다'를 뜻하였는데, 현대 국어의 '하다'는 '사람이나 동물, 물체 따위가 행동이나 작용을 이루다'란 뜻이니까 의미 축소의 예야.
⑤ ㉤의 '어엿브다'는 '가엾다'를 뜻하였는데, 현대 국어의 '예쁘다'는 '모양이 작거나 섬세하여 눈으로 보기에 좋다'란 뜻이니까 의미 이동[4]의 예야.

더 알고 싶은 해설

정답 풀이

❺ ㉤의 '어엿브다'는 '가엾다'를 뜻하였는데, 현대 국어의 '예쁘다'는 '모양이 작거나 섬세하여 눈으로 보기에 좋다'란 뜻이니까 의미 이동의 예야.
| '어엿브다'가 '가엾다'에서 '모양이 작거나 섬세하여 눈으로 보기에 좋다'라는 다른 뜻으로 의미가 이동한 경우입니다.

오답 풀이

① ㉠의 '말쏨'은 '말'을 뜻하였는데, 현대 국어의 '말씀'은 남의 말을 높여 이르거나 자기 말을 낮추어 이르는 말을 뜻하니까 의미 확대의 예야.
| '말쏨'은 '말'에서 '남의 말을 높여 이르거나 자기 말을 낮추어 이르는 말'로 의미가 축소한 경우입니다.

② ㉡의 '어리다'는 '어리석다'를 뜻하였는데, 현대 국어의 '어리다'는 '나이가 적다'를 뜻하니까 의미 축소의 예야.
| '어리다'는 '어리석다'에서 '나이가 적다'라는 뜻으로 의미가 이동한 경우입니다.

③ ㉢의 '놈'은 '사람'을 뜻하였는데, 현대 국어의 '놈'은 남자를 낮잡는 의미로 쓰이니까 의미 확대의 예야.
| '놈'은 '사람'에서 '남자를 낮잡아 이르는 말'로 의미가 축소된 경우입니다.

④ ㉣의 '하다'는 '많다'를 뜻하였는데, 현대 국어의 '하다'는 '사람이나 동물, 물체 따위가 행동이나 작용을 이루다'란 뜻이니까 의미 축소의 예야.
| '하다'는 '많다'에서 '사람이나 동물, 물체 따위가 행동이나 작용을 이루다'라는 뜻으로 의미가 이동한 경우입니다.

2 2000학년도 대수능 20번 변형

다음과 같은 특성이 생기는 이유는?

> 의미에 대한 언어 표현이 언어 사회마다 다른 것[1]은 이들을 연결시키는 약속[2]이 다른 데서 기인한다. 이러한 연결이 약속에 기반을 두고 있다는 사실을 아래의 예를 통해 살펴보기로 한다.
>
> 수업 시간에 선생님께서 연필을 달라고 하셨다. 연필을 드렸더니 그게 아니라고 하시면서 공책을 집으셨다. 그리고는 앞으로 이 수업 시간에는 공책은 '연필'로, 연필은 '공책'으로 부르자[3]고 하셨다. 선생님께서 다시 '연필'을 달라고 하셨다. 나는 얼른 공책을 드렸다.
>
> 의사소통이 되지 않다가 새로운 약속을 하니까 의사소통이 이루어졌다. 이는 언어의 내용과 표현이 약속에 의해 결합된다는 사실을 보여 준다. 그러나 일단 사회에 수용된 약속은 개인이 마음대로 바꿀 수 없다[4].

① 인간 언어에 보편성이 있어서
② 국가에 따라 언어 규범이 달라서
③ 언어마다 독특한 어휘 체계가 있어서
④ 인종마다 청각 기관의 구조가 달라서
⑤ 말소리와 의미의 결합에 자의성이 있어서

개념 확인

1 자의성
언어의 의미(내용)에 대한 언어 표현(말소리)이 언어 사회마다 다른 것은, 언어의 내용과 형식 사이에 필연적인 관계가 없다는 것, 즉 언어의 자의성을 나타냅니다.

2 사회성
이들(언어의 내용과 형식)을 연결시키는 약속은 일종의 사회적 약속입니다. 언어는 사회적 약속이므로 개인이 함부로 그 약속을 바꿀 수 없는 것은 언어의 사회성을 나타냅니다.

3 역사성(가역성)
시간의 흐름에 따라 언어의 내용과 형식이 바뀌는 것은 언어의 역사성(가역성)과 관련됩니다. 그러나 바뀐 내용을 수업 시간 선생님과 학생들 사이에서만 받아들인 것이지, 그 언어를 사용하는 모든 사람들이 받아들인 것은 아닙니다.

4 불가역성
언어의 사회적 약속은 개인이 함부로 바꿀 수 없으므로, 언어의 사회성을 불가역성이라고도 한답니다.

더 알고 싶은 **해설**

정답 풀이

❺ 말소리와 의미의 결합에 자의성이 있어서
언어 내용(의미)과 언어 형식(말소리) 사이에 필연적인 관계가 없기 때문에, 수업 시간에 선생님과 학생들이 사회적 약속을 바꿔서, 다시 말해서 공책을 '연필'로, 연필은 '공책'으로 바꿔 부를 수 있는 것이죠.

오답 풀이

① 인간 언어에 보편성이 있어서
언어의 보편성으로는 '의미에 대한 언어 표현이 언어 사회마다 다른 이유'를 설명할 수 없어요.

② 국가에 따라 언어 규범이 달라서
'국가에 따라 다른 언어 규범'은 언어의 규칙성과 관계 깊은 내용으로, '의미에 대한 언어 표현이 언어 사회마다 다른 이유'를 직접적으로 설명할 수 없어요.

③ 언어마다 독특한 어휘 체계가 있어서
'독특한 어휘 체계'는 언어의 체계성과 관계 깊은 내용으로, '의미에 대한 언어 표현이 언어 사회마다 다른 이유'를 직접적으로 설명할 수 없어요.

④ 인종마다 청각 기관의 구조가 달라서
인종마다 청각 기관의 구조가 다를 수 없습니다.

문법 놀이터

세종 대왕을 만나기 위해서는 세종 대왕 시절에 다음 단어들을 어떤 의미로 사용했는지 찾아야 합니다. 미로를 통과해서 세종 대왕께로 가 봅시다.

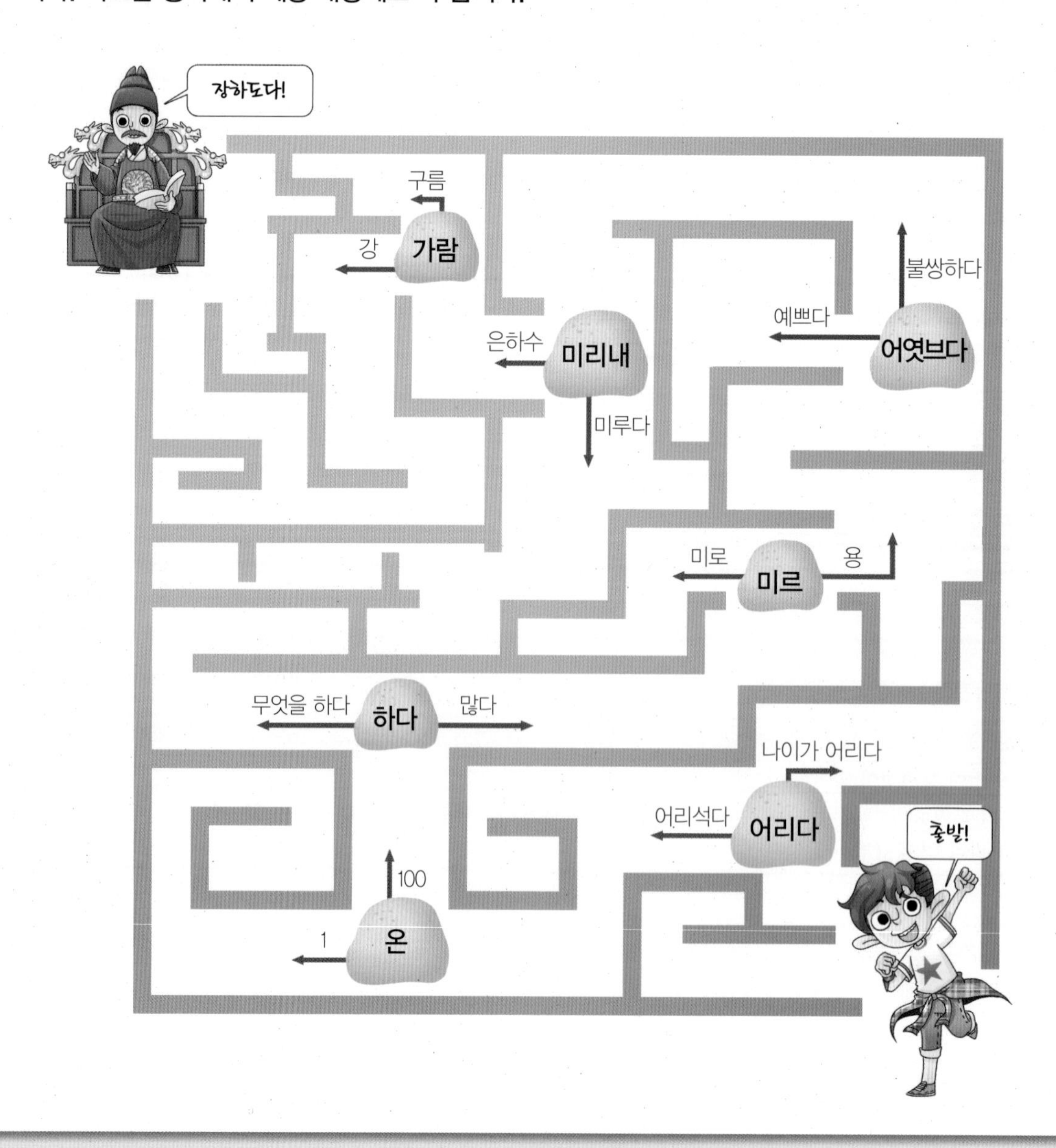

음운의 체계와 특성 1-모음

월 일

궁금이의 문법 일기

수업 시간에 친구에게 말을 걸다가 친구와 함께 선생님께 혼이 났다. 나 때문인 것 같아 미안하다는 말을 하기 위해 친구에게 전화를 했다. 미안한 마음에 오늘 일을 생각하며 말을 하다가 그만 '나'를 '너'로 잘못 말해 버렸다. 친구는 "뭐? 나 때문이라고?" 하며 더 화를 냈다. 소리 하나가 바뀌었을 뿐인데 어쩌면 이렇게 완전히 말의 뜻이 달라질까? '공, 강, 궁', '달, 돌, 둘'이나 '강, 감, 각'처럼 소리 하나 차이로 뜻이 달라지는 말이 많기는 한 것 같다. 앞으로 좀 더 신경 써서 말을 해야겠다.

콕샘 한마디!

궁금이가 실수한 '나'와 '너'는 'ㅏ'와 'ㅓ' 소리의 차이만으로 완전히 다른 뜻이 되는 말입니다. '물, 불, 풀'의 경우도 'ㅁ', 'ㅂ', 'ㅍ'의 차이로 뜻이 달라지고요. 이렇게 'ㅏ'나 'ㅓ', 'ㅁ', 'ㅂ', 'ㅍ'의 경우처럼 우리말에서 뜻을 구분하는 가장 작은 소리의 단위를 '음운'이라고 합니다. 오늘은 음운의 개념과 분절 음운 중 모음에 대해 알아볼까요?

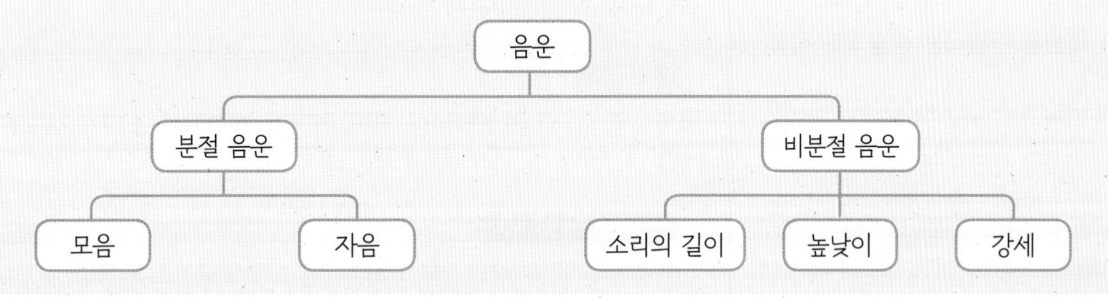

오늘의 개념 사전

음운
말의 뜻을 구별해 주는 소리의 가장 작은 단위

예 강: 'ㄱ+ㅏ+ㅇ', 공: 'ㄱ+ㅗ+ㅇ'
> '강'과 '공'은 'ㅏ'와 'ㅗ'의 차이 때문에 뜻이 구별된다. 'ㅏ'와 'ㅗ'처럼 말의 뜻을 구별하는 소리의 가장 작은 단위가 음운이다.

최소 대립쌍

음절의 다른 부분은 같고 하나만 다른 경우의 짝. 최소 대립쌍을 통해 음운을 구분한다.

예 [물] : [불], [탈] : [털], [곰] : [공]

음절

독립하여 발음할 수 있는 최소의 소리 단위. 국어의 음절은 '모음, 자음+모음, 모음+자음, 자음+모음+자음'으로 이루어진다.

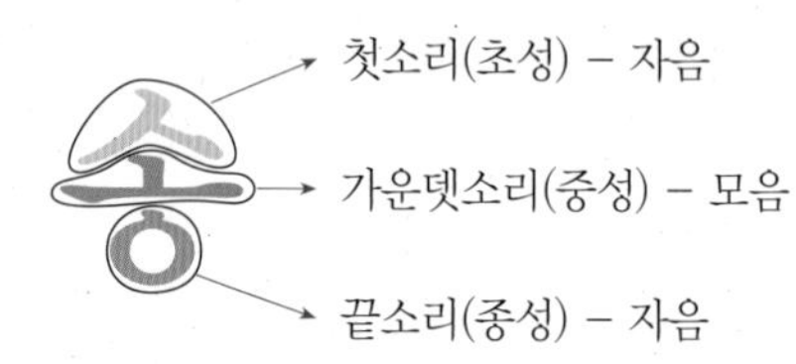

▶ 음절의 구성

모음	아, 이, 우
자음+모음	가, 지, 끼
모음+자음	악, 옥, 익
자음+모음+자음	갑, 속, 승

분절 음운
자음과 모음처럼 쉽게 분리되는 음운

비분절 음운
소리의 길이, 높낮이, 강세와 같이 쉽게 분리되지 않는 음운

예 밤[밤]에 구운 밤[밤:]을 먹었다.
> 표기는 같은 '밤'이지만 '낮'과 대조되는 '밤'은 짧은소리로, 밤나무의 열매로 우리가 먹는 '밤'은 긴소리로 발음된다. 이 경우 소리의 길이 차이로 뜻이 구별되는데, 이와 같은 것을 '비분절 음운'이라고 한다.

모음
성대(목청)의 진동을 받은 소리가 목, 입, 코를 거쳐 나오면서, 그 통로가 좁아지거나 완전히 막히거나 하는 따위의 장애를 받지 않고 나는 소리

단모음

발음할 때 입술 모양이나 혀의 위치가 고정되어 소리가 나오는 모음 (ㅏ, ㅐ, ㅓ, ㅔ, ㅗ, ㅚ, ㅜ, ㅟ, ㅡ, ㅣ)

단모음 'ㅚ'와 'ㅟ'

표준 발음법 제4항의 [붙임] 'ㅚ, ㅟ'는 이중 모음으로 발음할 수 있다.

확인하기

1
다음 빈칸에 들어갈 적절한 말을 쓰시오.

> 말의 뜻을 구별해 주는 소리의 가장 작은 단위를 (　　　　　)(이)라고 한다.

2
〈보기〉를 바탕으로 다음 빈칸에 들어갈 적절한 말을 쓰시오.

> 보기
> '제주도에는 말[말]이 많다는 말[말:]이 있다.'에서 '말'이라는 단어의 첫소리–가운뎃소리–끝소리는 모두 같은데 소리의 길이는 다르다.

> 우리말에서는 자음과 모음 이외에도 소리의 (　　　　　)가 음운의 역할을 한다.

3
자음과 모음을 구별하는 방법으로 적절한 것은?

① 입술을 벌리는 정도
② 혀와 입천장 사이의 높이
③ 입안이나 코안의 울림 정도
④ 공기의 흐름이 방해를 받는지의 여부
⑤ 공기를 들이쉬는 것과 내쉬는 것의 차이

▸연계 학습 부록 219쪽으로 한번 더!

이중 모음

발음하는 동안 입술 모양이나 혀의 위치가 달라지면서 소리가 나오는 모음

예 단모음: ㅏ, 이중 모음: ㅑ(ㅣ+ㅏ)

> 단모음 'ㅏ' 소리는 발음을 할 때 입술 모양이나 혀의 위치가 고정되지만, 이중 모음 'ㅑ'는 발음하는 동안 입술 모양과 혀의 위치가 변한다.

단모음의 분류

• 혀의 최고점의 위치에 따라: 전설 모음, 후설 모음

전설 모음: 발음할 때 혀의 최고점의 위치가 앞쪽에 있는 모음(ㅣ, ㅔ, ㅐ, ㅟ, ㅚ)

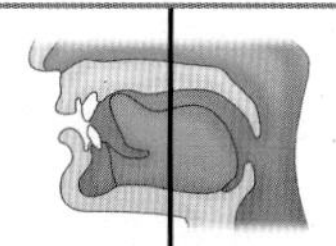

후설 모음: 발음할 때 혀의 최고점의 위치가 뒤쪽에 있는 모음(ㅡ, ㅓ, ㅏ, ㅜ, ㅗ)

• 혀의 높낮이에 따라: 고모음, 중모음, 저모음

구분	모음	설명
고모음	ㅣ, ㅟ, ㅡ, ㅜ	입을 조금 벌리고 혀의 위치를 높여 발음하며, 이때 입천장과 혀 사이의 공간이 가장 좁음.
중모음	ㅔ, ㅚ, ㅓ, ㅗ	입을 보통으로 벌리고 혀의 높이가 중간 정도 상태로 발음하며, 이때 입천장과 혀 사이의 공간이 중간 정도임.
저모음	ㅐ, ㅏ	입을 크게 벌리고 혀를 가장 낮추어서 발음하며, 이때 입천장과 혀 사이의 공간이 가장 넓음.

• 입술 모양에 따라: 원순 모음, 평순 모음

구분	모음	설명
원순 모음	ㅟ, ㅚ, ㅜ, ㅗ	입술 모양을 둥글게 하면 입술이 돌출되어 공기의 흐름이 빨라짐.
평순 모음	ㅣ, ㅔ, ㅐ, ㅡ, ㅓ, ㅏ	입술 모양을 평평하게 하면 입술이 돌출되지 않아 공기의 흐름이 빨라지지 않음.

• 정답과 해설 3~4쪽

확인하기

4

단모음이 아닌 것은?

① ㅏ ② ㅑ
③ ㅓ ④ ㅚ
⑤ ㅐ

5

고모음으로만 묶인 것은?

① ㅣ, ㅟ, ㅡ, ㅜ
② ㅣ, ㅚ, ㅓ, ㅗ
③ ㅣ, ㅟ, ㅓ, ㅜ
④ ㅐ, ㅚ, ㅓ, ㅗ
⑤ ㅐ, ㅏ, ㅜ, ㅗ

6

소리 낼 때 〈보기〉의 특성을 모두 가진 단모음은?

〈보기〉
• 혀의 높이가 높다.
• 혀의 최고점이 앞쪽에 있다.
• 입술을 둥글게 하여 소리 낸다.

① ㅣ ② ㅏ
③ ㅗ ④ ㅡ
⑤ ㅟ

문제로 정복하기

1 국어(표준어)의 음운에 대한 설명으로 적절한 것은?

① 자음과 모음, 소리의 높낮이가 있다.
② 음절은 모음을 중심으로 이루어진다.
③ 모음은 발음을 할 때 장애를 받고 나온다.
④ 말의 뜻을 구별해 주지 못하는 것도 있다.
⑤ 모음은 혀의 모양, 혀의 최고점의 위치, 입술의 모양에 따라 구별한다.

2 단어에 사용된 음운의 개수가 가장 많은 것은?

① 밤하늘 ② 손오공 ③ 항아리
④ 분수대 ⑤ 자전거

3 ㉠과 ㉡으로 구분할 때, ㉠의 모음들을 발음할 때의 공통점을 쓰시오.

> ㉠ ㅏ, ㅐ, ㅓ, ㅔ, ㅗ, ㅚ, ㅜ, ㅟ, ㅡ, ㅣ
> ㉡ ㅑ, ㅒ, ㅕ, ㅖ, ㅘ, ㅙ, ㅝ, ㅞ, ㅛ, ㅠ, ㅢ

4 다음 설명에 해당하는 음운이 포함되지 않은 단어는?

> 발음할 때, 입술 모양을 동그랗게 한 상태에서 발음하는 모음이다.

① 일석이조 ② 호가호위
③ 삼일천하 ④ 절치부심
⑤ 오비이락

5 모음을 다음과 같이 구분할 때, 기준으로 적절한 것은?

> ㅣ, ㅔ, ㅐ, ㅟ, ㅚ : ㅡ, ㅓ, ㅏ, ㅜ, ㅗ

① 혀의 높이 ② 소리의 길이
③ 입술의 모양 ④ 혀의 최고점의 위치
⑤ 입술과 혀의 움직임

6 다음 밑줄 친 부분의 모음 중, 발음할 때 혀의 높이가 가장 높은 것은?

> "네① 소원이② 무엇이냐?" 하고③ 하느님이 내게④ 물으시면, 나는 서슴지⑤ 않고, "내 소원은 대한 독립이오." 하고 대답할 것이다.
> – 김구, 『백범일지』 중에서

7 다음 〈조건〉을 모두 충족하는 단모음이 들어 있지 않은 문장은?

> 조건
> • 혀의 높이가 중간이다.
> • 입술을 둥글게 하여 소리 낸다.
> • 혀의 최고점의 위치가 뒤쪽에 있다.

① 고양이가 부뚜막에 앉아 있다.
② 주사약을 오용하면 문제가 생긴다.
③ 모든 사람의 인권은 존중되어야 한다.
④ 아마 지금쯤 검사를 끝마쳤을 것이다.
⑤ 개울둑에서 아이들이 힘차게 고함을 지른다.

8 다음에서 설명하는 모음이 들어 있지 않은 것은?

> 발음하는 동안 입술 모양이나 혀의 위치가 달라지면서 소리가 나온다.

① 낫 놓고 기역 자도 모른다.
② 아니 땐 굴뚝에 연기 나랴?
③ 개같이 벌어서 정승같이 산다.
④ 서당 개 삼 년이면 풍월을 한다.
⑤ 가는 말이 고와야 오는 말이 곱다.

• 정답과 해설 4~5쪽

9 국어의 음절에 대한 설명으로 적절하지 않은 것은?

① 하나의 모음으로도 음절을 형성할 수 있다.
② 음절의 첫소리로 자음 2개가 사용될 수 없다.
③ '모음'은 2음절로, '우리말'은 3음절로 이루어진 단어이다.
④ 모든 음절은 실제적인 의미나 문법적인 의미를 지니고 있다.
⑤ 음절은 가장 작은 발음의 단위로 한 음절 안에서 첫소리나 끝소리는 사용되지 않을 수 있다.

10 단어를 구성하고 있는 모음이 모두 단모음인 것은?

① 왕　② 미역
③ 과수원　④ 욕심쟁이
⑤ 하늘바라기

11 다음 빈칸에 들어갈 수 있는 단모음이 사용된 문장은?

> 'ㅣ → (　　) → ㅐ'의 순서로 발음하다 보면, 입이 점점 벌어지고 혀의 높이는 점점 낮아진다. 혀의 최고점의 위치는 앞에 있고, 입술은 평평한 모양이다.

① 나 보기가 역겨워 가실 때에는
② 말없이 고이 보내 드리우리다.
③ 가시는 걸음걸음 놓인 그 꽃을
④ 사뿐히 즈려밟고 가시옵소서.
⑤ 죽어도 아니 눈물 흘리우리다.

12 이중 모음에 대한 이해로 적절하지 않은 것은?

① 'ㅑ'를 길게 발음해 보면 끝에서 'ㅏ' 소리가 나는 것으로 보아 'ㅑ'는 이중 모음이야.
② 'ㅒ'를 발음해 보면 'ㅔ' 소리가 들어 있는 것을 확인할 수 있으니까 'ㅒ'는 이중 모음이야.
③ 이중 모음 'ㅙ'에도 'ㅐ'가 들어 있어. '왜' 소리를 천천히 발음해 보면 '오애'로 소리가 나거든.
④ 'ㅕ'는 'ㅣ'와 'ㅓ'로 이루어진 이중 모음 같아. 'ㅣ'와 'ㅓ'를 이어서 발음해 보면 'ㅕ' 소리가 들리거든.
⑤ 이중 모음 'ㅝ'를 발음해 보면, 'ㅟ'와 'ㅓ'의 결합이 아니라 'ㅜ'와 'ㅓ'의 결합인 것을 확인할 수 있어.

13 〈보기〉에 해당하는 국어의 모음을 모두 쓰시오.

> **보기**
> • 발음할 때 입술 모양이나 혀의 위치가 고정된 상태에서 소리가 나온다.
> • 입술을 둥글게 오므려 발음한다.

14 〈보기〉를 참고하여 모음을 홀소리라고 하는 이유를 한 문장으로 서술하시오.

> **보기**
> • 홀-[11] 「접사」
> (몇몇 명사 앞에 붙어) '짝이 없이 혼자뿐인'의 뜻을 더하는 접두사.
> • 소리[1] 「명사」
> 「3」 사람의 목소리.

수능 콕콕 수능 기출

개념 확인

1 최소 대립쌍

하나의 소리로 인해 뜻이 구별되는 단어의 짝을 최소 대립쌍이라고 합니다. 예를 들어, '발'과 '달'은 초성 'ㅂ'과 'ㄷ' 때문에 뜻이 구별됩니다. 즉 'ㅂ'과 'ㄷ'을 말의 뜻을 구별해 주는 소리의 최소 단위, 음운이라고 할 수 있지요. 이처럼 최소 대립쌍을 이용하여 음운을 찾을 수 있답니다.

1 2014학년도 대수능 예비시험 A형 11번

다음은 '음운'에 대한 학습 활동지 중 일부이다. ⓐ에 들어갈 내용으로 적절한 것은?

(ㄱ) '발'의 초성, 중성, 종성을 다른 음운으로 바꾸어 여러 단어[1]를 만들어 보자.

- 초성을 바꾼 경우(**달**, **살**)
- 중성을 바꾼 경우(**볼**, **불**)
- 종성을 바꾼 경우(**밥**, **방**)

(ㄴ) 다음 단어를 길게 발음할 때와 짧게 발음할 때의 차이를 이용해 문장을 만들어 보자.

눈	
길게 발음할 때	눈이 펑펑 내린다.
짧게 발음할 때	아이 눈이 초롱초롱하다.

⬇

(ㄱ)과 (ㄴ)을 함께 고려할 때 [ⓐ] 는 사실을 알 수 있다.

① 음운은 문자로 표기할 수 있다
② 음운은 단어의 뜻을 구별해 준다
③ 음운은 일정한 조건에서 변화한다
④ 음운은 어떤 위치든 나타날 수 있다
⑤ 음운은 감정의 차이를 표현할 수 있다

더 알고 싶은 해설

정답 풀이

❷ 음운은 단어의 뜻을 구별해 준다

국어에서 자음과 모음, 소리의 길이가 음운(말의 뜻을 구별해 주는 소리의 최소 단위)임을 확인하는 문제로군요. (ㄱ)은 자음이나 모음의 교체에 의해 단어의 의미가 달라지는 경우입니다. (ㄴ)에서는 소리의 길이에 따라 단어의 의미가 달라졌어요.

오답 풀이

① 음운은 문자로 표기할 수 있다

'소리의 길이'도 음운이지만 문자로 표기되지 않았어요.

③ 음운은 일정한 조건에서 변화한다

(ㄱ)과 (ㄴ)에서 음운의 변화 조건은 제시되지 않았어요.

④ 음운은 어떤 위치든 나타날 수 있다

자음은 초성과 종성에 올 수 있고, 모음은 중성에만 나타난답니다.

⑤ 음운은 감정의 차이를 표현할 수 있다

(ㄱ), (ㄴ)을 통해 자음이나 모음, 소리의 길이와 같은 음운이 감정의 차이를 표현할 수 있다는 것을 확인할 수 없습니다.

2 2019학년도 대수능 11번

〈보기〉의 ㉠에 들어갈 말로 적절하지 않은 것은?

보기

선생님: 최소 대립쌍이란 하나의 소리로 인해 뜻이 구별되는 단어의 짝을 말해요. 가령 최소 대립쌍 '살'과 '쌀'은 'ㅅ'과 'ㅆ'으로 인해 뜻이 달라지는데, 이때의 'ㅅ', 'ㅆ'은 음운의 자격을 얻게 되죠. 이처럼 최소 대립쌍을 이용해 음운들을 추출하면 음운 체계를 수립할 수 있어요. 이제 고유어[1]들을 모은 [A]에서 최소 대립쌍들을 찾아 음운들을 추출하고, 그 음운들을 [B]에서 확인해 봅시다.

[A] 쉬리, 마루, 구실, 모래, 소리, 구슬, 머루

[B] 국어의 단모음 체계

혀의 앞뒤 / 입술 모양 / 혀의 높낮이	전설 모음		후설 모음	
	평순	원순	평순	원순
고모음	ㅣ	ㅟ	ㅡ	ㅜ
중모음	ㅔ	ㅚ	ㅓ	ㅗ
저모음	ㅐ		ㅏ	

[학생의 탐구 내용]

추출된 음운들 중 ㉠ 을 확인할 수 있군.

① 2개의 전설 모음
② 2개의 중모음
③ 3개의 평순 모음
④ 3개의 고모음
⑤ 4개의 후설 모음

개념 확인

1 고유어

우리말은 단어의 기원에 따라 고유어, 한자어, 외래어로 분류할 수 있습니다. 고유어는 다른 나라에서 들어온 말이 아닌, 예로부터 쓰인 순우리말을 뜻합니다. [A]에 제시된 단어들은 모두 고유어에 해당합니다.

더 알고 싶은 해설

정답 풀이

❸ 3개의 평순 모음

먼저 [A]에서 최소 대립쌍으로 '쉬리 – 소리', '마루 – 머루', '구실 – 구슬'을 찾을 수 있습니다. 이를 통해 음운 'ㅟ, ㅗ, ㅏ, ㅓ, ㅣ, ㅡ'를 추출할 수 있습니다. [B]의 단모음 체계에 따르면 [A]에서 찾은 음운 중 평순 모음은 'ㅏ, ㅓ, ㅣ, ㅡ' 4개입니다.

오답 풀이

① 2개의 전설 모음

[A]에서 찾은 음운 'ㅟ, ㅗ, ㅏ, ㅓ, ㅣ, ㅡ' 중, 전설 모음은 'ㅟ, ㅣ' 2개입니다.

② 2개의 중모음

[A]에서 찾은 음운 'ㅟ, ㅗ, ㅏ, ㅓ, ㅣ, ㅡ' 중, 중모음은 'ㅗ, ㅓ' 2개입니다.

④ 3개의 고모음

[A]에서 찾은 음운 'ㅟ, ㅗ, ㅏ, ㅓ, ㅣ, ㅡ' 중, 고모음은 'ㅟ, ㅣ, ㅡ' 3개입니다.

⑤ 4개의 후설 모음

[A]에서 찾은 음운 'ㅟ, ㅗ, ㅏ, ㅓ, ㅣ, ㅡ' 중, 후설 모음은 'ㅗ, ㅏ, ㅓ, ㅡ' 4개입니다.

문법 놀이터

보물 상자를 열 수 있는 비밀번호를 찾아보세요.

다음의 암호를 풀면 비밀번호를 알 수 있습니다.

- 첫 번째 숫자의 암호: 고모음 중에서 전설 모음이면서 평순 모음인 것은? (   )
- 두 번째 숫자의 암호: 중모음 중에서 후설 모음이면서 원순 모음인 것은? (   )
- 세 번째 숫자의 암호: 저모음 중에서 후설 모음인 것은? (   )

ㅣ	ㅔ	ㅐ	ㅟ	ㅚ	ㅡ	ㅓ	ㅏ	ㅜ	ㅗ
0	1	2	3	4	5	6	7	8	9

⬇

첫 번째 숫자	두 번째 숫자	세 번째 숫자

음운의 체계와 특성 2-자음

월 일

궁금이의 문법 일기

속이 좋지 않아 친구 앞에서 소리가 나게 방귀를 뀌었다. 분명히 '붕' 하고 방귀 소리가 작았는데, 친구는 '뿡' 하고 크게 들렸다고 한다. 정말 그렇게 크게 들렸을까? 창피하게. 그런데 말하다 보니 한 가지 재미있는 사실을 알았다. '붕'보다는 '뿡'이나 '풍'이 더 크고 고약한 방귀처럼 느껴진다. 'ㅂ', 'ㅃ', 'ㅍ' 소리만 다른데 왜 그런 걸까? 게다가 '불-뿔-풀'은 '소가 불이 나서, 뿔로 풀을 헤치다.'처럼 완전히 다른 뜻을 가진 말이다. 분명 이 첫소리에 비밀이 있는 것 같다.

콕샘 한마디!

우리말의 자음은 'ㅂ-ㅃ-ㅍ'처럼 '예사소리-된소리-거센소리'로 구분된답니다. 이것은 다른 언어와 구별되는 국어의 특질이기도 하고, 이를 통해 뜻을 구별하거나 미묘한 느낌의 차이를 나타내기도 하지요. 오늘은 국어의 음운 중에서 자음에 대해 알아볼까요?

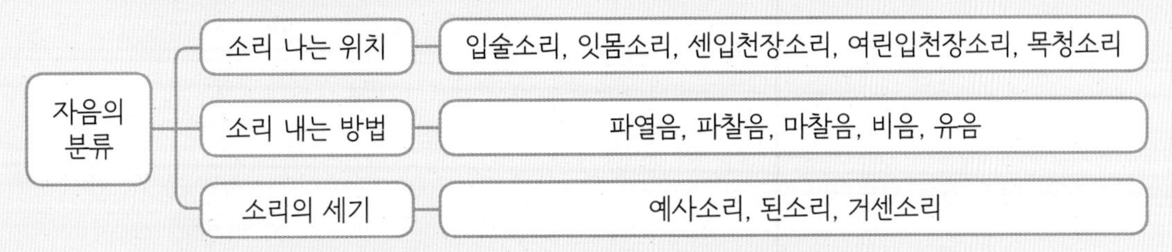

확인하기

[1~3] 다음 그림을 보고 물음에 답하시오.

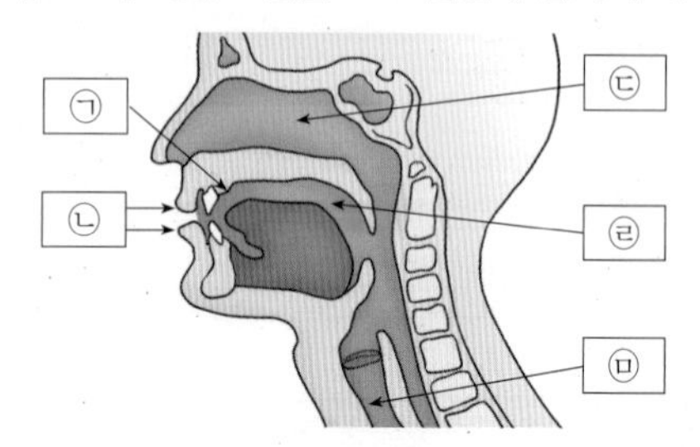

1

자음을 소리 나는 위치에 따라 분류할 때, ㉠~㉤과 관련 있는 자음의 종류로 적절한 것은?

① ㉠: 잇몸소리
② ㉡: 혀끝소리
③ ㉢: 센입천장소리
④ ㉣: 목청소리
⑤ ㉤: 여린입천장소리

2

소리 나는 위치를 고려할 때 ㉠, ㉡과 관련 있는 소리를 바르게 짝지은 것은?

	㉠	㉡
①	ㅁ, ㅂ, ㅃ, ㅍ	ㄱ, ㄲ, ㅋ, ㅇ
②	ㄱ, ㄲ, ㅋ, ㅇ	ㅈ, ㅉ, ㅊ
③	ㅈ, ㅉ, ㅊ	ㅎ
④	ㄴ, ㄷ, ㄸ, ㅌ, ㄹ, ㅅ, ㅆ	ㅁ, ㅂ, ㅃ, ㅍ
⑤	ㅎ	ㄴ, ㄷ, ㄸ, ㅌ, ㄹ, ㅅ, ㅆ

3

자음 중, ㉤과 관련 있는 것을 모두 쓰시오.

오늘의 개념 사전

자음
발음할 때 목, 입, 혀 따위의 발음 기관에 의해 구강 통로가 좁아지거나 완전히 막히는 따위의 장애를 받으며 나는 소리

소리 나는 위치에 따른 자음의 분류

• 자음은 공기의 흐름에 장애가 주로 일어나는 곳에서 소리가 만들어진다.

입술소리(양순음)	두 입술 사이에서 나는 소리	ㅁ, ㅂ, ㅃ, ㅍ
잇몸소리(치조음)	혀끝과 윗잇몸이 닿아서 나는 소리	ㄷ, ㄸ, ㅌ, ㅅ, ㅆ, ㄴ, ㄹ
센입천장소리(경구개음)	혓바닥과 센입천장 사이에서 나는 소리	ㅈ, ㅉ, ㅊ
여린입천장소리(연구개음)	혀의 뒷부분과 여린입천장 사이에서 나는 소리	ㄱ, ㄲ, ㅋ, ㅇ
목청소리(후음)	목청 사이에서 나는 소리	ㅎ

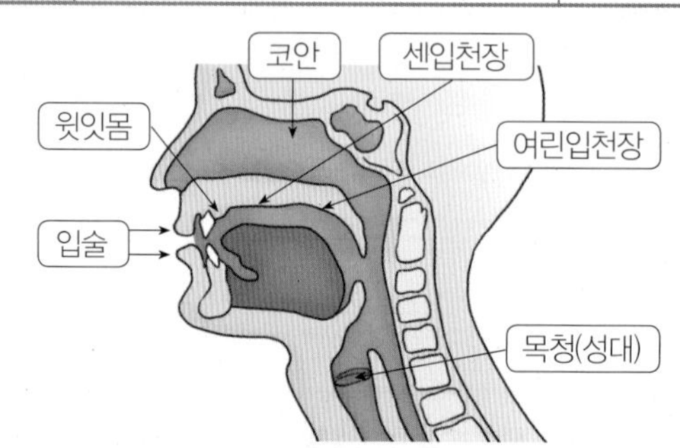

소리 내는 방법에 따른 자음의 분류

• 입안의 어떤 위치에서 공기의 흐름을 막았다가 그 막은 자리를 일시에 터뜨리면서 소리를 냄. 이렇게 내는 소리를 '파열음'이라고 함.

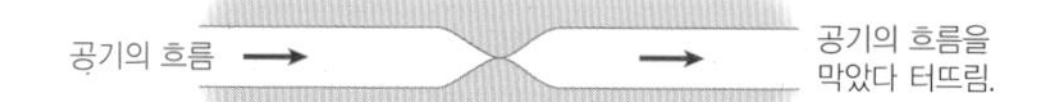

• 공기의 흐름을 막았다가 막았던 자리를 조금 열고 좁은 틈 사이로 공기를 내보내어 마찰을 일으키면서 소리를 냄. 이렇게 내는 소리를 '파찰음'이라고 함.

• 입안이나 목청 사이의 통로를 좁히고 그 틈 사이로 공기를 내보내어 마찰을 일으키면서 소리를 냄. 이렇게 내는 소리를 '마찰음'이라고 함.

공기의 흐름

• 입안의 통로를 막고 코로 공기를 내보내며 소리를 냄. 이렇게 내는 소리를 '비음'이라 함.

▶연계 학습 부록 220쪽으로 한번 더!

• 혀끝을 잇몸에 가볍게 대었다가 떼거나 혀끝을 윗잇몸에 댄 채 공기를 그 양 옆으로 흘려보내면서 소리를 냄. 이렇게 내는 소리를 '유음'이라 함.

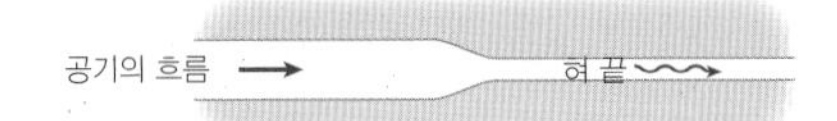

파열음	공기의 흐름을 막았다가 터뜨리면서 내는 소리	ㅂ, ㅃ, ㅍ, ㄷ, ㄸ, ㅌ, ㄱ, ㄲ, ㅋ
파찰음	공기를 막았다가 서서히 터뜨리면서 마찰하여 내는 소리	ㅈ, ㅉ, ㅊ
마찰음	공기 통로를 좁히고 좁은 틈 사이로 공기를 내보내어 마찰시켜 내는 소리	ㅅ, ㅆ, ㅎ
비음(콧소리)	입안의 통로를 막고 코로 공기를 내보내며 내는 소리	ㅁ, ㄴ, ㅇ
유음(흐름소리)	혀끝을 잇몸에 가볍게 대었다가 떼거나 혀끝을 윗잇몸에 댄 채 공기를 그 양 옆으로 흘려보내면서 내는 소리	ㄹ

소리의 세기에 따른 자음의 분류

• 예사소리 'ㅂ'을 빠르고 급하게 내면 된소리 'ㅃ'이 되고, 'ㅂ'에 강하고 거친 느낌의 [ㅎ]을 더하면 'ㅍ' 소리가 된다.

예사소리(평음)	보통의 자음 소리	ㄱ	ㄷ	ㅂ	ㅈ	ㅅ
된소리(경음)	단단하고 급한 느낌의 소리	ㄲ	ㄸ	ㅃ	ㅉ	ㅆ
거센소리(격음)	크고 거친 느낌의 소리	ㅋ	ㅌ	ㅍ	ㅊ	

예 수레가 덜거덕거리다 / 떨거덕거리다 / 털거덕거리다.
예사소리 < 된소리, 거센소리

소리의 세기에 따라 느낌의 차이를 줄 수 있다. 보통 '된소리'나 '거센소리'가 '예사소리'보다 크고 무겁고 단단한 느낌을 준다.

구강이나 비강의 울림에 따른 자음의 분류

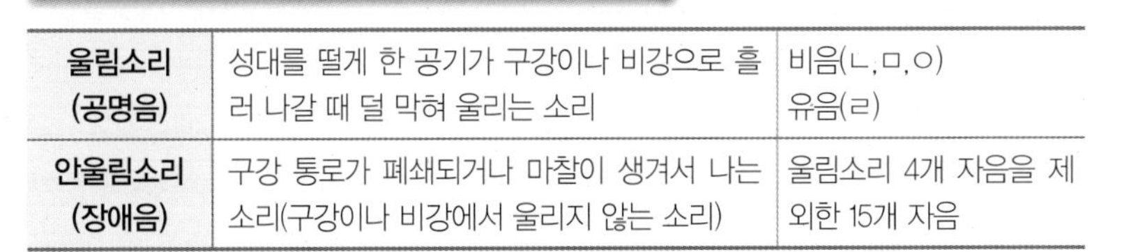

울림소리(공명음)	성대를 떨게 한 공기가 구강이나 비강으로 흘러 나갈 때 덜 막혀 울리는 소리	비음(ㄴ,ㅁ,ㅇ) 유음(ㄹ)
안울림소리(장애음)	구강 통로가 폐쇄되거나 마찰이 생겨서 나는 소리(구강이나 비강에서 울리지 않는 소리)	울림소리 4개 자음을 제외한 15개 자음

국어 음운 체계의 특성

• 자음(파열음, 파찰음)의 삼중 체계: 국어에서는 '달 : 딸 : 탈'에서 알 수 있듯이 '예사소리 – 된소리 – 거센소리'가 모두 음운의 역할을 함.
• 자음이나 모음의 교체로 미묘한 느낌의 차이를 나타냄.
예 단단 : 딴딴 : 탄탄 → 자음(예사소리, 된소리, 거센소리)의 교체
알록달록 : 얼룩덜룩 → 모음(양성 모음, 음성 모음)의 교체

• 정답과 해설 5~6쪽

확인하기

4
빈칸에 들어갈 적절한 말을 쓰시오.

(   )은/는 입안이나 목청 사이의 통로를 좁히고 그 틈 사이로 공기를 내보내어 마찰을 일으키면서 소리를 낸다.

5
단어에 사용된 자음이 모두 파찰음에 해당하는 것은?

① 주최자 ② 개회사
③ 성악가 ④ 제빵업
⑤ 짜장면

6
다음 자음들의 공통된 특징을 가장 잘 설명한 것은?

ㄲ ㄸ ㅃ ㅆ ㅉ

① 단단하고 급한 느낌의 소리이다.
② 입안이나 코안이 울리면서 나는 소리이다.
③ 입안의 통로를 막고 코로 공기를 내보내며 내는 소리이다.
④ 좁은 틈 사이로 공기가 마찰을 일으키며 나오는 소리이다.
⑤ 혀끝을 윗잇몸에 댄 채 공기를 그 양 옆으로 흘려보내면서 내는 소리이다.

문제로 정복하기

1 국어의 기본 자음자의 이름을 잘못 밝힌 것은?

① ㄱ – 기역 ② ㅁ – 미음
③ ㅈ – 지읒 ④ ㅋ – 키엌
⑤ ㅎ – 히읗

2 소리 나는 위치에 따라 자음을 나눌 때, 나머지 넷과 소리 나는 위치가 다른 하나는?

① ㄴ ② ㄷ ③ ㄹ
④ ㅁ ⑤ ㅅ

3 다음 대화의 빈칸에 들어가기에 적절하지 않은 단어는?

> 여학생: 너 얼굴이 해쓱해 보인다. 무슨 일 있니?
> 남학생: 코감기가 엄청 심해서 코가 콱 막혔어. 숨쉬기도 불편하고 발음도 어색해.
> 여학생: 우리말 자음 중에는 입안의 통로를 막고 코로 공기를 내보내며 내는 소리도 있다던데, 아무래도 그런 소리는 발음하기 힘들겠구나.
> 남학생: 그래, '(　　　　)'은/는 표준 발음에 따라 제대로 발음하기 어려워.

① 논농사 ② 각설이 ③ 감나무
④ 붕어찜 ⑤ 강아지

4 ㉠~㉤ 중, 〈보기〉의 구조로 이루어진 것은?

〈보기〉
센입천장소리+저모음+잇몸소리

> ㉠간밤에 ㉡불던 바람에 ㉢찬 서리를 쳤단 말인가.
> 낙락 ㉣장송이 다 기울어 가는구나.
> 하물며 못다 ㉤핀 꽃이야 일러 무엇하리오.
>
> – 유응부, 「간밤에 불던 바람에 ~」

① ㉠ ② ㉡ ③ ㉢
④ ㉣ ⑤ ㉤

5 다음 〈조건〉에 맞는 음운들로만 만들어진 단어는?

〈조건〉
- 윗잇몸과 혀끝이 닿아서 나는 자음
- 입술 모양을 둥글게 하며 소리 내는 모음

① 타자 ② 투수 ③ 삼진
④ 아웃 ⑤ 홈런

6 다음 자음들의 공통점을 한 문장으로 쓰시오.

> ㅁ, ㅂ, ㅃ, ㅍ

7 〈보기〉에서 밑줄 친 부분을 읽을 때, 경쾌한 느낌을 주는 이유로 적절한 것은?

〈보기〉
> 살어리 살어리랏다. 청산에 살어리랏다
> 머루랑 다래랑 먹고 청산에 살어리랏다
> 얄리얄리 얄랑셩 얄라리 얄라
>
> – 고려 가요, 「청산별곡」

① 모든 음절이 모음으로 시작하기 때문이다.
② 모든 음절의 끝소리로 유음이 사용되었기 때문이다.
③ 가볍고 부드러운 느낌을 주는 울림소리가 주로 사용되었기 때문이다.
④ 발음할 때 공기의 흐름에 장애가 일어나지 않는 소리들로 이루어져 있기 때문이다.
⑤ 크고 무겁고 단단한 느낌을 주는 된소리나 거센소리 대신에 예사소리가 주로 사용되었기 때문이다.

8 밑줄 친 부분 중, 크고 거친 느낌을 주는 자음이 포함된 것은?

> ○월 ○일
>
> 오늘은 ① 방과 후에 집으로 바로 왔다. 요즘 따라 성적이 ② 오르지 않아 고민이다. 하지만 지금 이 순간도 ③ 공부해야 하는 현실이 싫기만 할 뿐이다. 지금처럼 놀다가는 나의 미래가 ④ 캄캄하겠지? 이번 방학에는 정말 공부를 열심히 ⑤ 해야겠다.

9 〈보기 1〉에서 설명하고 있는 자음이 사용된 단어를 〈보기 2〉에서 찾아 쓰시오.

> **보기 1**
> - 두 입술 사이에서 나는 소리
> - 단단하고 급한 느낌을 주는 소리

> **보기 2**
> 오늘도 다 새겠다 호미 메고 가자꾸나.
> 내 논 다 매거든 네 논 좀 매어 주마.
> 오는 길에 뽕 따다가 누에 먹여 보자꾸나.
>
> – 정철, 「훈민가」

10 자음의 소리 나는 위치를 잘못 설명한 것은?

① 'ㅎ'은 목청 사이에서 소리가 난다.
② 'ㅁ'은 두 입술 사이에서 소리가 난다.
③ 'ㄷ'은 윗잇몸과 혀끝이 닿아서 소리가 난다.
④ 'ㄱ'은 여린입천장과 혀 뒤 사이에서 소리가 난다.
⑤ 'ㅅ'은 센입천장과 혓바닥 사이에서 소리가 난다.

11 다음은 발음 기관의 단면도이다. ○ 부분에서 발음되는 소리로만 묶인 것은?

① ㄱ, ㅋ, ㅇ　　② ㄷ, ㄸ, ㅌ
③ ㅁ, ㅂ, ㅃ　　④ ㅅ, ㅆ
⑤ ㅈ, ㅉ, ㅊ

12 다음 〈조건〉을 모두 만족하는 단어는?

> **조건**
> - 초성: 윗잇몸과 혀끝이 닿아서 나는 소리
> - 중성: 발음할 때 입술 모양을 평평하게 하여 내는 소리
> - 종성: 발음할 때 혀의 양옆으로 숨을 흘려보내면서 내는 소리

① 별　　② 종　　③ 달
④ 곰　　⑤ 땅

13 자음 'ㅈ, ㅉ, ㅊ'의 공통점에 대한 설명으로 적절하지 않은 것은?

① 크고 거친 느낌을 주는 소리이다.
② 센입천장과 혓바닥 사이에서 나는 소리이다.
③ 입안이나 코안을 울리지 않고 내는 소리이다.
④ 공기를 막았다가 서서히 터뜨리면서 마찰하여 내는 소리이다.
⑤ '잠', '짬', '참'에서 알 수 있듯이 말뜻을 구별해 주는 역할을 한다.

수능 콕콕 수능 기출

개념 확인

1 무성음과 유성음

발음할 때 성대(목청)의 진동을 수반하는 소리를 유성음, 그렇지 않은 소리를 무성음이라고 합니다. 영어와 달리 국어의 자음 체계에서는 성대의 떨림을 기준으로 음운을 구분하기 어렵답니다. 이를테면 '가기[가기]'에서 대체로 첫음절의 'ㄱ'은 무성음으로 둘째 음절의 'ㄱ'은 유성음으로 소리 나는데, 우리나라 사람들은 두 'ㄱ'을 같은 소리로 인식한답니다. 그러니까 국어에서는 무성음 'ㄱ'과 유성음 'ㄱ'을 하나의 음운으로 생각하는 셈이지요.

2 국제 음성 기호

언어학에서 주로 사용되는 음성 기록 체계를 말합니다. 현존하는 모든 언어의 소리를 독자적이고 정확하면서 표준적인 방법으로 표시하기 위해 이 기호 체계가 고안되었답니다.

1 2012학년도 대수능 42번 변형

〈보기 1〉을 바탕으로 〈보기 2〉를 탐구한 내용으로 적절한 것은?

보기 1

일반적으로 표음 문자는 언어의 음성적 차원이 아닌 음소적 차원에서 말소리를 적는다. 이를테면 '부부[pubu]'의 경우 음성적 차원에서 무성음 [p]와 유성음 [b][1]로 발음하는 것을 음소적 차원에서는 모두 'ㅂ'으로 표시한다. 이것은 출현 환경이 다른, 어두의 [p]와 모음 사이의 [b]가 국어 화자들에게는 동일한 말소리로 인식되기 때문이다. '가구'의 'ㄱ', '다도'의 'ㄷ'도 마찬가지이다. 이처럼 한글의 표음성은 국어 화자들의 '예민한 귀'보다는 '지혜로운 머리'에 맞춰진 합리성을 보여 준다.

보기 2

일반 문자와 달리 국제 음성 기호[2]는 발음과 기호가 일대일로 대응한다. 다음은 같은 말소리를 한글과 국제 음성 기호로 표기한 것이다.

A: [고궁이크다]
B: [koguŋikʰida]

① A와 B를 비교해 볼 때 한글의 표음성은 음소적 차원과 관련되는군.
② A는 일반적인 문자 표기와 일치한다는 점에서 말소리의 음성적 특성을 B보다 잘 반영하는군.
③ A의 'ㄱ'은 B에서 두 개의 기호에 대응하지만 두 기호의 출현 환경은 같군.
④ A의 'ㅇ'은 B를 참조해 볼 때 발음과 기호가 일대일로 대응하는군.
⑤ B는 단어의 의미를 고려하여 표기했다는 점에서 A에 비해 표음성이 낮군.

더 알고 싶은 해설

정답 풀이

❶ A와 B를 비교해 볼 때 한글의 표음성은 음소적 차원과 관련되는군.

무성음 [k]와 유성음 [g]를 같은 'ㄱ'으로 표기하는 한글 자음 체계의 특징과 관련된 문제이군요. [고궁이크다]에서 같은 음으로 표시된 '고'의 'ㄱ'과 '궁'의 'ㄱ'이 B에서는 무성음 [k]와 유성음 [g]로 다르게 표기되어 있어요. 한글은 음소적인 차원에서 말소리를 적기 때문에 나타난 현상입니다.

오답 풀이

② A는 일반적인 문자 표기와 일치한다는 점에서 말소리의 음성적 특성을 B보다 잘 반영하는군.

한글은 무성음 [k]와 유성음 [g]의 다른 소리를 똑같은 'ㄱ' 하나로 표시하고 있으므로, 음성적 특성이 아니라 음소적 특성을 반영한다고 할 수 있어요.

③ A의 'ㄱ'은 B에서 두 개의 기호에 대응하지만 두 기호의 출현 환경은 같군.

B의 무성음 [k]는 어두에서 소리 나고, 유성음 [g]는 모음 사이에서 소리가 나고 있으므로 출현 환경이 다릅니다.

④ A의 'ㅇ'은 B를 참조해 볼 때 발음과 기호가 일대일로 대응하는군.

[고궁이크다]에서 'ㅇ'은 [ŋ]으로 발음되는 '궁'에도, 발음되지 않는 '이'에도 쓰였어요. 따라서 발음과 기호가 일대일로 대응하지 않는답니다.

⑤ B는 단어의 의미를 고려하여 표기했다는 점에서 A에 비해 표음성이 낮군.

B는 단어의 의미를 고려하여 표기한 것이 아니라 발음과 일대일로 대응하는 음성적 차원의 표기입니다.

2 2015학년도 대수능 9월 모의평가 A형 11번

〈보기〉의 ㉠에 들어갈 내용으로 알맞은 것은?

보기

학생: '식물'이 [싱물]로 발음되는데, 두 자음이 만나서 발음될 때 조음 위치나 방식 중 무엇이 바뀐 것인가요?

선생님: 아래의 자음 분류표를 보면서 그 답을 찾아봅시다.

조음 위치 / 조음 방식	양순음	치조음	연구개음[1]
파열음[2]	ㅂ	ㄷ	ㄱ
비음[3]	ㅁ	ㄴ	ㅇ

이 표는 국어 자음을 조음 위치와 조음 방식에 따라 분류[4]한 자음 체계의 일부입니다. '식'의 'ㄱ'이 '물'의 'ㅁ' 앞에서 [ㅇ]으로 발음되지요. 이와 비슷한 예들로는 '입는[임는]', '뜯는[뜬는]'이 있는데, 이 과정에서 무엇이 달라졌나요?

학생: 세 경우 모두 두 자음이 만나서 발음될 때, (㉠)이/가 변했네요.

① 앞 자음의 조음 방식
② 뒤 자음의 조음 방식
③ 두 자음의 조음 방식
④ 앞 자음의 조음 위치
⑤ 뒤 자음의 조음 위치

개념 확인

1 자음의 명칭
양순음은 입술소리, 치조음은 잇몸소리, 연구개음은 여린입천장소리를 말합니다.

2 파열음
국어의 자음 중에서 공기의 흐름을 막았다가 터뜨리며 내는 소리로 'ㅂ, ㅃ, ㅍ, ㄷ, ㄸ, ㅌ, ㄱ, ㄲ, ㅋ'이 해당합니다.

3 비음
국어의 자음 중에서 입안의 통로를 막고 코로 공기를 내보내면서 내는 소리로 'ㅁ, ㄴ, ㅇ'이 해당합니다.

4 자음의 분류 기준
국어의 자음은 소리가 나는 위치인 조음 위치, 소리를 내는 방법인 조음 방식에 따라 분류할 수 있습니다. 음운 변동이 일어날 때는 대체로 비슷한 조음 위치나 조음 방식으로 변하는 경우가 많습니다.

더 알고 싶은 해설

정답 풀이

❶ 앞 자음의 조음 방식

'식물[싱물]: ㄱ+ㅁ → ㅇ+ㅁ', '입는[임는]: ㅂ+ㄴ → ㅁ+ㄴ', '뜯는[뜬는]: ㄷ+ㄴ→ ㄴ+ㄴ'으로 바뀐 것으로, 앞 자음인 파열음(ㄱ, ㅂ, ㄷ)이 조음 위치는 그대로인 상태로, 뒤 자음과 같은 조음 방식인 비음(ㅇ, ㅁ, ㄴ)으로 바뀌었습니다.

오답 풀이

② 뒤 자음의 조음 방식
뒤 자음은 변하지 않습니다.

③ 두 자음의 조음 방식
앞 자음의 조음 방식만 바뀝니다.

④ 앞 자음의 조음 위치
바뀐 앞 자음의 조음 위치는 같습니다.

⑤ 뒤 자음의 조음 위치
뒤 자음의 조음 위치는 변하지 않습니다.

• 정답과 해설 7쪽

문법 놀이터

다음 인물은 누구일까요? 비밀의 열쇠로 알아맞혀 보세요.

[비밀의 열쇠]

	1	2	3
초성	잇몸소리, 마찰음, 예사소리	목청소리, 마찰음	입술소리, 비음
중성	후설 모음, 중모음, 원순 모음	후설 모음, 고모음, 평순 모음	전설 모음, 고모음, 평순 모음
종성	잇몸소리, 비음	여린입천장소리, 비음	잇몸소리, 비음

↓ 1 ↓ 2 ↓ 3

정확한 발음과 표기1-표기와 발음의 원리 (월 일)

궁금이의 문법 일기

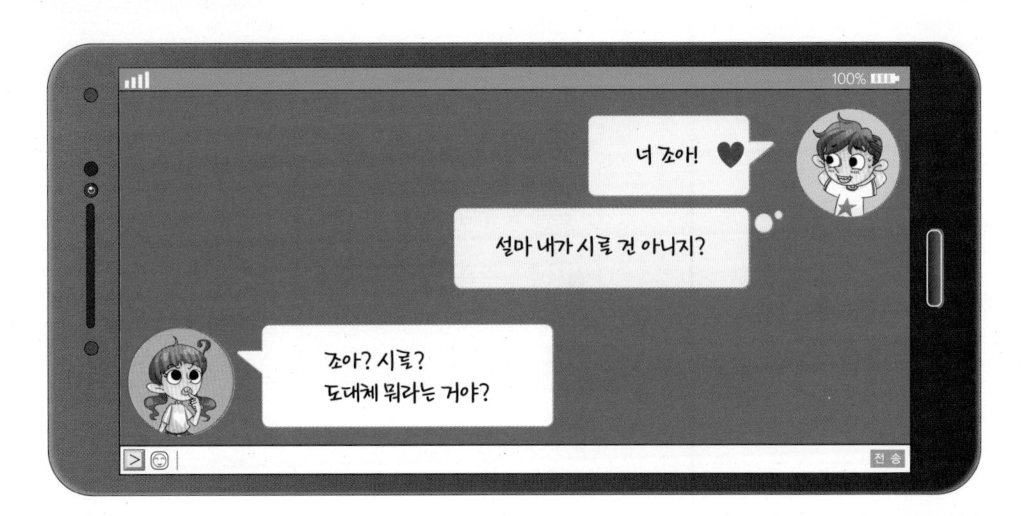

친구에게 '너 조아!'라고 고백하고, '내가 시른 건 아니지?'라고 묻는 문자 메시지를 보냈다. 그런데 친구는 '도대체 뭐라는 거야?'라며 답장을 보내 왔다. '좋아', '싫은'이라고 하면 왠지 쑥스러워서 소리 나는 대로 '조아', '시른'이라고 적어 보냈는데, 친구는 도대체 무슨 말인지 이해하지 못한 듯하다. '조아', '시른'은 잘못된 표기라서 친구가 이해 못한 걸까, 아니면 일부러 모르는 척 한 걸까? 아무래도 '좋아', '싫은'이라고 정확히 표기하여 문자 메시지를 다시 보내야겠다.

콕샘 한마디!

궁금이는 '좋아', '싫은'이라고 적어야 할 것을 소리 나는 대로 '조아, 시른'이라고 적어서 친구와의 의사소통에 어려움을 겪었군요. 우리말의 올바른 발음과 표기의 원칙을 밝혀 놓은 우리말 규범이 정해져 있어요. 우리말 규범에 맞게 국어 생활을 해야 다른 사람에게 자신의 생각을 정확하게 전달하여 다른 사람이 이해하지 못하거나 오해하는 일을 줄일 수 있답니다. 오늘은 바른 국어 생활의 첫걸음이라고 할 수 있는 우리말 표기와 발음의 원리를 알아볼까요?

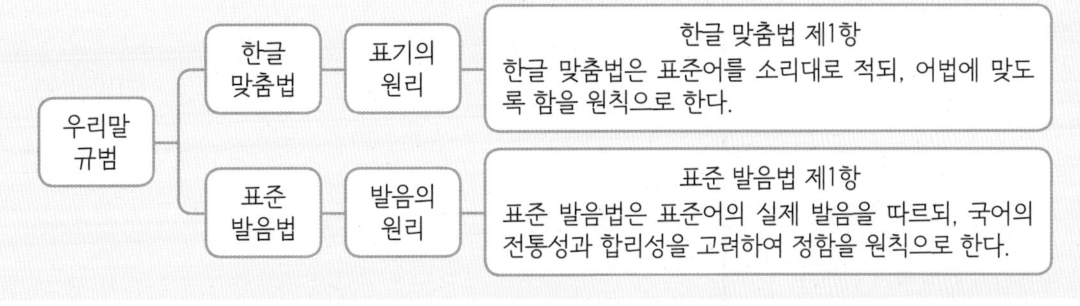

확인하기

1
빈칸에 들어갈 적절한 말을 쓰시오.

> 우리말을 한글로 적을 때에는 (   )을/를 따라야 하고, 표준어를 발음할 때에는 (   )을/를 따라야 한다.

2
표준어를 소리대로 적은 것으로 보기 <u>어려운</u> 것은?

① 해바라기
② 바람개비
③ 술래잡기
④ 강강술래
⑤ 호루라기

3
㉠처럼 표기하지 않고 ㉡처럼 표기하는 이유는?

㉠	㉡
꼬치	꽃이
꼰만	꽃만
꼳또	꽃도

① 교양을 자랑하기 위해서
② 실제 발음을 따르기 위해서
③ 정확한 발음을 익히기 위해서
④ 정확한 표기를 익히기 위해서
⑤ 말뜻을 파악하기 쉽게 하기 위해서

오늘의 개념 사전

우리말 어문 규범-한글 맞춤법
한글로써 우리말을 표기하는 규칙. 효시는 훈민정음이라고 할 수 있고, 현재의 맞춤법은 1933년의 '한글 맞춤법 통일안'을 기본으로 하여, 1988년 1월 문교부가 확정·고시한 것임.

표기의 원리

한글 맞춤법은 표준어를 소리대로 적되, 어법에 맞도록 함을 원칙으로 한다.(한글 맞춤법 제1항)

나무[나무], 구름[구름], 하늘[하늘] ➡ 표준어를 소리대로 적음.

꽃이[꼬치], 꽃만[꼰만], 꽃도[꼳또] ➡ 표준어를 어법에 맞도록 적음.

• 어법에 맞도록 적는 이유: 뜻을 파악하기 쉽도록 단어의 본래 형태를 밝혀 적음.

꼬치 아름다워 꼰만 보며 꼳꽈 살고 시퍼.
⬇
소리대로만 적음.
⬇
'꼬치/꼰만/꼳꽈'가 모두 '꽃'과 관련된 뜻임을 쉽게 파악하기 어려움.

꽃이 아름다워 꽃만 보며 꽃과 살고 싶어.
⬇
단어의 본래 형태를 밝혀 적음.
⬇
'꽃이/꽃만/꽃과'가 모두 '꽃'과 관련된 뜻임을 쉽게 파악할 수 있음.

본말과 준말의 표기

• 'ㅗ, ㅜ'+'-아/어' ⇨ 'ㅘ/ㅝ'로 표기함.

본말	보아	두어	보았다	두었다
준말	봐	둬	봤다	뒀다

• 'ㅚ'+'-어' ⇨ 'ㅙ'로 표기함.

본말	되어	쐬어	되었다	쐬었다
준말	돼	쐐	됐다	쐤다

• 부정 표현의 본말과 준말

본말	아니 (먹다)	(먹지) 아니하다
준말	안 (먹다)	(먹지) 않다

▶ 연계 학습 부록 221쪽으로 한번 더!

• 정답과 해설 7~8쪽

혼동하기 쉬운 표기

가르치다	선생님이 아이들을 가르치다.
가리키다	저기서 뛰어노는 강아지를 가리키다.
낫다	병이 낫다.
낳다	고양이가 새끼를 낳다.
다치다	철수가 팔을 다치다.
닫히다	문구점의 문이 닫히다.
마치다	수업을 마치다.
맞추다	친구와 함께 답을 맞추다.
맞히다	수수께끼의 정답을 맞히다.
바라다	우정이 영원하기를 바라다.
바래다	헌옷의 색이 바래다.
부치다	짐을 외국으로 부치다.
붙이다	봉투에 우표를 붙이다.
반드시	그 일을 반드시 해내자.
반듯이	의자에 반듯이 앉아라.

우리말 어문 규범-표준 발음법
표준어를 발음할 때 기준이 되는 발음상의 규범과 규칙. 현재의 표준 발음법은 2017년 3월 문화체육관광부가 고시한 표준어 규정 제2부에 실려 있다.

발음의 원리

표준 발음법은 표준어의 실제 발음을 따르되, 국어의 전통성과 합리성을 고려하여 정함을 원칙으로 한다.(표준 발음법 제1항)

• 국어의 전통성을 고려하여 정한 표준 발음의 예

현실 발음	표준 발음
모음의 길이가 정확히 구별되지 않는 경우가 많음.	국어의 전통성을 고려하여 모음의 길이를 규정함.
'ㅐ'와 'ㅔ'를 명확히 구별하여 발음하지 못하는 경우가 많음.	국어의 전통성을 고려하여 'ㅐ'와 'ㅔ'를 명확히 구별하여 발음하도록 규정함.

• 국어의 합리성을 고려하여 정한 표준 발음의 예

현실 발음	표준 발음
'닭이/닭을/닭은'을 '[다기], [다글], [다근]'으로 발음하는 경우가 많음.	국어의 합리성을 고려하여 '[달기], [달글], [달근]'을 표준 발음으로 정함.
'맛있다/멋있다'를 '[마싣따], [머싣따]'로 발음하는 경우가 많음.	'[마딛따], [머딛따]'로 발음하는 것을 원칙으로 하고, '[마싣따], [머싣따]'로 발음하는 것을 허용함.

• 받침의 연음: 대체로 앞 음절의 끝 자음이 모음으로 시작되는 뒤 음절의 초성으로 이어져 소리가 남.

예 봄이[보미], 겨울이[겨우리] 닭이[달기], 닭을[달글]

※ 다만, '소망을[소망을]'의 경우처럼 받침 'ㅇ'은 받침소리로만 쓰이므로 연음이 일어나지 않음.

확인하기

4
본말과 준말의 관계가 적절하지 않은 것은?
① 보아라 – 봐라
② 되었다 – 됐다
③ 두어서 – 둬서
④ 이야기 – 얘기
⑤ 아니하였다 – 않았다

5
밑줄 친 단어의 표기가 정확한 것은?
① 철문점이 다치기 전에 못을 사 오너라.
② 앞으로 우리의 우정이 영원하기를 바래.
③ 누군가를 가리키는 일은 정말 보람이 있다.
④ 나뭇조각을 붙일 때에는 목공용 풀을 사용해야지.
⑤ 고양이가 새끼를 낫는 바람에 한눈팔 새 없이 바빴다.

6
받침이 연음되는 방식이 다른 하나는?
① 봄이
② 닭을
③ 가을에
④ 수꿩에게
⑤ 구름 위로

7
㉠과 ㉡에 들어갈 정확한 발음을 쓰시오.

맛있다 [㉠]
맛없다 [㉡]

문제로 정복하기

1 **다음 대화에 대하여 떠올린 생각으로 적절하지 않은 것은?**

> 남학생: 이 화분을 빛이[비시] 많은 곳에 둬야지.
> 여학생: 화분을 왜 빗이[비시] 많은 곳에 두는데?

① 남학생이 '빛이[비치]'라고 발음해야 정확하겠군.
② 부정확한 발음이 원활한 의사소통을 방해하고 있군.
③ 우리말은 표기뿐만 아니라 발음도 정확하게 사용해야 하는군.
④ 우리말 음절의 끝소리는 말뜻을 구별해 주는 역할을 하지 못하는군.
⑤ 우리말 음절의 끝소리는 대체로 모음으로 시작하는 다음 음절의 첫소리로 발음해야 하는군.

2 **〈보기〉에서 (가)처럼 표기하지 않고 (나)처럼 표기할 때 적용된 표기의 원칙을 설명하시오.**

> ◀보기▶
> (가) 꼬치 예뻐서 꼰만 보고 시퍼.
> (나) 꽃이 예뻐서 꽃만 보고 싶어.

3 **다음 밑줄 친 부분의 표기 원리가 다른 하나는?**

> 죽는 날까지 ㉠하늘을 우러러
> ㉡한 점 ㉢부끄럼이 없기를
> ㉣잎새에 이는 ㉤바람에도
> 나는 괴로워했다.
> – 윤동주, 「서시」 중에서

① ㉠ ② ㉡ ③ ㉢
④ ㉣ ⑤ ㉤

4 **다음 문장을 정확하게 발음한 것은?**

> 닭이 헤집어 놓은 것 같다.

① [다기 헤지버 노은 걷깓따]
② [달기 헤지버 노은 걷깓따]
③ [다기 헤지버 노흔 걷깓따]
④ [달기 헤지버 노흔 걷깓따]
⑤ [다기 헤지퍼 노흔 걷깓따]

5 **〈보기〉의 쪽지를 받고 우리말의 올바른 표기와 발음에 대하여 떠올린 생각으로 적절하지 않은 것은?**

> ◀보기▶
> ㉠억그제 내가 너 ㉡조타고 ㉢했자나.
> 왜 답이 ㉣엄니? 내가 ㉤시른 건 아니지?

① ㉠: [억그제]로 읽고 '엊그제'로 적어야겠군.
② ㉡: [조:타]로 읽고 '좋다'로 적어야겠군.
③ ㉢: [핸짜나]로 읽고 '했잖아'로 적어야겠군.
④ ㉣: [엄:니]로 읽고 '없니'라고 적어야겠군.
⑤ ㉤: [시른]으로 읽고 '싫은'이라고 적어야겠군.

6 **㉠~㉣을 설명한 내용으로 적절하지 않은 것은?**

> • 고개 ㉠너머에 있는 산을 ㉡넘어 보자.
> • 자세를 ㉢반듯이 하고 이 일을 ㉣반드시 마쳐라.

① ㉠은 소리대로 표기한 것이다.
② ㉡은 의미 파악이 쉽도록 어법에 맞게 적은 것이다.
③ ㉠과 ㉡은 발음만으로는 의미를 구분할 수 없다.
④ ㉢처럼 단어의 본 모양을 적으면 뜻이 쉽게 파악된다.
⑤ ㉣은 단어의 본뜻이 파악되도록 어법에 맞게 적은 것이다.

7 〈보기〉에서 우리말을 한글로 표기하는 원칙에 어긋난 단어의 개수는?

ㅇㅇ분식 메뉴

달콤한 떡복이	ㅇㅇㅇㅇ원
먹기 조은 김밥	ㅇㅇㅇㅇ원
김밥 짝궁 라면	ㅇㅇㅇㅇ원
매콤한 김치찌게	ㅇㅇㅇㅇ원
부드러운 달걀말이	ㅇㅇㅇㅇ원

*설겆이를 하시면 10% 가격이 할인됩니다.

① 1개 ② 2개 ③ 3개
④ 4개 ⑤ 5개

8 ㉠~㉤ 중, 맞춤법에 맞게 표기된 것은?

오늘은 친구와 함께 ㉠음식에 맛이 좋기로 유명한 전통 시장에 갔다. ㉡육계장, 빈대떡 등 맛있는 음식이 많았다. 맛집으로 소문난 식당에서 ㉢순두부찌게를 먹었는데, 반찬으로 나온 ㉣오이소백이 맛이 일품이었다. 평소 오이를 ㉤건드리지도 않는 동생이 불쌍하게 여겨질 정도의 맛이었다.

① ㉠ ② ㉡ ③ ㉢
④ ㉣ ⑤ ㉤

9 〈보기〉에서 밑줄 친 단어의 사용이 올바른 것끼리 묶은 것은?

보기
㉠ 철수는 약국 문이 다치기 전에 닫힌 팔에 바를 약을 사야 했다.
㉡ 교복이 누렇게 바라도 우리의 변함없는 우정은 영원하길 바래.
㉢ 팔순이신 할아버지께 문안하면서 노래도 무난하게 불러 드렸다.
㉣ 선생님은 시곗바늘을 가르치며 아이들에게 시계 읽는 법을 가리키고 계셨다.
㉤ 문제를 다 풀고 나서 내가 적은 답을 정답지와 맞추어 보니 모든 문제를 맞히었다.

① ㉠, ㉡ ② ㉠, ㉢ ③ ㉡, ㉣
④ ㉢, ㉤ ⑤ ㉣, ㉤

10 빈칸에 들어갈 말로 가장 적절한 것은?

보기
남학생: '맛없다'는 [마덥따]로 발음하는데, '맛있다'는 왜 [마신따]로 발음하는 걸까?
여학생: '맛있다'는 ______________.

① [마딛따]가 올바른 발음이야. [마신따]는 잘못된 발음이지.
② [마신따]가 올바른 발음이야. [마딛따]는 잘못된 발음이지.
③ [마신따]로 발음하니까 '맛없다'도 [마섭따]로 발음해야 해.
④ [마딛따]로 발음하는 것이 원칙이지만, [마신따]로 발음하는 것도 허용하고 있어.
⑤ [마신따]로 발음하는 것이 원칙이지만, [마딛따]로 발음하는 것도 허용하고 있어.

11 밑줄 친 부분의 준말이 바르지 못한 것은?

① 책이 놓이어 있다. → 놓여
② 강아지가 차에 치이었다. → 치였다
③ 지난밤에 나쁜 꿈을 꾸었다. → 꿨다
④ 오늘따라 공부가 잘되었다. → 잘됐다
⑤ 엄마가 아이의 오줌을 누이고 있다. → 뉘고

12 다음 문장의 정확한 발음을 적으시오.

숲에서 모기가 하필이면 무릎을 물었어.
→ [ ]

13 다음 표기가 잘못된 부분 2곳을 찾아 바르게 고쳐 쓰시오.

오늘은 늦게 일어났다. 얼굴도 않 씻고 학교를 향해 뛰었다. 다행히 지각은 하지 안았다.

수능 콕콕 수능 기출

개념 확인

1 파생어와 합성어

'보리, 밥, 소리'는 실질적 의미를 나타내는 어근이고, '-꾼'은 '어떤 일을 전문적으로 하는 사람'의 뜻을 더하는 접사입니다. '소리꾼(소리+-꾼)'처럼 어근과 접사의 결합으로 이루어진 단어를 파생어, '보리밥(보리+밥)'처럼 어근과 어근의 결합으로 이루어진 단어를 합성어라고 합니다.

1 2016학년도 대수능 B형 12번

〈보기〉는 한글 맞춤법 제1항이 파생어와 합성어[1]에 적용된 예를 찾아본 것이다. ㉠~㉤에 들어갈 예로 적절한 것은?

보기

제1항 한글 맞춤법은 표준어를 ⓐ소리대로 적되, ⓑ어법에 맞도록 함을 원칙으로 한다.

	파생어	합성어
ⓐ만 충족한 경우	㉠	㉡
ⓑ만 충족한 경우	㉢	㉣
ⓐ, ⓑ 모두 충족한 경우	㉤	줄자(줄+자) 눈물(눈+물)

① ㉠: 이파리(잎+아리), 얼음(얼+음)
② ㉡: 마소(말+소), 낮잠(낮+잠)
③ ㉢: 웃음(웃+음), 바가지(박+아지)
④ ㉣: 옷소매(옷+소매), 밥알(밥+알)
⑤ ㉤: 꿈(꾸+ㅁ), 사랑니(사랑+이)

더 알고 싶은 해설

정답 풀이

❹ ㉣: 옷소매(옷+소매), 밥알(밥+알)

'옷소매'는 어근 '옷'과 어근 '소매'의 결합으로 이루어진 합성어로 [옫쏘매]로 발음되므로 ⓑ만 충족합니다. '밥알'은 어근 '밥'과 어근 '알'의 결합으로 이루어진 합성어로 [바발]로 발음되므로 ⓑ만 충족합니다.

오답 풀이

① ㉠: 이파리(잎+아리), 얼음(얼+음)

파생어 '이파리[이파리]'는 ⓐ만 충족하고, 파생어 '얼음[어름]'은 ⓑ만 충족합니다.

② ㉡: 마소(말+소), 낮잠(낮+잠)

합성어 '마소[마소]'는 ⓐ만 충족하고, 합성어 '낮잠[낟짬]'은 ⓑ만 충족합니다.

③ ㉢: 웃음(웃+음), 바가지(박+아지)

파생어 '웃음[우슴]'은 ⓑ만 충족하고, 파생어 '바가지[바가지]'는 ⓐ만 충족합니다.

⑤ ㉤: 꿈(꾸+ㅁ), 사랑니(사랑+이)

'꿈[꿈]'은 ⓐ와 ⓑ를 모두 충족하는 파생어이고, '사랑니[사랑니]'는 ⓐ만 충족하는 합성어입니다.

2 2016학년도 대수능 6월 모의평가 B형 12번

〈보기〉의 선생님의 설명을 바탕으로 할 때, ㉠에 들어갈 말로 적절하지 않은 것은?

보기

학생: '되어요, 돼요, 되요' 중에서 어느 게 맞는지 궁금해요.

선생님: "어간[1] 모음 'ㅚ' 뒤에 '-어'가 붙어서 'ㅙ'로 줄어지는 것[2]은 'ㅙ'로 적는다."라는 맞춤법 규정에 따르면 '되어요'는 어간 '되-'에 '-어요'가 결합된 것이므로 '돼요'로 줄어들 수 있어. 그러니까 '되어요, 돼요'는 맞는 말이지만 '되요'는 틀린 말이지. '(바람을) 쐬다, (턱을) 괴다, (나사를) 죄다, (어른을) 뵈다, (명절을) 쇠다' 등도 이 규정에 따라 적으면 돼.

학생: 아, 그러면 [㉠]

① '쐬어라'는 '쐬-'와 '-어라'가 결합된 것이므로 '쐐라'로 줄어들 수 있겠네요.
② '괴-'와 '-느냐'가 결합될 때는 '어'가 들어갈 수 없으므로 '괘느냐'는 틀린 말이겠네요.
③ '좨도'는 '죄-'와 '-어도'가 결합된 말이 줄어든 것이겠네요.
④ '뵈-'가 '-어서'와 결합되면 '봬서'로 줄어들 수 있겠네요.
⑤ '쇠-'와 '-더라도'가 결합될 때는 '쇄더라도'로 적으면 틀린 것이겠네요.

개념 확인

1 어간
'먹다, 먹고, 먹으니'처럼 용언이 활용할 때 '먹-'과 같이 변하지 않는 부분을 '어간'이라고 합니다.

2 준말의 표기
대체로 어간과 어미의 두 모음이 줄어들어 하나의 모음으로 발음될 때에는 발음대로 표기합니다.

더 알고 싶은 해설

정답 풀이

❶ '쐬어라'는 '쐬-'와 '-어라'가 결합된 것이므로 '쐐라'로 줄어들 수 있겠네요.
| 'ㅚ' 뒤에 '-어'가 붙은 형태는 'ㅙ'로 줄어들 수 있으므로 '쐬어라'는 '쐐라'로 줄여 표기할 수 있어요.

오답 풀이

② '괴-'와 '-느냐'가 결합될 때는 '어'가 들어갈 수 없으므로 '괘느냐'는 틀린 말이겠네요.
| '괴-'와 '-느냐'가 결합하는 것은 'ㅚ' 뒤에 '-어'가 붙는 경우가 아니므로 '괴느냐'로 표기합니다.

③ '좨도'는 '죄-'와 '-어도'가 결합된 말이 줄어든 것이겠네요.
| 'ㅚ'와 '-어'가 'ㅙ'로 줄어지는 것이므로 '좨도'로 표기할 수 있어요.

④ '뵈-'가 '-어서'와 결합되면 '봬서'로 줄어들 수 있겠네요.
| '뵈-'와 '-어서'가 결합하였으므로 '봬서'로 줄여 표기할 수 있어요.

⑤ '쇠-'와 '-더라도'가 결합될 때는 '쇄더라도'로 적으면 틀린 것이겠네요.
| '쇠-'와 '-더라도'가 결합하는 것은 'ㅚ' 뒤에 '-어'가 붙는 경우가 아니므로 '쇠더라도'로 표기합니다.

문법 놀이터

숨어 있는 그림을 찾아보세요.

1단계 다음에 제시된 말들을 다음 기준에 따라 셋으로 나눕니다.

1. 표기와 발음이 일치하는 단어:

2. 받침의 발음이 대표음으로 바뀌어 표기와 발음이 다른 단어:

3. 받침의 발음이 다음 음절로 연음되어 표기와 발음이 다른 단어:

2단계 세 가지 기준을 각각 다른 색으로 칠합니다.

3단계 그림에서 숨어 있는 그림을 찾습니다.

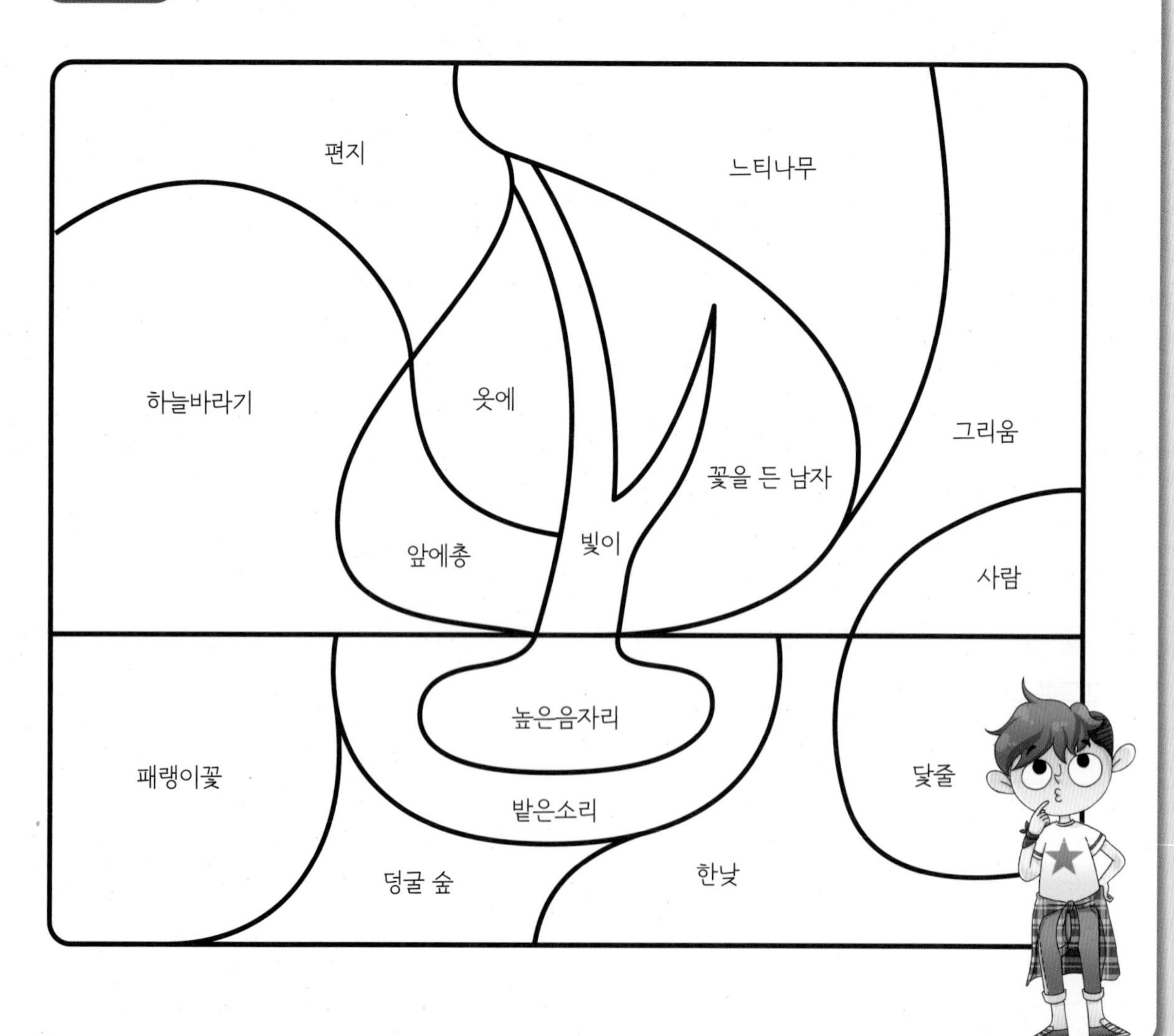

정확한 발음과 표기 2-받침의 발음

월 일

궁금이의 문법 일기

하굣길에 친구에게 우리 집에 빚이[비시] 많아 고민이라고 했더니 친구가 빗을[비슬] 나누자고 했다. 처음에는 빚까지 나누려 하다니 진정한 친구가 따로 없다고 생각했는데, 나중에야 친구가 빚을 나눠 지겠다는 뜻이 아니라 빗을 나눠 갖겠다는 뜻으로 대답했음을 깨달았다. 애초에 내가 '빚이'를 [비시]가 아니라 [비지]라고 정확하게 발음했다면, 친구가 내 말뜻을 오해하지도 않고 따뜻한 위로의 말을 건네주었을 것이다. 앞으로는 '빚'과 '빗' 같은 단어의 받침에 좀 더 유의하여 발음해야겠다.

콕샘 한마디!

궁금이가 '빚이[비지] 많다'라고 발음해야 할 것을 '빚이[비시] 많다'라고 발음해서 친구가 빗이 많은 것으로 오해했군요. '빚, 빗'은 받침으로 쓰인 자음자에 따라서 의미가 구별되는 단어여서, 일상생활에서 발음할 때에도 특별히 받침의 발음에 유의하여 사용해야 한답니다. 오늘은 다양한 받침의 발음에 대해 알아볼까요?

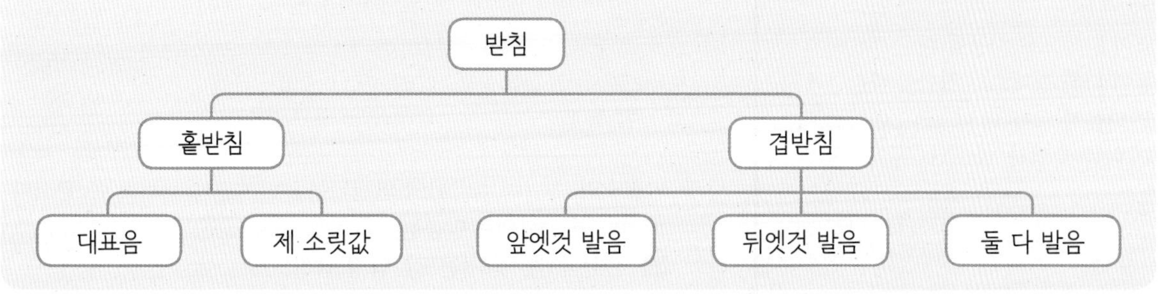

확인하기

1
빈칸에 들어갈 적절한 말을 쓰시오.

초성에서는 서로 구별되는 일련의 자음들이, 받침으로 쓰일 때는 그 가운데 하나의 자음으로 발음되는데, 그 하나의 자음을 (　　　　　)(이)라고 한다.

2
우리말에서 받침소리로 발음되는 자음은?

① ㄷ　② ㄸ　③ ㅌ
④ ㅅ　⑤ ㅆ

3
받침의 발음이 다른 하나는?

① 밭　② 빛　③ 빗
④ 곳　⑤ 밖

4
'숯'의 받침소리가 제 소릿값으로 발음되는 경우는?

① '숯'이 단독으로 사용될 때
② '숯'이 다른 형태소와 결합할 때
③ '숯' 다음에 조사 '이'나 '을'이 이어질 때
④ '숯' 다음에 명사 '아래'나 '위'가 이어질 때
⑤ '숯' 다음에 자음으로 시작하는 말이 이어질 때

오늘의 개념 사전

받침의 발음

받침소리로는 'ㄱ, ㄴ, ㄷ, ㄹ, ㅁ, ㅂ, ㅇ'의 7개 자음만 발음한다.(표준 발음법 제8항)

받침	예	발음	받침소리의 변화	대표음
ㄱ	박	[박]	ㄱ → ㄱ	ㄱ
ㄲ	밖	[박]	ㄲ → ㄱ	
ㅋ	부엌	[부억]	ㅋ → ㄱ	
ㄴ	안	[안]	ㄴ → ㄴ	ㄴ
ㄷ	낟	[낟]	ㄷ → ㄷ	ㄷ
ㅅ	낫	[낟]	ㅅ → ㄷ	
ㅆ	났(다)	[낟(따)]	ㅆ → ㄷ	
ㅈ	낮	[낟]	ㅈ → ㄷ	
ㅊ	낯	[낟]	ㅊ → ㄷ	
ㅌ	낱	[낟]	ㅌ → ㄷ	
ㅎ	히읗	[히읃]	ㅎ → ㄷ	
ㄹ	날	[날]	ㄹ → ㄹ	ㄹ
ㅁ	남	[남]	ㅁ → ㅁ	ㅁ
ㅂ	압	[압]	ㅂ → ㅂ	ㅂ
ㅍ	앞	[압]	ㅍ → ㅂ	
ㅇ	앙	[앙]	ㅇ → ㅇ	ㅇ

※ 대표음: [표준국어대사전]–초성에서는 서로 구별되는 일련의 자음들이, 받침으로 쓰일 때는 그 가운데 하나의 자음으로 발음될 때, 그 하나의 자음을 이르는 말.

• 조건에 따른 받침(ㄲ, ㅋ; ㅅ, ㅆ, ㅈ, ㅊ, ㅌ; ㅍ)의 발음

조건	받침의 발음	예
어말 또는 자음 앞	대표음 [ㄱ, ㄷ, ㅂ]으로 발음함.	부엌[부억] 부엌과[부억꽈] 꽃[꼳] 꽃도[꼳또] 앞[압] 앞쪽[압쪽]
모음으로 시작된 형식 형태소(조사나 어미, 접미사)가 결합될 때	제 음가대로 뒤 음절 첫소리로 옮겨 발음함.	부엌에[부어케] 꽃을[꼬츨] 앞으로[아프로]
모음으로 시작된 실질 형태소가 결합될 때	대표음으로 바꾸어서 뒤 음절 첫소리로 옮겨 발음함.	부엌 안[부어간] 꽃 위[꼬뒤] 앞앞이[아바피]

※ 받침소리 'ㄱ, ㄷ, ㅂ' 뒤에 연결되는 'ㄱ, ㄷ, ㅂ, ㅅ, ㅈ'은 된소리 [ㄲ, ㄸ, ㅃ, ㅆ, ㅉ]으로 발음됨.
　예 국가[국까], 꽃도[꼳또], 압정[압쩡]

▶연계 학습 부록 222쪽으로 한번 더!

겹받침의 발음

• 겹받침 'ㄳ', 'ㄵ', 'ㄼ, ㄽ, ㄾ', 'ㅄ'은 어말 또는 자음 앞에서 각각 [ㄱ, ㄴ, ㄹ, ㅂ]으로 발음한다.(표준 발음법 제10항) 겹받침 중 앞엣것

• 겹받침 'ㄺ, ㄻ, ㄿ'은 어말 또는 자음 앞에서 각각 [ㄱ, ㅁ, ㅂ]으로 발음한다.(표준 발음법 제11항) 겹받침 중 뒤엣것

겹받침	예	발음
ㄳ	몫	[목]
ㄵ	앉(다)	[안(따)]
ㄼ	여덟, 넓(다)	[여덜], [널(따)]
ㄽ	외곬	[외골]
ㄾ	핥(다)	[할(따)]
ㅄ	값	[갑]
ㄺ	닭, 읽(다)	[닥], [익(따)]
ㄻ	삶	[삼:]
ㄿ	읊(다)	[읍(따)]

– 다만, '밟-'은 자음 앞에서 [밥]으로 발음하고, '넓-'은 다음과 같은 경우(넓죽하다, 넓둥글다)에 [넙]으로 발음한다.
예 밟다[밥:따], 넓죽하다[넙쭈카다], 넓둥글다[넙뚱글다]

– 다만, 용언의 어간 말음 'ㄺ'은 다른 자음 앞에서는 [ㄱ]으로, 'ㄱ' 앞에서는 [ㄹ]로 발음한다.
예 맑지[막찌], 묽소[묵쏘], …… 'ㅈ', 'ㅅ'이 이어짐.
맑게[말께], 묽고[물꼬], …… 'ㄱ'이 이어짐.

• 조건에 따른 겹받침(ㄳ, ㄵ, ㄼ, ㄽ, ㄾ, ㅄ; ㄺ, ㄻ, ㄿ)의 발음

조건	겹받침의 발음	예
어말 또는 자음 앞	겹받침 중 하나만 발음함.	넋[넉] 닭[닥]
모음으로 시작된 형식 형태소(조사나 어미, 접미사)가 결합될 때	뒤엣것만을 뒤 음절 첫소리로 옮겨 발음함.	넋이[넉씨] 닭을[달글]
모음으로 시작된 실질 형태소가 결합될 때	겹받침 중 하나만을 뒤 음절 첫소리로 옮겨 발음함.	넋 없다[너겁따] 닭 앞에[다가페]

실질 형태소와 형식 형태소

실질 형태소	구체적인 대상이나 동작, 상태를 표시하는 형태소
형식 형태소	실질 형태소에 붙어 주로 말과 말 사이의 관계를 표시하는 형태소

실질 형태소
예 철수/가/ 책/을/ 읽/었/다.
형식 형태소

• 정답과 해설 10쪽

확인하기

5
겹받침의 발음에 대한 설명으로 적절하지 않은 것은?

① 음절의 받침소리로는 겹받침 중 하나만 발음된다.
② 겹받침 다음에 자음이 연결되면 겹받침이 모두 발음된다.
③ 겹받침 다음에 모음이 연결되면 겹받침이 모두 발음되기도 한다.
④ 표준어에서 겹받침을 사용하는 것은 말의 원래 형태를 밝혀 표기하려는 것이다.
⑤ 겹받침으로 끝났을 때에는 앞엣것만 발음되기도 하고 뒤엣것만 발음되기도 한다.

6
겹받침 중 뒤엣것만 발음되는 것은?

① 밟다 ② 외곬
③ 핥다 ④ 읽고
⑤ 값어치

7
빈칸에 들어갈 적절한 말을 쓰시오.

겹받침이 둘 다 발음되기 위해서는 겹받침 뒤에 (　　　　)(으)로 시작하는 형식 형태소가 결합되어야 한다.

8
㉠과 ㉡에 들어갈 정확한 발음을 쓰시오.

• 닭장 [㉠]
• 닭 아래 [㉡]

1 〈보기〉에 제시된 단어들에 대한 설명으로 적절하지 않은 것은?

◀ 보기 ▶
낟 낫 낮 낯 낱 히읗 났다

① 한두 음절로 이루어진 단어들이다.
② '났다'에서 뒤 음절은 [따]로 발음된다.
③ 단어들의 받침이 모두 같은 소리로 발음된다.
④ 받침으로 사용된 자음들의 대표음은 'ㅅ'이다.
⑤ 'ㅈ, ㅊ, ㅌ, ㅎ, ㅆ'이 받침으로 사용될 때는 모두 제 소릿값으로 발음되지 않는다.

2 〈보기〉를 살펴볼 때, 단어 '꽃'의 받침 'ㅊ'이 제 소릿값으로 발음될 수 있는 조건으로 적절한 것은?

◀ 보기 ▶
꽃[꼳] 꽃이[꼬치]
꽃 위[꼬뒤] 꽃처럼[꼳처럼]

① 이어지는 말이 없을 때
② 자음으로 시작하는 말이 이어질 때
③ 모음으로 시작하는 말이 이어질 때
④ 모음으로 시작하면서 실질적 의미가 있는 말이 이어질 때
⑤ 모음으로 시작하면서 실질적 의미가 없는 말이 이어질 때

3 밑줄 친 부분의 발음이 정확하지 않은 것은?

① 닻을 올리고 돛을 펼쳐라.
[다츨] [도츨]
② 모자가 부엌에 있으니 부엌 안 찾아봐.
[부어케] [부어간]
③ 밭을 살펴보니 밭 아래 꽃이 피었구나.
[바츨] [바다래]
④ 흙이 묻은 겉옷을 보며 헛웃음이 나왔다.
[거도슬] [허두스미]
⑤ 아이가 앉아서 저를 닮은 인형을 만졌다.
[안자서] [달믄]

4 〈보기〉에서 밑줄 친 부분의 정확한 발음을 순서대로 적절하게 제시한 것은?

◀ 보기 ▶
• 이 땅을 여덟 번이나 밟다니 영광이다.
• 쪽지를 읽지 않으려 했지만 읽고 말았다.

① [여덥], [밥:다니], [익지], [익고]
② [여덥], [밥:따니], [일찌], [일꼬]
③ [여덜], [발:따니], [익찌], [익꼬]
④ [여덥], [발:따니], [일찌], [익꼬]
⑤ [여덜], [밥:따니], [익찌], [일꼬]

5 밑줄 친 부분에 사용된 받침의 표기가 한글 맞춤법에 맞게 쓰인 것은?

① 동생은 누나가 직접 만든 깎두기를 먹어 보았다.
② 적잖은 사람들이 그 의견에 찬성의 뜻을 보였다.
③ 그가 발의한 안건은 다음 회의에 붙이기로 했다.
④ 엇저녁에는 고향 친구들과 만나서 식사를 했다.
⑤ 저기 넓적하게 생긴 바위가 우리들의 놀이터였다.

6 〈보기〉를 참고하여 겹받침 'ㄺ'이 모두 발음되기 위한 조건이 무엇인지 한 문장으로 쓰시오.

◀ 보기 ▶
닭[닥] 닭장[닥짱]
닭이[달기] 닭 위[다귀]

7 밑줄 친 부분의 발음이 정확한 것은?

① 넘어져서 무릎이 다쳤어. → [무르비]
② 동생 몫을 남겨놓기로 했다. → [모글]
③ 엄마가 칡으로 즙을 내셨다. → [치그로]
④ 그는 물건에 후한 값을 매겼다. → [가블]
⑤ 넷을 두 번 더하면 여덟이다. → [여덜비다]

8 〈보기〉를 참고하여 발음한 것으로 적절한 것은?

보기
- 받침소리는 'ㄱ, ㄴ, ㄷ, ㄹ, ㅁ, ㅂ, ㅇ'으로 발음된다.
- 겹받침에 관한 발음 규정은 다음과 같다.
  - 겹받침 'ㄳ', 'ㄵ', 'ㄼ, ㄽ, ㄾ', 'ㅄ'의 경우 [ㄱ, ㄴ, ㄹ, ㅂ]으로 발음한다. 다만, '밟다'만은 예외적으로 [밥:따]로 발음한다.
  - 겹받침 'ㄺ', 'ㄻ', 'ㄿ'의 경우 [ㄱ, ㅁ, ㅂ]으로 발음한다. 다만, 용언의 어간 말음 'ㄺ'은 'ㄱ' 앞에서 [ㄹ]로 발음한다.

① '넓고'는 [넙꼬]로 발음해야겠군.
② '닮고'는 [담:꼬]로 발음해야겠군.
③ '묽고'는 [묵꼬]로 발음해야겠군.
④ '읊고'는 [읍꼬]로 발음해야겠군.
⑤ '훑고'는 [훋꼬]로 발음해야겠군.

9 밑줄 친 부분의 겹받침 중 앞엣것이 발음되는 것은?

① 이번 색종이가 저번보다 얇다.
② 지금 네가 색종이를 밟고 있잖아.
③ 넓죽하고 크게 색종이를 오려 내야지.
④ 저번에 갔던 북한산 기슭 닮지 않았어?
⑤ 색종이가 투명하고 맑다면 몰라도 북한산을 닮은 건 아니지.

10 다음 문장을 발음한 것에서 잘못된 부분을 찾아 정확한 발음으로 고치시오.

네 몫도 못 받았어. 네 삯을 줄 도리가 없어.
[네 목또 몯빠다써. 네 사글 줄 도리가 업써]

[11~12] 다음을 읽고 물음에 답하시오.

표준 발음법

제10항 ㉠겹받침 'ㄳ', 'ㄵ', 'ㄼ, ㄽ, ㄾ', 'ㅄ'은 어말 또는 자음 앞에서 각각 [ㄱ, ㄴ, ㄹ, ㅂ]으로 발음한다. 다만, '밟-'은 자음 앞에서 [밥]으로 발음한다.

제11항 겹받침 'ㄺ, ㄻ, ㄿ'은 어말 또는 자음 앞에서 각각 [ㄱ, ㅁ, ㅂ]으로 발음한다. 다만, 용언의 어간 말음 'ㄺ'은 'ㄱ' 앞에서 [ㄹ]로 발음한다.

제14항 겹받침이 모음으로 시작된 조사나 어미, 접미사와 결합되는 경우에는, 뒤엣것만을 뒤 음절 첫소리로 옮겨 발음한다.(이 경우, 'ㅅ'은 된소리로 발음함.)

11 '표준 발음법'을 바르게 적용하지 못한 것은?

① '넓지'는 제10항에 의거하여 [널찌]로 발음해야겠군.
② '옮겨'는 제11항에 의거하여 [옴겨]로 발음해야겠군.
③ '읽고'는 제11항에 의거하여 [일꼬]로 발음해야겠군.
④ '없이'는 제14항에 의거하여 [업:시]로 발음해야겠군.
⑤ '훑어'는 제14항에 의거하여 [훌터]로 발음해야겠군.

12 밑줄 친 부분 중 ㉠에 해당하는 것은?

① 사과가 여덟 개 있다.
② 넋을 놓고 앉아 있었다.
③ 삼각형의 넓이를 구했다.
④ 동생이 발을 밟고 지나갔다.
⑤ 귀여운 고양이를 넋을 놓고 바라보았다.

13 다음 문장의 정확한 발음을 쓰시오.

닭 우리에 가서 닭에게 모이를 준다.
→ [ ]

수능 콕콕 수능 기출

개념 확인

1 어미
'돌아가다, 돌아가고, 돌아가니'와 같이 동사가 활용될 때, '돌아가-'처럼 형태가 변하지 않는 부분을 '어간', '-다, -고, -니'처럼 어간에 붙어 변하는 부분을 '어미'라고 합니다.

2 관형사형 어미
단어를 의미에 따라 아홉 가지로 분류할 때, '옷, 가방'과 같은 이름을 나타내는 단어를 명사라 하고, '새 옷, 헌 가방'에서 '새'와 '헌'처럼 명사(체언) '옷'과 '가방'을 꾸며 주는 단어를 관형사라고 합니다. 관형사형 어미는 용언(동사나 형용사)에 결합하여 용언이 명사를 꾸며 주는 관형사의 성질을 갖도록 만들어 주는 어미랍니다.

3 된소리되기
예사소리(ㄱ, ㄷ, ㅂ, ㅅ, ㅈ)가 된소리(ㄲ, ㄸ, ㅃ, ㅆ, ㅉ)로 바뀌는 현상을 된소리되기라고 합니다.

1 2016학년도 대수능 6월 모의평가 B형 11번

〈보기〉에 따라 표준 발음을 이해한 내용으로 적절한 것은?

보기

〈표준 발음법의 '된소리되기' 중 일부〉

㉠ 어간 받침 'ㄴ(ㄵ), ㅁ(ㄻ)' 뒤에 결합되는 어미[1]의 첫소리 'ㄱ, ㄷ, ㅅ, ㅈ'은 된소리로 발음한다.
㉡ 어간 받침 'ㄼ, ㄾ' 뒤에 결합되는 어미의 첫소리 'ㄱ, ㄷ, ㅅ, ㅈ'은 된소리로 발음한다.
㉢ 관형사형[2] '-(으)ㄹ' 뒤에 연결되는 'ㄱ, ㄷ, ㅂ, ㅅ, ㅈ'은 된소리로 발음한다. '-(으)ㄹ'로 시작되는 어미의 경우도 이에 준한다.

① '(가슴에) 품을 적에'와 '(며느리로) 삼고'에서의 된소리되기[3]는 모두 ㉠에 따른 것이다.
② '(방이) 넓거든'과 '(두께가) 얇을지라도'에서의 된소리되기는 모두 ㉡에 따른 것이다.
③ '(신을) 신겠네요'와 '(땅을) 밟지도'에서의 된소리되기는 모두 ㉢에 따른 것이다.
④ '(남들이) 비웃을지언정'과 '(먼지를) 훑던'에서의 된소리되기는 각각 ㉠, ㉡에 따른 것이다.
⑤ '(물건을) 얹지만'과 '(자리에) 앉을수록'에서의 된소리되기는 각각 ㉠, ㉢에 따른 것이다.

더 알고 싶은 해설

정답 풀이

❺ '(물건을) 얹지만'과 '(자리에) 앉을수록'에서의 된소리되기는 각각 ㉠, ㉢에 따른 것이다.
'얹지만[언찌만]'은 ㉠에 따라 어간 받침 'ㄵ' 뒤에 결합하는 어미의 첫소리 'ㅈ'이 된소리 [ㅉ]으로 발음된 것입니다.
'[안즐쑤록]'은 ㉢에 따라 어미 '-(으)ㄹ수록'에서 '-(으)ㄹ' 뒤에 연결되는 'ㅅ'이 된소리 [ㅆ]으로 발음된 것입니다.

오답 풀이

① '(가슴에) 품을 적에'와 '(며느리로) 삼고'에서의 된소리되기는 모두 ㉠에 따른 것이다.
'품을 적에[푸믈쩌게]'는 ㉢에 따른 것이고, '삼고[삼:꼬]'는 ㉠에 따른 것입니다.

② '(방이) 넓거든'과 '(두께가) 얇을지라도'에서의 된소리되기는 모두 ㉡에 따른 것이다.
'넓거든[널꺼든]'은 ㉡에 따른 것이고, '얇을지라도[얄블찌라도]'는 ㉢에 따른 것입니다.

③ '(신을) 신겠네요'와 '(땅을) 밟지도'에서의 된소리되기는 모두 ㉢에 따른 것이다.
'신겠네요[신:껜네요]'는 ㉠에 따른 것이고, '밟지도[밥:찌도]'는 ㉡에 따른 것입니다.

④ '(남들이) 비웃을지언정'과 '(먼지를) 훑던'에서의 된소리되기는 각각 ㉠, ㉡에 따른 것이다.
'비웃을지언정[비:우슬찌언정]'은 ㉢에 따른 것이고, '훑던[훌떤]'은 ㉡에 따른 것입니다.

2 2015학년도 대수능 B형 11번

〈보기〉의 표준 발음 자료를 탐구한 내용으로 적절하지 않은 것은?

보기

표준 발음법 제8항 받침소리로는 'ㄱ, ㄴ, ㄷ, ㄹ, ㅁ, ㅂ, ㅇ'의 7개 자음만 발음한다.

해설 이 조항은 ⓐ받침 발음의 원칙을 규정한 것이다. 어말이나 자음 앞에서 모든 받침은 제시된 7개의 자음 중 하나로만 발음할 수 있을 뿐이다. 이 원칙을 지키기 위해 두 가지 음운 변동이 적용된다. 하나는 ㉠자음이 탈락[1]되는 것이고 다른 하나는 ㉡자음이 다른 자음으로 교체[2]되는 것이다.

표준 발음 자료

읽다[익따], 옮는[옴:는], 닭지[닥찌], 읊기[읍끼], 밟는[밤:는]

① '읽다[익따]'는 ⓐ를 지키기 위해 ㉠이 적용되었다.
② '옮는[옴:는]'은 ⓐ를 지키기 위해 ㉠이 적용되었다.
③ '닭지[닥찌]'는 ⓐ를 지키기 위해 ㉡이 적용되었다.
④ '읊기[읍끼]'는 ⓐ를 지키기 위해 ㉠, ㉡이 모두 적용되었다.
⑤ '밟는[밤:는]'은 ⓐ를 지키기 위해 ㉠, ㉡이 모두 적용되었다.

개념 확인

1 자음군 단순화
겹받침이 발음될 때, 홑자음으로 바뀌어 소리 나는 현상입니다. 예를 들어, '몫'이 [목]으로, '닭'이 [닥]으로 바뀌는 것을 말합니다. 이때 겹받침 'ㄳ'은 'ㅅ'이 탈락하고 'ㄱ'만 발음되며, 겹받침 'ㄺ'은 'ㄹ'이 탈락하고 'ㄱ'만 발음됨을 확인할 수 있습니다.

2 자음의 교체
'숲[숩]'과 같이 받침소리 'ㅍ'이 7개의 자음 중 하나인 'ㅂ'으로 발음됩니다. 즉 'ㅍ → ㅂ'의 자음 교체가 일어났습니다.

더 알고 싶은 해설

정답 풀이

❺ '밟는[밤:는]'은 ⓐ를 지키기 위해 ㉠, ㉡이 모두 적용되었다.
'밟는[밥:는 → 밤:는]'은 겹받침 'ㄼ' 중 'ㄹ'이 탈락했어요. 이때 남은 'ㅂ'이 'ㅁ'으로 바뀌었는데, 이것은 받침 발음의 원칙을 지키기 위한 것이 아닙니다. 'ㅂ'도 받침소리로 발음될 수 있기 때문이지요. 우리말에서 자음 'ㅂ, ㄴ'이 연속되면 두 자음이 서로 닮아 모두 비음인 'ㅁ, ㄴ'으로 바뀌는데, 'ㅂ'이 'ㅁ'으로 교체된 것은 이 때문입니다.

오답 풀이

① '읽다[익따]'는 ⓐ를 지키기 위해 ㉠이 적용되었다.
'읽다[익따]'에서 겹받침 'ㄺ' 중 'ㄹ'이 탈락한 것은 받침 발음의 원칙을 지키기 위한 것입니다.

② '옮는[옴:는]'은 ⓐ를 지키기 위해 ㉠이 적용되었다.
'옮는[옴:는]'에서 겹받침 'ㄻ' 중 'ㄹ'이 탈락한 것은 받침 발음의 원칙을 지키기 위한 것입니다.

③ '닦지[닥찌]'는 ⓐ를 지키기 위해 ㉡이 적용되었다.
'닦지[닥찌]'에서 받침소리 'ㄲ'이 'ㄱ'으로 교체된 것은 받침 발음의 원칙을 지키기 위한 것입니다.

④ '읊기[읍끼]'는 ⓐ를 지키기 위해 ㉠, ㉡이 모두 적용되었다.
'읊기[읖기 → 읍기 → 읍끼]'에서 받침소리 'ㄿ' 중 'ㄹ'이 탈락하고, 남아 있던 'ㅍ'이 'ㅂ'으로 교체된 것은 모두 받침 발음의 원칙을 지키기 위한 것입니다.

문법 놀이터

1단계 단어의 발음이 정확하면 오른쪽의 번호를 그렇지 않으면 왼쪽의 번호를 선택합니다.

2단계 선택한 번호들을 직선으로 연결합니다.

3단계 그림을 완성하여 숨어 있는 동물을 찾습니다.

문제	번호 제시	번호 제시
밖[박]	1	2
옷[옷]	3	4
부엌[부억]	5	6
낟[낟]	7	8
낫[낫]	9	10
낮[낟]	11	12
낯[낫]	13	14
낱[낟]	15	16
히읗[히읃]	17	18
잎[입]	19	20

문제	번호 제시	번호 제시
몫[목]	21	22
삯[삿]	23	24
닭[닥]	25	26
여덟[여덥]	27	28
값[갑]	29	30
흙[흘]	31	32
외곬[외골]	33	34
앎[암:]	35	36
넋[넛]	37	38

06일 정확한 발음과 표기 3-기타 발음과 표기

월 일

궁금이의 문법 일기

오늘 국어 교사라는 장래 희망을 발표하다가 프리젠테이션 첫 화면부터 '나의 꿈'이라고 해야 할 것을 '나에 꿈'이라고 하는 실수를 저지르고 말았다. 그것도 모르면서 국어 선생님을 어떻게 하느냐는 친구의 목소리가 들리는 듯해서 쥐구멍에라도 들어가고 싶었다. 그런데 '나의 꿈'이라고 적어야 하는 건 알겠는데, '나의'는 [나의]로 발음해야 하는지, 아니면 [나에]로 발음해야 하는지, [나으]로 발음해야 하는지는 잘 모르겠다. 국어사전이나 우리말 규범을 찾아보면 '나의'의 정확한 발음도 알 수 있겠지? 국어 교사의 꿈을 이루기 전에 당장 국어사전부터 찾아봐야겠다.

콕샘 한마디!

궁금이가 '나의'라고 표기해야 할 것을 '나에'라고 표기했군요. 우리말에서 소유를 나타내는 조사는 '에'가 아니라 '의'가 맞답니다. 그렇다면 '나의'의 정확한 발음은 무엇일까요? 이중 모음 '의'는 [ㅢ]로 발음하는 것이 원칙인데 조사 '의'는 [ㅔ]로 발음하는 것도 허용하고 있답니다. 그러니까 '나의'는 [나의] 또는 [나에]로 발음해야 정확하고, [나으]는 정확한 발음이 아니랍니다. 오늘은 앞서 학습한 받침의 발음과 표기를 제외하고 헷갈리기 쉬운 단어들의 다양한 발음과 표기에 대해 알아볼까요?

오늘의 개념 사전

확인하기

1
다음 단어의 발음이 적절하지 않은 것은?

① 가져[가저]
② 다쳐[다처]
③ 쪄서[쩌서]
④ 시계[시게]
⑤ 차례[차레]

2
빈칸에 들어갈 적절한 말을 쓰시오.

'ㅢ'는 이중 모음으로 발음하는 것이 원칙이다. 그러나 (　　　　　)을/를 첫소리로 가지고 있는 음절의 'ㅢ'는 단모음 [ㅣ]로 발음해야 한다.

3
다음의 발음으로 정확한 발음이 아닌 것은?

불교의 의의

① [불교의 의의]
② [불교에 의의]
③ [불교의 의이]
④ [불교에 의이]
⑤ [불교의 으이]

4
빈칸에 들어갈 적절한 말을 쓰시오.

받침 'ㅎ' 뒤에 'ㄱ'이 결합되는 경우, 'ㅎ'이 뒤 음절 첫소리 'ㄱ'과 합쳐서 (　　　　　)(으)로 발음된다.

이중 모음의 발음(표준 발음법 제5항)

'ㅑ, ㅒ, ㅕ, ㅖ, ㅘ, ㅙ, ㅛ, ㅝ, ㅞ, ㅠ, ㅢ'는 이중 모음으로 발음한다.

• 다만, 용언의 활용형에 나타나는 '져, 쪄, 쳐'는 [저, 쩌, 처]로 발음함.
　예 가지어 → 가져[가저](○), [가져](×)
　　찌어 → 쪄[쩌](○), [쪄](×)
　　다치어 → 다쳐[다처](○) [다쳐](×)

• 다만, '예, 례' 이외의 'ㅖ'는 [ㅔ]로도 발음함.
　예 시계[시계](○), [시게](○) / 연계[연계](○), [연게](○)
　　예절[예절](○), [에절](×) / 결례[결례](○), [결레](×)

• 다만, 자음을 첫소리로 가지고 있는 음절의 'ㅢ'는 [ㅣ]로 발음함.
　예 희망[희망](×), [히망](○) / 무늬[무늬](×), [무니](○)

• 다만, 단어의 첫음절 이외의 '의'는 [ㅣ]로, 조사 '의'는 [ㅔ]로 발음함도 허용함.
　예 주의[주의](○), [주이](○), [주으](×)
　　협의[혀븨](○), [혀비](○), [혀브](×)
　　우리의[우리의](○), [우리에](○), [우리으](×)
　　강물의[강무릐](○), [강무레](○), [강무르](×)

받침 'ㅎ'의 발음(표준 발음법 제12항)

• 조건에 따른 받침 'ㅎ(ㄶ, ㅀ)'의 발음

조건	받침의 발음	예
뒤에 'ㄱ, ㄷ, ㅈ'이 결합되는 경우	'ㅎ'이 뒤 음절 첫소리와 합쳐서 [ㅋ, ㅌ, ㅊ]으로 발음함.	놓고[노코] 좋던[조:턴] 쌓지[싸치] 많고[만:코] 닳지[달치]
뒤에 'ㅅ'이 결합되는 경우	뒤의 'ㅅ'을 [ㅆ]으로 발음함.	닿소[다:쏘] 많소[만:쏘] 싫소[실쏘]
'ㅎ' 뒤에 'ㄴ'이 결합되는 경우	'ㅎ'을 [ㄴ]으로 발음함.	놓는[논는] 쌓네[싼네]
'ㄶ, ㅀ' 뒤에 'ㄴ'이 결합되는 경우	'ㅎ'을 발음하지 않음.	않네[안네] 않는[안는]
모음으로 시작된 어미나 접미사가 결합되는 경우	'ㅎ'을 발음하지 않음.	낳은[나은] 많이[마:니] 싫어도[시러도]

▶연계 학습 부록 223쪽으로 한번 더!

※ 받침 'ㄱ(ㄺ), ㄷ, ㅂ(ㄼ), ㅈ(ㄵ)'이 뒤 음절 첫소리 'ㅎ'과 결합되는 경우에도, 역시 받침과 뒤 음절의 'ㅎ'을 합쳐서 [ㅋ, ㅌ, ㅍ, ㅊ]으로 발음함.
예 각하[가카], 밝히다[발키다], 맏형[마텽], 좁히다[조피다]
넓히다[널피다], 꽂히다[꼬치다], 앉히다[안치다]

※ 'ㅎ'은 앞뒤로 'ㄱ, ㄷ, ㅂ, ㅈ'을 만나면, 둘이 합쳐져 거센소리 [ㅋ, ㅌ, ㅍ, ㅊ]으로 발음됨.

ㅎ+ㄱ/ㄷ/ㅂ/ㅈ ⇨ ㅋ/ㅌ/ㅍ/ㅊ 예 낳고[나코]
ㄱ/ㄷ/ㅂ/ㅈ+ㅎ ⇨ ㅋ/ㅌ/ㅍ/ㅊ 예 국화[구콰]

한글 자모의 발음

한글 자모의 이름은 그 받침소리를 연음하되, 'ㄷ, ㅈ, ㅊ, ㅋ, ㅌ, ㅍ, ㅎ'의 경우에는 특별히 다음과 같이 발음한다.(표준 발음법 제16항)

디귿이[디그시]	디귿을[디그슬]	디귿에[디그세]
지읒이[지으시]	지읒을[지으슬]	지읒에[지으세]
치읓이[치으시]	치읓을[치으슬]	치읓에[치으세]
키읔이[키으기]	키읔을[키으글]	키읔에[키으게]
티읕이[티으시]	티읕을[티으슬]	티읕에[티으세]
피읖이[피으비]	피읖을[피으블]	피읖에[피으베]
히읗이[히으시]	히읗을[히으슬]	히읗에[히으세]

자주 틀리는 발음과 표기

잘못된 발음과 표기	정확한 발음과 표기	이유
죽이 뜨거우니까 시키자[시키자].	식히자[시키자]	'식다'에 동작을 하게 함의 뜻을 더하는 접미사 '-히-'가 결합한 형태이므로, 원형을 밝혀 '식히자'로 표기함.
이 밤의 끝을[끄츨] 잡고	끝을[끄틀]	받침 'ㅌ'에 형식 형태소 '을'이 이어지므로 받침 'ㅌ'을 뒤 음절의 첫소리로 발음함.
빈자리 없슴[업:씀].	없음[업:씀]	'죽다-죽음'과 마찬가지로, '없다'에 어미 '-음'이 결합한 형태이므로 원형을 밝혀 '없음'으로 표기함.
이웃에게[이우데게] 따뜻한 말 한마디	이웃에게[이우세게]	모음으로 시작하는 조사(형식 형태소)가 이어지므로 받침 'ㅅ'이 뒤 음절로 옮아가 발음됨.
맏이[마디] 밭이[바티/바시]	맏이[마지] 밭이[바치]	잇몸소리 'ㄷ, ㅌ'은 'ㅣ' 모음 앞에서 센입천장소리 'ㅈ, ㅊ'으로 바뀌어 발음됨.

• 정답과 해설 12~13쪽

확인하기

5
단어의 발음이 적절하지 않은 것은?
① 밝히다[발키다]
② 좁히다[조피다]
③ 넓히다[넙피다]
④ 꽂히다[꼬치다]
⑤ 앉히다[안치다]

6
한글 자모의 이름을 정확하게 발음한 것은?
① 피읖이[피으피]
② 키읔에[키으케]
③ 치읓을[치으츨]
④ 디귿이[디그디]
⑤ 시옷에[시오세]

7
다음 문장에서 잘못된 표기를 찾아 바르게 고치시오.

> 모든 좌석 매진!
> 빈자리 없슴!

8
다음 문장에서 밑줄 친 부분의 정확한 발음은?

> 이제 너와 나 둘이서 끝을 내자.

① [끄듣]
② [끄슬]
③ [끄츨]
④ [끄틀]
⑤ [끋츨]

문제로 정복하기

1 **〈보기〉를 바탕으로 할 때, ㉠의 올바른 발음으로 볼 수 없는 것은?**

◀ 보기 ▶

'ㅢ'의 발음

- 첫소리가 자음인 음절의 'ㅢ' → [ㅣ]로 발음함.
- 단어의 첫음절 이외의 '의' → [ㅢ]로 발음하는 것이 원칙이지만 [ㅣ]로 발음하는 것도 허용함.
- 조사 '의' → [ㅢ]로 발음하는 것이 원칙이지만 [ㅔ]로 발음하는 것도 허용함.

이번 ㉠문의의 답변은 다음과 같습니다.

① [무:느으] ② [무:늬에] ③ [무:늬의]
④ [무:니에] ⑤ [무:니의]

2 **'의'의 올바른 발음을 다음과 같이 정리할 때 ㉠~㉣에 들어갈 적절한 말을 쓰시오.**

조건	'의'의 발음	발음의 예
'ㅢ'의 초성이 자음일 때	[ㅣ]	무늬 [무니]
㉠	[의]	의지 [㉡]
'의'가 단어 첫음절 이외에 쓰일 때	원칙 [의] 허용 [이]	주의 [주의/주이]
조사 '의'	원칙 [㉢] 허용 [㉣]	나의 [나의/나에]

3 **㉠~㉤ 중, 모음을 이중 모음으로만 발음해야 하는 것은?**

시㉠계가 째깍거리는 동안 너㉡의 앞날을 ㉢예상해 보렴. 자신감을 가㉣져야 한다는 점에 유㉤의하렴.

① ㉠ ② ㉡ ③ ㉢
④ ㉣ ⑤ ㉤

4 **〈보기〉의 예에 해당하는 것은?**

◀ 보기 ▶

끝소리 'ㅎ'이 모음으로 시작하는 말과 만나면 'ㅎ'이 소리 나지 않는다. '낳으세요'를 [나으세요]로 발음하거나 '쌓이다'를 [싸이다]로 발음하는 것도 이와 관련된다.

① '하얗다'를 [하야타]라고 발음한다.
② '좁히다'를 [조피다]라고 발음한다.
③ '놓는다'를 [논는다]라고 발음한다.
④ '그렇죠'를 [그러쵸]라고 발음한다.
⑤ '좋아요'를 [조아요]라고 발음한다.

5 **다음 ㉠~㉤에 대하여 학생들이 떠올린 생각으로 적절하지 않은 것은?**

오늘 나들이 가시는 분이 ㉠많으실 텐데요, ㉡볕을 가려 줄 구름이 ㉢없으니 유의하셔야겠습니다. 전국이 대체로 맑지만, 미세 먼지 농도가 '나쁨' ㉣단계로 외출 뒤에는 ㉤깨끗이 씻으시기 바랍니다.

① ㉠은 겹받침 다음에 모음이 이어지니까 [만:흐실]로 발음해야지.
② ㉡은 'ㅌ' 받침 다음에 모음이 이어지니까 [벼틀]로 발음해야 해.
③ ㉢을 자연스럽게 발음해 보면 [업:쓰니]로 소리 나는 것을 알 수 있어.
④ ㉣은 [단계로]로 발음하는 것이 원칙이지만 [단게로]로 발음하는 것도 괜찮아.
⑤ ㉤을 지금까지 [깨끄치]라고 발음했는데 앞으로는 [깨끄시]라고 해야겠어.

6 **한글 자모를 읽을 때 다음과 같이 발음하는 이유로 가장 적절한 것은?**

디귿이[디그시] 지읒을[지으슬] 치읓에[치으세]

① 발음을 어렵게 하기 위해서
② 발음의 원칙을 따르기 위해서
③ 합리적으로 현실 발음을 인정해서
④ 뒤에 자음이 아닌 모음이 이어져서
⑤ 실질적인 의미를 지닌 모음이 이어져서

• 정답과 해설 13~14쪽

7 게시판의 질문에 대한 답변 중 적절하지 않은 것은?

〈질문〉 '없슴'과 '없음' 중 정확한 표기는 무엇인가요?
㉠ '없슴'은 잘못된 표기입니다.
㉡ '없다', '죽다'에 각각 '-음'을 결합해 보면 정확한 표기를 알 수 있습니다.
㉢ '죽슴'이라는 표기는 잘못이고, '죽음'이라는 표기가 정확하네요.
㉣ 마찬가지로 '없슴'이라는 표기는 잘못이고, '없음'이 정확한 표기이지요.
㉤ '없슴'은 우리말을 소리대로 표기한 것이라서 잘못이고, 원형을 밝혀 적은 '없음'이 정확한 표기랍니다.

① ㉠ ② ㉡ ③ ㉢
④ ㉣ ⑤ ㉤

8 받침 'ㅎ'의 발음을 다음과 같이 정리할 때 빈칸 ㉠에 들어갈 적절한 말을 쓰시오.

조건	받침의 발음	예
뒤에 'ㄱ'이 결합할 때	'ㅎ'이 뒤의 'ㄱ'과 합쳐서 [ㅋ]으로 발음함.	넣고 [너:코]
뒤에 'ㅅ'이 결합할 때	뒤의 'ㅅ'을 [ㅆ]으로 발음함.	싫소 [실쏘]
'ㅎ' 뒤에 'ㄴ'이 결합할 때	㉠	놓는 [논는]
'ㄶ' 뒤에 'ㄴ'이 결합할 때	'ㅎ'을 발음하지 않음.	않네 [안네]
모음으로 시작되는 말이 결합할 때	'ㅎ'을 발음하지 않음.	낳은 [나은]

9 ㉠~㉤ 중, 정확한 발음에 해당하는 것은?

어떻게[㉠ 어떠케] 이별까지 사랑하겠어
흔들리는 꽃들[㉡ 꼳들] 속에서
시든 꽃에[㉢ 꼬세] 물을 주듯
그때가 좋았어[㉣ 조:하써]
밤 끝없는[㉤ 끄덥는] 밤

① ㉠ ② ㉡ ③ ㉢
④ ㉣ ⑤ ㉤

10 표준 발음법을 따를 때, 다음 '끝말잇기' 놀이에서 제시된 단어들 중, 단어의 표기대로만 발음해야 하는 것을 모두 고른 것은?

예의 → 의의 → 의무 → 무예 → 예절 → 절의

① 예의, 의의, 의무 ② 예의, 무예, 절의
③ 의무, 무예, 예절 ④ 의의, 의무, 무예
⑤ 무예, 예절, 절의

11 ㉠~㉣에 대한 설명으로 적절하지 않은 것은?

산에서 우는 작은 새여
㉠꽃이 ㉡좋아
산에서
사노라네.
산에는 ㉢꽃 지네
꽃이 지네
갈 봄 여름 ㉣없이
꽃이 지네.

– 김소월, 「산유화」

① ㉠, ㉡, ㉢, ㉣은 모두 표기와 발음이 일치하지 않는다.
② ㉠, ㉡, ㉣에서는 받침이 다음 음절의 첫소리로 옮겨 가 발음된다.
③ ㉠과 ㉢에서는 '꽃'의 받침 'ㅊ'의 발음이 서로 다르다.
④ ㉢에 사용된 음절은 첫소리, 가운뎃소리, 끝소리를 갖추고 있다.
⑤ ㉣에서 겹받침 중 뒤엣것은 된소리로 발음된다.

12 정확한 발음에 해당하는 것은?

① '넓고'를 [넙꼬]로 발음한다.
② '닳고'는 [달코]로 발음한다.
③ '묽고'는 [묵꼬]로 발음한다.
④ '읊고'는 [을꼬]로 발음한다.
⑤ '훑고'는 [훈꼬]로 발음한다.

수능 콕콕 수능 기출

개념 확인

1 연음
앞 음절의 끝 자음이 모음으로 시작되는 뒤 음절의 초성으로 이어져 나는 소리를 연음(連音)이라고 합니다. 그리고 '연음하다'는 '앞 음절의 끝 자음을 모음으로 시작되는 뒤 음절의 초성으로 이어 소리를 내다.'를 뜻합니다. 예를 들어, '봄이[보미]'에서 앞 음절의 끝 자음 'ㅁ'이 뒤 음절의 초성으로 연음한다고 말할 수 있답니다.

2 거센소리되기
받침 'ㅎ' 뒤에 'ㄱ, ㄷ, ㅈ'이 결합되는 경우 'ㅎ'이 뒤 음절 첫소리와 합쳐서 [ㅋ, ㅌ, ㅊ]으로 발음하는 현상을 거센소리되기라고 합니다. 거꾸로 받침소리 'ㄱ, ㄷ, ㅂ, ㅈ' 다음에 'ㅎ'이 만나도 합쳐서 [ㅋ, ㅌ, ㅍ, ㅊ]으로 발음하는데, 이것도 거센소리되기입니다.

3 구개음화
'ㅣ' 모음 앞에서 잇몸소리 'ㄷ, ㅌ'이 센입천장소리(구개음) 'ㅈ, ㅊ'으로 바뀌는 현상을 구개음화라고 합니다.

1 2015학년도 대수능 6월 모의평가 B형 11번

㉠~㉢에 대한 설명으로 적절하지 않은 것은?

〈한글 맞춤법〉에 따르면 표준어를 소리 나는 대로 적는 경우도 있지만, 어법에 맞게 적는 경우도 있다. 그런데 간혹 이 사실을 모르고 소리 나는 대로 적어서 틀릴 때가 있다.

올바른 표기	잘못된 표기	발음	
들어서다	드러서다	[드러서다]	…… ㉠
그렇지	그러치	[그러치]	…… ㉡
해돋이	해도지	[해도지]	…… ㉢

① ㉠은 연음[1] 현상 때문에 잘못 적는 경우이다.
② ㉠과 같은 예로 '높이다'를 '높히다'로 잘못 적는 경우를 들 수 있다.
③ ㉡은 거센소리되기[2] 때문에 잘못 적는 경우이다.
④ ㉡과 같은 예로 '얽혀'를 '얼켜'로 잘못 적는 경우를 들 수 있다.
⑤ ㉢과 같은 예로 '금붙이[3]'를 '금부치'로 잘못 적는 경우를 들 수 있다.

더 알고 싶은 해설

정답 풀이

❷ ㉠과 같은 예로 '높이다'를 '높히다'로 잘못 적는 경우를 들 수 있다.
㉠은 어법에 맞게 적어야 할 것을 소리대로 적은 경우입니다. '높이다[노피다]'를 '높히다'로 표기하는 것은 ㉠에 해당하지 않습니다.

오답 풀이

① ㉠은 연음 현상 때문에 잘못 적는 경우이다.
'들어서다[드러서다]'는 음절의 끝소리 다음에 모음이 이어져서 음절의 끝소리가 뒤 음절의 첫소리로 옮아가는 연음 현상이 일어나는데, 이 때문에 '드러서다'로 잘못 표기한 것입니다.

③ ㉡은 거센소리되기 때문에 잘못 적는 경우이다.
'그렇지[그러치]'에서는 받침소리 'ㅎ'이 뒤의 'ㅈ'과 합쳐서 'ㅊ'으로 발음되는 거센소리되기가 일어나고 있어요. '그러치'는 거센소리되기가 일어난 발음대로 표기한 것입니다.

④ ㉡과 같은 예로 '얽혀'를 '얼켜'로 잘못 적는 경우를 들 수 있다.
'얽혀[얼켜]'에서도 받침소리 'ㄱ'과 'ㅎ'이 합쳐서 'ㅋ'으로 발음되는 거센소리되기가 일어나고 있어요.

⑤ ㉢과 같은 예로 '금붙이'를 '금부치'로 잘못 적는 경우를 들 수 있다.
'해돋이[해도지]'에서는 'ㅣ' 모음 앞에서 'ㄷ'이 센입천장소리(구개음) 'ㅈ'으로 바뀌는 구개음화 현상이 일어났어요. '금붙이[금부치]'에서도 'ㅣ' 모음 앞에서 'ㅌ'이 센입천장소리(구개음) 'ㅊ'으로 바뀌는 구개음화 현상이 일어났습니다.

2 2016학년도 대수능 B형 11번

〈보기〉에 따라 겹받침의 표준 발음에 대하여 단계별로 학습하였다. 각 예에 적용된 내용과 그 발음이 모두 바른 것은?

보기

○ 겹받침이 모음으로 시작된 조사[1]나 어미[2], 접미사[3]와 결합되는 경우에는 뒤엣것만을 뒤 음절 첫소리로 옮겨 발음한다. 이 경우, 'ㅅ'은 [ㅆ]으로 발음한다. ………… ⓐ

○ 겹받침 'ㄳ, ㄺ', 'ㄼ', 'ㅄ'은 어말 또는 자음 앞에서 각각 [ㄱ, ㄹ, ㅂ]으로 발음한다. ………… ⓑ

이 후에는 다음과 같이 발음한다.

• [ㄱ, ㅂ]은 'ㄴ, ㅁ' 앞에서 각각 [ㅇ, ㅁ]으로 발음한다. ………… ⓒ

• [ㄱ, ㅂ] 뒤에 연결되는 'ㄱ, ㄷ, ㅂ, ㅅ, ㅈ'은 각각 [ㄲ, ㄸ, ㅃ, ㅆ, ㅉ]으로 발음한다. ………… ⓓ

• [ㄱ, ㅂ]은 'ㅎ'과 결합되는 경우, 두 음을 합쳐서 각각 [ㅋ, ㅍ]으로 발음한다. ………… ⓔ

	예	적용 내용	발음
①	여덟+이	ⓐ	[여더리]
②	몫+을	ⓐ	[목슬]
③	흙+만	ⓑ, ⓒ	[흑만]
④	값+까지	ⓑ, ⓓ	[갑까지]
⑤	닭+하고	ⓑ, ⓔ	[다카고]

개념 확인

1 조사
'곰이 밤을 먹었다.'에서 '이'나 '을'과 같이 주로 명사(곰, 밤) 뒤에 결합하여 문장에서 단어들이 맺고 있는 문법적 관계를 나타내는 말을 조사라고 합니다.

2 어미
'돌아가다, 돌아가고, 돌아가니'와 같이 동사가 활용될 때, '돌아가-'처럼 형태가 변하지 않는 부분을 '어간', '-다, -고, -니'처럼 어간에 붙어 변하는 부분을 '어미'라고 합니다.

3 접미사
접미사는 어근이나 단어의 뒤에 붙어 새로운 단어가 되게 하는 말을 가리킵니다. 예를 들어 '부채'라는 어근에 접미사 '-질'이 결합하면 '부채질'이라는 새로운 단어가 만들어져요. 접미사 중에는 '지우개'의 '-개', '달리기'의 '-기'처럼 어근의 품사를 바꿔 주는 것도 있답니다.

더 알고 싶은 **해설**

정답 풀이

❺ '닭하고[닥하고 → 다카고]'에서는 겹받침 'ㄺ'이 자음 앞에서 [ㄱ]으로 발음된 다음, [ㄱ]이 'ㅎ'가 결합하여 [ㅋ]으로 발음되고 있습니다.

오답 풀이

① '여덟이'는 ⓐ를 적용하여 [여덜비]로 발음합니다.
② '몫을'은 ⓐ를 적용하여 [목쓸]로 발음합니다.
③ '흙만[흑만 → 흥만]'은 먼저 ⓑ가 적용되고, 다음으로 ⓒ가 적용됩니다.
④ '값까지'는 ⓑ를 적용하여 [갑까지]로 발음합니다.

• 정답과 해설 14쪽

문법 놀이터

단어의 올바른 발음을 따라가며 미로를 벗어나 볼까요?

07일 품사의 종류와 특성 1–체언

월 일

궁금이의 문법 일기

영어 단어를 외울 때는 보통 '동사, 형용사, 명사, 전치사, 부사' 등 품사를 함께 외우는 경우가 많았는데, 국어를 공부할 때는 단어의 품사를 외운 적이 거의 없다. 그러니 '전치사'가 국어에 있는지 없는지도 모르지. 국어야 매일 쓰는 말이니까 품사를 따로 외우지 않아도 별 불편함이 없어서 공부해야 하는 필요성을 못 느꼈는데……. 만약 외국 사람이 한국어에는 왜 전치사가 없냐고 물으면 뭐라고 대답해야 할까? 영어의 품사를 외우기 전에 국어의 품사부터 체계적으로 공부해야겠다. ^^

콕샘 한마디!

우리가 쓰는 단어의 수는 상상 이상으로 많아요. 표준국어대사전에는 55만 개 이상의 단어가 실려 있고, 우리가 실제로 사용하는 단어도 5만 개가 넘는답니다. 이러한 단어들을 성질이 공통된 것끼리 분류해 놓은 것이 바로 '품사'입니다. 국어에는 9개의 품사가 있는데, 오늘은 이들 중 문장에서 주로 주체가 되는 '체언'인 '명사, 대명사, 수사'에 대해 배워 보도록 할까요?

확인하기

오늘의 개념 사전

단어
자립적으로 쓸 수 있는 말이나 이에 준하는 말. 또는 그 말의 뒤에 붙어서 문법적 기능을 나타내는 말

품사
단어를 일정한 기준에 따라 분류해 놓은 갈래. 일반적으로 '형태 변화(활용)의 유무', '기능', '의미'가 분류의 기준이 됨.

활용	불변어				가변어
기능	체언	독립언	수식언	관계언	용언
의미	명사, 대명사, 수사	감탄사	관형사, 부사	조사 ('이다'만 가변어)	동사, 형용사

체언
문장에서 주로 주체가 되는 구실을 하는 '명사', '대명사', '수사'를 통틀어 이르는 말

체언의 특징
- 주로 주어가 되는 자리에 오며, 때로는 목적어나 보어 등이 되기도 한다.
- 조사와 결합할 수 있다.
- 관형어의 수식을 받을 수 있다.
- 형태의 변화가 없다.

명사
사물이나 사람 등의 이름을 나타내는 단어

명사의 종류
- 구체성의 여부에 따라

구체 명사	구체적인 모습을 갖춘 대상을 나타내는 명사 예 나무, 구름, 우산, 가방, ……
추상 명사	추상적인 개념을 나타내는 명사 예 사랑, 희망, 우정, 슬픔, ……

예 이 반지(구체 명사)에 우리의 우정(추상 명사)을 담았어.

- 사용 범위에 따라

보통 명사	같은 종류의 사물에 두루 쓰이는 이름 예 사람, 건물, 동물, 치약, 손가락, ……
고유 명사	특정한 인명, 지명, 상표, 기관 등의 이름 예 고구려, 전라남도, 국립국어원, 백두산, ……

예 "학생(보통 명사), 이름이 뭐지?", "저는 김민수(고유 명사)입니다."

1
체언에 대한 설명으로 적절하지 <u>않은</u> 것은?

① 조사와 결합할 수 있다.
② 문장에서 쓰일 때 형태가 변한다.
③ 체언에는 '명사, 대명사, 수사'가 있다.
④ 문장에서 주로 주체가 되는 구실을 한다.
⑤ 주어, 목적어, 보어 등 여러 가지 문장 성분이 된다.

2
다음에서 보통 명사를 모두 고르시오.

부산 교과서 남대문 신발 친구

3
밑줄 친 단어 중, 추상적인 대상의 이름에 해당하지 <u>않는</u> 것은?

① 넌 어떤 <u>꿈</u>을 갖고 있니?
② <u>미지</u>의 세계를 탐험하고 싶어요.
③ 그럼 언젠가 <u>달</u>도 탐험하고 싶겠구나.
④ 달뿐이겠어요? 화성에도 가리라는 <u>믿음</u>이 있어요.
⑤ 그래, 포기하지 않으면 너의 <u>소망</u>이 꼭 이루어질 거야.

▶연계 학습 부록 224쪽으로 한번 더!

• 자립성 유무에 따라

자립 명사	홀로 자립하여 사용할 수 있는 명사 예 전등, 배, 하늘, 커피, 연필, ……
의존 명사	명사의 성격을 띠고 있지만 관형어의 수식을 받아야만 사용할 수 있는 명사 예 것, 따름, 뿐, 명, 대로, 리, 줄, ……

예 선물을 사려고 하는데 어느 것이 좋을까?
(선물: 자립 명사 / 것: 의존 명사)

대명사
사물, 장소, 사람의 이름을 대신하여 나타내는 단어

대명사의 종류

인칭 대명사	사람을 가리키는 대명사 예 1인칭: 나, 저, 우리, 저희 2인칭: 너, 자네, 그대, 당신, 너희, 여러분 3인칭: 그, 이분, 그분, 저분, 그이, 저이, 당신 미지칭(모르는 사람을 가리키는 대명사): 누구 부정칭(정해지지 않은 사람을 가리키는 대명사): 아무
지시 대명사	사물, 장소 등을 가리키는 대명사 예 이것, 그것, 저것, 여기, 저기, 거기, 이쪽, 저쪽, 어디, ……

예 나는 매일 여기에서 그가 올 때까지 기다리겠어요.
(나: 1인칭 대명사 / 여기: 지시 대명사 / 그: 3인칭 대명사)

수사
사물이나 사람의 수량 또는 순서를 나타내는 단어

수사의 종류

양수사	수량을 나타내는 수사 예 하나, 둘, 셋, 일, 이, 삼, 삼십, 백, 천, 만, ……
서수사	순서를 나타내는 수사 예 첫째, 둘째, 셋째, 제일, 제이, 제삼, ……

예 김 진사는 딸 셋을 교육하는데, 첫째도 조심, 둘째도 조심을 강조한다더군.
(셋: 양수사 / 첫째: 서수사 / 둘째: 서수사)

상황에 따라 달라지는 '첫째'의 품사

수사 '첫째'	순서가 가장 먼저인 차례.(주로 '둘째, 셋째'와 함께 쓰임.) 예 수술 환자를 다룰 때는 첫째, 마취를 제대로 할 수 있어야 하고, 둘째, 혈액을 취급할 줄 알아야 한다.
관형사 '첫째'	순서가 가장 먼저인 차례의.(조사와 결합하지 못하고 뒤의 체언을 수식함.) 예 우리 동네 목욕탕은 매월 첫째 주 화요일에 쉰다.
명사 '첫째'	무엇보다도 앞서는 것. 여러 형제자매 가운데서 제일 손위인 사람(=맏이). 예 신발은 첫째로 발이 편안해야 한다. 김 선생네는 첫째가 벌써 5학년이다.

• 정답과 해설 14~15쪽

확인하기

4
다음 대화에서 대명사를 모두 고르고, 그것이 가리키는 대상이 무엇인지 쓰시오.

> 민수: 나 요즘 통 기운이 없고 입맛도 없어.
> 진혁: 이거 한번 먹어 볼래? 비타민 사탕이야! 피로 회복에 좋대.
> 민수: 고마워. 역시 너밖에 없다!

5
다음 문장에서 대명사와 수사를 모두 찾아 쓰시오.

> 영희야! 여기부터는 너랑 나 둘만 가자. 다섯이 다 갈 수는 없으니!

(1) 대명사
(2) 수사

6
다음 수사들을 양수사와 서수사로 분류하시오.

> 셋째 일 제일 삼십 백
> 제삼 첫째 하나 만 이

(1) 양수사
(2) 서수사

7
밑줄 친 단어 중, 수사가 아닌 것은?

① 믿음, 소망, 사랑 중 첫째는 사랑이다!
② 먼저 부모를 잘 따르고, 둘째, 열심히 공부해야지.
③ 배가 고파서 그러는데, 빵 하나만 주실 수 있나요?
④ 지난여름 10년 만에 처음으로 식구 모두가 여행을 떠났다.
⑤ 백 명의 학생 중 다섯만 합격이라니, 너무 심한 것 같아요.

문제로 정복하기

1 〈보기〉에 제시된 단어들에 대한 설명으로 적절하지 않은 것은?

〈보기〉
하늘, 옛, 뛰다, 다람쥐, 아프다, 먹다, 매우, 아름답다, 모든, 정말로, 어머나

① 형태가 변하는 단어로는 '뛰다, 아프다, 먹다, 아름답다'가 있다.
② 형태가 변하지 않는 단어 중 '하늘, 다람쥐'는 이름을 나타내는 단어이다.
③ '옛, 매우, 모든, 정말로'는 문장 속에서 다른 말을 수식하는 기능을 한다.
④ '아프다, 아름답다, 어머나'는 문장 속에서 상태나 성질을 나타내는 기능을 한다.
⑤ 형태가 변하는 단어는 움직임을 나타내는 단어와 그렇지 않은 단어로 나눌 수 있다.

2 밑줄 친 단어가 체언이 아닌 것은?

① 너와 나 사이에 벽이 놓인 것 같구나.
② 여러 가지 꽃이 어울려 피는 들판이 좋다.
③ 제주도에 태풍이 접근했다는 보도가 있다.
④ 오존층 파괴로 날씨가 점점 더워지고 있다.
⑤ 첫째, 성실한 자세를 유지하도록 노력해야 한다.

3 ㉠~㉤ 중, 대명사가 아닌 것은?

산신령: 왜 하필이면 ㉠이 연못 앞에서 울고 있느냐?
나무꾼: ㉡여기에 도끼를 빠뜨려서 그렇습니다.
산신령: ㉢이것이 ㉣너의 도끼냐?
나무꾼: 그것은 ㉤저의 도끼가 아닙니다.

① ㉠　② ㉡　③ ㉢　④ ㉣　⑤ ㉤

4 ㉠~㉤ 중, 하나의 품사로 묶기 어려운 것은?

㉠옛날에 아기 ㉡돼지 삼 형제가 살았어요. 첫째는 놀기를 좋아하고 둘째는 게을렀지만 셋째는 부지런했어요. ㉢엄마는 아기 돼지 삼 형제에게 독립해서 살라고 했어요. 첫째는 짚으로, 둘째는 ㉣나무로, 셋째는 벽돌로 집을 지었어요. 첫째와 둘째는 ㉤금세 집을 짓고 셋째에게 놀러 갔어요. 하지만 셋째는 튼튼한 벽돌집을 짓느라 쉴 틈이 없었지요.

① ㉠　② ㉡　③ ㉢　④ ㉣　⑤ ㉤

5 〈보기〉의 밑줄 친 체언을 중심으로 탐구한 내용으로 적절하지 않은 것은?

〈보기〉
ㄱ. 철수가 청소를 한다.
ㄴ. 나는 새 옷을 좋아한다.
ㄷ. 우리 가족은 모두 다섯이다.
ㄹ. 동생은 이제 반장이 되었다.

① '새'와 같은 말이 체언 앞에서 체언을 꾸며 줄 수 있다.
② 체언에는 '가, 을, 이다, 이'와 같은 말이 붙을 수 있다.
③ 체언은 문장에서 '무엇을'에 해당하는 역할을 할 수 있다.
④ 체언은 문장에서 '누가/무엇이'에 해당하는 역할을 할 수 있다.
⑤ 체언은 '가, 을, 이다, 이'와 같은 조사가 붙으면서 형태가 변할 수 있다.

6 단어들을 (가)와 (나)로 분류한 기준을 20자 이내로 쓰시오.

(가)	(나)
마시다, 달리다, 뜨겁다, 슬프다	컴퓨터, 빗자루, 저절로, 모든

7 〈보기〉를 참고할 때, 다음 끝말잇기에 나온 ㉠~㉤ 중, 그 성격이 나머지와 다른 하나는?

〈보기〉

명사 중에는 구체적인 모습을 갖춘 대상을 나타내는 것도 있고, 추상적인 개념을 나타내는 것도 있다.

㉠자전거 ➡ ㉡거인 ➡ 인도 ➡ ㉢도라지 ➡ 지하철 ➡ ㉣철쭉나무 ➡ 무지개 ➡ 개구쟁이 ➡ ㉤이념

① ㉠ ② ㉡ ③ ㉢ ④ ㉣ ⑤ ㉤

8 사용된 명사의 수가 가장 많은 문장은?

① 철수는 길에서 돈을 주웠다.
② 노란 손수건이 나무에 걸렸다.
③ 나는 커서 선생님이 되고 싶다.
④ 그는 크고 무거운 가방을 옮겼다.
⑤ 소녀의 눈동자가 초롱초롱 빛난다.

9 다음 글에서 ㉠과 ㉡이 가리키는 대상을 찾아 각각 한 단어로 쓰시오.

우리 조상들은 집을 떠날 때 미투리와 짚신 두 종류의 신을 챙겨서 길을 떠났다. 평지의 길을 걸을 때는 미투리를 신고, 산길을 걸을 때는 짚신으로 바꾸어 신었다. 산에는 벌레들이 많이 살기에 ㉠그것들이 밟혀 죽는 일이 없도록 성기게 짠 짚신으로 바꾸었던 것이다. 또 다래나무로 만든 지팡이를 짚고 ㉡그것으로 쿵쿵 땅을 울리며 길을 걸었다. 벌레들이 놀라 도망가게 함으로써 밟히는 일이 없도록 하기 위해서다.

10 다음 문장에서 수사를 찾아 쓰시오.

학생 서넛이 각각 책 세 권씩을 들고 있다.

11 수사가 들어 있지 않은 문장은?

① 하나가 외로워 둘이랍니다.
② 다섯에서 둘을 빼면 셋이다.
③ 첫째도 조심, 둘째도 조심이다.
④ 소원이는 사과 하나를 사 왔다.
⑤ 오로지 한 사람만을 사랑합니다.

12 〈보기〉의 (가)에 들어갈 적절한 말을 〈조건〉에 맞게 서술하시오.

〈보기〉

선생님: 체언에는 명사, 대명사, 수사가 있어요. 명사는 대상의 이름을 나타내고, 대명사는 이름을 대신 가리키고, 수사는 수량이나 순서를 가리키는 말이지요.
학 생: 선생님, 그런데 명사와 수사를 쉽게 구분할 수 있는 방법은 없나요?
선생님: 다음 예문을 보면 명사와 수사 구분법을 알 수 있지 않을까요?

「명사」 '하늘'
→ 예쁜 하늘, 파란 하늘 (○)
「수사」 '다섯'
→ 예쁜 다섯, 파란 다섯 (×)

학 생: 아, (가)

〈조건〉
• 예문을 통해서 알 수 있는 내용을 서술할 것.
• 대조의 방법을 활용하여 서술할 것.

13 다음과 같이 단어를 분류했을 때, (가)와 (나) 중에 '기차'라는 단어가 들어가야 하는 곳의 기호를 밝히고, 그 이유를 서술하시오.

(가)	(나)
사과, 강아지, 백두산, 태극기, 학생, 나무	나, 그녀, 여기, 이것, 그것, 저것

수능 콕콕 수능 기출

개념 확인

1 의존 명사
명사의 성격을 띠고 있지만 관형어의 수식을 받아야만 사용할 수 있는 명사가 바로 '의존 명사'입니다. '(먹는) 것, (잘) 따름, (할) 뿐, (세) 명, (하는) 대로, (그럴) 리, (떠날) 줄' 등을 예로 들 수 있어요.

2 단위성 의존 명사
수효나 분량 따위의 단위를 나타내는 의존 명사를 '단위성 의존 명사'라고 합니다. '쌀 한 말, 쇠고기 한 근, 굴비 한 두름, 북어 한 쾌, 고무신 한 켤레, 광목 한 필'에서 '말', '근', '두름', '쾌', '켤레', '필' 등이 단위성 의존 명사의 예랍니다.

3 자립 명사
'천둥, 배, 하늘, 커피, 연필'과 같이 홀로 자립하여 사용할 수 있는 명사를 자립 명사라고 합니다.

1 2016학년도 대수능 9월 모의평가 A형 13번

밑줄 친 부분이 〈보기〉의 ㉠에 해당하지 않는 것은?

〈보기〉

국어에서는 의존 명사[1]가 수량을 표현하는 말 뒤에 쓰여 수효나 분량 따위의 단위를 나타내는 경우[2]가 일반적이지만, ㉠자립 명사가 단위를 나타내는 경우[3]도 있다. 예를 들어 '사람'은 자립 명사로 쓰이기도 하지만 수량을 표현하는 말 뒤에 쓰여 사람을 세는 단위를 나타낼 수도 있다.

- 의존 명사: 그 아이는 올해 아홉 살이다.
- 자립 명사: 그는 사람을 부리는 재주가 있다.
- 자립 명사가 단위를 나타내는 경우: 친구 다섯 사람과 함께 도서관에 갔다.

① 이 글에는 여러 군데 잘못이 있다.
② 앉은자리에서 밥 두 그릇을 다 먹었다.
③ 시장에서 수박 세 덩어리를 사 가지고 왔다.
④ 할아버지께서는 밥을 몇 숟가락 겨우 뜨셨다.
⑤ 나는 서너 발자국 뒤로 물러서다가 냅다 도망쳤다.

더 알고 싶은 해설

정답 풀이

❶ 이 글에는 여러 군데 잘못이 있다.
'군데'는 '한 군데, 두 군데, 몇 군데' 등에서처럼 '낱낱의 곳을 세는 단위'의 의미를 지니는 의존 명사로 항상 관형어의 수식을 받아야 하며, 자립 명사로는 쓰이지 않습니다.

오답 풀이

② 앉은자리에서 밥 두 그릇을 다 먹었다.
'그릇'은 '그릇이 예쁘다.'에서처럼 독립적으로 쓰일 수 있는 자립 명사인데, 단위를 나타내는 기능을 수행하고 있어요.

③ 시장에서 수박 세 덩어리를 사 가지고 왔다.
'덩어리'는 '덩어리가 크다.'에서처럼 독립적으로 쓰일 수 있는 자립 명사인데, 단위를 나타내는 기능을 수행하고 있어요.

④ 할아버지께서는 밥을 몇 숟가락 겨우 뜨셨다.
'숟가락'은 '숟가락이 좋다.'에서처럼 독립적으로 쓰일 수 있는 자립 명사인데, 단위를 나타내는 기능을 수행하고 있어요.

⑤ 나는 서너 발자국 뒤로 물러서다가 냅다 도망쳤다.
'발자국'은 '발자국이 뚜렷하다.'에서처럼 독립적으로 쓰일 수 있는 자립 명사인데, 단위를 나타내는 기능을 수행하고 있어요.

2 2014 6월 평가원 A형 12번

〈보기 1〉을 바탕으로 ㉠과 품사가 같은 것을 〈보기 2〉에서 고른 것은?

보기 1

문장

○ 아침에 하는 ㉠달리기는 건강에 매우 좋다.
○ 나는 모임에 늦지 않으려고 더 빨리 ㉡달리기 시작했다.

설명

㉠과 ㉡은 형태는 같으나 품사가 다르다. ㉠은 '달리-'에 접미사[1]가 붙은 명사로서 관형어[2]의 수식을 받고 있다. 이에 반해, ㉡은 '달리-'에 명사형 어미[3]가 붙은 동사로서 부사어[4]의 꾸밈을 받으며 서술하는 기능을 유지하고 있다.

보기 2

○ 그는 멋쩍게 ㉮웃음으로써 답변을 회피했다.
○ 그 가수는 현란한 ㉯춤을 추며 노래를 불렀다.
○ 오늘따라 학생들의 ㉰걸음이 가벼워 보였다.
○ 자기 소개서에 "만화를 잘 ㉱그림."이라고 썼다.

① ㉮, ㉯ ② ㉮, ㉱ ③ ㉯, ㉰
④ ㉯, ㉱ ⑤ ㉰, ㉱

개념 확인

1 접미사
접미사는 어근이나 단어의 뒤에 붙어 새로운 단어가 되게 하는 말을 가리킵니다. 예를 들어 '부채'라는 어근에 접미사 '-질'이 결합하면 '부채질'이라는 새로운 단어가 만들어져요. 접미사 중에는 '지우개'의 '-개', '달리기'의 '-기'처럼 어근의 품사를 바꿔 주는 것도 있답니다.

2 관형어
체언 앞에서 체언의 뜻을 꾸며 주는 구실을 하는 문장 성분을 관형어라고 합니다. 예를 들어, '예쁜 얼굴'에서 '예쁜'은 체언 '얼굴'을 꾸며 주는 관형어랍니다.

3 명사형 어미
용언의 어간에 붙어 명사와 같은 기능을 수행하게 하는 어미를 뜻합니다. 용언 '먹다'의 어간 '먹-'에 어미 '-음', '-기'가 결합하면, '먹음', '먹기'가 명사와 비슷한 기능을 갖게 된답니다.

4 부사어
주로 용언의 뜻을 꾸며 주는 구실을 하는 문장 성분입니다. 예를 들어 '깨끗이 씻다'에서 '깨끗이'는 용언 '씻다'를 꾸며 주는 부사어랍니다.

더 알고 싶은 해설

정답 풀이

❸ 그 가수는 현란한 ㉯춤을 추며 노래를 불렀다.

㉠은 '달리-'에 접미사 '-기'가 결합한 명사이고, ㉡은 '달리-'에 명사형 어미 '-기'가 결합한 동사입니다. 명사는 관형어의 수식을 받아요. ㉯의 '춤'은 관형어 '현란한'의 수식을 받습니다.

오늘따라 학생들의 ㉰걸음이 가벼워 보였다.

㉰의 '걸음'은 관형어 '학생들의'의 수식을 받고 있어요. 따라서 ㉯는 '추-'에 접미사 '-ㅁ'이, ㉰는 '걷-'에 접미사 '-음'이 결합한 명사임을 알 수 있어요.

오답 풀이

그는 멋쩍게 ㉮웃음으로써 답변을 회피했다.

'웃음'은 부사어 '멋쩍게'의 수식을 받고 있어요. 따라서 ㉮의 '웃음'은 '웃-'에 명사형 어미 '-음'이 결합한 동사임을 알 수 있어요.

자기 소개서에 "만화를 잘 ㉱그림."이라고 썼다.

'그림'은 부사어 '잘'의 수식을 받고 있어요. 따라서 ㉱의 '그림'은 '그리-'에 명사형 어미 '-ㅁ'이 결합한 동사임을 알 수 있어요.

• 정답과 해설 16쪽

문법 놀이터

사랑하는 연인이 약속 시간과 장소가 엇갈려 만나지 못하고 있어요. 문제에서 제시하는 조건에 맞는 단어를 따라가, 연인이 만날 수 있게 도와주세요.

♡ 연인은 '여자 ________'와 '남자 ________'입니다! ♡

08일 품사의 종류와 특성 2-용언

월 일

궁금이의 문법 일기

그동안 '건강하세요, 행복하세요'라는 말을 정말 많이 썼는데, 틀린 표현이었단다. 형용사는 청유형이나 명령형으로 쓰면 안 된다니! 그렇다면 어떻게 써야 할까? 선생님께 여쭤 봤더니 '건강하게 지내세요, 행복하게 지내세요' 하면 된다고 하셨다. 마침 오늘 드라마를 보는데 "부디 행복하세요"라는 잘못된 대사가 나오기에 엄마께 아는 척도 하고 싶고 해서 지적했다가 꿀밤만 맞았다. 엄마는 내 맘도 모르시고……. ㅠㅠ 다음부터는 분위기 파악을 잘한 후 말씀드려야겠다. ^^;;

콕샘 한마디!

동사와 형용사는 문장에서 쓸 때 형태가 변하는 단어입니다. 그래서 잘못 사용하는 경우가 생기기도 하지요. 하지만 동사나 형용사의 특징을 바로 알면 이런 잘못을 줄일 수 있습니다. 오늘은 문장의 주체가 되는 체언을 서술해 주면서 활용이 가능한 '용언'인 '동사, 형용사'에 대해 배워 보도록 할까요?

용언
- 동사
- 형용사

확인하기

1
용언에 대한 설명으로 적절하지 않은 것은?

① 형태가 변하는 말이다.
② 문장의 주체를 서술한다.
③ 어간과 어미로 나누어진다.
④ 문장에서 본용언과 보조 용언이 언제나 함께 쓰인다.
⑤ 어떤 어미가 결합되느냐에 따라서 문장에서의 기능이 달라진다.

2
밑줄 친 부분이 '본용언+보조 용언'의 구조로 되어 있지 않은 문장은?

① 천장에 등불을 매달아 두었다.
② 이리 와서 이 줄 좀 잡아 주세요.
③ 내 동생은 정말로 착하고 귀엽다.
④ 화가 난 그는 갑자기 나가 버렸다.
⑤ 오늘따라 유난히 엄마가 보고 싶어요.

3
동사에 대한 설명으로 적절하지 않은 것은?

① 관형사와 부사의 꾸밈을 받을 수 있다.
② 청유형이나 명령형 문장을 만들 수 있다.
③ 사람이나 사물의 움직임을 나타내는 단어이다.
④ 과거, 현재, 미래 시제 선어말 어미를 동반할 수 있다.
⑤ 목적어의 필요 여부에 따라 자동사와 타동사로 나눌 수 있다.

오늘의 개념 사전

용언
문장에서 주로 주체(주어)를 서술하는 구실을 하는 '동사', '형용사'를 통틀어 이르는 말

용언의 특징

- 문장의 주체(주어)를 서술한다.(서술어의 역할)
- 활용(어간에 여러 어미가 번갈아 결합하는 현상)한다.
  예 찾다 → 찾고, 찾으니, 찾아서, 찾으면
  - 어간(용언이 활용할 때 변하지 않는 부분): 찾-
  - 어미(어간에 붙어서 변하는 부분): -고, -(으)니, -아서, -(으)면

※ 어미의 종류
- 어말 어미: 단어의 끝자리에 들어가는 어미
  - 종결 어미: -다, -구나, -니 예 예쁘다, 예쁘구나, 예쁘니
  - 연결 어미: -(으)면, -아서/-어서 예 먹으면, 먹어서
  - 전성 어미(용언의 어간에 붙어 다른 품사의 기능을 수행하게 하는 어미): -는, -기, -게 예 뛰는(관형사형), 뛰기(명사형), 뛰게(부사형)
- 선어말 어미: 어말 어미의 앞자리에 들어가는 어미
  - 높임 선어말 어미: -시-, -옵-
  - 시제 선어말 어미: -았-/-었-, -ㄴ-/-는-, -겠-
  예 가시었다: 가-(어간) + -시-(높임 선어말 어미) + -었-(시제 선어말 어미) + -다(종결 어미)

본용언과 보조 용언

본용언	서술의 주된 의미를 나타내는 용언
보조 용언	본용언의 의미를 보충하는 용언. '보조 용언'은 '보조 동사'와 '보조 형용사'로 나뉜다.

예 놀이 공원에 가고(본동사) 싶어요(보조 형용사).
김치 볶음밥을 다 먹어(본동사) 치웠다(보조 동사).

동사
움직임이나 작용 등을 나타내는 단어

동사의 특징

- 청유형이나 명령형 종결 어미와 결합할 수 있다.
- 과거, 현재, 미래 시제 선어말 어미를 모두 동반할 수 있다.
  예 미래 – 먹겠다(○), 과거 – 먹었다(○), 현재 – 먹는다(○)
- 관형어의 꾸밈은 받을 수 없으나, 부사어의 꾸밈은 받을 수 있다.

▶연계 학습 부록 225쪽으로 한번 더!

동사의 종류

자동사	동사가 나타내는 동작이나 작용이 주어에만 미치는 동사 예 나는 자리에 앉았다. / 그녀는 슬프게 울었다. / 우리는 학교에 간다.
타동사	동작의 대상인 목적어를 필요로 하는 동사 예 사진을 보다. / 밥을 먹다. / 친구를 찾다.

형용사
상태나 성질을 나타내는 단어

형용사의 특징

- 청유형이나 명령형 종결 어미와 결합할 수 없다.
- 미래, 과거 시제 선어말 어미는 동반할 수 있지만, 현재 시제 선어말 어미는 동반할 수 없다.
  예 미래 – 덥겠다(○), 과거 – 더웠다(○), 현재 – 더운다(×)
- 관형어의 꾸밈은 받을 수 없으나, 부사어의 꾸밈은 받을 수 있다.

형용사의 종류

성상 형용사	상태나 성질을 나타내는 형용사 예 수진이는 얼굴도 예쁘고, 마음씨도 착하다.
지시 형용사	상태나 성질의 의미를 대신 나타내는 형용사 예 상황이 그러니 어쩔 수 없겠구나.

동사와 형용사의 구분

	동사	형용사
명령형 (~해라)	• 가능 예 담그다 → 담가라(○)	• 불가능 예 예쁘다 → 예뻐라(×)
청유형 (~하자)	• 가능 예 담그다 → 담그자(○)	• 불가능 예 예쁘다 → 예쁘자(×)
현재 진행 (~하는 중)	• 가능 예 담그는 중이다(○)	• 불가능 예 예쁘는 중이다(×)

※ '예쁘다'와 '예뻐지다'
- '예쁘다'는 형용사이고, '예뻐지다'는 동사임.
- 오늘은 좀 더 예쁘자. (×) ➡ 청유형이 불가능한 형용사
- 오늘은 좀 더 예뻐지자. (○) ➡ 청유형이 가능한 동사

• 정답과 해설 16쪽

확인하기

4
형용사에 해당하는 단어로 알맞은 것은?

① 걷다 ② 놓다
③ 맑다 ④ 떨어지다
⑤ 공부하다

5
밑줄 친 단어의 품사가 나머지와 다른 것은?

① 인생은 짧고, 예술은 길다.
② 하늘이 참 높고, 푸르구나.
③ 넓은 바다에 작은 돛단배가 떠 있다.
④ 궁금한 것은 언제든 어려워 말고 물어보아라.
⑤ 아이들이 자고 있는데, 누가 이렇게 떠드는 것일까?

6
다음 문장에서 용언을 모두 찾아 동사와 형용사로 구분하시오.

> 우리 가족은 추운 겨울밤마다 사랑방에 모여 가래떡을 맛있게 구워 먹곤 했다.

(1) 동사
(2) 형용사

정복하기

1 다음 단어들의 공통점은?

> 뛰다, 날다, 먹다, 들다

① 수를 나타내는 단어들이다.
② 다른 말을 꾸미는 단어들이다.
③ 움직임을 나타내는 단어들이다.
④ 상태나 성질을 나타내는 단어들이다.
⑤ 사물의 이름을 나타내는 단어들이다.

2 다음 문장에서 밑줄 친 두 단어의 품사를 구분할 수 있는 기준을 한 문장으로 쓰시오.

> 만물상에는 [온갖 / 많은] 물건이 쌓여 있다.

3 밑줄 친 단어가 동사가 아닌 것은?

① 손으로 눈물을 닦고 있다.
② 드디어 어머니께 용돈을 받았다.
③ 예림이가 뛰다가 넘어질 뻔했다.
④ 너와 나 사이의 높은 벽을 허물자.
⑤ 우리 반 아이들은 교복을 단정히 입는다.

4 밑줄 친 단어의 기본형을 잘못 연결한 것은?

① 민구가 수지보다 더 빨랐다. – 빠르다
② 노란 꽃이 아름답게 피었다. – 노랗다
③ 너는 정말 음식을 맛있게 먹는구나. – 먹는다
④ 파란 하늘에 흰 구름이 떠가고 있다. – 떠가다
⑤ 어제는 아버지와 함께 약수터에 갔다. – 가다

5 다음 글에 사용된 형용사를 찾아 기본형을 쓰시오.

> 둥근 해가 떴다.
> 자리에서 일어나서
> 제일 먼저 이를 닦자.

6 문장 안에 밑줄 친 두 단어의 품사가 일치하는 것은?

① 지금부터는 잠을 그만 잠.
② 한 시간을 계속해서 춤을 춤.
③ 어젯밤에는 정말 좋은 꿈을 꿈.
④ 내가 보았던 그림을 똑같이 그린 그림.
⑤ 엄마를 잃은 강아지의 슬픔 때문에 나도 슬픔.

7 〈보기〉의 밑줄 친 용언의 어간과 어미를 분석한 것으로 적절하지 않은 것은?

> **조건**
> 여기저기서 단풍잎 ㉠같은 슬픈 가을이 뚝뚝 떨어진다. 단풍잎 ㉡떨어져 나온 자리마다 봄을 마련해 놓고 나뭇가지 위에 하늘이 펼쳐 있다. 가만히 하늘을 ㉢들여다보려면 눈썹에 파란 물감이 든다. 두 손으로 따뜻한 볼을 쓸어 보면 손바닥에도 파란 물감이 ㉣묻어난다. 다시 손바닥을 들여다본다. 손금에는 맑은 강물이 흐르고, 맑은 강물이 흐르고, 강물 속에는 사랑처럼 ㉤슬픈 얼굴 — 아름다운 순이의 얼굴이 어린다. 소년은 황홀히 눈을 감아 본다. 그래도 맑은 강물은 흘러 사랑처럼 슬픈 얼굴 — 아름다운 순이의 얼굴은 어린다.
>
> – 윤동주, 「소년」

① ㉠: 같- + -은
② ㉡: 떨어지- + -어
③ ㉢: 들여다- + -보려면
④ ㉣: 묻어나- + -ㄴ다
⑤ ㉤: 슬프- + -ㄴ

8 밑줄 친 두 단어의 품사를 각각 밝혀 쓰시오.

> • 가구가 ㉠커서 방에 들어가지 않는다.
> • 너는 ㉡커서 무엇을 하고 싶니?

• ㉠
• ㉡

9 〈보기〉에서 설명하는 내용을 모두 만족하는 단어를 포함하고 있는 문장은?

〈보기〉
- 사물의 상태나 성질을 나타낸다.
- 문장에 쓰일 때에는 형태가 여러 가지로 바뀐다.

① 철수가 재빨리 바지를 입었다.
② 토끼와 거북이는 함께 달렸다.
③ 지호는 은아에게 줄 선물을 샀다.
④ 고운 말을 쓰는 사람은 성공하는 법이다.
⑤ 운동장에서 아이들이 공을 차며 뛰놀았다.

10 빈칸에 들어갈 수 있는 단어의 특징으로 적절한 것은?

나는 특히 징검다리 한가운데 앉아 있는 소녀를 관찰하는 소년의 모습이 인상적이었다. 소년의 눈에 소녀의 모습은 어땠을까? 가무잡잡한 소년과 달리 소녀의 팔과 목덜미는 마냥 (　　　　　).

① 대상의 이름을 나타낸다.
② 놀람이나 느낌을 나타낸다.
③ 수량이나 순서를 나타낸다.
④ 대상의 상태나 성질을 나타낸다.
⑤ 대상의 이름을 대신하여 가리킨다.

11 밑줄 친 부분에 사용된 어미와 결합할 수 <u>없는</u> 단어는?

먹다
- 배고프겠다. 어서 <u>먹어라</u>.
- 오늘따라 음식을 맛있게 <u>먹는다</u>.
- 우리 빵을 반으로 나눠서 함께 <u>먹자</u>.

① 붙잡다　　② 담그다
③ 즐겁다　　④ 길들이다
⑤ 예뻐지다

12 다음 문장에 사용된 용언을 찾아 동사와 형용사로 구분하시오. (단, 용언의 기본형으로 제시할 것.)

최영 장군이 우리에게 남기신 '황금을 보기를 돌같이 하라.'라는 명언이 있습니다.

- 동사
- 형용사

13 밑줄 친 단어의 품사가 나머지와 <u>다른</u> 하나는?

① 어느새 머리카락이 <u>길게</u> 자라 있었다.
② 동생이 혼자 집에 있어서 <u>걱정스러웠다</u>.
③ 겨울 햇살이 <u>따뜻하게</u> 내리쬐고 있었다.
④ 그 아이를 볼 때마다 <u>미안한</u> 마음이 들었다.
⑤ 필통이 <u>없어져서</u> 문구점에서 새것을 사야 했다.

14 다음과 같이 동사를 분류할 때, 밑줄 친 동사 중 나머지와 <u>다른</u> 하나는?

동사는 동사가 나타내는 동작이나 작용이 미치는 범위에 따라 자동사와 타동사로 나눌 수 있다.

- 자동사: 움직임(동작)이 동작의 주체에게만 미치는 동사
- 타동사: 움직임(동작)이 동작의 주체뿐만 아니라 동작의 대상에게까지 미치는 동사

① 영호가 공을 힘껏 <u>찼다</u>.
② 철수가 돌멩이를 멀리 <u>던졌다</u>.
③ 수아가 제자리에 털썩 <u>앉았다</u>.
④ 동호가 졸업식 때 찍은 사진을 <u>꺼냈다</u>.
⑤ 영희가 종이비행기를 하늘 높이 <u>날렸다</u>.

15 다음 문장에서 밑줄 친 단어의 활용이 <u>잘못된</u> 이유를 서술하시오.

아이구, 내 동생. 언제나 지금처럼 *<u>착하자</u>.

수능 콕콕 수능 기출

개념 확인

1 서술격 조사
서술격 조사 '이다'는 주로 체언 뒤에 붙어 서술어 자격을 가지게 한답니다. '이다'는 '이고, 이니, 이냐'와 같이 활용됩니다.

2 서술어
한 문장에서 주체(주어)의 움직임, 상태, 성질 따위를 서술하는 말입니다. 예를 들어, '철수가 웃는다.'에서 '웃는다'가 주체(주어) 철수의 움직임을 서술하고 있답니다.

3 절
주어와 서술어를 갖추었으나 독립하여 쓰이지 못하고 다른 문장의 한 성분으로 쓰이는 것을 '절'이라고 합니다.

1 2019학년도 대수능 6월 모의평가 12번 변형

〈보기〉를 참고할 때, 밑줄 친 부분이 ㉠에 해당하는 예로만 묶인 것은?

보기

품사를 구별하기 위해서는 각 단어의 다음과 같은 문법적 특징을 고려해야 한다. 명사는 서술격 조사[1]가 결합하는 경우를 제외하고는 서술어[2]로 쓰일 수 없고, 관형어의 수식을 받는다. 반면 ㉠동사나 형용사는 명사형이라 하더라도 문장이나 절[3]에서 서술어로 쓰이고, 부사어의 수식을 받는다. 그리고 부사는 격 조사와 결합할 수 없고 다른 부사어나 서술어 등을 수식한다.

① 많이 앎이 항상 미덕인 것은 아니다.
그의 목소리는 격한 슬픔으로 떨렸다.

② 멸치 볶음은 맛도 좋고 건강에도 좋다.
오빠는 몹시 기쁨에도 내색을 안 했다.

③ 요즘은 상품을 큰 묶음으로 파는 가게가 많다.
무용수들이 군무를 춤과 동시에 조명이 켜졌다.

④ 어려운 이웃을 도움으로써 보람을 찾는 이도 있다.
나는 그를 온전히 믿음에도 그 일은 맡기고 싶지 않다.

⑤ 아이가 울음 섞인 목소리로 빨리 오라고 소리쳤다.
수술 뒤 친구가 밝게 웃음을 보니 나도 마음이 놓였다.

더 알고 싶은 해설

정답 풀이

❹ 어려운 이웃을 도움으로써 보람을 찾는 이도 있다.
나는 그를 온전히 믿음에도 그 일은 맡기고 싶지 않다.

| '어려운 이웃을 돕다.'와 '나는 그를 온전히 믿다.'가 각각 명사형으로 바뀌어 쓰이고 있습니다.

오답 풀이

① 많이 앎이 항상 미덕인 것은 아니다.
그의 목소리는 격한 슬픔으로 떨렸다.

| '많이 알다.'가 명사형으로 바뀌어 쓰이고 있습니다. '슬픔'은 전성 명사입니다.

② 멸치 볶음은 맛도 좋고 건강에도 좋다.
오빠는 몹시 기쁨에도 내색을 안 했다.

| '볶음'은 전성 명사입니다. '(오빠는) 몹시 기쁘다.'가 명사형으로 바뀌어 쓰이고 있습니다.

③ 요즘은 상품을 큰 묶음으로 파는 가게가 많다.
무용수들이 군무를 춤과 동시에 조명이 켜졌다.

| '묶음'은 전성 명사입니다. '무용수들이 군무를 추다.'가 명사형으로 바뀌어 쓰이고 있습니다.

⑤ 아이가 울음 섞인 목소리로 빨리 오라고 소리쳤다.
수술 뒤 친구가 밝게 웃음을 보니 나도 마음이 놓였다.

| '울음'은 전성 명사입니다. '수술 뒤 친구가 밝게 웃다.'가 명사형으로 바뀌어 쓰이고 있습니다.

2 2019학년도 대수능 9월 모의평가 12번 변형

〈보기 1〉을 참고하여 〈보기 2〉를 이해한 내용으로 적절하지 않은 것은?

보기 1

동사와 형용사[1]를 구별하는 기준으로 활용 양상을 내세우기도 한다. 동사와 달리 형용사는 원칙적으로 선어말 어미 '-ㄴ/는-', 관형사형 어미 '-는', 명령형·청유형 종결 어미, 의도나 목적을 나타내는 연결 어미 등과 결합하여 쓰이지 않는다. 다만, '있다'의 경우는 품사를 분류할 때 더욱 주의해야 한다. '존재', '소유'와 같이 상태의 의미를 나타내는 '있다'는 형용사로, '한 장소에 머묾'의 의미인 '있다'는 동사로 분류되는데, 동사 '있다'뿐만 아니라 형용사의 '있다'가 관형사형 어미 '-는'과 결합하기 때문이다. 형용사 '없다'의 경우도 반의어인 형용사 '있다'와 동일한 활용 양상을 보여 준다.

보기 2

ⓐ 영희가 밥을 먹었다. / 꽃이 예뻤다.
　 영희가 밥을 먹는다. / *꽃이 예쁜다.

ⓑ 영희야, 밥 먹어라. / *영희야, 좀 예뻐라.
　 영희야, 밥 먹자. / *우리 좀 예쁘자.

ⓒ 밥 먹으려고 식당으로 갔다. / *예쁘려고 미용실에 갔다.
　 밥 먹으러 식당에 갔다. / *예쁘러 미용실에 갔다.

ⓓ 나에게는 돈이 있다. / 돈이 있는 사람
　 나에게는 돈이 없다. / 돈이 없는 사람

ⓔ 나무가 크다. / 나무가 쑥쑥 큰다.
　 머리카락이 길다. / 머리카락이 잘 긴다.

※ '*'는 비문임을 나타냄.

① ⓐ: 동사와는 달리 형용사는 현재를 나타내는 선어말 어미[2]와 결합할 수 없다.
② ⓑ: 동사와는 달리 형용사는 명령형·청유형 어미와 결합할 수 없다.
③ ⓒ: 동사와는 달리 형용사는 의도·목적을 나타내는 연결 어미와 결합할 수 없다.
④ ⓓ: '있다'와 '없다'는 상태의 의미를 나타내지만 동사로 쓰이고 있다.
⑤ ⓔ: '크다'와 '길다'는 형용사, 동사로 모두 쓰이고 있다.

개념 확인

1 동사와 형용사

움직임이나 작용을 나타내는 단어가 동사이고, 성질이나 상태를 나타내는 단어가 형용사입니다. 동사의 '동(動)'이 '움직일 동'이라는 한자이고, 형용사의 '형(形)'은 '모양 형', '용(容)'은 '모양 용'이라는 점을 기억하세요. 그러니까 동사는 '움직임'을, 형용사는 '모양(상태나 성질)'을 나타내는 말이랍니다.

2 현재 시제 선어말 어미

'철수가 먹었다/먹는다/먹겠다(먹을 것이다).'를 살펴보면, '-었-'은 과거 시제를, '-는-'은 현재 시제를, '-겠-'은 미래 시제를 나타냄을 알 수 있습니다. '-었-, -는-, -겠-'과 같이 용언의 어간과 어말 어미 사이에서 시제 등의 문법적 의미를 나타내는 것을 선어말 어미라고 합니다. 즉 '-었-'은 과거 시제 선어말 어미, '-는-'은 현재 시제 선어말 어미, '-겠-'은 미래 시제 선어말 어미랍니다.

더 알고 싶은 해설

정답 풀이

❹ ⓓ: '있다'와 '없다'는 상태의 의미를 나타내지만 동사로 쓰이고 있다.
| '있다'와 '없다'는 상태의 의미를 나타내는 형용사로 쓰이고 있어요.

오답 풀이

① ⓐ: 동사와는 달리 형용사는 현재를 나타내는 선어말 어미와 결합할 수 없다.
| '-ㄴ/는-'은 동사 '먹는다'에서는 쓰이지만, 형용사 '예쁘다'에서는 쓰이지 않아요.

② ⓑ: 동사와는 달리 형용사는 명령형·청유형 어미와 결합할 수 없다.
| '먹어라', '먹자'는 동사 '먹다'의 명령형, 청유형입니다. 형용사에서는 명령형, 청유형이 쓰일 수 없어요.

③ ⓒ: 동사와는 달리 형용사는 의도·목적을 나타내는 연결 어미와 결합할 수 없다.
| '먹으려고', '먹으러'는 의도나 목적을 나타내고 있죠. 형용사는 의도나 목적을 나타내는 연결 어미와 결합할 수 없어요.

⑤ ⓔ: '크다'와 '길다'는 형용사, 동사로 모두 쓰이고 있다.
| '크다'가 동사로 쓰일 때에는 '자라다'라는 의미로 사용되고 있어요.

• 정답과 해설 18쪽

문법 놀이터

다음은 윌리엄 폴 영의 소설 '오두막'의 일부분입니다. 밑줄 친 동사와 형용사를 나에게 어울리는 동사와 형용사로 바꾸어 보세요.

나의 본질은 동사죠. 나는 명사보다 동사에 맞춰져 있어요.
고백하다, 회개하다, 살다, 반응하다, 성장하다, 도약하다, 변화하다, 달리다, 춤추다, 노래하다 등의 동사에 말이죠.
그런데 인간들에겐 은총이 가득하고 생명력이 넘치는 동사를 죽은 명사나 썩은 냄새가 나는 원칙으로 바꾸는 재주가 있어요.

이 나이 되도록 이제까지 저의 본질이 무엇인가에 대해 생각해 본 적이 없었지만 돌아보면 '진급'에 욕심이 많았고 한때는 '부자'가 되는 방법에 귀를 기울였고 '명예'에 욕심을 부린 적도 있었습니다. 모조리 명사더군요.
그나마 이제라도 알 수 있게 되어서 다행입니다.
동사가 본질인 것이 좀 더 나은 삶이겠지요.

욕심을 부린다면 '당당한, 정직한, 건강한, 따뜻한'과 같은 형용사도 좀 집어넣고 싶습니다.

접속사 한두 개가 추가되면 더 좋겠지요.
물론 '그러나' 같은 것은 싫습니다.

나에게 어울리는 동사	나에게 어울리는 형용사

09일 품사의 종류와 특성 3-수식언

월 일

궁금이의 문법 일기

휴대 전화 게임을 하다가 엄마께 '딱' 걸렸다. 혼날까 봐 '조금 많이'라고 했는데, 엄마는 말이 되는 소리를 하라며 더 혼내셨다. 내가 생각해도 말이 안 되기는 하다. '조금'은 '정도와 분량이 적게'라는 뜻이고 '많이'는 정반대의 말인데 그걸 같이 쓰다니. ^^;; 그렇지만 "네, 아주 많이 했어요!"라고 할 수는 없지 않은가……. 그러면 엄마는 "많이 하면 안 되는 줄 알면서도 계속 한 거야?"라며 또 혼을 내셨을 거다. 다음부터는 솔직하게 "엄마, 게임 많이 해서 정말 죄송해요. 이젠 안 그럴 테니 부디 화 푸세요!"라고 잘 말씀드려 이번처럼 혼나는 일을 막아 봐야겠다. ^^

콕샘 한마디!

품사 중에는 다른 말을 꾸며 주는 역할을 하는 '수식언'이 있어요. 어떤 수식언을 쓰느냐에 따라 문장의 의미는 많이 달라질 수 있죠. 그래서 적절한 수식언을 고르는 일은 의미를 전달할 때 아주 중요한 역할을 한답니다. 그럼 오늘은 이러한 '수식언'인 '관형사, 부사'에 대해 공부해 보도록 할까요?

수식언
- 관형사
- 부사

확인하기

1
관형사와 부사의 공통점으로 적절한 것은?

① 조사와 결합할 수 있다.
② 문장에서 쓰일 때 형태가 변한다.
③ 문장에서 주로 주체가 되는 구실을 한다.
④ 문장에서 다른 말을 꾸며 주는 역할을 한다.
⑤ 문장에서 체언의 뜻을 보충해 주는 역할을 한다.

2
밑줄 친 단어 중, 관형사가 아닌 것은?

① 헌 옷 ② 두 마리
③ 다른 섬 ④ 열 그루
⑤ 깊은 바다

3
관형사와 그 꾸밈을 받는 말을 적절하게 나타내지 않은 것은?

① 아기가 새 옷을 입었다.
② 그는 외딴 집에 살고 있다.
③ 세상 모든 부모는 자식을 사랑한다.
④ 어느 이상한 집에 머물고 있나 보다.
⑤ 적어도 두 사람은 모임에 빠질 것이다.

오늘의 개념 사전

수식언
문장에서 체언이나 용언 앞에 놓여서 뒤에 오는 말을 꾸며 주는 구실을 하는 '관형사'와 '부사'를 함께 이르는 말

관형사
체언(명사, 대명사, 수사) 앞에 놓여서 '어떠한(어떤)'의 방식으로 체언을 꾸며 주는 단어

관형사의 특징
- 형태가 변하지 않는다.
- 시제와 높임의 구별이 없다.
- 조사나 어미와 결합하지 않는다.

예 새 친구(○) → 새가 친구(×)

관형사의 종류
- 성상 관형사: 사물의 성질이나 상태를 나타내는 관형사

예 새, 순, 헌, 외딴, ……

새(성상 관형사) 옷(명사)을 사니 기분이 좋았다.

외딴(성상 관형사) 집(명사)에서 사는 게 외롭지 않니?

- 지시 관형사: 특정한 대상을 지시하여 가리키는 구실을 하는 관형사

예 이, 저, 무슨, 어느, ……

이(지시 관형사) 학교(명사)에 다니게 되어 기쁘다.

너는 어느(지시 관형사) 별(명사)에서 왔니?

- 수 관형사: 사물의 수나 양을 나타내어 체언을 꾸미는 관형사

예 열, 모든, 세, 여러, ……

세(수 관형사) 사람(명사)은 모임에 빠질 것 같구나.

세상의 모든(수 관형사) 부모(명사)는 자식을 사랑한다.

관형사와 동사/형용사의 구분
- **관형사**: 불변어(형태가 변하지 않음)
- **동사/형용사**: 가변어(형태가 변함)

예 나는 새 옷을 입었다.
나는 흰 옷을 입었다.

'새'와 '흰'은 모두 체언 '옷'을 수식한다.
'새'는 불변어이므로 관형사이고, '흰'은 '희다'가 활용된 형태(가변어)이므로 형용사이다.

▸연계 학습 부록 226쪽으로 한번 더!

부사
용언이나 다른 부사, 관형사, 문장 전체 등을 꾸며 주는 단어

부사의 특징

- 형태가 변하지 않는다.
- 문장 내에서 위치가 비교적 자유롭다.
- 다른 부사, 관형사, 구절이나 문장 전체를 수식하기도 한다.

예 방을 아주(부사) 깨끗이(부사) 치웠구나! ➡ 부사 수식

철수가 너무(부사) 헌(관형사) 운동화를 신었다. ➡ 관형사 수식

과연(부사) 철수는 착한 학생이구나! ➡ 문장 전체 수식

- 보조사가 결합하기도 한다. 예 잘도 먹는다. / 빨리만 와라.

부사의 종류

- **성분 부사**: 문장의 한 성분만 수식하는 부사

성상 부사	'어떻게'의 방식으로 꾸며 주는 부사 예 너무, 자주, 데굴데굴, …… 머리가 너무(성상 부사) 아프다며(형용사) 데굴데굴(성상 부사) 구르기(동사) 시작했다.
지시 부사	방향, 거리, 시간 등을 지시하는 부사 예 이리, 그리, 내일, …… 이리(지시 부사) 오지 말고 그리(지시 부사) 가거라.
부정 부사	용언의 의미를 부정하는 부사 예 안(아니), 못 못(부정 부사) 한 것이 아니라, 안(부정 부사) 한 것이겠지.

- **문장 부사**: 뒤에 오는 문장 전체를 수식하는 부사

양태 부사	말하는 이의 마음이나 태도를 표시하는 부사 예 설마, 과연, 다행히, 제발, 부디, 만일, …… 제발(양태 부사) 방학이 빨리 왔으면 좋겠다.
접속 부사	단어와 단어, 문장과 문장을 연결해 주는 부사 예 그리고, 또한, 즉, 그러나, 더구나, 혹은, …… 나는 마음이 아팠다. 그러나(접속 부사) 울지 않았다.

부사와 동사/형용사의 구분

- **부사**: 불변어(형태가 변하지 않음)
- **동사/형용사**: 가변어(형태가 변함)

예 나는 방을 깨끗이 치웠다. / 나는 방을 깨끗하게 치웠다.

'깨끗이'와 '깨끗하게'는 모두 용언 '치웠다'를 수식한다.
'깨끗이'는 불변어이므로 부사이고, '깨끗하게'는 '깨끗하다'가 활용된 형태(가변어)이므로 형용사의 부사형이다.

• 정답과 해설 18~19쪽

확인하기

4
다음 빈칸에 들어갈 적절한 말을 쓰시오.

> 관형사와 달리 부사 바로 뒤에는 (   )이/가 결합하여 둘을 함께 붙여 쓰기도 한다.

5
부사와 그 꾸밈을 받는 말이 바르게 짝지어진 것은? (정답 2개)

① 하늘이 정말 푸르다.
② 빨리 학교에 가거라.
③ 제발 한 번만 도와주세요.
④ 배가 너무 고파서 집에 가 버리고 말았다.
⑤ 만약 과거로 돌아갈 수 있다면, 사과하고 싶구나.

6
밑줄 친 단어 중, 부사가 아닌 것은?

① 너무 많다.
② 저 학교이다.
③ 설마 아니겠지?
④ 오히려 고맙다.
⑤ 몹시 아팠어요.

7
〈보기〉의 밑줄 친 단어가 부사가 아닌 이유로 가장 적절한 것은?

> 보기
> 그는 언제나 신나게 춤을 추었다.

① 체언 '춤'을 수식해서
② 형태가 변하는 말이라서
③ 용언 '추었다'를 수식해서
④ '춤을 추었다'를 수식해서
⑤ '언제나'의 수식을 받아서

문제로 정복하기

1 〈보기〉에서 밑줄 친 단어들의 공통점은?

◀ 보기 ▶
- 오늘 새 가방을 샀다.
- 무슨 과목을 가장 좋아하니?
- 일요일인데도 벌써 일어났구나.
- 비가 오지 않아서 나무가 바짝 말랐다.
- 아이들이 모든 정성을 다해 노래를 불렀다.

① 문장에서 다른 단어를 꾸며 준다.
② 동작이나 상태의 주체를 나타낸다.
③ 문장에 쓰인 단어들의 관계를 나타낸다.
④ 사물이나 사람의 움직임, 상태, 성질을 설명한다.
⑤ 문장에서 다른 단어와 관계를 맺지 않고 독립적으로 쓰인다.

2 ㉠과 ㉡의 품사를 각각 쓰시오.

- ㉠ 둘은 부족해.
- ㉡ 두 명은 부족해.

(1) ㉠
(2) ㉡

3 다음 문장에 사용되지 않은 품사는?

그 친구는 정말 빨리 달리는구나.

① 명사 ② 부사 ③ 동사
④ 대명사 ⑤ 관형사

4 부사가 사용되지 않은 문장은?

① 너 오늘 정말 멋지구나!
② 아직 한 사람이 오지 않았다.
③ 설마 그런 일이 일어나겠니?
④ 온갖 쓰레기를 모아 놓았구나.
⑤ 조심스럽게 문을 똑똑 두드렸다.

5 〈보기〉에서 설명하는 품사가 사용된 문장은?

◀ 보기 ▶
- 문장에서 형태가 바뀌지 않는다.
- 주로 '비행기'나 '옷'과 같은 단어들을 꾸며 주는 역할을 한다.

① 구르는 돌에는 이끼가 끼지 않는다.
② 모르던 사실을 하나씩 알게 되었다.
③ 어진 어머니가 현명한 아들을 만든다.
④ 갖은 고생을 다 하고 이제야 돌아왔다.
⑤ 토끼의 빨간 눈이 아직도 기억에 선하다.

6 다음에서 ㉮와 ㉯에 들어갈 수 있는 단어를 적절하게 짝지은 것은?

형태가 변합니까?
예 ↓ 아니요 ↓
문장에서 주체 역할을 합니까?
예 ↓ 아니요 ↓
다른 말을 꾸며 줍니까?
예 ↓ 아니요 ↓
주로 체언을 꾸며 줍니까?
예 ↓ 아니요 ↓
㉮ ㉯

	㉮	㉯
①	모든	훨씬
②	여러	바람
③	뜨겁다	빨리
④	다른	다섯
⑤	빨리	갖가지

7 다음 문장에 사용된 부사를 모두 찾아 쓰시오.

가장 먼저 일어나는 새가 먹이를 쉽게 구할 수 있는 법이다.

8 밑줄 친 단어의 품사를 잘못 연결한 것은?

① 하늘은 높고 바람은 시원하다. – 형용사
② 사람은 빵만으로 살지 않습니다. – 동사
③ 세 사람은 어떤 말도 하지 않았다. – 대명사
④ 지금까지 앞만 보고 묵묵히 걸어왔습니다. – 부사
⑤ 선생님, 저는 정말 그곳에 가지 않았습니다. – 명사

9 〈보기〉에 사용된 단어들에 대하여 설명한 내용으로 적절하지 않은 것은?

〈보기〉
계절이 지나가는 하늘에는
가을로 ㉠가득 차 있습니다.
나는 ㉡아무 걱정도 ㉢없이
가을 속의 별들을 다 헬 듯합니다.

가슴속에 하나 둘 새겨지는 별을
이제 다 ㉣못 헤는 것은
㉤쉬이 아침이 오는 까닭이요,
내일 밤이 남은 까닭이요,
아직 나의 청춘이 다하지 않은 까닭입니다.
– 윤동주, 「별 헤는 밤」 중에서

① ㉠은 '차'라는 용언을 꾸미고 있으므로 부사이다.
② ㉡은 '걱정'이라는 명사를 꾸미고 있으므로 관형사이다.
③ ㉢은 '가을 속의 별들'을 꾸미고 있으므로 관형사이다.
④ ㉣은 용언의 의미를 부정할 때 사용하는 부사이다.
⑤ ㉤은 '오는'이라는 용언을 꾸미고 있으므로 부사이다.

10 〈보기〉에서 설명하는 단어를 가장 많이 사용한 문장은?

〈보기〉
• 형태가 변하지 않는 단어이다.
• 문장에서 다른 말을 꾸며 주는 역할을 한다.
• '은/는, 만, 도'와 같은 말과 결합할 수 있다.

① 나는 밥을 천천히 먹었다.
② 몸에 좋은 약이 무척 쓰다.
③ 희수가 노란 공을 힘껏 던졌다.
④ 간밤에 상을 받는 꿈을 꾸었다.
⑤ 높이 나는 새가 멀리 보는 법이다.

11 다음 문장에서 부사를 찾고, 그것이 꾸며 주는 말을 쓰시오.

과연 나리가 그 일을 해냈구나.

12 ㉠과 ㉡의 공통점과 차이점을 서술하시오.

• 선주가 방을 ㉠말끔히 청소했다.
• 선주가 방을 ㉡말끔하게 청소했다.

13 〈보기〉를 바탕으로 할 때, 수식언에 대한 설명으로 적절하지 않은 것은?

〈보기〉
철수가 새 옷을 거꾸로 입었다.

① 활용을 한다.
② 다른 말을 수식한다.
③ 관형사와 부사의 두 종류가 있다.
④ 문장의 뜻을 구체화하는 역할을 한다.
⑤ 수식언이 없어도 문장은 완결된 의미를 가질 수 있다.

수능 콕콕 수능 기출

개념 확인

1 표제어
사전 등의 표제(≒제목) 항목에 넣어 알기 쉽게 풀이해 놓은 말을 표제어라고 합니다.

1 2019학년도 대수능 15번

〈보기〉를 활용하여 국어사전을 만드는 활동을 하였다. 표제어[1] ⓐ와 예문 ⓑ, ⓒ에 들어갈 말로 적절한 것은?

보기

㉠ 약속 날짜를 너무 밭게 잡았다.
㉡ 서로 밭게 앉아 더위를 참기 어려웠다.
㉢ 시간이 더 필요한데 제출 기한을 너무 바투 잡았다.
㉣ 어머니는 아들에게 바투 다가가 두 손을 움켜쥐었다.
⋮

ⓐ
1 두 대상이나 물체의 사이가 썩 가깝게.
¶ ⓑ
2 시간이나 길이가 아주 짧게.
⋮

밭다 형
1 시간이나 공간이 다붙어 몹시 가깝다.
¶ ⓒ
2 길이가 매우 짧다.
¶ 새로 산 바지가 **밭아** 발목이 다 보인다.
3 음식을 가려 먹는 것이 심하거나 먹는 양이 적다.
¶ 우리 아들은 입이 너무 **밭아서** 큰일이야.
⋮

	ⓐ	ⓑ	ⓒ
①	밭게 부	㉠	㉡
②	밭게 부	㉡	㉢
③	밭게 부	㉡	㉣
④	바투 부	㉢	㉠
⑤	바투 부	㉣	㉠

더 알고 싶은 해설

정답 풀이

❺ '바투'가 ㉢에서 용언 '잡았다'를 수식하고, ㉣에서 용언 '다가가'를 수식하는 것으로 보아 부사임을 알 수 있어요. ㉢의 '바투'는 '시간이나 길이가 아주 짧게.'의 뜻으로, ㉣의 '바투'는 '두 대상이나 물체의 사이가 썩 가깝게.'의 뜻으로 쓰이고 있죠. ⓒ에는 '시간이나 공간이 다붙어 몹시 가깝다.'를 뜻하는 형용사 '밭다'의 활용형이 사용된 예, 즉 ㉠이 들어가야 한답니다.

오답 풀이

①, ②, ③ '밭게'는 형용사 '밭다'가 활용된 형태로, 부사형 전성 어미 '-게'가 사용되었어요.
④ ㉢의 '바투'는 '시간이나 길이가 아주 짧게.'의 뜻으로 쓰이고 있어요.

2 2019학년도 대수능 9월 모의평가 11번 변형

다음 문장에서 〈보기〉의 ㉠~㉤에 해당하는 예를 찾아 이를 설명한 내용으로 적절하지 않은 것은?

〈보기〉

단어를 공통된 성질에 따라 분류한 것을 '품사'라 한다. 품사 분류의 기준으로는 일반적으로 '형태, 기능[1], 의미'가 있다. '형태'는 단어가 활용하느냐 활용하지 않느냐에 관한 것이고 '기능'은 단어가 문장에서 하는 역할과 관련된다. '의미'는 단어의 구체적인 의미가 아니라 단어 부류가 가지는 추상적인 의미를 말한다.

이러한 기준의 전체 혹은 일부를 적용하여 ㉠활용하지 않으며 사물의 이름을 나타내는 말, ㉡활용하고 사물의 동작이나 작용을 나타내는 말, ㉢활용하지 않으며 수량이나 순서를 나타내는 말, ㉣활용하지 않으며 앞말에 붙어 앞말과 다른 말의 문법적 관계를 나타내거나 특수한 의미를 덧붙이는 말[2], ㉤활용하지 않으며 뒤에 오는 체언을 수식하는 말 등으로 개별 품사를 분류할 수 있다.

> 옛날 사진을 보니 즐거운 기억 하나가 떠올랐다.

① '옛날, 사진, 기억'은 ㉠에 해당하고 명사이다.
② '보니, 떠올랐다'는 ㉡에 해당하고 동사이다.
③ '하나'는 ㉢에 해당하고 수사이다.
④ '을, 가'는 ㉣에 해당하고 조사이다.
⑤ '즐거운'은 ㉤에 해당하고 관형사이다.

개념 확인

1 기능에 따른 단어의 분류
단어는 문장에서의 기능에 따라, 체언(주로 주체나 대상의 기능), 용언(주로 서술의 기능), 수식언(수식의 기능), 관계언(문법적 관계를 맺어 주는 기능), 독립언(독립적으로 쓰임.)으로 나눌 수 있습니다. 체언에는 명사, 대명사, 수사가 있고, 용언에는 동사, 형용사가 있고, 수식언에는 관형사, 부사가 있고, 관계언에는 조사, 독립언에는 감탄사가 있답니다.

2 조사
조사는 활용하지 않으며 앞말에 붙어 앞말과 다른 말의 문법적 관계를 나타내거나 특수한 의미를 덧붙이는 말입니다. 다만, 예외적으로 서술격 조사 '이다'는 '이다, 이고, 이니, 이어서'처럼 활용합니다.

더 알고 싶은 해설

정답 풀이

❺ '즐거운'은 ㉤에 해당하고 관형사이다.
㉤에 해당하는 품사는 관형사입니다. 다만 '즐거운'은 '즐겁다'가 활용된 형태이므로 활용하지 않는 관형사가 아닌 형용사입니다.

오답 풀이

① '옛날, 사진, 기억'은 ㉠에 해당하고 명사이다.
'옛날, 사진, 기억'은 모두 활용하지 않으며 사물의 이름을 나타내는 명사입니다.

② '보니, 떠올랐다'는 ㉡에 해당하고 동사이다.
'보니, 떠올랐다'는 '보다, 떠오르다'가 활용된 형태로 사물의 동작이나 작용을 나타내는 동사입니다.

③ '하나'는 ㉢에 해당하고 수사이다.
'하나'는 활용하지 않으며 수량을 나타내는 수사입니다.

④ '을, 가'는 ㉣에 해당하고 조사이다.
'을, 가'는 활용하지 않으며 앞말에 붙어 앞말과 다른 말의 문법적 관계를 나타내는 조사입니다.

문법 놀이터

다음은 같은 반 친구를 좋아하고 있는 궁금이가 쓴 고백의 편지입니다. 그런데 수식언을 어떻게 쓰느냐에 따라 의미가 조금씩 달라져 고민입니다. 정답은 없습니다. 궁금이의 진심 어린 마음이 잘 전달될 수 있도록 가장 적절하다고 생각하는 관형사와 부사를 골라 주세요.

안녕? 나는 궁금이야.
(설마, 갑자기) 이런 편지를 받게 되었다고 기분이 나쁘지는 않겠지?
(만약, 혹시) 기분이 나빴다면 미안해.
실은 학기 초부터 나는 네가 좋았어. 웃는 모습도 예쁘고, (몇몇, 모든, 늘) 친구들에게 친절한 모습이 보기 좋았거든.
(어쩌면, 그렇지만) 네가 나한테 친절한 것도 그냥 다른 친구들에게 하는 것과 다르지 않을 수도 있다고 생각했지만.
이렇게 나 혼자 좋아하다가, 내년에 다른 반이 되고 나면 나중에 (무척, 많이, 너무) 후회하게 될 것 같아서 용기를 내기로 했어.
만약 너도 내가 싫지 않다면, 아니 조금이라도 좋아하는 마음이 있다면 내일 저녁 5시에 너희 집 앞 놀이터에서 만날 수 있을까?
내가 (먼저, 일찍) 와서 기다리고 있을게.

10일 품사의 종류와 특성 4-관계언, 독립언

월 일

궁금이의 문법 일기

어떤 애가 나한테 '성격만 좋아!'라고 했단다. '성격도 좋아!'라고 했으면 얼마나 좋았을까? 한 글자 차이가 이렇게 크다니……. 그러고 보니 한두 글자만 바뀌어도 문장의 뜻이 달라지는 경우가 매우 많다. '고양이가 쥐를 잡았다.'라는 문장을 잘못 봐서 '고양이를 쥐가 잡았다.'라고 읽는다면? 진짜 황당할 것 같다. ^^

콕샘 한마디!

문장에서 한두 글자만 바꾸었을 뿐인데 의미가 달라지는 것, 정말 신기하죠? 이렇게 다른 단어와 결합하여 문법적 관계를 나타내거나 의미를 더하는 기능을 하는 단어를 '관계언'이라고 해요. 그리고 다른 단어들과 독립적으로 쓰이면서 다양한 의미를 나타내는 '독립언'에 해당하는 단어도 있지요. 오늘은 이처럼 다양한 기능과 의미를 나타내는 '관계언(조사)'과 '독립언(감탄사)'에 대해 배워 볼까요?

확인하기

1

조사에 대한 설명으로 적절한 것은?

① 여러 개가 겹쳐 쓰일 수 있다.
② 홀로 쓰일 수 있지만 가끔 다른 말에 붙어 쓰인다.
③ 체언에 어떤 특별한 뜻을 더해 주는 조사는 격 조사이다.
④ 체언 뒤에 붙어 일정한 자격을 갖도록 해 주는 조사는 접속 조사이다.
⑤ 단어와 단어, 문장과 문장을 같은 자격으로 이어 주는 조사는 보조사이다.

2

밑줄 친 격 조사의 역할이 바르게 연결된 것은?

① 여기가 우리 집이다. – 호격 조사
② 진수가 밥을 먹는다. – 주격 조사
③ 우리의 소원은 통일이다. – 부사격 조사
④ 우리 형은 소방관이 되었다. – 관형격 조사
⑤ 영미야, 오늘은 그만 가는 게 좋겠구나. – 서술격 조사

3

다음 문장에서 지수의 행동에 '한정'의 의미가 더해지도록 하는 보조사로 적절한 것은?

> 3학년 6반에서 지수______ 그 대회에 참가할 수 있었다.

① 까지 ② 조차 ③ 만
④ 도 ⑤ 부터

4

다음 문장에 사용된 조사를 모두 찾아 쓰시오.

> 저는 그 옷이 마음에 들어요.

오늘의 개념 사전

관계언
문장에 쓰인 단어들의 관계를 나타내는 기능을 하는 조사를 이르는 말

조사
주로 체언 뒤에 붙어 그 말과 다른 말과의 문법적인 관계를 나타내거나, 특별한 뜻을 더해 주는 단어

조사의 특징

- 홀로 쓰일 수 없고 반드시 다른 말에 붙어 쓰인다.
- 여러 개가 겹쳐 쓰일 수 있다.

예 그에게는 어떤 것도 줄 수 없었다. (에게: 격 조사, 는: 보조사)

조사의 종류

- **격 조사**: 체언 뒤에 붙어 일정한 자격을 갖도록 해 주는 조사

종류	예	예문
주격 조사 (체언이 주어의 자격을 갖도록 함.)	이/가, 께서, 에서	궁금이가 뛰어간다.
서술격 조사 (체언이 서술어의 자격을 갖도록 함.)	이다	궁금이는 학생이다.
목적격 조사 (체언이 목적어의 자격을 갖도록 함.)	을/를	궁금이가 밥을 먹는다.
보격 조사 (체언이 보어의 자격을 갖도록 함.)	이/가	궁금이는 과학자가 되었다.
관형격 조사 (체언이 관형어의 자격을 갖도록 함.)	의	궁금이의 동생은 초등학생이다.
부사격 조사 (체언이 부사어의 자격을 갖도록 함.)	에, 에서, 에게, 한테서, (으)로	그 책은 궁금이에게 있다.
호격 조사 (체언이 부름의 자리에 놓이게 함.)	아/야, 여, (이)시여	궁금아, 고마워.

예 엄마가 동생에게 아빠의 옷을 입히신다. (가: 주격, 에게: 부사격, 의: 관형격, 을: 목적격)

- **보조사**: 체언 등에 어떤 특별한 뜻을 더해 주는 조사

의미	예	예문
한정	만, 뿐	너만 빠지면 섭섭하지 않아?
대조, 차이	은/는	너는 빠져도 궁금이는 빠지지 않게 해라.
또한	마저, 조차	너마저 빠지면 우리 팀에 누가 남겠니?
시작, 먼저	부터	그렇게 하려면 너부터 빠져라.
역시	도	너도 빠질래?
선택	(이)든	너든 나든 둘 중 하나는 빠지자.
존대	요	마음은요 더없이 좋아요.

▶ 연계 학습 부록 227쪽으로 한번 더!

- **접속 조사**: 단어와 단어, 문장과 문장을 같은 자격으로 이어 주는 조사
  예 와/과, 하고, (이)랑 ➡ 너하고 나는 봄과 가을을 좋아하지.

조사와 의존 명사의 구분

- **조사**: 체언 뒤에 사용되며, 체언에 붙여 씀.
- **의존 명사**: 앞말(주로 용언의 관형사형)의 수식을 받으며, 앞말과 띄어 씀.

뿐	조사	예 남자뿐이다. 셋뿐이다.
	의존 명사	예 그저 웃을 뿐이다.
대로	조사	예 법대로, 약속대로
	의존 명사	예 약속한 대로 하세요.
만큼	조사	예 키가 전봇대만큼 크다.
	의존 명사	예 애쓴 만큼 얻는다.
만	조사	예 하나만 알고 둘은 모른다.
	의존 명사	예 그가 화를 낼 만도 하다.

독립언
문장에서 다른 성분들과 문법적 관계를 맺지 않고 독립적으로 쓰이는 감탄사를 이르는 말

감탄사
말하는 이의 놀람, 느낌, 부름이나 대답을 나타내는 단어

감탄사의 특징

- 문장 내에서 독립적으로 사용된다.
- 쉼표나 느낌표 등을 사용하여 독립된 요소임을 표현한다.
- 구어체(일상적인 대화에서 쓰는 말로 된 문체)에 많이 사용되며, 시대나 유행에 따라 만들어지거나 사라지기도 한다.

감탄사의 종류

종류	예	예문
감정	아, 아차, 아이쿠, 어머, 어머나, 예끼, 저런	어머나, 깜짝이야!
의지	쉬, 자, 에라, 그렇지, 아서라, 글쎄, 천만에	천만에, 절대 그렇지 않아.
부름	여보, 여보게, 여보세요, 얘, 야	여보세요, 거기 EBS 맞나요?
대답	예, 응, 그래, 오냐, 네	그래, 오늘만 빌려 줄게.
입버릇	아, 뭐, 그, 저, 에, 음	음…… 어떻게 풀어야 할지 생각해 보자.

※ '야'와 '철수야'
- 야, 무슨 일이야? ➡ 감탄사
- 철수야, 무슨 일이야? ➡ 명사(철수)+호격 조사(야)

• 정답과 해설 20쪽

확인하기

5
밑줄 친 낱말이 보조사가 아닌 것은?

① 아는 만큼 보인다.
② 이제 하나만 남았다.
③ 마음대로 해도 됩니다.
④ 나도 너만큼 잘할 수 있어.
⑤ 내 곁을 끝까지 지켜 주는 것은 가족뿐이다.

6
감탄사에 대한 설명으로 적절하지 않은 것은?

① 구어체에 많이 사용된다.
② 문장 속에서 다른 성분들과 문법적 관계를 맺는다.
③ 시대나 유행에 따라 만들어지거나 사라지기도 한다.
④ 말하는 이의 놀람, 느낌, 부름이나 대답을 나타내는 단어이다.
⑤ 주로 쉼표나 느낌표 등을 사용하여 독립된 요소임을 표현한다.

7
감탄사가 쓰이지 않은 문장은?

① 저런, 정말 힘들었겠구나.
② 어머나, 벌써 내 차례가 되었네?
③ 글쎄, 나는 별로 하고 싶지 않구나.
④ 예, 말씀하신 대로 준비하도록 하겠습니다.
⑤ 진짜로? 우리가 최우수상을 받게 되었다고?

문제로 정복하기

1 다음 문장에 사용된 단어들을 품사별로 분류할 때, 가장 많이 사용된 품사에 대한 설명으로 적절한 것은?

> 우리의 삶에서 정작 중요한 것은 빠른 속도가 아니라 올바른 방향이다.

① 사람이나 사물의 이름을 나타낸다.
② 사람이나 사물의 상태나 성질을 나타낸다.
③ 사람이나 사물의 이름을 대신하여 가리킨다.
④ 사람이나 사물의 동작이나 움직임을 나타낸다.
⑤ 주로 체언 뒤에 붙어서 다른 말과의 문법적 관계를 나타내거나 특별한 뜻을 더해 준다.

2 문장에 사용된 조사의 개수가 나머지와 다른 하나는?

① 아직도 나는 너만 기다린다.
② 삶에서 가장 중요한 것은 꿈이야.
③ 우리 반 친구는 너보다 훨씬 잘생겼다.
④ 나는 마음만 먹으면 무엇이든지 해낸다.
⑤ 아기의 맑은 눈동자를 보면 가슴이 뛴다.

3 조사가 사용되지 않은 문장은?

① 야, 함께 가자.
② 나는 여행을 다닌다.
③ 우리는 모두 성실한 학생이다.
④ 1번부터 10번까지 청소 당번이다.
⑤ 다른 사람들은 노래를 부르고 나는 춤을 추었다.

4 다음 문장에 사용된 단어의 품사에 해당하지 않는 것은?

> 아휴, 나도 그 친구처럼 문제를 쉽게 풀 수 있으면 좋겠다.

① 명사 ② 조사 ③ 부사
④ 관형사 ⑤ 감탄사

5 〈보기〉의 밑줄 친 단어를 통해 알 수 있는 보조사의 역할로 가장 적절한 것은?

> 보기
> • 철수도 밥을 맛있게 먹었다.
> • 철수가 밥도 맛있게 먹었다.
> • 철수가 밥을 맛있게도 먹었다.

① 특별한 뜻을 더해 준다.
② 다른 단어를 꾸며 준다.
③ 특정한 문장 성분에만 쓰인다.
④ 단어의 형태가 변하지 않도록 한다.
⑤ 문장 안에서 독립적인 역할을 한다.

6 밑줄 친 조사 중에서 앞말이 문장의 주체임을 나타내지 않는 것은?

① 개미가 사자를 물었다.
② 선생님께서 걸어오신다.
③ 구름이 먼 산 위에 떠 있다.
④ 엊그제는 내가 너무 피곤했다.
⑤ 이번 대회는 우리 학교에서 우승을 차지했다.

7 빈칸에 조사가 들어갈 수 없는 것은?

① 비(　) 몹시 세차게 내렸다.
② 그분이 내가 존경하는 선생님(　).
③ 이(　) 연극의 주인공은 바로 너야.
④ 궁금이는 공부하러 도서관(　) 갔다.
⑤ 우리는 자유(　) 평등의 실현을 위해 싸웠다.

8 〈보기〉의 두 문장을 비교하여 두 문장에서 조사가 하는 역할을 서술하시오.

> 보기
> • 고양이가 쥐를 물었다.
> • 고양이를 쥐가 물었다.

9 감탄사가 사용된 문장은?

① 새 옷을 아주 깨끗이 빨았다.
② 어머나, 내가 조금 늦었구나.
③ 파란 하늘에 흰 구름이 떠간다.
④ 이름 모를 새 한 마리가 날아간다.
⑤ 그는 조심스럽게 교실 문을 열었다.

10 〈보기〉와 같이 감탄사 앞이나 뒤에 문장 부호를 적어 넣는 이유를 서술하시오.

보기
- 그만큼 말했는데 또 늦어, 응?
- 여보게, 이게 도대체 얼마 만인가?
- 어머나, 벌써 시간이 이렇게 되었네요.

11 〈보기〉의 설명을 참고할 때, 보조사의 예로 적절하지 않은 것은?

보기
국어의 조사 중에는 주로 체언 뒤에 결합하여 문법적인 관계를 나타내는 격 조사와 체언 및 부사 따위에 붙어서 어떤 특별한 의미를 더해 주는 보조사가 있다.

① '나도 가야지.'에서의 '도'
② '나만 아니면 돼.'에서의 '만'
③ '그는 천사처럼 착하다.'에서의 '처럼'
④ '그 집 음식을 먹어는 보았다.'에서의 '는'
⑤ '반장부터 정신을 차려야 해.'에서의 '부터'

12 다음 문장에 사용된 단어의 품사를 〈보기〉와 같이 문장에 제시된 순서대로 쓰시오.

보기
- 토끼가 낮잠을 잔다.
  → 명사, 조사, 명사, 조사, 동사

- 그래, 느긋하게 큰길로 걸어가자.
  →

13 다음 문장에서 독립적으로 쓰일 수 없는 단어의 개수는?

세월이 흘러가면 어디로 가는지 나는 모르잖아요.

① 1개 ② 2개 ③ 3개
④ 4개 ⑤ 5개

14 ㉠~㉤에 대한 설명으로 적절하지 않은 것은?

보기
숲속 ㉠작은 집 창가에 작은 아이가 섰는데
토끼 한 마리가 뛰어와 문 두드리며 하는 말
"㉡여보세요, 여보세요. ㉢날 좀 살려 주세요.
날 살려 주지 않으면 포수가 ㉣빵 쏜대요."
"작은 ㉤토끼야, 들어와 편히 쉬어라."

① ㉠은 형용사 '작다'가 활용된 형태이다.
② ㉡은 누군가를 부를 때 사용하는 감탄사이다.
③ ㉢은 '나를'이 줄어든 것으로 대명사와 조사가 결합한 형태이다.
④ ㉣은 '쏘다'라는 동사를 꾸며 주고 있는 부사이다.
⑤ ㉤은 다른 문장 성분과 직접적인 관계를 맺고 있지 않는 감탄사이다.

15 관형사와 부사, 감탄사의 공통적인 특성으로 적절한 것은?

① 문장에서 독립적으로 사용된다.
② 단독으로 문장을 이루지 못한다.
③ 실질적인 뜻을 가지고 있지 않다.
④ 다른 품사를 꾸며 주는 역할을 한다.
⑤ 문장에서 쓰일 때 형태가 바뀌지 않는다.

16 조사와 결합할 수 없는 것은?

① 명사 ② 수사 ③ 부사
④ 관형사 ⑤ 형용사

수능 콕콕 수능 기출

개념 확인

1 부사어
용언 앞에서 주로 용언을 꾸며 주는 역할을 하는 문장 성분을 부사어라고 합니다. 예를 들어 '버스가 벌써 떠났다.'에서 '벌써'는 용언 '떠났다'를 꾸며 주는 부사이자 부사어입니다.

2 주어
문장에서 동작이나 상태 또는 성질의 주체를 나타내는 문장 성분을 주어라고 합니다. 예를 들어 '버스가 벌써 떠났다.'에서 '버스가'가 '떠나는 동작'의 주체인 주어입니다.

1 2014학년도 대수능 A형 12번

다음은 '사전 활용하기' 학습 활동을 위한 자료이다. 이에 대해 탐구한 내용으로 적절하지 않은 것은?

> 에[조]
> [I]
> 「1」 앞말이 처소의 부사어[1]임을 나타내는 격 조사.
> ¶ 동생은 지금 집에 없다.
> 「2」 앞말이 진행 방향의 부사어임을 나타내는 격 조사.
> ¶ 형은 방금 집에 왔다.
> [2] 둘 이상의 사물을 같은 자격으로 이어 주는 접속 조사.
>
> 에서[조]
> 「1」 앞말이 행동이 이루어지고 있는 처소의 부사어임을 나타내는 격 조사.
> 「2」 앞말이 출발점의 뜻을 갖는 부사어임을 나타내는 격 조사.
> 「3」 (단체를 나타내는 명사 뒤에 붙어) 앞말이 주어[2]임을 나타내는 격 조사.

① '에'는 격 조사와 접속 조사로 쓰일 수 있는 반면, '에서'는 격 조사로만 쓰이는군.
② '에[2]'의 용례로 "오늘 저녁은 밥에, 국에, 떡에 아주 잘 먹었다."를 들 수 있겠군.
③ '에서「3」'의 용례로 "우리 학교에서 사람들이 운동을 한다."를 들 수 있겠군.
④ '에[I]「1」'의 용례에 쓰인 '에'는 '에서'로 바꿔 쓸 수 없군.
⑤ '에[I]「2」'의 용례에 쓰인 '에'를 '에서'로 바꾸면 문장의 의미가 바뀌는군.

더 알고 싶은 해설

정답 풀이

❸ '에서「3」'의 용례로 "우리 학교에서 사람들이 운동을 한다."를 들 수 있겠군.
'우리 학교에서 사람들이 운동을 한다.'에서 '운동을 함'의 주체는 '우리 학교'가 아니라 '사람들'입니다. 따라서 이 문장의 주어는 '사람들이'입니다. 이 문장의 '에서'는 '에서「1」'의 처소를 나타내는 격 조사랍니다.

오답 풀이

① '에'는 격 조사와 접속 조사로 쓰일 수 있는 반면, '에서'는 격 조사로만 쓰이는군.
'에[2]'에서 '에'가 '접속 조사'로 사용됨을 보여 주고 있어요. '에서「1」, 「2」, 「3」은 모두 '격 조사'로서의 뜻을 풀이하고 있습니다.

② '에[2]'의 용례로 "오늘 저녁은 밥에, 국에, 떡에 아주 잘 먹었다."를 들 수 있겠군.
'밥에, 국에, 떡에'에 사용된 '에'는 접속 조사의 역할을 하고 있어요.

④ '에[I]「1」'의 용례에 쓰인 '에'는 '에서'로 바꿔 쓸 수 없군.
'동생은 지금 집에 없다.'라는 문장에 '에' 대신 '에서'를 사용하면, '동생은 지금 집에서 없다.'라는 어색한 문장이 됩니다. '에' 대신 '에서'를 사용할 수 없음을 알 수 있어요.

⑤ '에[I]「2」'의 용례에 쓰인 '에'를 '에서'로 바꾸면 문장의 의미가 바뀌는군.
'형은 방금 집에 왔다.'와 '형은 방금 집에서 왔다.'를 비교해 보면, '집에'는 도착한 장소를 나타내고, '집에서'는 출발한 장소를 나타냄을 알 수 있어요.

2 2016학년도 대수능 6월 모의평가 A형 12번

〈보기〉에 제시된 국어사전 정보를 완성한다고 할 때, ㉠~㉤에 대한 설명으로 적절하지 않은 것은?

◀ 보기 ▶

과 「조사」 (받침 있는 체언 뒤에 붙어)

[1]

「1」 다른 것과 비교하거나 기준으로 삼는 대상임을 나타내는 격 조사.

¶ 막내는 큰형과 닮았다. / ___㉠___

「2」 일 따위를 함께함을 나타내는 격 조사.

¶ 나는 방에서 동생과 조용히 공부했다. / ___㉡___

「3」 상대로 하는 대상임을 나타내는 ___㉢___.

¶ 그는 거대한 폭력 조직과 맞섰다.

[2] 둘 이상의 사물을 같은 자격으로 이어 주는 접속 조사.

¶ 닭과 오리는 동물이다. / 책과 연필을 가져 와라.

[유의어][1] 하고, ___㉣___

[형태 정보] 받침 없는 체언 뒤에는 '___㉤___'가 붙는다.

① ㉠에는 '그는 낯선 사람과 잘 사귄다.'를 넣을 수 있다.
② ㉡에는 '그는 형님과 고향에 다녀왔다.'를 넣을 수 있다.
③ ㉢에 들어갈 말은 '격 조사'이다.
④ ㉣에 '이랑'이 들어갈 수 있다.
⑤ ㉤에 들어갈 말은 '와'이다.

개념 확인

1 유의어

단어 사이에서 말소리는 다르지만 서로 비슷한 뜻을 가지는 관계에 있는 말을 '유의어'라고 합니다. 유의어는 미묘한 의미 차이가 있어서 그 쓰임새가 조금씩 다르답니다.

더 알고 싶은 **해설**

정답 풀이

❶ ㉠에는 '그는 낯선 사람과 잘 사귄다.'를 넣을 수 있다.

| '그는 낯선 사람과 잘 사귄다.'에서 '과'는 상대로 하는 대상임을 나타내는 부사격 조사에 해당합니다.

오답 풀이

② ㉡에는 '그는 형님과 고향에 다녀왔다.'를 넣을 수 있다.

| '그는 형님과 고향에 다녀왔다.'에서 '과'는 '함께함'의 뜻을 담고 있어요.

③ ㉢에 들어갈 말은 '격 조사'이다.

| '과'는 부사격 조사에 해당합니다.

④ ㉣에 '이랑'이 들어갈 수 있다.

| '닭과 오리는 동물이다.'와 '닭이랑 오리는 동물이다.'를 비교해 보면 '과'와 '이랑'이 유의어임을 알 수 있어요.

⑤ ㉤에 들어갈 말은 '와'이다.

| '닭과 오리'에서처럼 '과'는 받침 있는 체언 뒤에 쓰이고, '개와 오리'에서처럼 '와'는 받침 없는 체언 뒤에 쓰입니다.

• 정답과 해설 22쪽

문법 놀이터

그동안 배운 품사의 내용을 떠올리며, 다음 십자말풀이를 해 보세요.

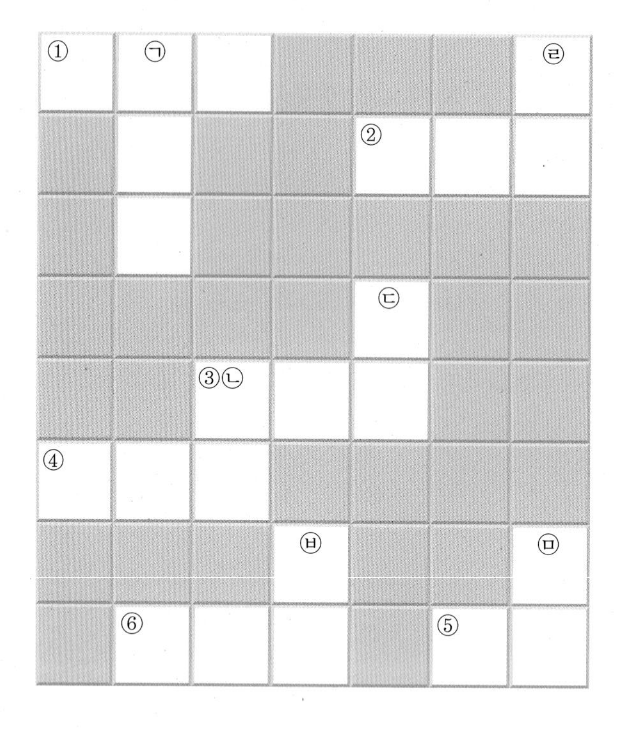

➔ 가로 열쇠

① 체언을 꾸며 주는 단어
② 문장 내의 다른 성분들과 문법적인 관계를 맺지 않고, 놀람, 느낌, 부름 등을 나타내는 단어
③ 문장에서 체언이나 용언 앞에 놓여서 그 말을 꾸며 주는 구실을 하는 말을 통틀어 이르는 말. 활용하지 않는다는 공통점을 가짐.
④ 사물, 장소, 사람의 이름을 대신하는 단어
⑤ 움직임이나 작용 등을 나타내며, 주로 서술어의 기능을 하는 단어
⑥ 문장에서 독립적으로 쓰이는 '감탄사'를 일컫는 말

➔ 세로 열쇠

㉠ 상태나 성질을 나타내는 단어
㉡ 사물이나 사람의 수량 또는 순서를 나타내는 단어
㉢ 문장에서 주로 주어나 목적어 등의 기능을 하는 '명사', '대명사', '수사'를 통틀어 이르는 말
㉣ 다른 말에 붙어 문법적 관계를 나타내거나 의미를 더하는 단어
㉤ 용언이나 관형사, 다른 부사, 구절이나 문장 전체를 꾸며 주는 단어
㉥ 움직임이나 작용, 성질이나 상태를 나타내는 말을 통틀어 이르는 말. 주로 문장의 서술어로 사용되며 활용을 함.

어휘의 체계와 양상

월 일

궁금이의 문법 일기

친구가 '미르'라는 말을 아느냐고 물었다. 나는 '미로'를 말하는 줄 알았는데, '용'을 나타내는 말이라고 한다. 친구 말로는 우리 고유어라고 하는데 외국 말처럼 느껴졌다. 내가 아는 고유어는 '은하수'가 '미리내'라는 정도인데……. 갑자기 그 친구가 대단해 보였다. 그러고 보니 '미르', '미리내'처럼 우리가 잘 모르는 예쁜 고유어가 참 많은 것 같다. 나도 멋진 고유어를 찾아서 친구에게 아는 척 좀 해야겠다. ^^

콕샘 한마디!

친구가 '용'의 고유어를 이야기했는데 궁금이가 알아듣지 못했군요. 우리는 이처럼 고유어가 있지만 이와 비슷한 한자어나 외래어가 있어 이를 잘 쓰지 않기도 하고, 말할 때 무분별하게 외래어나 외국어를 쓰기도 하며, 비속어를 자주 쓰기도 합니다. 오늘은 우리말을 좀 더 아름답게 사용하기 위해 단어들의 집합인 어휘와 그것을 어종과 어휘 양상에 따라 분류한 어휘 체계에 대해 알아볼까요?

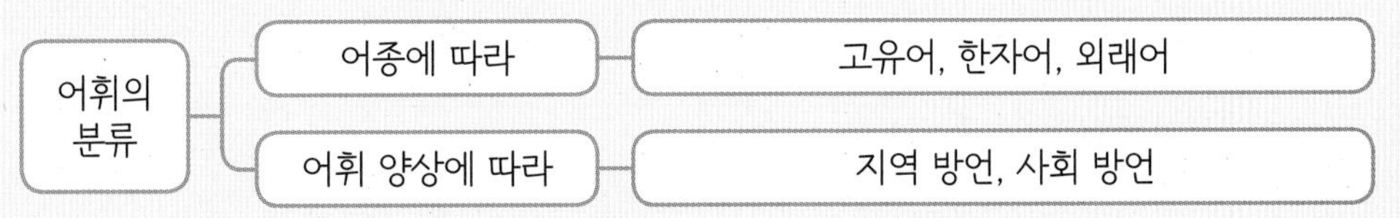

확인하기

1

빈칸에 들어갈 적절한 말을 쓰시오.

> 우리말 어휘는 단어의 기원에 따라 (　　,　　,　　) 세 가지로 나눌 수 있다.

2

문장이 고유어로만 구성된 것은?

① 아니 땐 굴뚝에 연기 나랴?
② 과부 사정은 홀아비가 안다.
③ 소 뒷걸음치다가 쥐 잡는다.
④ 서당 개 삼 년에 풍월을 한다.
⑤ 호랑이 굴에 가야 호랑이 새끼를 잡는다.

3

'고치다'를 한자어로 바꾸었을 때, 어색한 것은?

① 옷을 고치다. → 수선(修繕)하다
② 병을 고치다. → 치료(治療)하다
③ 차를 고치다. → 수리(修理)하다
④ 제도를 고치다. → 확정(確定)하다
⑤ 기록을 고치다. → 정정(訂正)하다

4

다음에서 설명하고 있는 것이 무엇인지 쓰시오.

> 공적인 상황에서 의사소통을 원활하게 하기 위해서 우리나라에서 공용어로 정한 언어이다.

오늘의 개념 사전

어휘
일정한 범위 속에 들어 있으면서 공통된 성격을 가지는 단어의 집합

- 어종(語種, 단어의 기원)에 따른 분류: 고유어, 한자어, 외래어
- 어휘 양상에 따른 분류: 지역 방언, 사회 방언(전문어, 유행어, 은어, 비속어 등), 기타

고유어
다른 나라에서 들어온 말이 아닌, 예로부터 쓰인 순우리말

한자어
한자에 기초하여 만들어진 말

예 생각 – 사고(思考), 즈믄 – 천(千), 미르 – 용(龍)

> '생각, 즈믄, 미르'는 고유어이고, '사고, 천, 용'은 이에 대응하는 한자어이다. '생각'과 '사고'처럼 함께 쓰이는 경우도 있지만, '즈믄, 미르'처럼 한자어에 밀려 고유어가 거의 쓰이지 않는 경우도 많다.

외래어
다른 나라에서 들어온 말이지만 우리말로 굳어진 것

예 빵 – 브레드(bread)

> '빵'이라는 말은 포르투갈 어 'pão'에서 들어온 말이지만, 우리말처럼 쓰여 다른 말로 쉽게 바꾸어 쓸 수 없기 때문에 외래어이다. 하지만 '브레드(bread)'는 우리말로 정착하지 못한 외국어이다.

지역 방언
지역에 따라 달라진 말

사회 방언
사회 집단, 세대 등의 사회적 원인에 따라 달라진 말

방언의 긍정적 측면	방언의 부정적 측면
집단의 특성을 반영하며 구성원들의 소속감을 강화하고 유대감을 형성함.	구성원 밖의 사람들에게 사용하면, 의사소통에 어려움을 겪거나 정서적 소외감을 줄 수 있음.

⬇

상황에 맞는 어휘를 적절하게 사용해야 함.

표준어와 지역 방언

표준어	지역 방언(사투리)
• 한 나라에서 공용어로 쓰도록 규범으로 정한 언어 • 공적인 상황에서 원활한 의사소통을 가능하게 함.	• 우리말의 어휘를 풍부하게 해 줌. • 해당 지역의 향토색을 느낄 수 있음. • 옛말의 자취가 남아 있어 국어의 역사 연구에 도움을 줌.

⬇

상호 보완적 관계

▶연계 학습 부록 228쪽으로 한번 더!

전문어
학술이나 전문 분야에서 특별한 의미로 사용하는 말

예 상기도염(감기), 부비동염(축농증), 충수염(맹장염)

전문어의 특징
- 복잡하고 어려운 개념을 간결하고 정확하게 전달한다.
- 해당 분야의 전문 지식을 익히는 데 도움을 준다.
- 신어(새말)가 활발하게 만들어지고 전문어에 대응하는 일반 어휘가 없는 경우가 많다.

유행어
일정한 기간 동안 널리 쓰이다가 안 쓰이게 되는 말

예 • 안습(안구에 습기가 차다): 슬프다, 안타깝다, 불쌍하다
• 케미(케미스트리): 사람 간의 화학 반응을 지칭하는 말로, 남녀 간의 강한 끌림이나 감정이란 의미도 포함한다.

유행어의 특징
- 일정한 기간 동안만 쓰이다가 사라진다.
- 그 말이 쓰이던 시기의 사회상을 반영한다.
- 인상적인 표현으로 많은 사람의 입에 오르내린다.
- 함부로 쓰면 개성 없고 가벼운 사람이라는 인상을 줄 수 있다.
- 유행어도 사라지지 않고 오랫동안 쓰이면 하나의 단어로 인정될 수 있다.

은어
다른 사람들이 알아듣지 못하도록 자기네 구성원들끼리만 사용하는 말

예 청과물 시장 상인들은 경매에서 숫자를 비밀스럽게 주고받기 위해 '먹주(1), 대(2), 삼패(3)'로 부름.

비속어
일반적인 표현에 비해 비속하고 천박한 어감을 주는 말

예 입 – 주둥이, 아가리

관용어
관습적으로 굳어진 표현으로 둘 이상의 단어가 결합하여 특별한 의미로 사용되는 것

예 그 사람은 그쪽 방면으로 발이 넓어 네가 도움을 받을 수 있을 거다.
발이 넓다: 신체의 발이 넓다는 뜻이 아니라 '사귀어 아는 사람이 많아 활동하는 범위가 넓다.'라는 뜻으로 사용된다.

관용어의 특징
- 우리의 문화와 삶의 지혜가 담겨 있다.
- 언어생활에서 전달하고자 하는 내용을 재미있고 효과적으로 전달할 수 있다.

• 정답과 해설 22~23쪽

확인하기

5
어휘의 양상에 대한 설명으로 적절하지 않은 것은?

① 유행어는 일시적으로 널리 쓰이다가 대부분 곧 사라진다.
② 은어가 일반 사회에 알려져도 새로운 은어로 바뀌지 않는다.
③ 지역 방언은 지역 사회에서 친밀감을 형성하는 데 기여한다.
④ 비속어는 점잖거나 공식적인 말하기에는 사용해서는 안 된다.
⑤ 전문어는 특정 분야에서 전문 개념을 표현하기 위해 사용된다.

6
다음과 같은 어휘에 대한 설명으로 적절하지 않은 것은?

> 상기도염, 부비동염, 충수염

① 일반인에게는 은어와 비슷한 기능을 수행한다.
② 해당 분야의 전문 지식을 익히는 데 도움을 준다.
③ 한 단어가 여러 가지 개념을 담고 있는 경우가 많다.
④ 해당 어휘에 대응하는 일반 어휘가 없는 경우가 많다.
⑤ 해당 분야의 발전에 따라 새말이 활발하게 만들어진다.

7
다음에 제시된 내용의 의미를 나타내는 관용어는?

> 어떤 모습이 잊혀지지 않고 머릿속에 뚜렷하게 떠오르다.

① 경제가 눈에 띄게 성장하였다.
② 자식들의 모습이 눈에 어리다.
③ 눈을 씻고 보아도 그를 찾을 수 없었다.
④ 그는 눈을 밝히며 문제의 해결책을 찾았다.
⑤ 이번에는 교육 환경 문제로 눈을 돌려 생각해 봅시다.

문제로 정복하기

1 외래어와 외국어에 대한 설명으로 적절하지 않은 것은?

① 외국어는 다른 나라 말로 국어에 속하지 않는다.
② 대부분의 외래어는 대체할 수 있는 우리말이 없다.
③ 외래어는 외국에서 들어왔지만 국어처럼 사용된다.
④ 외국어는 다른 나라에서 온 말이라는 것을 금방 알 수 있다.
⑤ 외래어와 외국어를 사용하면 의미를 더 분명하게 전달할 수 있다.

2 지역 방언에 대한 설명으로 적절하지 않은 것은?

① 우리말의 어휘를 풍부하게 해 준다.
② 표준어와 상호 보완적인 관계에 있다.
③ 지역의 정서와 정감을 느끼게 해 준다.
④ 우리 민족의 문화와 삶의 지혜가 담겨 있다.
⑤ 국어의 역사를 연구하는 데 필요한 정보를 제공해 준다.

3 관용적 표현이 사용되지 않은 문장은?

① 5분 안에 돌아오는 것은 식은 죽 먹기다.
② 그는 절대로 나쁜 짓에 발을 들이지 않았다.
③ 이번 기말시험에서는 너의 콧대를 꺾어 놓고야 말겠다.
④ 오늘은 체육 시간에 손을 맞잡고 이인삼각 경기를 하였다.
⑤ '공부해!'라는 엄마의 잔소리를 귀에 못이 박히도록 들었다.

4 〈보기〉에서 고유어를 모두 찾아 쓰시오.

보기
담배, 빛고을, 티켓, 타임, 빵, 어머니, 학교, 게스트, 새콤달콤, 땅끝, 무지개

5 다음 대화에서 밑줄 친 단어들에 대한 설명으로 적절한 것은?

상인 1: 이 물건을 땅본만 주셔.
상인 2: 물건 좋은데 왜 이렇게 적게 가져가? 적어도 주는 가져가야지.
손님: 땅본? 주? 무슨 뜻인지 못 알아듣겠어요.
상인 1·상인 2: 우리들끼리만 통하는 말을 써서 미안합니다, 손님!

① 우리가 일상적으로 사용하는 말과 비슷하다.
② 언어생활에 긍정적인 영향을 주는 경우가 많다.
③ 이 말을 모르는 사람에게는 긴장감과 재미를 준다.
④ 집단 외부에 널리 알려지면 이 말의 특성이 강화된다.
⑤ 특정 집단의 비밀을 유지하기 위해 만들어 낸 말이다.

6 〈보기〉를 통해 알 수 있는 유행어의 특징은?

보기
한때 유행했던 '이태백'이라는 말은 '이십 대 태반이 백수'라는 뜻으로 청년 실업 문제가 심각한 우리 사회의 모습을 반영하고 있으며, 아울러 이런 사회에 대한 비판 의식도 담고 있다.

① 자신의 개성과 품위를 잘 드러내 준다.
② 일반 사람들에게 거리감을 주기도 한다.
③ 유머 감각이 있는 사람임을 나타내 준다.
④ 당대 사회의 상황이나 분위기를 반영한다.
⑤ 일종의 권위를 부여하는 수단이 되기도 한다.

7 밑줄 친 단어 중, 성격이 나머지와 다른 하나는?

① 그런 눈깔로 보면 어쩔 건데?
② 네 손모가지를 비틀어 버리겠어.
③ 모두 아가리 닥치고 조용히 있어!
④ 야, 이 등신아, 어떻게 이것도 모르냐?
⑤ 어두육미라고 생선은 대가리가 맛있지.

[8~9] 다음 글을 읽고 물음에 답하시오.

> 전문 분야에서 일하기 위해서는 정확한 의미를 전달할 필요가 있기 때문에 ㉠전문어를 사용한다. 이런 면에서 한 분야의 전문가가 되려면, 그 분야의 전문어의 개념과 체계를 이해하여야 한다. 이 때문에 ㉡전문어는 그것을 사용하는 사람들에게 일종의 권위를 부여하기도 한다.

8 ㉠의 예로 보기 어려운 것은?

① 온돌과 관련된 '방고래, 개자리, 구들'과 같은 단어
② 의사들이 사용하는 '심근 경색, 림프선종' 등의 단어
③ 법률과 관련된 '혈족, 청구권, 위법성 조각' 등의 단어
④ 수학 과목에서 사용하는 '루트, 제곱근, 공약수, 무게 중심' 등의 단어
⑤ 산삼을 캐는 심마니들이 사용하는 '산개(호랑이), 히디기(눈)'와 같은 단어

9 ㉡과 관계 깊은 전문어의 단점으로 가장 적절한 것은?

① 외래어와 외국어가 많다.
② 일반 사람들이 알아듣기 어려워 거리감을 준다.
③ 우리의 언어생활에 부정적인 영향을 미친다.
④ 다의성이 적고 맥락의 영향을 거의 받지 않는다.
⑤ 전문어를 사용하는 사람들끼리도 의사소통이 원활하지 않다.

10 〈보기〉의 ㉮에 들어갈 말을 〈조건〉에 맞게 쓰시오.

보기

> 나는 친구들을 초대해 생일잔치를 하기로 했다. 언제나 음식을 푸짐하게 차리곤 하는 엄마에게, 짜장면 시켜 먹을 테니까 제발 아무것도 차리지 말라고 했다. 하지만 웬걸, 친구들을 데리고 집 안에 들어서자마자 상다리가 휘도록 음식이 차려져 있지 않은가? 음식이 남으면 친구들에게 싸 줘야 하나? 우리 엄마는 정말 (㉮).

조건

- 인간의 신체 부위와 관련된 관용어를 사용할 것.
- 〈보기〉에 나타난 엄마의 특성을 드러낼 것.

11 밑줄 친 한자어를 고유어로 바꾼 것으로 적절하지 않은 것은?

① 이 발명품은 발상이 독창적이다. → 생각
② 대영이는 반에서 신장이 제일 크다. → 키
③ 현기는 친구의 유혹에 넘어가지 않았다. → 꾐
④ 이번 협상으로 우리는 큰 수확을 얻었다. → 가을걷이
⑤ 그 일을 우리가 해야 할 이유라도 있나요? → 까닭

12 다음 대화에 나타난 문제점이 무엇인지 어휘의 측면에서 설명하시오.

> 아들: 엄마, 좀 있으면 친구 생일이에요. 생선으로 문상을 주고 싶어요. 용돈 조금만 올려 주세요.
> 엄마: 생선? 문상?
> 아들: 제 베프라서요.
> 엄마: 베프?

수능 콕콕 수능 기출

개념 확인

1 서술어
한 문장에서 주어('누가/무엇이'에 해당하는 말)의 움직임, 상태, 성질 따위를 서술하는 말을 서술어라고 합니다. "철수가 웃는다."에서 '웃는다', "철수는 점잖다."에서 '점잖다', "철수는 학생이다."에서 '학생이다'가 각 문장의 서술어에 해당한답니다.

1 2010학년도 대수능 9월 모의평가 11번

〈보기 1〉의 내용을 근거로 〈보기 2〉를 이해할 때 적절하지 않은 것은?

보기 1
'A+B'로 구성된 관용 표현에서 단어나 구절에 해당하는 두 요소 'A' 혹은 'B' 중 어느 한쪽이 생략되어도 전체의 의미가 크게 변하지 않는 현상을 '의미 쏠림'이라고 한다. 이때 남은 'A' 혹은 'B'가 명사라면 '이다'를 붙여 서술어[1]를 만든다.

보기 2
ㄱ. 시치미를 떼다 ⇒ 시치미이다
ㄴ. 뒷북을 치다 ⇒ 뒷북이다
ㄷ. 바가지를 씌우다 / 바가지를 긁다 ⇒ 바가지이다
ㄹ. ⓐ 닭 잡아먹고 오리발을 내밀다 ⇒ ⓑ 오리발을 내밀다 ⇒ 오리발이다
ㅁ. 무릎을 치다 ⇏ 무릎이다

① ㄱ은 'A'로 의미 쏠림이 일어난 것이군.
② ㄴ, ㅁ을 보니 관용 표현에 쓰인 서술어를 보면 의미 쏠림이 일어날지 알 수 있군.
③ ㄷ을 보니 의미 쏠림 후의 '바가지이다'는 두 가지 의미로 해석할 수 있군.
④ ㄹ의 ⓐ ⇒ ⓑ는 'B'로 의미 쏠림이 일어난 것이군.
⑤ ㄹ을 보니 어떤 관용 표현은 의미 쏠림이 여러 번 일어날 수 있군.

더 알고 싶은 해설

정답 풀이

❷ ㄴ, ㅁ을 보니 관용 표현에 쓰인 서술어를 보면 의미 쏠림이 일어날지 알 수 있군.

관용어에서 '의미 쏠림'의 뜻을 이해하고, 의미 쏠림이 일어난 양상을 실제 관용어에서 탐구해 보는 문제로군요. ㄴ과 ㅁ의 서술어는 둘 다 '치다'입니다. 그러나 ㄴ에서는 '치다'가 생략되면서 '뒷북이다'라는 의미 쏠림이 발생했고 ㅁ에서는 '치다'가 생략될 수 없으므로 의미 쏠림이 발생하지 않았어요. 따라서 특정한 서술어가 쓰이는 것을 통해서 의미 쏠림이 일어날지 여부를 판단할 수 없어요.

오답 풀이

① ㄱ은 'A'로 의미 쏠림이 일어난 것이군.
'시치미(A)를 떼다(B)'에서 '떼다'를 생략해도 전체 의미가 크게 변하지 않았으므로, 의미 쏠림이 일어난 관용어로 볼 수 있어요.

③ ㄷ을 보니 의미 쏠림 후의 '바가지이다'는 두 가지 의미로 해석할 수 있군.
'바가지(A)를 씌우다(B)'의 '바가지(물건이나 요금 값을 비싸게 요구하는 것)'와 '바가지(A)를 긁다(B)'의 '바가지(주로 아내가 남편에서 늘어놓는 불평이나 불만의 소리)'는 그 의미가 다릅니다. 따라서 의미 쏠림이 일어난 '바가지이다'도 이러한 의미 차이가 유지되어 두 가지로 해석할 수 있어요.

④ ㄹ의 ⓐ ⇒ ⓑ는 'B'로 의미 쏠림이 일어난 것이군.
ⓐ는 '닭 잡아먹고(A) 오리발을 내밀다(B)'이며, ⓑ에서 '오리발을 내밀다(B)'만 남았으므로 'B로 의미 쏠림이 일어났다'고 보는 것은 적절합니다.

⑤ ㄹ을 보니 어떤 관용 표현은 의미 쏠림이 여러 번 일어날 수 있군.
ⓐ에서 ⓑ를 거치면서 '오리발을 내밀다'로 의미 쏠림이 이루어졌으며, 다시 '오리발(A)이다'로 의미 쏠림이 일어났으므로 여러 단계로 의미 쏠림이 일어났다고 볼 수 있어요.

2 2016학년도 대수능 A형 33번 변형

〈보기 1〉을 〈보기 2〉의 ㉯에 대한 남편의 '속말'이라고 할 때, ㉮에 들어갈 관용 표현[1]으로 가장 적절한 것은?

◀ 보기 1 ▶

생전에는 사용하지 않던 옥희도를 사후에 높이 평가하는 것에는 원칙이 있다고 볼 수 없으니, (　　㉮　　)(이)라는 말이 생각나는군.

◀ 보기 2 ▶

"옥희도 씨 유작전이 있군."
남편도 지금 그 기사를 읽고 있는 모양이다.
"죽은 후에 유작전이나 열어 주면 뭘 해. 살아서는 개인전 한 번 못 가져 본 분을."
"……."
"흥, 그분 그림이 외국 사람들 사이에 꽤 인기가 있는 모양인데 모를 일이야."
'흥, 잡종의 상판을 헐값으로 그려 준 대가를 제법 받는 셈인가.'
"죽은 후에 치켜세우는 것처럼 싱거운 건 없더라. 아마 어떤 ㉯ 비평가의 농간이겠지……."
'흥, 당신이 생각해 낼 만한 천박한 추측이군요.'
"에이 모르겠다. 예술이니 나발이니. 살아서 잘 먹고 편히 사는 게 제일이지."

① 모래 위에 쌓은 성
② 고양이 쥐 사정 보듯
③ 까마귀 날자 배 떨어진다
④ 귀에 걸면 귀걸이 코에 걸면 코걸이
⑤ 될성부른 나무는 떡잎부터 알아본다

개념 확인

1 관용어
관습적으로 굳어진 표현으로 둘 이상의 단어가 결합하여 특별한 의미로 사용되는 것을 관용어라고 합니다. 속담이나 격언도 일종의 관용어라고 할 수 있지요.

더 알고 싶은 **해설**

정답 풀이

❹ 귀에 걸면 귀걸이 코에 걸면 코걸이

인물에 대한 평가가 생전과 사후에 달라지는 것이므로, '어떤 원칙이 정해져 있는 것이 아니라 둘러대기에 따라 이렇게도 되고 저렇게도 될 수 있음을 비유적으로 이르는 말'이라는 의미를 지닌 '귀에 걸면 귀걸이 코에 걸면 코걸이'가 ㉮에 들어가기에 적절합니다.

오답 풀이

① 모래 위에 쌓은 성
기초가 튼튼하지 못하여 곧 허물어질 수 있는 물건이나 일을 비유적으로 이르는 말입니다.

② 고양이 쥐 사정 보듯
속으로는 해칠 마음을 품고 있으면서, 겉으로는 생각해 주는 척함을 이르는 말입니다.

③ 까마귀 날자 배 떨어진다
아무 관계없이 한 일이 공교롭게도 때가 같아 어떤 관계가 있는 것처럼 의심을 받게 됨을 비유적으로 이르는 말입니다.

⑤ 될성부른 나무는 떡잎부터 알아본다
잘될 사람은 어려서부터 남달리 장래성이 엿보인다는 의미의 속담입니다.

문법 놀이터

국립국어원에서는 외국어를 대신할 수 있는 '순화어'를 만들어 사용을 권장하고 있습니다. 어렵고 낯선 외국어 대신에 사용할 수 있는 친근하고 편한 우리말을 짝지어 보세요.

싱크홀 •	• 짝꿍차림
커플룩 •	• 깜짝출연(자)
푸드뱅크 •	• 먹거리나눔터
쓰키다시 •	• 곁들이찬
빅데이터 •	• 거대자료
카메오 •	• 함몰구멍
벤치마킹 •	• 분장놀이
테이크아웃 •	• 본따르기
코스프레 •	• 포장판매(구매)
올킬 •	• 싹쓸이

어휘의 의미 관계

월 일

궁금이의 문법 일기

학교 축제 전시회에 지구의 환경 오염을 표현한 친구의 작품이 전시되었다. 제목이 '지구가 병들었다'였다. 환경 오염의 심각성을 어떻게 표현했을까 궁금했는데 엉뚱하게도 지구본에다 빈 병 하나를 넣어 둔 것이었다. "이게 뭐야?" 했는데 친구는 자랑스럽다는 듯이 지구 안에 병이 들어 있으니 지구가 병들었다고 우긴다. 이렇게 소리가 같은 말을 이용해 재치 있게 제목을 표현하니 재미도 있고 오래 기억에 남을 것 같다.

콕샘 한마디!

궁금이가 오늘은 '병'이라는 말 때문에 재밌는 경험을 했군요. 음료를 담아 놓는 '병'과 질병을 뜻하는 '병'을 이용해 친구가 재치 있고 익살스러운 작품을 만들었네요. 단어 중에는 소리는 같지만 뜻이 다른 것도 있고, 소리가 다르면서 비슷한 뜻을 지니거나 반대의 뜻을 지닌 것도 있습니다. 또, 다른 단어의 뜻을 포함하기도 하고 그 단어의 뜻에 속하는 것도 있고요. 오늘은 이런 어휘들의 의미 관계에 대해 알아볼까요?

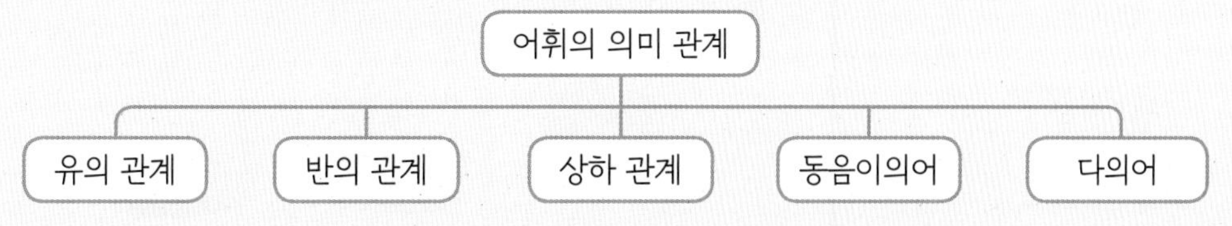

확인하기

1
다음 중 사전에 하나의 표제어로 수록되는 것은?

① 유의 관계의 단어
② 반의 관계의 단어
③ 다의 관계의 단어
④ 동음이의 관계의 단어
⑤ 상의, 하의 관계의 단어

2
단어들의 의미 관계를 고려할 때, 다음에 제시된 단어들의 상의어를 한 단어로 쓰시오.

> 잠자리, 고양이, 원숭이,
> 상어, 개나리, 송이버섯

3
두 단어의 의미 관계가 나머지와 다른 하나는?

① 형 – 아우　　② 총각 – 처녀
③ 동물 – 포유류　④ 출발선 – 결승선
⑤ 짧다 – 길다

4
㉠과 ㉡에 들어갈 말로 적절한 것은?

> 형이 집에서 가까운 네거리에 가게를 열다.
> → '열다'의 유의어 (㉠),
> '열다'의 반의어 (㉡)

	㉠	㉡
①	베풀다	잠그다
②	개업하다	막다
③	개업하다	폐업하다
④	벌리다	채우다
⑤	잠그다	폐업하다

오늘의 개념 사전

의미 관계
단어들을 의미를 중심으로 어떤 관계를 맺고 있는지 구분한 것. 유의 관계, 반의 관계, 상하 관계 등으로 분류할 수 있음.

유의 관계
단어 사이에서 말소리는 다르지만 서로 비슷한 뜻을 가지는 관계. 이런 관계에 있는 말을 유의어(類義語)라 함. 유의어는 미묘한 의미 차이로 우리의 언어생활을 풍부하게 함.

예 가끔 – 더러 – 이따금 – 드문드문 – 때로 – 간혹 – 혹간 – 간간이

반의 관계
단어들이 서로 반대되는 의미를 가지는 관계. 이런 관계에 있는 말을 반의어(反義語)라 함. 반의어들 사이에는 공통적인 의미 자질이 있으면서, 단지 하나의 의미 자질만 달라야 함.

예 남자 – 여자, 낮 – 밤, 가다 – 오다

상하 관계
한쪽이 의미상 다른 쪽을 포함하거나 다른 쪽에 포함되는 의미 관계. 이때 일반적·포괄적 의미를 지니는 단어가 상의어(上義語), 개별적·한정적 의미를 지니는 단어가 하의어(下義語)임.

예
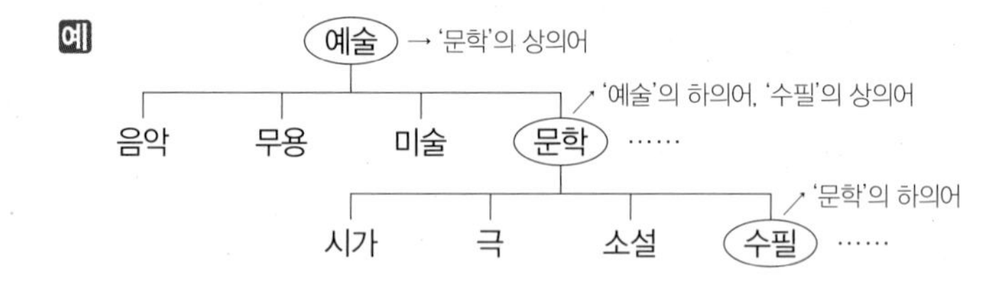

동음이의어(同音異義語)
소리는 같지만 전혀 관계가 없는 의미를 가진 단어

예 배 – 먹는 과일 배, 타는 배, 사람 몸의 배

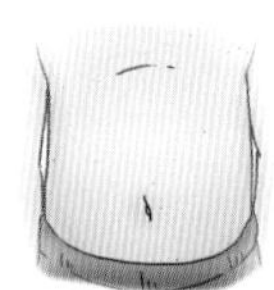

▶ 연계 학습 부록 229쪽으로 한번 더!

• 정답과 해설 24~25쪽

다의어(多義語)
두 가지 이상의 뜻을 가진 단어로 의미들 사이에 연관성이 있음.

예 다리 – 사람의 다리, 책상 다리

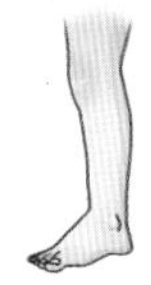
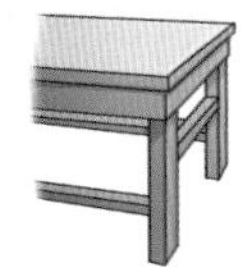

'다리'는 원래 '사람이나 짐승의 몸통 아래에 붙어서 몸을 받치며 서거나 걷거나 뛰게 하는 부분'을 가리키지만, '책상 다리', '지겟다리'처럼 '물건의 하체 부분'을 가리키기도 한다.

다의어의 중심적 의미와 주변적 의미

중심적 의미	다의어가 지닌 여러 의미 중에서 가장 기본적이고 핵심적인 의미
주변적 의미	중심적 의미에서 확장된 그 밖의 의미

예

ⓐ머리가 아프다. ⓑ머리가 좋다. ⓒ머리가 길다.

머리[1] 명
「1」 사람이나 동물의 목 위의 부분. 눈, 코, 입 따위가 있는 얼굴을 포함하며 머리털이 있는 부분을 이른다. 뇌와 중추 신경 따위가 들어 있다.
「2」 생각하고 판단하는 능력.
「3」 머리에 난 털. = 머리털.
⋮
머리[2] 명
「1」 덩어리를 이룬 수량의 정도를 나타내는 말.
⋮

- ⓐ는 '머리[1]'의 「1」의 뜻, ⓑ는 '머리[1]'의 「2」의 뜻, ⓒ는 '머리[1]'의 「3」의 뜻으로 사용되고 있다.
- ⓐ는 '머리[1]'의 중심적 의미로 사용되었고, ⓑ와 ⓒ는 '머리[1]'의 주변적 의미로 사용되었다.
- '머리[1]'과 '머리[2]'는 동음이의어이므로 국어사전에서 표제어를 달리하여 수록하고 있다.

※ **표제어**: 사전 등의 표제(≒제목) 항목에 넣어 알기 쉽게 풀이해 놓은 말. = 올림말.

확인하기

5
다음은 국어사전에서 '타다'의 뜻을 찾아본 것이다. ㉠~㉤의 뜻으로 사용된 것은?

타다[1]
㉠ 불씨나 높은 열로 불이 붙어 번지거나 불꽃이 일어나다.
㉡ 피부가 햇볕을 오래 쬐어 검은색으로 변하다.
㉢ 뜨거운 열을 받아 검은색으로 변할 정도로 지나치게 익다.
㉣ 마음이 몹시 달다.
㉤ 물기가 없어 바싹 마르다.

① ㉠: 애간장이 타다.
② ㉡: 땡볕에 얼굴이 까맣게 탔다.
③ ㉢: 긴장으로 입술이 바짝바짝 탄다.
④ ㉣: 벽난로에서 장작이 활활 타고 있었다.
⑤ ㉤: 딴짓을 하는 사이 밥이 까맣게 탔다.

6
〈보기〉에 대한 설명으로 적절하지 않은 것은?

◀ 보기 ▶

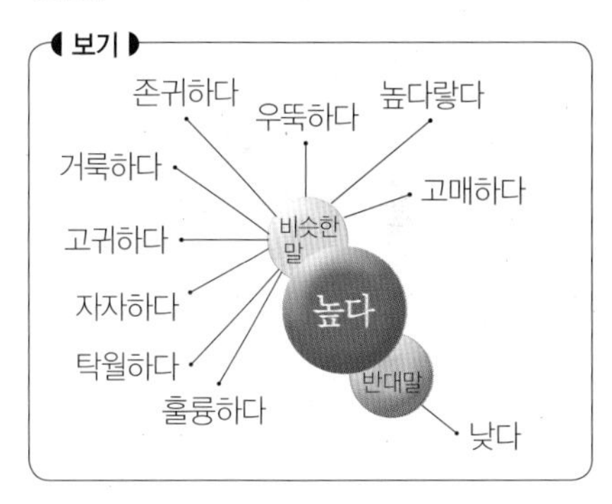

① '높다'와 '낮다'는 반의 관계이다.
② '높다'와 '우뚝하다'는 유의 관계이다.
③ '높다'와 '존귀하다'는 상하 관계이다.
④ '높다'의 의미가 다양하기 때문에 여러 개의 유의어를 가진다.
⑤ 높다'의 반의어는 다른 의미 요소는 같고 한 개의 의미 요소만 다르다.

7
다음 빈칸에 들어갈 적절한 말을 쓰시오.

하나의 표제어가 여러 가지 의미를 갖는 다의어라 할지라도 (   ) 의미는 하나밖에 없다.

문제로 정복하기

1 두 단어의 관계가 나머지와 다른 하나는?

① 참 – 거짓 ② 길다 – 짧다
③ 덥다 – 춥다 ④ 남자 – 아이
⑤ 남성 – 여성

2 두 단어의 의미 관계를 파악한 것으로 적절하지 않은 것은?

① 가다 : 오다 – 반의 관계
② 가다 : 상하다 – 유의 관계
③ 가다 : 떠나다 – 반의 관계
④ 가다 : 생기다 – 유의 관계
⑤ 가다 : 작동하다 – 유의 관계

3 밑줄 친 단어를 대체할 수 있는 말을 나타낸 것으로 적절하지 않은 것은?

① 지금 떠난 기차가 부산행인가요? → 방금
② 그는 부끄러워서 얼굴을 들 수 없었다. → 낯
③ 할머니는 내 손을 꼭 잡고 놓아 주지 않으셨다. → 쥐다
④ 네가 지금까지 사용한 물이 엄청난 낭비란 걸 모르겠니? → 쓰다
⑤ 침팬지는 아프리카에서 무리를 지어 생활하며, 나뭇잎이나 과일을 주식으로 한다. → 유인원

4 〈보기〉의 ㉠~㉢에 대한 설명으로 적절하지 않은 것은?

보기
- 밭에서 농부가 ㉠김을 맸다.
- 완도는 ㉡김이 많이 난다.
- 창문에 ㉢김이 많이 서렸다.

① 각각 서로 다른 의미를 지니고 있다.
② 문맥을 통해 의미를 파악할 수 있다.
③ 홀로 쓰이면 의미를 파악하기 어렵다.
④ ㉠, ㉡, ㉢은 서로 동음이의 관계에 있다.
⑤ ㉢은 '탄산음료의 김이 빠지다.'에서 사용된 '김'과 의미상 관련이 없다.

5 밑줄 친 말이 동음이의 관계에 있는 것은?

① 철수는 발이 빨라서 마치 네 발로 걷는 것 같다.
② 벌써 아침이야. 어서 아침 먹고 학교에 가야지.
③ 나무에 달린 저 감은 잘 익었을 것 같은 감이 든다.
④ 머리를 길게 기른 저 사람이 바로 명석한 머리로 유명한 사람이야.
⑤ 그의 소리가 우렁찬 것은 작은 소리를 잘 듣지 못하기 때문일지도 몰라.

6 글쓰기에서 다양한 유의어를 사용하여 얻을 수 있는 효과로 가장 적절한 것은?

① 글의 단조로움을 피할 수 있다.
② 글의 주제를 더욱 강조할 수 있다.
③ 글쓴이의 의도를 분명하게 전달할 수 있다.
④ 중의적으로 문장의 의미를 전달할 수 있다.
⑤ 단어가 가진 함축적 의미를 드러낼 수 있다.

7 밑줄 친 단어들의 상하 관계를 고려할 때, 문장 표현이 적절하지 않은 것은?

① 가장 높이 나는 새는 독수리이다.
② 우리나라의 대표적인 텃새는 참새이다.
③ 나는 개 중에서도 치와와를 기르고 싶어.
④ 이 연못에는 붕어와 물고기가 공생하고 있다.
⑤ 인류가 최초로 기른 가축은 개로 추정되고 있다.

8 짝지어진 단어들의 의미 관계가 반의 관계가 아닌 것은?

① 쓰다 – 달다 ② 같다 – 틀리다
③ 맞다 – 때리다 ④ 느리다 – 빠르다
⑤ 오르다 – 내리다

[9~10] 다음은 '전쟁' 하면 연상되는 단어들을 적어 놓은 것이다. 물음에 답하시오.

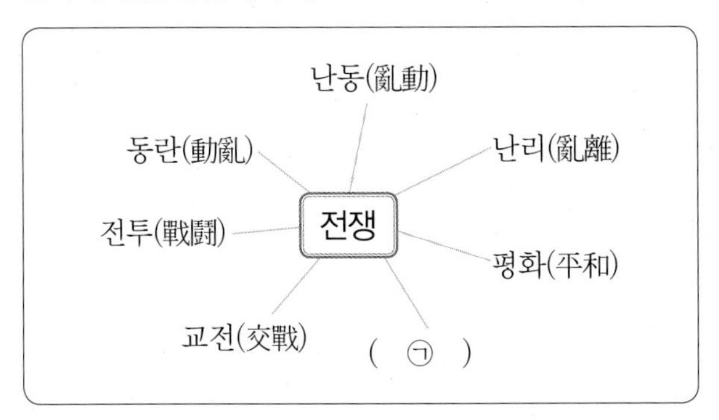

9 '전쟁'과의 의미 관계를 고려할 때, 성격이 나머지와 다른 하나는?

① 동란　② 교전　③ 평화
④ 난동　⑤ 전투

10 '전쟁'과의 의미 관계를 고려하여, ㉠에 들어갈 단어를 〈조건〉에 맞게 쓰시오.

〈조건〉
- '전쟁'의 유의어일 것.
- 어근과 접사가 결합한 단어일 것.
- 고유어로 된 2음절의 한 단어일 것.

11 밑줄 친 단어 중 〈보기〉의 '날'과 동음이의 관계에 있는 것은?

〈보기〉
오늘은 날이 좋아서 등산하기에 안성맞춤이다.

① 날을 잡아 집 안 대청소를 하자.
② 젊은 날의 고생은 사서라도 한대.
③ 언제 날을 정해서 식사 한번 하자.
④ 날이 새도록 공부하다니 대단하구나.
⑤ 그는 조리 자격증을 따려고 날을 세웠다.

12 ⓐ, ⓑ, ⓒ에 들어갈 말을 순서대로 바르게 배열한 것은?

〈보기〉
ㄱ. 꽃이 지다.
ㄴ. 무거운 짐을 지다.
ㄷ. 청군이 백군에게 지다.

문장 ㄱ~ㄷ에 사용된 '지다'는 서로 의미상 관련이 (ⓐ) (ⓑ)이고, (ⓒ)의 단어이다.

	ⓐ	ⓑ	ⓒ
①	있으므로	다의어	별개
②	없으므로	동음이의어	별개
③	있으므로	다의어	하나
④	없으므로	동음이의어	하나
⑤	있으므로	동음이의어	별개

13 밑줄 친 '손'이 중심적 의미로 사용된 것은?

① 손을 꼽으면서 소풍날을 기다렸다.
② 이미 그 일에 대해서는 손을 써 두었다.
③ 수학 시험지가 어머니의 손에 들어가 버렸다.
④ 손을 다치는 바람에 무거운 물건을 들 수 없었다.
⑤ 나는 부모님이 함께 장사를 하셔서 할머니의 손에서 자랐다.

14 밑줄 친 말 중, 〈보기〉의 '배'와 다의 관계인 것은?

〈보기〉
배가 불룩한 돌기둥

① 나는 사과보다 배가 더 좋다.
② 밥을 먹어도 계속 배가 고프다.
③ 저 섬에 가는 배가 이미 끊겼다.
④ 나는 그보다 두 배는 더 노력했다.
⑤ 남의 제사에 감 놔라 배 놔라 한다.

수능 콕콕 수능 기출

개념 확인

1 유의어의 의미 차이

단어 사이에서 말소리는 다르지만 서로 비슷한 뜻을 가지는 관계를 유의 관계라 하고, 이러한 관계에 있는 말을 유의어라고 합니다. 유의 관계에 있는 단어는 미묘한 의미 차이를 지니고 있어서 일상생활에서 쓰임새가 다를 수 있습니다. 유의 관계인 '틈-사이'를 예로 들어 볼까요? '틈이 벌어졌다.'라는 문장에서는 '틈' 대신 '사이'를 쓸 수 있지만, '틈만 나면 싸운다.'라는 문장에서는 '틈' 대신 '사이'를 쓸 수 없습니다. '틈'과 '사이'의 미묘한 의미 차이 때문이지요.

1 2019학년도 대수능 20번 변형

문맥상 의미[1]가 〈보기〉의 ⓐ와 가장 가까운 것은?

보기

을이 그림 A를 넘겨주지 않은 까닭은 갑으로부터 매매 대금을 받은 뒤에 을의 과실로 불이 나 그림 A가 타 없어졌기 때문이다. 결국 채무는 이행 불능이 되었다. 소송을 하더라도 불능의 내용을 이행하라는 판결은 ⓐ나올 수 없다. 그림 A의 소실이 계약 체결 전이었다면, 그 계약은 실현 불가능한 내용을 담고 있기 때문에 체결할 때부터 계약 자체가 무효이다. 이행 불능이 채무자의 과실 때문에 일어난 것이라면 채무자가 채무 불이행에 대한 책임을 져야 한다.

① 오랜 연구 끝에 만족할 만한 실험 결과가 나왔다.
② 그 사람이 부드럽게 나오니 내 마음이 누그러졌다.
③ 우리 마을은 라디오가 잘 안 나오는 산간 지역이다.
④ 이 책에 나오는 옛날이야기 한 편을 함께 읽어 보자.
⑤ 그동안 우리 지역에서는 걸출한 인물들이 많이 나왔다.

더 알고 싶은 해설

정답 풀이

❶ 오랜 연구 끝에 만족할 만한 실험 결과가 나왔다.

ⓐ의 문맥적 의미는 '처리나 결과로 이루어지거나 생기다.'입니다. 이와 의미가 가장 가까운 것은 '실험 결과가 나왔다.'의 '나왔다'입니다.

오답 풀이

② 그 사람이 부드럽게 나오니 내 마음이 누그러졌다.

'그 사람이 부드럽게 나오다.'에서 '나오다'는 '어떠한 태도를 취하여 겉으로 드러내다.'입니다.

③ 우리 마을은 라디오가 잘 안 나오는 산간 지역이다.

'라디오가 잘 안 나오다.'에서 '나오다'는 '방송을 듣거나 볼 수 있다.'입니다.

④ 이 책에 나오는 옛날이야기 한 편을 함께 읽어 보자.

'이 책에 옛날이야기가 나오다.'에서 '나오다'는 '책, 신문 따위에 글, 그림 따위가 실리다.'입니다.

⑤ 그동안 우리 지역에서는 걸출한 인물들이 많이 나왔다.

'걸출한 인물들이 많이 나오다.'에서 '나오다'는 '상품이나 인물 따위가 산출되다.'입니다.

2 2017학년도 대수능 11번

〈보기〉의 ㉠, ㉡에 해당하는 예로 적절한 것은?

보기

학 생: 선생님, 다음 두 문장을 보면 모두 '가깝다'가 쓰였는데 의미가 좀 다른 것 같아요.

(1) 우리 집은 학교에서 가깝다.

(2) 그의 말은 거의 사실에 가깝다.

선생님: (1)의 '가깝다'는 "어느 한 곳에서 다른 곳까지의 거리가 짧음."을 뜻하고, (2)의 '가깝다'는 "성질이나 특성이 기준이 되는 것과 비슷함."을 뜻한단다. 이는 본래 ㉠공간과 관련된 중심적 의미를 지니던 것[1]이 ㉡추상화되어 주변적 의미도 지니게 된 것[1]이라고 할 수 있지.

학 생: 아, 그렇군요. 그러면 '가깝다'는 여러 의미를 지닌 단어로군요.

선생님: 그렇지. 그래서 '가깝다'는 다의어란다.

	㉠	㉡
①	물은 낮은 곳으로 흐른다.	환경에 대한 관심도가 낮다.
②	그는 성공할 가능성이 크다.	힘든 만큼 기쁨이 큰 법이다.
③	두 팔을 최대한 넓게 벌렸다.	도로 폭이 넓어서 좋다.
④	내 좁은 소견을 말씀드렸다.	마음이 좁아서는 곤란하다.
⑤	작은 힘이라도 보태고 싶다.	우리 학교는 운동장이 작다.

개념 확인

1 중심적 의미와 주변적 의미

중심적 의미는 다의어가 지닌 여러 의미 중에서 가장 기본적이고 핵심적인 의미이고, 주변적 의미는 중심적 의미에서 확장된 그 밖의 의미입니다. 중심적 의미와 주변적 의미는 의미상 밀접한 관계를 맺고 있답니다.

더 알고 싶은 **해설**

정답 풀이

❶ ㉠ 물은 낮은 곳으로 흐른다. ㉡ 환경에 대한 관심도가 낮다.

'낮은 곳'에서 '낮다'는 '곳'이라는 공간과 관련된 중심적 의미로 사용되었고, '관심도가 낮다'에서 '낮다'는 추상화된 주변적 의미로 사용되었습니다.

오답 풀이

② ㉠ 그는 성공할 가능성이 크다. ㉡ 힘든 만큼 기쁨이 큰 법이다.

'가능성이 크다'와 '기쁨이 크다'에서 '크다'는 모두 추상화된 주변적 의미로 사용되었습니다.

③ ㉠ 두 팔을 최대한 넓게 벌렸다. ㉡ 도로 폭이 넓어서 좋다.

'두 팔을 (최대한) 넓게'에서 '넓다'는 '두 팔(의 거리)'이라는 공간과 관련된 중심적 의미로, '도로 폭이 넓어서'에서 '넓다'도 '도로 폭'이라는 공간과 관련된 중심적 의미로 사용되었습니다.

④ ㉠ 내 좁은 소견을 말씀드렸다. ㉡ 마음이 좁아서는 곤란하다.

'좁은 소견'과 '마음이 좁아서는'에서 '좁다'는 모두 추상화된 주변적 의미로 사용되었습니다.

⑤ ㉠ 작은 힘이라도 보태고 싶다. ㉡ 우리 학교는 운동장이 작다.

'작은 힘'에서 '작다'는 추상화된 주변적 의미로 사용되었습니다. '운동장이 작다'에서 '작다'는 '운동장'이라는 공간과 관련된 중심적 의미로 사용되었습니다.

정답과 해설 26쪽

문법 놀이터

시작하는 예시의 단어처럼 꼬리에 꼬리를 무는 단어를 찾아서 표를 완성해 보세요.

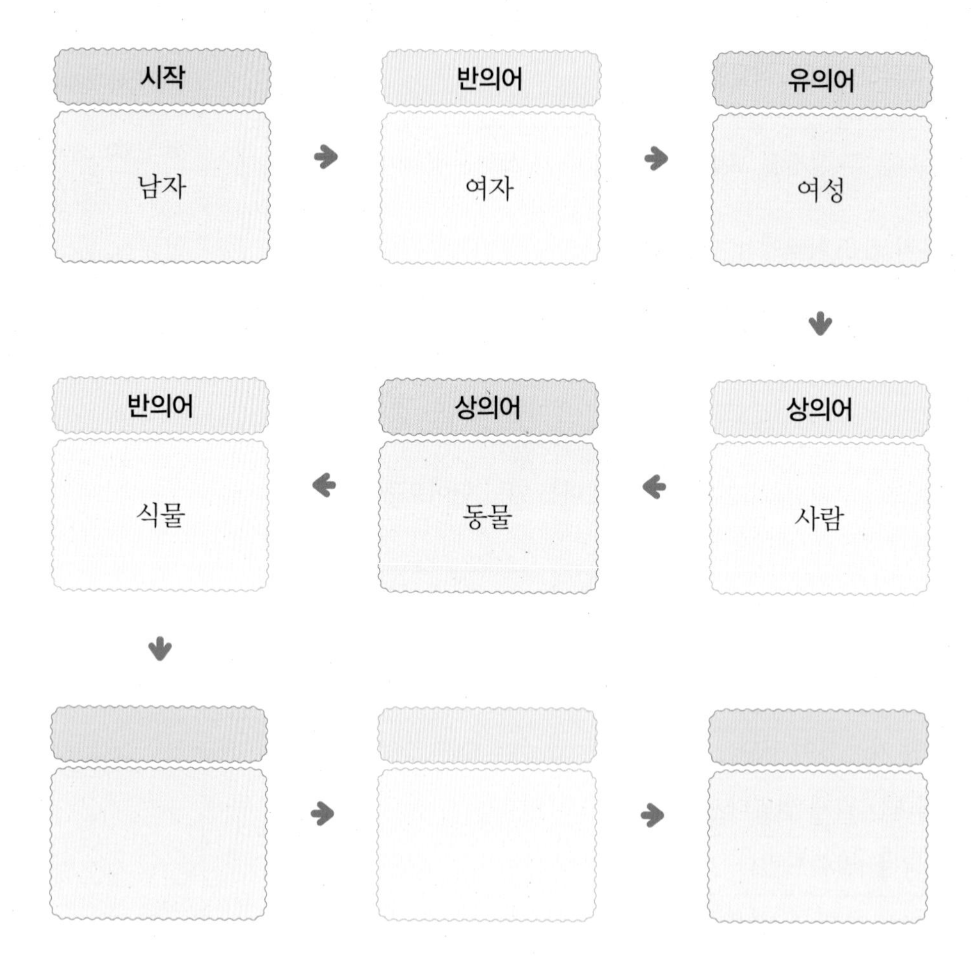

13일 문장과 문장 구성의 단위

월 일

궁금이의 문법 일기

연극반에서 이솝 우화를 각색한 '양치기 소년'을 연습했다. 나는 '양치기' 역할을 맡았는데, 주인공인데도 불구하고 대사도 별로 없고 문장들도 짧았다. 원래 대사가 길었는데, 내가 대본을 잘 못 외우니까 연출을 맡은 친구가 "대사를 짧은 문장으로 바꾸어 줄게."라며 새로 대사를 바꾸어 주었다. 그랬는데도 신기하게 의미가 잘 통했다. 그런데 한 가지 궁금한 것이 있다. "늑대다!", "저기." 이런 것을 문장이라고 할 수 있는 걸까? 그냥 단어는 아닐까?

콕샘 한마디!

"늑대다!", "저기."는 모두 문장이라고 할 수 있어요. 왜냐하면 문장이란 생각이나 감정을 표현하는 최소의 언어 형식이기 때문이지요. 조금 어렵다면 오늘은 문장이 무엇인지, 또 문장을 구성하는 단위가 무엇인지 더 자세히 알아볼까요?

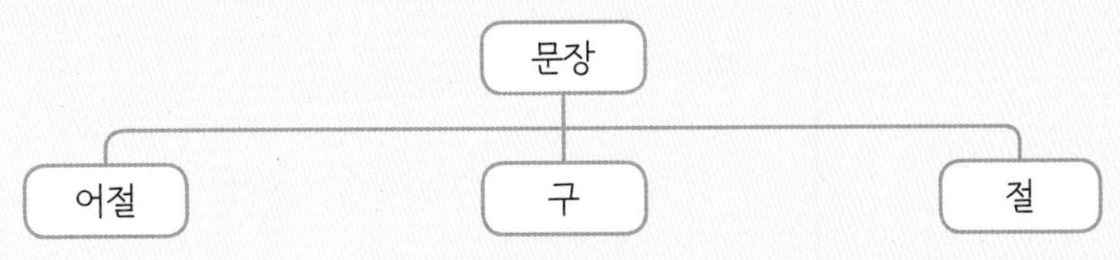

확인하기

1

문장이라 할 수 없는 것은?

① 나는 정말 공부를
② 영희는 어디 갔니?
③ 우리 모두 책을 읽자!
④ 모두 조용히 해 줄래?
⑤ 순이는 밥을 먹었습니다.

2

문장이 〈보기〉의 짜임으로 이루어진 것은?

보기
누가/무엇이 어떠하다

① 이 물은 마지막 식수이다.
② 나는 그에게 빵을 주었다.
③ 철호는 우리 반의 회장이다.
④ 그는 더 이상 학생이 아니다.
⑤ 아버지는 등산을 좋아하신다.

3

밑줄 친 문장에서 생략된 성분을 찾아 온전한 문장으로 바꾸어 쓰시오.

(가) 철수: 밥이 너무 적지?
영희: 응, 너무 적어.

(나) 철수: 영희야, 어디 가는 길이니?
영희: 학교.

오늘의 개념 사전

문장
생각이나 감정을 완결된 내용으로 표현하는 최소의 언어 형식

문장의 성립 조건
- 최소한 하나의 주어와 하나의 서술어를 가지고 있어야 한다.
- 하나의 문장이 끝남을 나타내는 문장 부호를 사용해야 한다.

예 빨간 꽃이(주어) 매우 예쁘다(서술어).(→ 문장 부호)

문장의 기본 짜임

서술어의 품사	짜임과 예
동사	누가/무엇이 어찌하다. 예 새가 날아간다.
형용사	누가/무엇이 어떠하다. 예 노을이 아름답다.
체언+서술격 조사	누가/무엇이 무엇이다. 예 그는 학생이다.

문장 성분의 생략
- 주어, 서술어, 목적어, 보어 등 주성분은 원칙적으로 생략할 수 없다.
- 주성분은 한 문장 안에서 같은 문장 성분이 중복될 때에는 생략이 가능하다.
  예 나는 짜장면을 (먹었고), 순이는 볶음밥을 먹었다.
- 화자와 청자가 알고 있는 내용은 생략해도 의미 전달에 문제가 없다.
  예 영희는 어디 있니? / (영희는) 운동장에 (있어).
- 명령문이나 청유문의 경우, 주어를 생략할 수 있다.
  예 (너희들은) 교실에 남아 있어라.

어절
문장을 구성하고 있는 각각의 마디로, 문장 성분의 최소 단위

어절의 특징
- 어절은 대개 띄어쓰기 단위와 일치한다.
- 문법적 기능을 하는 요소들은 앞말에 붙어 한 어절을 이룬다.
  예 나는(조사)/매일/책을(조사)/읽는다(어미). (4어절)

'구'와 '절'
둘 이상의 단어가 모여 있을 때, 단어 사이에 '주어-서술어'의 관계가 성립하지 않으면 구(句), '주어-서술어'의 관계가 성립하면 절(節)이라고 함.

예 저 아이는 눈이 예쁘다.

'저 아이는'은 '주어-서술어' 관계가 성립하지 않기 때문에 구에 해당한다. '눈이 예쁘다'는 '눈이'가 주어, '예쁘다'가 서술어 역할을 하기 때문에 절에 해당한다.

▶연계 학습 부록 230~231쪽으로 **한번 더!**

문장의 종결 표현
서술어의 종결 어미에 의해 문장이 종결됨.

- 서술어의 종결 어미를 선택함으로써 생각이나 느낌을 표현할 수 있다.
- 온점/마침표(.), 물음표(?), 느낌표(!) 등의 문장 부호로 문장 종결을 표현한다.

평서문
말하는 이가 듣는 이에게 특별히 요구하는 바 없이, 하고 싶은 말을 단순하게 진술하는 문장

- 평서형 종결 어미로 '-다' 등을 사용한다.
  예 장미가 아름답게 피었다.

의문문
말하는 이가 듣는 이에게 질문하여 대답을 요구하는 문장

- 의문형 종결 어미로 '-(느)냐', '-니', '-ㄹ까' 등을 사용한다.
  예 너는 지금 무엇을 먹고 있니?

명령문
말하는 이가 듣는 이에게 어떤 행동을 하도록 강하게 요구하는 문장

- 명령형 종결 어미로 '-아라/-어라' 등을 사용한다.
- 명령문의 주어는 항상 '듣는 이'가 되고, 서술어는 동사만 올 수 있다.
  예 민수야, (너는) 날씨가 추울 테니 옷을 많이 입어라.
  (너는): 주어(듣는 이) / 입어라: 서술어(동사)

청유문
말하는 이가 듣는 이에게 어떤 행동을 함께 하자고 요청하는 문장

- 청유형 종결 어미로 '-자' 등을 사용한다.
- 명령문과 달리 청유문의 주어에는 말하는 이와 듣는 이가 함께 포함된다.
- 청유문의 서술어는 동사만 올 수 있다.
  예 자, 우리 함께 집에 가자.
  우리: 주어(말하는 이와 듣는 이) / 가자: 서술어(동사)

감탄문
말하는 이가 듣는 이를 별로 의식하지 않거나 거의 독백하는 상태에서 자기의 느낌을 표현하는 문장

- 감탄형 종결 어미로 '-구나', '-아라/-어라' 등을 사용한다.
- 감정을 나타내는 감탄사가 동반되기도 한다.
  예 아, 이 꽃은 정말 아름답구나.
  아: 감탄사 / 구나: 감탄형 종결 어미

• 정답과 해설 26쪽

확인하기

4
다음 문장의 어절 수는?

새 옷이 잘 어울린다.

① 2개　② 3개　③ 4개
④ 5개　⑤ 6개

5
밑줄 친 부분을 구와 절로 나눌 때, 구에 해당하는 것은?

① 꽃이 활짝 피었다.
② 비가 소리도 없이 내렸다.
③ 할아버지 집은 마당이 넓다.
④ 그것은 어제 내가 산 책이다.
⑤ 아이는 엄마가 오기를 기다렸다.

문제로 정복하기

1 문장의 기본 구조가 〈보기〉와 같은 것은?

〈보기〉

누가/무엇이+어떠하다

① 연우는 멋진 학생이다.
② 무지개가 무척 곱구나.
③ 내 별명은 백과사전이다.
④ 개미가 슬금슬금 기어간다.
⑤ 갈매기가 하늘 높이 날아간다.

2 〈보기〉의 ㉠~㉢의 예로 적절하지 않은 것은?

〈보기〉

문장이란 생각이나 감정을 완결된 내용으로 표현하는 최소의 언어 형식을 뜻한다. 우리말에서 문장의 기본 구조는 서술어의 성격에 따라 ㉠'누가/무엇이 어떠하다', ㉡'누가/무엇이 어찌하다', ㉢'누가/무엇이 무엇이다'로 나눌 수 있다.

① ㉠: 날씨가 매우 추웠다.
② ㉠: 치타가 사자보다 더 빠르다.
③ ㉡: 동생이 열심히 공부를 한다.
④ ㉡: 가을 하늘이 무척 파랗구나.
⑤ ㉢: 그의 말은 모두 사실이었다.

3 〈보기〉를 참고할 때, 어절의 수가 가장 많은 문장은?

〈보기〉

국어에서 문장을 구성하는 기본적인 문법 단위 중의 하나가 어절이다. 어절은 띄어 쓰는 단위와 대체로 일치하는데, 조사나 어미와 같이 문법적 기능을 하는 요소들은 앞의 말에 붙어서 한 어절을 이룬다.

① 가는 말이 고와야 오는 말이 곱다.
② 사공이 많으면 배가 산으로 올라간다.
③ 낮말은 새가 듣고 밤말은 쥐가 듣는다.
④ 콩 심은 데 콩 나고 팥 심은 데 팥 난다.
⑤ 열 길 물속은 알아도 한 길 사람의 속은 모른다.

4 〈보기〉를 참고할 때, ㉠이 포함되어 있지 않은 문장은?

〈보기〉

㉠'절'은 두 개 이상의 어절이 모여 하나의 의미 단위를 이룬다는 점에서 '구'와 비슷하다. 그러나 주어와 서술어를 갖고 있다는 점에서 구와 구별되고, 더 큰 문장 속에 들어 있다는 점에서 문장과 구별된다.

① 선생님은 건이가 모범생임을 아신다.
② 별들이 반짝이는 밤하늘을 보고 싶다.
③ 진호는 아버지의 구두를 정성껏 닦았다.
④ 농부는 벼가 잘 자라도록 잡초를 뽑았다.
⑤ 연수는 친구가 선물한 책을 밤새 다 읽었다.

5 밑줄 친 내용의 예로 적절한 것은?

문장이란 생각이나 감정을 완결된 내용으로 표현하는 최소의 언어 형식을 뜻한다. 문장은 기본적으로 주어와 서술어로 이루어지지만, 의미에 따라서 다양한 성분들을 필요로 하기도 한다. 만약 필요한 성분이 이유 없이 생략된다면 그 문장은 의미를 분명하게 드러내지 못할 수도 있다. 따라서 의미를 분명하게 전달하는 온전한 문장이 되기 위해서는 문장을 이루는 성분들이 모두 갖추어져 있어야 한다.

① 승철이는 많이 닮았다.
② 정호는 있는 힘껏 던졌다.
③ 그는 자녀에게 많이 물려주었다.
④ 큰아버지께서는 무척 잘 고치신다.
⑤ 그는 처음으로 올림픽에 출전하였다.

• 정답과 해설 27~28쪽

6 다음 문장에 대해 잘못 이해한 것은?

눈이 큰 소원이가 가장 빨리 보물을 찾았다.

① 모두 일곱 개의 어절로 이루어진 문장이야.
② 전체 문장의 주어는 '소원이가', 서술어는 '찾았다'야.
③ 서술어가 동사이므로 '누가 어떠하다'에 해당하는 문장이야.
④ '눈이 큰'은 '주어–서술어' 관계가 성립하므로 절에 해당해.
⑤ '가장 빨리'는 '주어–서술어' 관계가 성립하지 않으므로 구에 해당해.

7 다음의 〈조건〉을 모두 만족시키는 문장은?

조건
ㄱ. 전체 문장이 '누가/무엇이+무엇이다'의 구조일 것.
ㄴ. 여섯 개 이상의 어절로 구성될 것.
ㄷ. 하나 이상의 절을 반드시 포함할 것.

① 나는 네가 언제나 최선을 다하기를 바란다.
② 이곳은 아무나 들어올 수 있는 곳이 아니다.
③ 오늘의 목표는 아버지와 함께 등산하기이다.
④ 우리 선생님은 품성이 무척 고결한 분이시다.
⑤ 우리나라 문화재 가운데 국보 1호는 남대문이다.

8 ㉠과 ㉡을 구와 절로 구분하고, 그렇게 구분한 이유를 서술하시오.

• 수지의 볼(㉠)이 붉어졌다.
• 춘향은 이몽룡이 돌아오기(㉡)를 기다렸다.

9 〈보기〉에 쓰인 문장 유형을 모두 바르게 표시한 것은?

보기
멀리 노루 새끼 마음 놓고 뛰어다니는
아무도 살지 않는 그 먼 나라를 알으십니까?

그 나라에 가실 때에는 부디 잊지 마셔요.
나와 같이 그 나라에 가서 비둘기를 키웁시다.
– 신석정, 「그 먼 나라를 알으십니까」 중에서

	평서문	의문문	명령문	청유문	감탄문
①	V		V	V	
②	V	V			V
③		V	V	V	
④		V	V		V
⑤		V		V	V

10 〈보기〉의 의문문에 대해 탐구한 결과로 적절하지 않은 것은?

보기
ㄱ. 오늘 학교 끝나고 시간 있냐?
ㄴ. 이 나무의 특성은 무엇이지요?
ㄷ. 네 말대로만 되면 얼마나 좋겠니?
ㄹ. 저기 있는 가위 좀 집어 주겠니?

① ㄱ~ㄹ 모두 의문형 종결 어미가 사용되었다.
② ㄱ은 단순히 긍정이나 부정의 대답을 요구한다.
③ ㄴ은 상대방에게 일정한 설명을 요구한다.
④ ㄷ은 상대방의 대답을 굳이 요구하지 않는다.
⑤ ㄷ과 ㄹ은 형식은 의문문이지만 명령의 기능을 수행한다.

수능 콕콕 수능 기출

개념 확인

1 명사구
둘 이상의 단어가 모였으나 '주어-서술어' 관계를 맺지 않은 것을 '구'라고 하며, 체언과 같은 구실을 하는 구를 '명사구'라고 합니다.

2 격 조사
체언이나 체언 구실을 하는 구 뒤에 붙어 앞말이 다른 말에 대하여 갖는 일정한 자격을 나타내는 조사를 격 조사라고 합니다. 주격 조사, 서술격 조사, 목적격 조사, 보격 조사, 부사격 조사, 호격 조사 등이 있습니다.

1 2017학년도 10월 고3 전국연합학력평가 11번

㉠~㉣에 대해 이해한 내용으로 적절한 것은?

㉠ 드디어 나도 일을 끝냈다.
㉡ 벌써 바깥이 칠흑같이 어둡다.
㉢ 신임 장관은 이번 회의에 참석한다.
㉣ 새 컴퓨터가 순식간에 고물이 되었다.

① ㉠과 ㉡에서 주어는 명사구[1]에 조사가 붙은 형태이다.
② ㉠과 ㉢에서 격 조사[2]가 문장의 주어를 나타내 주고 있다.
③ ㉡과 ㉢에서 주어는 서술어가 나타내는 동작의 주체이다.
④ ㉢과 ㉣에서 주어는 체언 구실을 하는 구에 조사가 붙은 형태이다.
⑤ ㉣에서는 상태의 변화를 의미하는 서술어의 영향으로 주어가 두 번 쓰였다.

더 알고 싶은 해설

정답 풀이

❹ ㉢과 ㉣에서 주어는 체언 구실을 하는 구에 조사가 붙은 형태이다.
㉢의 주어 '신임 장관은'은 '신임'과 '장관'이 결합해 명사구를 이루고 여기에 조사가 붙은 형태입니다. ㉣의 주어 '새 컴퓨터가'는 '새'와 '컴퓨터'가 결합해 명사구를 이루고 여기에 조사가 붙은 형태입니다.

오답 풀이

① ㉠과 ㉡에서 주어는 명사구에 조사가 붙은 형태이다.
㉠의 주어는 '나도'인데, 이는 '대명사+조사'의 형태입니다. 명사구가 쓰이지 않았어요. ㉡의 주어는 '바깥이'인데, 이것도 '명사+조사'의 형태로 명사구가 쓰이지 않았습니다.

② ㉠과 ㉢에서 격 조사가 문장의 주어를 나타내 주고 있다.
㉠의 주어 '나도'에 쓰인 조사 '도'와 ㉢의 주어 '신임 장관은'에 쓰인 조사 '은'은 모두 격 조사가 아니라 보조사에 해당합니다.

③ ㉡과 ㉢에서 주어는 서술어가 나타내는 동작의 주체이다.
㉢의 주어 '신임 장관은'은 서술어 '참석한다'의 주체가 맞지만, ㉡의 주어 '바깥이'는 서술어 '어둡다'의 주체가 아닙니다. 참고로 '어둡다'는 동작을 나타내는 말(동사)이 아니라 상태를 나타내는 말(형용사)입니다.

⑤ ㉣에서는 상태의 변화를 의미하는 서술어의 영향으로 주어가 두 번 쓰였다.
㉣에서 서술어 '되었다' 앞에서 조사 '이'와 결합되어 쓰인 '고물이'는 주어가 아니라 보어입니다. ㉣에는 주어가 하나만 나타나 있습니다.

2 2019학년도 대수능 6월 모의평가 15번

〈보기〉의 ㉠~㉤의 예로 적절하지 않은 것은?

보기

선어말 어미 '-더-'는 시간 표현, 주어의 인칭[1], 용언의 품사, 문장 종결 표현 등과 다양하게 관련을 맺는다.

예컨대 '아까 달력을 보니 내일이 언니 생일이더라.'와 같이 ㉠새삼스럽거나 새롭게 알게 된 내용이 비록 미래의 일이라도 그것을 안 시점이 과거이면 '-더-'가 쓰일 수 있다. 또한 '-더-'가 쓰인 문장에는 특정 인칭의 주어만 나타나는 경우가 있다. 가령, ㉡본인만이 직접 느껴 알 수 있는 감정이나 감각을 표현하는 형용사가 서술어일 때, 평서문에는 1인칭 주어만이 '-더-'와 함께 쓰인다. ㉢이 경우, 의문문에는 2인칭 주어만이 '-더'와 함께 쓰인다. 단, ㉣이때도 수사 의문문[2]에는 '-더-'와 함께 1인칭 주어가 나타날 수 있다. 한편, '꿈에서 내가 하늘을 날더라.'처럼 ㉤꿈속의 일이나 무의식중에 일어난 일을 말할 때, 화자가 자신의 행동이나 상태를 타인이 관찰하듯이 진술할 경우 '-더-'가 1인칭 주어와 쓰일 수 있다.

① ㉠: 아까 수첩을 보니 다음 주에 약속이 있더라.
② ㉡: 나는 그의 합격이 놀랍더라.
③ ㉢: 영수야, 넌 내가 그리 말했는데도 안 밉더냐?
④ ㉣: 기어이 우승한 그날, 우리 어찌 아니 기쁘더냐?
⑤ ㉤: 내가 어제 마신 약은 생각보다 안 쓰더라.

개념 확인

1 인칭
'나', '저', '우리' 등과 같이 화자가 자신이나 자신이 속한 무리를 가리키는 1인칭, '너', '당신', '너희들' 등과 같이 청자나 청자가 속한 무리를 가리키는 2인칭, 1인칭과 2인칭을 제외한 나머지를 가리키는 3인칭이 있어요.

2 수사 의문문
문장의 종결 표현은 의문문이지만, 상대방에게 답변을 요구하지 않고 강한 긍정 진술을 내포하고 있는 의문문을 뜻합니다.
예 "너한테 짜장면 한 그릇 못 사 줄까?"는 짜장면 한 그릇은 충분히 사 줄 수 있다는 뜻을 나타내는 수사 의문문입니다.

더 알고 싶은 해설

정답 풀이

❺ ㉤: 내가 어제 마신 약은 생각보다 안 쓰더라.

㉤은 꿈속의 일이나 무의식 중에 일어난 일을 말할 때에 '-더-'가 쓰일 수 있다고 하였는데, 이 문장은 꿈속의 일이나 무의식 중에 일어난 일을 말하는 것이 아니죠? 이 문장은 ㉤이 아니라 ㉡의 예로 적절합니다.

오답 풀이

① ㉠: 아까 수첩을 보니 다음 주에 약속이 있더라.

비록 '약속'이 '다음 주'에 있는 미래의 일이지만 그것을 안 시점이 '아까'와 같이 과거이기 때문에 선어말 어미 '-더-'를 사용한 것으로 ㉠의 예로 적절합니다.

② ㉡: 나는 그의 합격이 놀랍더라.

'놀랍다'는 본인만이 직접 느껴 알 수 있는 감정이고, 평서문에서 1인칭 주어 '나'가 쓰인 것이기 때문에 '-더-'를 사용한 것으로 ㉡의 예로 적절합니다.

③ ㉢: 영수야, 넌 내가 그리 말했는데도 안 밉더냐?

이 문장은 주어로 2인칭인 '넌'이 쓰였고 의문문이기 때문에 '-더-'를 사용한 것으로 ㉢의 예로 적절합니다.

④ ㉣: 기어이 우승한 그날, 우리 어찌 아니 기쁘더냐?

이 문장은 '우리'라는 1인칭 주어가 쓰였고, '어찌 아니 기쁘더냐'는 '정말 기쁘더라'를 좀 더 강하게 표현하기 위해 쓴 수사 의문문이기 때문에 '-더-'를 사용한 것으로 ㉣의 예로 적절합니다.

문법 놀이터

다음은 머리가 좋아지는 게임입니다. 게임도 하고 문법 공부도 해 볼까요?

방법

1. 세로줄, 가로줄에는 각각 1부터 9까지의 수가 한 번씩만 들어갑니다.
2. 3×3의 작은 사각형에도 1부터 9까지의 수가 한 번씩만 들어갑니다.
3. ⓐ~ⓘ의 같은 기호에는 같은 숫자가 들어갑니다.
4. 힌트의 문제를 풀면, ⓐ~ⓘ에 해당하는 숫자를 좀 더 쉽게 찾을 수 있어요.
5. 규칙을 지키면서 빈칸을 모두 채워 보세요.

4	1	ⓓ	ⓒ	3	ⓔ	6	ⓑ	ⓖ
7	ⓑ	ⓘ	2	ⓗ	ⓐ	ⓕ	8	ⓒ
ⓕ	9	8	7	5	ⓘ	2	ⓐ	4
5	8	ⓗ	ⓕ	ⓘ	ⓒ	ⓐ	ⓖ	ⓓ
1	ⓖ	ⓕ	4	8	2	ⓑ	ⓒ	6
ⓓ	ⓘ	ⓒ	ⓑ	ⓐ	ⓖ	ⓔ	4	3
8	ⓓ	1	ⓘ	7	4	9	3	ⓑ
ⓒ	3	ⓖ	ⓔ	ⓓ	5	ⓗ	ⓘ	1
ⓘ	ⓗ	5	ⓐ	9	ⓕ	ⓖ	2	8

힌트

ⓐ 문장은 생각이나 감정을 완결된 내용으로 표현하는 최소의 언어 형식이다. (○-1, ×-2)
ⓑ 문장이 끝날 때 문장 부호를 붙이지 않아도 된다. (○-4, ×-5)
ⓒ 주성분은 어떤 경우에도 절대 생략할 수 없다. (○-8, ×-9)
ⓓ 문장은 최소한 하나의 주어와 서술어를 가지고 있어야 한다. (○-2, ×-3)
ⓔ 말할 때보다 글을 쓸 때 문장 성분 생략이 더 많다. (○-7, ×-8)
ⓕ 어절은 대개 띄어쓰기 단위와 일치한다. (○-3, ×-4)
ⓖ '푸른 하늘이 매우 아름답다.'는 3어절로 이루어져 있다. (○-6, ×-7)
ⓗ 구는 둘 이상의 단어가 모여 절이나 문장의 일부분을 이룬다. (○-4, ×-5)
ⓘ 서술어로는 동사와 형용사만 쓰인다. (○-5, ×-6)

14일 문장 성분 1–주성분

월 일

궁금이의 문법 일기

우리 반이 이번 시험에서 1등을 했다. 그 사실을 말했을 뿐인데, 엄마는 내가 1등을 한 줄 아셨다며 화를 내셨다. 엄마는 '주어'를 먼저 말했어야 했다고 하셨는데, 주어가 뭐지? 엄마의 말씀 중에 '누가'에 해당하는 말이 주어인가? 하기는 이번 국어 시험에도 주어를 찾는 문제가 나오기는 했는데 풀지 못했다. 도대체 주어는 어디에 있는 것일까? 이럴 줄 알았으면 이번 시험 공부 좀 열심히 할 걸……. ㅠㅠ

콕샘 한마디!

궁금이 짐작대로 주어는 문장에서 '누가'나 '무엇이'에 해당하는 말이에요. 궁금이가 "이번 시험에서 1등을 했어요."라고 했는데, 이 문장을 그냥 들으면 '누가' 1등을 했는지 알 수 없는 게 당연해요. 이처럼 의미를 정확히 전달하려면 주어를 분명히 밝혀야 해요. 그러면 오늘은 주어처럼 문장을 이루는 데 꼭 필요한 문장 성분에 대해 알아볼까요?

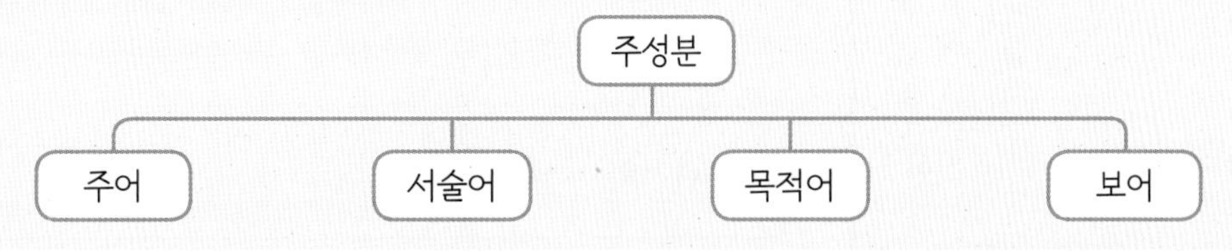

확인하기

1

문장 성분에 대한 설명으로 적절한 것은?

① 모든 문장 성분은 어떤 경우라도 생략할 수 없다.
② 문장의 주성분으로는 주어, 서술어, 독립어가 있다.
③ 문장 성분 중, 부속 성분에는 관형어와 보어가 있다.
④ 문장에서 '누구를', '무엇을'에 해당하는 문장 성분은 보어이다.
⑤ 문장 성분은 문장 안에서 어떠한 구실을 하느냐에 따라 종류가 나뉜다.

2

밑줄 친 문장 성분 중, 주어에 해당하는 것은?

① 그 일은 너를 위한 것이었어.
② 우리에게 빵 아니면 죽음을 달라.
③ 아버지께서 우리들을 칭찬하셨다.
④ 드디어 우리 고향이 보이기 시작했다.
⑤ 어릴 적 나의 꿈은 화가가 되는 것이었어.

오늘의 개념 사전

문장 성분

문장을 이루는 데 일정한 구실을 하는 요소. 주성분(주어, 서술어, 목적어, 보어), 부속 성분(관형어, 부사어), 독립 성분(독립어)으로 나눔.

예 우와(독립어), 민지가(주어) 학급의(관형어) 회장이(보어) 되다니(서술어) 정말(부사어) 놀랍다(서술어).

주성분

문장의 골격을 이루는 부분으로, 문장을 이루는 데 꼭 필요한 성분. 주어, 서술어, 목적어, 보어가 있음.

주어

문장에서 동작이나 상태 또는 성질의 주체를 나타내는 문장 성분. 문장에서 '누가/무엇이'에 해당한다.

- 체언에 주격 조사(이/가/께서/에서)가 붙어 성립한다.
- 체언 구실을 하는 구나 절에 주격 조사가 붙어 성립하기도 한다.
- 주격 조사가 생략되기도 하고, 보조사가 붙어 성립하기도 한다.

예 그 소년이(체언+주격 조사(이)) 바다를 보았다.
할아버지께서(체언+주격 조사(께서)) 그 일을 할 수 있으셔.
그림 그리기가(절+주격 조사(가)) 나의 취미이다.
너(주격 조사 생략) 어디 가니?
영희도(체언+보조사(도)) 집에 간다.

서술어

문장에서 주체(주어)의 동작, 상태, 성질 등을 풀이하는 기능을 하는 문장 성분. 문장에서 '어찌하다(동사), 어떠하다(형용사), 무엇이다(체언+서술격 조사)'에 해당한다.

서술어의 자릿수

서술어의 성격에 따라 꼭 필요로 하는 문장 성분이 있다. 이렇게 꼭 필요한 문장 성분의 개수를 '서술어의 자릿수'라고 한다.

한 자리 서술어	주어 하나만 필요로 하는 서술어 예 새가 날아가다. / 꽃이 예쁘다.
두 자리 서술어	주어 이외에 목적어, 보어, 부사어 중 하나를 더 필요로 하는 서술어 예 동생이(주어) 잠을(목적어) 잔다. / 그는(주어) 바보가(보어) 아니다. / 학생이(주어) 학교에(부사어) 간다.
세 자리 서술어	주어 이외에 목적어와 필수적 부사어를 필요로 하는 서술어 예 할머니께서(주어) 나에게(부사어) 선물을(목적어) 주셨다.

▶ 연계 학습 부록 232쪽으로 한번 더!

목적어
서술어의 동작 대상이 되는 문장 성분. 문장에서 '누구를/무엇을'에 해당한다.

- 타동사가 서술어로 쓰일 때에는 목적어를 필요로 한다.
- 주로 체언에 목적격 조사(을/를)가 붙어 성립한다.
- 목적격 조사가 생략되기도 하고, 보조사가 붙어 성립하기도 한다.

예 우리는 바다를 보았다.
(바다를: 체언+목적격 조사(를), 보았다: 타동사)

나는 과일 좋아해.
(과일: 목적격 조사(을) 생략, 좋아해: 타동사)

철수는 노래도 잘해.
(노래도: 체언+보조사(도), 잘해: 타동사)

보어
주어와 서술어만으로는 뜻이 완전하지 못한 문장에서, 그 불완전한 곳을 보충하여 뜻을 완전하게 하는 문장 성분. 문장에서 '누가/무엇이'에 해당한다.

- '되다', '아니다'만 보어를 필요로 한다.
- 체언에 '이/가'와 같은 보격 조사가 붙어 성립한다.

예 민수는 군인이 되었다.
(군인이: 체언+보격 조사(이))

나는 천재가 아니다.
(천재가: 체언+보격 조사(가))

• 정답과 해설 28~29쪽

확인하기

3
빈칸에 목적어가 들어갈 수 없는 것은?

① 학생들이 신나게 (   ) 불렀다.
② 형은 동생의 (   ) 들어주었다.
③ 나는 정말 그 사건의 (   ) 아니야.
④ 수미는 (   ) 원망하지 않았습니다.
⑤ 그 사람은 남모르게 (   ) 도와주었다.

4
주성분만으로 이루어진 문장은?

① 저 산은 아주 높다.
② 이런, 내가 실수를 했구나.
③ 내 동생은 글씨를 잘 쓴다.
④ 그가 드디어 대학생이 됐군.
⑤ 선생님이 학생들을 꾸짖으셨다.

5
다음에 제시된 문장 성분으로만 구성된 문장을 만들어 쓰시오.

	문장 성분	문장
(1)	주어+서술어	
(2)	주어+목적어+서술어	
(3)	주어+보어+서술어	

문제로 정복하기

1 밑줄 친 말이 〈보기〉의 ㉠에 해당하지 않는 것은?

◀ 보기 ▶

문장 성분은 문장을 이루는 각 요소로, 각 요소는 문장에서 일정한 역할을 한다. 문장 성분은 ㉠문장의 골격을 이루는 주성분과 주성분을 꾸며 주는 부속 성분, 다른 성분들과 직접적인 관계를 맺지 않고 독립적으로 쓰이는 독립 성분으로 나눌 수 있다. 주성분에는 주어, 서술어, 목적어, 보어가 있으며, 부속 성분에는 관형어와 부사어가 있고, 독립 성분에는 독립어가 있다.

① 내 동생 연우는 중학생이다.
② 갑자기 소나기가 세차게 내렸다.
③ 그녀는 마침내 영화배우가 되었다.
④ 건이는 아버지와 무척 많이 닮았다.
⑤ 소원이는 친구들과의 약속을 잘 지킨다.

2 주성분으로만 이루어진 문장은?

① 꽃다발이 매우 예쁘다.
② 노란 개나리가 피었다.
③ 행복은 성적순이 아니다.
④ 시원한 바람이 솔솔 분다.
⑤ 동생은 청소를 열심히 하였다.

3 〈자료〉의 질문에 대한 답으로 적절한 것은?

◀ 자료 ▶

문장 성분에는 주성분과 부속 성분이 있어요. 주성분은 문장을 이루는 데 꼭 필요한 성분을 말합니다. 다음 문장의 ㉠~㉤ 중 주성분은 무엇일까요?

① ㉠ ② ㉡ ③ ㉢
④ ㉣ ⑤ ㉤

4 밑줄 친 부분의 성분이 나머지와 다른 하나는?

① 간밤에 비가 내렸다.
② 창재가 반장이 되었다.
③ 사람은 생각하는 존재이다.
④ 독도는 우리나라의 영토이다.
⑤ 부지런한 새가 벌레를 잡는다.

5 목적어가 사용되지 않은 문장은?

① 강아지가 주인을 기다린다.
② 눈부시게 타오르는 태양이 떴다.
③ 나는 절대로 지각은 하지 않는다.
④ 우등생인 승혁이는 운동도 잘한다.
⑤ 호랑이는 굶주려도 풀을 먹지 않는다.

6 밑줄 친 문장 성분을 분석한 것으로 적절하지 않은 것은?

① 사과와 복숭아는 과일이다. – 주어
② 너는 이제 내 친구도 아니다. – 주어
③ 사람이 빵만 먹고 살 수 없다. – 목적어
④ 중섭이는 커서 유명한 화가가 되었다. – 보어
⑤ 쌔근쌔근 잠든 아기 얼굴이 천사와 같다. – 주어

7 밑줄 친 ㉠과 ㉡의 문장 성분을 각각 쓰시오.

물이 얼음이 되었다.
㉠ ㉡

• ㉠
• ㉡

8 〈보기〉를 참고할 때, 밑줄 친 문장에서 생략된 문장 성분을 모두 지적한 것으로 적절하지 않은 것은?

◀ 보기 ▶
문장을 통해 의미를 온전하게 전달하기 위해서는 필요한 문장 성분을 모두 밝혀 주어야 한다. 하지만 대화 상황이나 언어 맥락을 통해 생략된 내용을 서로 잘 알 수 있다면, 반복되는 문장 성분을 생략하고 꼭 필요한 문장 성분만으로 하나의 문장을 구성하기도 한다.

① "영호는 뭐 하니?"
"책 읽어." → 주어

② "누가 책을 보고 있니?"
"영호." → 목적어, 서술어

③ "지현이는 무엇을 먹고 있니?"
"귤." → 주어, 서술어

④ "누가 귤을 먹고 있니?"
"지현이." → 목적어, 서술어

⑤ "너는 참고서를 어디에서 샀니?"
"학교 앞 서점." → 주어, 서술어

9 ㉠~㉤에 드러난 주성분의 개수가 나머지와 다른 하나는?

민호: ㉠ 수지야, 너는 무슨 과목을 좋아하니?
수지: 국어. ㉡ 난 나중에 국어 선생님이 되고 싶어. ㉢ 그런데 너는 뭐가 되고 싶니?
민호: 외교관. ㉣ 그래서 난 평소에 영어 공부를 열심히 하고 있어.
수지: 멋지다. ㉤ 꼭 네가 외교관이 되기를 바랄게.

① ㉠　② ㉡　③ ㉢　④ ㉣　⑤ ㉤

10 〈보기 1〉은 '서술어의 자릿수'에 대한 탐구 학습지이다. 밑줄 친 ㉠에 해당하는 문장을 〈보기 2〉에서 모두 고른 것은?

◀ 보기 1 ▶
서술어는 그 성격에 따라 의미가 온전한 문장이 되기 위해 꼭 필요로 하는 문장 성분의 개수가 다른데, 이를 서술어의 자릿수라고 한다. 주어 하나만 필요로 하면 한 자리 서술어, 주어 이외에 목적어나 부사어 또는 보어를 하나 더 필요로 하면 두 자리 서술어, 주어와 목적어 외에 부사어를 필요로 하면 ㉠세 자리 서술어라고 한다.

◀ 보기 2 ▶
ㄱ. 그녀는 열심히 학생들을 가르쳤다.
ㄴ. 그녀는 유능한 선생님이 되었다.
ㄷ. 그녀는 나에게 선물을 주었다.
ㄹ. 그녀는 어제 아주 푹 잘 잤다.
ㅁ. 그녀는 책을 가방에 넣었다.

① ㄱ, ㄴ　② ㄱ, ㄹ　③ ㄴ, ㅁ
④ ㄷ, ㄹ　⑤ ㄷ, ㅁ

11 〈보기〉의 ㉠과 ㉡에 들어가야 할 문장 성분이 바르게 짝지어진 것은?

◀ 보기 ▶
• 건이가 (㉠) 가장 좋아한다.
• 건이는 절대로 (㉡) 아니다.

	㉠	㉡
①	목적어	보어
②	목적어	부사어
③	부사어	관형어
④	부사어	보어
⑤	관형어	부사어

수능 콕콕 수능 기출

개념 확인

1 서술어의 자릿수

서술어가 반드시 갖추어야 하는 문장 성분의 수를 뜻해요. 서술어가 필요로 하는 문장 성분이 빠져 있으면 정확하지 못한 문장이 됩니다.

예 "그는 마셨다."라는 문장에서 서술어 '마셨다'는 주어뿐만 아니라 '무엇을'에 해당하는 목적어가 있어야 해요. 따라서 이 문장은 정확하지 못한 문장입니다. 이를 바르게 고치기 위해서는 목적어를 추가하여 "그는 물을 마셨다."라고 해야 합니다.

1 2015학년도 대수능 A형 15번

〈보기〉의 내용을 근거로 하여 잘못된 문장을 수정한 예로 적절하지 않은 것은?

보기

서술어의 자릿수[1]는 문법적으로 정확하지 못한 문장을 수정하는 데 고려해야 할 중요한 기준이다. 서술어의 자릿수란 서술어가 반드시 갖추어야 하는 문장 성분의 수를 의미하는데, 다음과 같은 예를 들 수 있다.

- 한 자리 서술어: 꽃이 피었다.
- 두 자리 서술어: 고양이가 쥐를 잡았다.
- 세 자리 서술어: 동생은 나에게 책을 주었다.

서술어가 요구하는 문장 성분이 빠져 있으면 문법적으로 정확하지 못한 문장이 되므로 그 성분을 보충하여야 한다.

① 그들은 양식이 다 떨어지자 식량 공급을 요청했다.
→ 그들은 양식이 다 떨어지자 정부에 식량 공급을 요청했다.

② 문제는 우리가 예의를 지키지 못하는 경우가 많다.
→ 문제는 우리가 예의를 지키지 못하는 경우가 많다는 사실이다.

③ 나는 오늘 점심을 먹으면서 내 친구를 소개하였다.
→ 나는 오늘 점심을 먹으면서 내 친구를 누나에게 소개하였다.

④ 우리는 전화위복의 계기로 삼아 지금보다 강해질 것이다.
→ 우리는 그 일을 전화위복의 계기로 삼아 지금보다 강해질 것이다.

⑤ 형은 이곳에 온 지 얼마 되지 않아 어두울 수밖에 없다.
→ 형은 이곳에 온 지 얼마 되지 않아 동네 지리에 어두울 수밖에 없다.

더 알고 싶은 해설

정답 풀이

❷ 문제는 우리가 예의를 지키지 못하는 경우가 많다. → 문제는 우리가 예의를 지키지 못하는 경우가 많다는 사실이다.

이 문장은 주어 '문제는'과 호응을 이루는 서술어가 없어서, 서술어 '사실이다'를 추가하여 바르게 고친 문장입니다. 〈보기〉에서 설명한 서술어의 자릿수와 무관하기 때문에 〈보기〉의 내용을 근거로 한 것이라고 할 수 없습니다.

오답 풀이

① 그들은 양식이 다 떨어지자 식량 공급을 요청했다. → 그들은 양식이 다 떨어지자 정부에 식량 공급을 요청했다.

'요청했다'는 주어와 목적어, 부사어를 필요로 하는 세 자리 서술어입니다. 따라서 부사어 '정부에'를 추가하였습니다.

③ 나는 오늘 점심을 먹으면서 내 친구를 소개하였다. → 나는 오늘 점심을 먹으면서 내 친구를 누나에게 소개하였다.

'소개하였다'는 주어와 목적어, 부사어를 필요로 하는 세 자리 서술어입니다. 따라서 부사어 '누나에게'를 추가한 것이죠.

④ 우리는 전화위복의 계기로 삼아 지금보다 강해질 것이다. → 우리는 그 일을 전화위복의 계기로 삼아 지금보다 강해질 것이다.

'삼아'는 주어와 목적어, 부사어를 필요로 하는 세 자리 서술어입니다. 따라서 목적어 '그 일을'을 추가하였어요.

⑤ 형은 이곳에 온 지 얼마 되지 않아 어두울 수밖에 없다. → 형은 이곳에 온 지 얼마 되지 않아 동네 지리에 어두울 수밖에 없다.

'어떤 분야에 대하여 잘 알지 못하다'를 뜻하는 '어둡다'는 주어와 부사어를 필요로 하는 두 자리 서술어입니다. 따라서 부사어 '동네 지리에'를 추가하였습니다. 참고로 '빛이 없어 밝지 아니하다'를 뜻하는 '어둡다'는 주어만 있으면 되는 한 자리 서술어입니다.

2 2019학년도 대수능 14번

〈보기〉의 ⓐ~ⓒ를 이해한 내용으로 적절하지 않은 것은?

〈보기〉
ⓐ 그는 위기를 좋은 기회로 삼았다.
ⓑ 바다가 눈이 부시게 파랗다.
ⓒ 동주는 반짝이는 별을 응시했다.

① ⓐ의 '삼았다'는 주어 이외에도 두 개의 문장 성분을 필수적[1]으로 요구하는군.
② ⓑ의 '바다가'와 '눈이'는 각각 다른 서술어의 주어이군.
③ ⓒ의 '별을'은 안긴문장[2]의 목적어이면서 안은문장[2]의 목적어이군.
④ ⓐ의 '좋은'과 ⓒ의 '반짝이는'은 안긴문장의 서술어이군.
⑤ ⓑ의 '눈이 부시게'와 ⓒ의 '반짝이는'은 수식의 기능을 하는군.

개념 확인

1 필수적
'꼭 있어야 하거나 하여야 하는 것'을 뜻하는 말로, 서술어 중에는 온전한 문장을 만들기 위해 꼭 필요로 하는 문장 성분이 있어요. 예를 들어 〈보기〉의 ⓐ에서 '삼았다'는 '…(으)로'에 해당하는 부사어를 반드시 필요로 하는데, 이때의 부사어를 필수적 부사어라고 한답니다.

2 안긴문장, 안은문장
다른 문장 속에 들어가 하나의 문장 성분처럼 쓰이는 문장을 '안긴문장'이라고 하고, 이 문장을 포함한 문장을 '안은문장'이라고 해요.
예를 들어, 〈보기〉의 ⓑ는 '바다가 파랗다.'와 '눈이 부시다.'가 결합한 문장인데 '눈이 부시다'라는 문장이 마치 부사어처럼 쓰이고 있어요. 이때 '눈이 부시게'는 안긴문장, 이를 포함한 ⓑ는 안은문장이 됩니다.

더 알고 싶은 해설

정답 풀이

❸ ⓒ의 '별을'은 안긴문장의 목적어이면서 안은문장의 목적어이군.
'별을'은 안은문장의 서술어 '응시했다'의 대상이 되므로 목적어에 해당해요. 안긴문장은 '별이 반짝이다.'이기 때문에 '별을'은 안긴문장의 주어에 해당해요.

오답 풀이

① ⓐ의 '삼았다'는 주어 이외에도 두 개의 문장 성분을 필수적으로 요구하는군.
'삼았다'는 주어 '그는' 이외에도 '위기를'(목적어), '기회로'(부사어)를 필수적으로 요구하는 세 자리 서술어입니다.

② ⓑ의 '바다가'와 '눈이'는 각각 다른 서술어의 주어이군.
'바다가'는 '파랗다'의 주어이고, '눈이'는 '부시게'의 주어입니다.

④ ⓐ의 '좋은'과 ⓒ의 '반짝이는'은 안긴문장의 서술어이군.
ⓐ의 안긴문장은 '기회가 좋다.'이므로 '좋은'은 안긴문장의 서술어입니다. ⓒ의 안긴문장은 '별이 반짝이다.'이므로 '반짝이는'은 안긴문장의 서술어입니다.

⑤ ⓑ의 '눈이 부시게'와 ⓒ의 '반짝이는'은 수식의 기능을 하는군.
ⓑ의 '눈이 부시게'는 '파랗다'를 수식하고, ⓒ의 '반짝이는'은 '별'을 수식해요.

• 정답과 해설 30쪽

문법 놀이터

1
문법 고수 달성의 고지까지 앞으로!

2
출발! '문장 성분은 모두 일곱 개이다.'
• ○ → 앞으로 세 칸
• × → 앞으로 두 칸

3

4
처음부터 틀릴래?
2로 돌아가.

5
잘했어. 다음 질문. '주성분은 주어, 서술어만 있다.'
• ○ → 앞으로 세 칸
• × → 앞으로 두 칸

6

7
잘했어. 다음 질문. '주어에는 주격 조사가 생략되기도 한다.'
• ○ → 앞으로 세 칸
• × → 앞으로 두 칸

8
틀렸어. 5로 돌아가.

9
틀렸어. 7로 돌아가.

10
잘했어. 다음 질문. '목적어는 문장에서 '누구를/무엇을'에 해당한다.'
• ○ → 앞으로 세 칸
• × → 앞으로 네 칸

11

12

13
잘했어. 다음 질문. '서술어는 주어의 동작, 성질, 상태를 풀이한다.'
• ○ → 앞으로 세 칸
• × → 앞으로 두 칸

14
한 번에 많이 간다고 좋은 게 아니야. 10으로 돌아가.

15
서술어는 '어찌하다, 어떠하다, 무엇이다'에 해당해. 13으로 돌아가.

16
잘했어. 다음 질문. '서술어에 자동사가 쓰이면 목적어를 필요로 한다.'
• ○ → 앞으로 두 칸
• × → 앞으로 한 칸

17
잘했어. '목적어에는 보조사가 붙기도 한다.'
• ○ → 앞으로 세 칸
• × → 앞으로 두 칸

18
천천히 배운 것을 떠올려 봐. 16으로 돌아가.

19
'보조사'가 무슨 뜻인지 생각해 봐. 17로 돌아가.

20
잘했어. '보어는 문장에서 '어떻게'에 해당한다.'
• ○ → 앞으로 세 칸
• × → 앞으로 두 칸

21

22
잘했어. 다음 질문. '보어는 '되다, 아니다' 앞에만 붙는다.'
• ○ → 앞으로 두 칸
• × → 앞으로 세 칸

23
보어는 주어와 모양이 비슷해. 20으로 돌아가.

24
잘했어. 마지막 질문. '보어는 일반적으로 주어 뒤에 쓰인다.'
• ○ → 앞으로 두 칸
• × → 앞으로 한 칸

25
다 왔어. 힘을 내. 24로 돌아가.

26
만세, 나는 문법의 고수야!

문장 성분 2-부속 성분, 독립 성분

월 일

궁금이의 문법 일기

선생님께서 청소를 열심히 했다고 맛있는 걸 사 주셨다. '심하게' 맛있는 김밥과 떡볶이를 사 주셔서 '심하게' 감사하다고 말씀드렸는데, 선생님은 이 상황에 '심하게'라는 말을 쓰는 것은 적절하지 않다며 내일까지 바른 표현을 알아오라고 하셨다. 아, 괜히 감사하다는 말씀을 드려 골치 아픈 숙제만 하게 생겼다. 그런데 '심하게'와 비슷한 말들은 '아주, 매우, 되게, 굉장히, 몹시, 참' 뭐 이런 말들이 있는데, 이 중 뭘 써야 하는 걸까?

콕샘 한마디!

'심하게'는 '정도가 지나치게'라는 뜻으로, 주로 부정적 의미를 지닌 말과 함께 쓰여요. 따라서 궁금이는 '심하게' 대신에 '아주'나 '매우' 등을 썼어야 해요. '심하게'나 '아주'처럼 문장에서 주성분을 꾸며 주는 문장 성분을 '부속 성분'이라고 합니다. 또 문장 성분 중에는 궁금이의 일기에 나오는 감탄사 '아'처럼 다른 문장 성분과 관련 없는 '독립 성분'이란 것도 있습니다. 그러면 오늘은 이런 '부속 성분'과 '독립 성분'에 대해 알아보도록 할까요?

독립 성분

독립어

확인하기

1

관형어와 부사어에 대한 설명으로 적절하지 않은 것은?

① 관형어는 뒤에 오는 체언을 꾸며 주는 기능을 한다.
② 부사어가 문장의 구성에 반드시 필요한 경우도 있다.
③ 부사어는 다른 부사어나 문장 전체를 꾸며 주기도 한다.
④ 관형사가 관형어의 기능을, 부사가 부사어의 기능을 하기도 한다.
⑤ 부사어는 관형어와 달리 시간 표현을 나타내는 선어말 어미가 쓰인다.

2

㉠~㉤ 중, 부속 성분에 해당하지 않는 것은?

> ㉠차도에는 ㉡많은 차들이 빠르게 ㉢지나가고, 인도에는 ㉣한두 사람들이 ㉤느리게 걷고 있었다.

① ㉠ ② ㉡ ③ ㉢
④ ㉣ ⑤ ㉤

3

독립어가 쓰이지 않은 것은?

① 영희야, 숙제는 다 했니?
② 인생은 짧고, 예술은 길다.
③ 네, 제가 그 일을 하겠습니다.
④ 여보, 앞 좀 잘 보고 다니시오.
⑤ 청춘, 듣기만 해도 얼마나 가슴 설레는 말이냐.

오늘의 개념 사전

부속 성분
문장에서 주로 주성분의 내용을 꾸며 뜻을 더해 주는 문장 성분. 관형어와 부사어가 있음.

관형어
문장에서 체언을 꾸며 주는 문장 성분으로, 문장에서 '어떠한/무엇의' 등에 해당함.

관형어의 성립

- 체언에 관형격 조사 '의'가 붙어 성립한다.
  예 철수의 키가 크다. (철수의: 체언+관형격 조사(의))
- 관형사가 그대로 관형어가 되기도 한다.
  예 헌 신문을 모으다. (헌: 관형사)
- 용언의 어간에 어미 '-(으)ㄴ' 또는 '-(으)ㄹ'이나 '-던' 등이 붙어 관형어가 되는데, 이를 통해 시간 표현을 나타내기도 한다.
  예 푸른 하늘이 아름다웠다. (푸른: 용언의 어간+관형사형 어미(-ㄴ))

관형어의 특징

- 관형어는 체언 없이 단독으로 쓰이지 못한다.
  예 두 사람이 온다.(○) / 두 온다.(×)
- 관형어는 반드시 체언 앞에 놓여 뒤의 체언을 꾸며 준다.
  예 철수는 새 구두를 신었다.(○) / 철수가 구두를 새 신었다.(×)
- 관형격 조사 '의'를 생략해도 관형어가 성립된다.
  예 친구(의) 동생을 만났다.(○)

부사어
용언 앞에서 그 용언을 꾸며 주는 역할을 하는 문장 성분으로, 용언뿐 아니라 다른 부사어나 관형어, 문장 전체를 꾸며 주기도 함.

부사어의 성립

- 부사가 그대로 부사어가 된다.
  예 버스가 벌써 떠나갔다. (벌써: 부사)
  자동차가 매우 빨리 달린다. (매우: 부사, 빨리: 부사)
- 용언의 어간에 어미 '-게' 등이 붙어 부사어가 되기도 한다.
- 체언에 부사격 조사 '에서, (으)로, 에, 와/과' 등이 붙어 부사어가 되기도 한다.
  예 사람은 흙에서 와 흙으로 돌아간다. (흙에서: 체언+부사격 조사(에서), 흙으로: 체언+부사격 조사(으로))

▶연계 학습 부록 233쪽으로 한번 더!

• 정답과 해설 30~31쪽

부사어의 특징

- 부사어는 보조사를 자유롭게 취하기도 한다.
  예 세월이 빨리도 가는구나.
  (빨리도: 부사어+보조사(도))
- 부사어는 관형어와 달리 자리 옮김이 비교적 자유롭다.
  예 (과연) 철수가 (과연) 그 일을 (과연) 해냈구나!
  ('과연'은 자리 옮김이 자유로움.)
- 생략하면 문장의 의미가 달라지거나 어색해지는 부사어도 있다.
  예 그가 너에게 무엇을 주었니? / 편지를 우체통에 넣어라.
  (너에게, 우체통에: 생략하면 안 되는 부사어임.)

독립 성분(독립어)

문장의 어느 성분과도 직접적인 관련이 없는 문장 성분

- 감탄사이거나 체언에 호격 조사가 결합된 형태가 독립어가 된다.
  예 야! 드디어 우리들이 기다리던 소풍이다.
  (야: 감탄사)
  영희야! 문 좀 열어라.
  (영희야: 체언+호격 조사(야))
- 제시어(어떤 문장 성분을 강조하기 위해 그 성분 자체나 그와 대등한 성분을 특별히 따라 내세우는 말)나 표제어(담화나 글의 제목에 해당하는 말)는 독립어가 될 수 있다.
  예 돈, 돈이면 안 되는 일이 없는가?
  (돈: 제시어)
- 주로 문장의 첫머리에 놓이고, 생략해도 문장의 의미가 온전하다.

확인하기

4

㉠~㉣을 관형어와 부사어로 바르게 구분한 것은?

> 이슬비 내리는 ㉠이른 ㉡아침에 우산 셋이 ㉢나란히 걸어갑니다.
> ㉣빨간 우산, 파란 우산, 찢어진 우산…….

	관형어	부사어
①	㉠, ㉡	㉢, ㉣
②	㉠, ㉢	㉡, ㉣
③	㉠, ㉣	㉡, ㉢
④	㉡, ㉢	㉠, ㉣
⑤	㉢, ㉣	㉠, ㉡

5

㉠, ㉡이 문장에서 하는 역할을 간단히 쓰시오.

> 소년의 ㉠까만 눈동자가 ㉡초롱초롱 빛났다.

- ㉠
- ㉡

문제로 정복하기

1 빈칸에 관형어를 쓸 수 없는 문장은?

① 나는 ( ) 신발을 샀다.
② ( ) 하늘에 구름이 떠간다.
③ 기차는 자동차보다 ( ) 빠르다.
④ 우리는 ( ) 선생님을 좋아합니다.
⑤ 나는 ( ) 선물을 예쁘게 포장했다.

2 〈보기〉의 ㉠과 ㉡이 모두 쓰인 문장은?

〈보기〉
부속 성분은 주성분을 자세히 꾸며 주는 성분이다. 부속 성분에는 체언을 꾸며 주는 ㉠관형어, 용언과 다른 부사어, 문장 전체 등을 꾸며 주는 ㉡부사어가 있다.

① 길동이는 정말 빨리 달린다.
② 빨간 장미꽃이 예쁘게 피었다.
③ 소녀의 까만 눈동자가 빛났다.
④ 은수가 너에게 무엇을 주었니?
⑤ 태현이는 준호의 책을 잃어버렸다.

3 〈보기〉에서 설명하고 있는 문장 성분이 쓰이지 않은 것은?

〈보기〉
독립어는 문장 내에서 다른 성분들과 직접적인 관계를 맺지 않고 독립적으로 쓰이는 성분으로, 부름이나 감탄, 놀람, 응답 등을 나타내는 말들이 여기에 해당한다.

① 아, 난 결코 그럴 수 없어요.
② 네, 반드시 그렇게 하겠습니다.
③ 물론 이 일은 네 책임이 아니야.
④ 어머나, 아기가 물을 엎질렀구나!
⑤ 훈기야, 내일도 지각하면 안 된다.

4 밑줄 친 말이 〈보기〉에서 설명하는 문장 성분에 해당하지 않는 것은?

〈보기〉
- 용언과 다른 부사어, 관형어, 문장 전체를 꾸며 주는 성분이다.
- '어떻게'에 해당하는 성분으로, 대개 꾸밈을 받는 말 앞에 놓인다.

① 제발 공부 좀 해라.
② 개울물이 졸졸 흐른다.
③ 나무가 힘없이 쓰러졌다.
④ 청소년은 나라의 희망이다.
⑤ 그는 매우 낡은 가방을 메고 있다.

5 밑줄 친 말과 같은 문장 성분의 특성에 대한 설명으로 적절하지 않은 것은?

나는 어제 몸이 아파서 겨우 등교했다.

① '체언 + 격 조사'의 형태도 있다.
② 주로 체언을 꾸며 주는 역할을 한다.
③ 자신과 같은 성분을 꾸며 줄 수도 있다.
④ 서술어에 따라 꼭 써야 하는 경우도 있다.
⑤ 쓰임에 따라 문장 전체를 꾸며 주기도 한다.

6 밑줄 친 부분의 문장 성분이 같은 것끼리 짝지어진 것은?

① ┌ 명수가 소희에게 선물을 주었다.
 └ 이번 학기 학급 회장은 명수가 적당하다.
② ┌ 이런, 네가 그런 실수를 하다니.
 └ 이런 장난은 결코 용납할 수가 없어.
③ ┌ 감나무에 감이 빨갛게 열렸다.
 └ 시장에서 빨간 감 한 바구니를 샀다.
④ ┌ 그 남자는 범인이 아니다.
 └ 범인이 범행 장소에 다시 나타났다.
⑤ ┌ 나는 과일 중에서 사과만 먹는다.
 └ 과일 중에서 사과만 팔렸다.

7 〈보기〉의 문장에 대한 분석으로 적절하지 않은 것은?

〈보기〉
노란 들국화가 매우 아름답게 피었다.

① '무엇이 어찌하다'에 해당하는 문장이다.
② 문장 전체에서 주성분에 해당하는 말은 둘 뿐이다.
③ '노란'은 뒤에 오는 '들국화'를 꾸며 주는 관형어이다.
④ '매우'와 '아름답게'는 둘 다 '피었다'를 꾸며 주는 부사어이다.
⑤ 문장 전체의 주어와 서술어는 각각 '들국화가'와 '피었다'이다.

8 ㉠과 ㉡의 문장 성분과 품사를 각각 쓰시오.

하얀(㉠) 구름도 파랗게(㉡) 물들었다.

• ㉠
• ㉡

9 〈보기〉의 ㉠~㉢에서 공통적으로 생략된 문장 성분으로만 바르게 묶인 것은?

〈보기〉
"엄마 지금 어디에 가세요?"
㉠"마트."
"뭐 사시려고요?"
㉡"네 아빠 넥타이."
"언제 오세요?"
㉢"글쎄…… 일곱 시쯤?"

① 주어, 서술어
② 목적어, 서술어
③ 주어, 부사어, 목적어
④ 주어, 목적어, 서술어
⑤ 목적어, 부사어, 서술어

10 〈보기〉를 구성하는 문장 성분에 대한 설명으로 적절하지 않은 것은?

〈보기〉
빨간 새 모자가 내 얼굴에 잘 어울렸다.

① 주성분에 해당하는 것은 '모자가'와 '어울렸다'뿐이다.
② '빨간'과 '새'는 모두 '모자'를 꾸며 주는 관형어이다.
③ '내'는 뒤에 오는 부사어 '얼굴에'를 꾸며 주는 부사어이다.
④ '얼굴에'와 '잘'은 모두 '어울렸다'를 꾸며 주는 부사어이다.
⑤ '어울렸다'는 '모자가'와 '얼굴에'를 필요로 하는 두 자리 서술어이다.

11 ㉠~㉤에 대한 설명으로 적절하지 않은 것은?

준석: ㉠은서야, 지금 어디에 가?
은서: ㉡학교. 오늘 반 친구들과 합창 연습을 하기로 했거든.
준석: 그렇구나. ㉢그런데 합창곡은 정했니?
은서: 우리는 '상록수'를 하기로 정했어.
준석: 너희 반은 열심히 준비하는구나.
은서: 우리 반은 무슨 일에든 ㉣최우수반이 되는 것을 목표로 정했거든.
준석: 대단하다. ㉤나도 응원할 테니 열심히 해.

① ㉠: '독립어+부사어+부사어+서술어'로 구성된 문장이다.
② ㉡: 주어 '나는'과 부사어 '지금', 서술어 '가'가 생략된 문장이다.
③ ㉢: '합창곡은'은 목적어로, 맥락상 생략할 수가 없다.
④ ㉣: '최우수반이'는 '되는'을 보충하여 문장의 뜻을 완전하게 하는 보어에 해당한다.
⑤ ㉤: 주어 '나도'가 중복되어 '열심히' 앞에는 '나도'를 생략하였다.

수능 콕콕 수능 기출

개념 확인

1 부사어

'부사어'는 주로 용언을 수식하지만 관형어나 다른 부사어, 문장 전체를 수식하기도 하는 문장 성분입니다. 부사어는 문장에서 반드시 필요한 성분은 아니지만, '닮다'나 '다르다'처럼 특정한 서술어가 나오는 문장에서는 부사어가 꼭 필요할 수 있습니다. 생략하면 문장이 어색해지는 이런 부사어를 '필수적 부사어'라고 합니다.

1 2013학년도 대수능 6월 모의평가 11번

〈보기〉의 ㉠의 예로만 짝지은 것은?

보기

부사어[1]는 다른 말을 꾸며 주는 성분의 하나이므로 대개 문장을 구성하는 데에 꼭 필요하지는 않다. 그러나 어떤 서술어는 부사어를 반드시 요구하기도 하는데, 이처럼 문장의 성립에 반드시 필요한 부사어를 ㉠'필수적 부사어'라 한다. 해당 문장의 서술어가 무엇이냐에 따라 동일한 '체언+격 조사' 구성의 부사어라도 필수적 부사어일 수도 있고 아닐 수도 있다.

① ┌ 나는 삼촌과 영화를 보았다.
└ 어제 본 것은 이것과 꽤 비슷하다.

② ┌ 인공위성이 궤도에서 이탈하였습니다.
└ 우리는 공원에서 선생님을 만났습니다.

③ ┌ 그들은 몽둥이로 멧돼지를 잡았다.
└ 왕은 그 용감한 기사를 사위로 삼았다.

④ ┌ 이 지역의 기후는 벼농사에 적합하다.
└ 나는 오후에 할머니 댁을 방문했습니다.

⑤ ┌ 선생님께서 지혜에게 선행상을 주셨다.
└ 홍길동 씨는 친구에게 5만 원을 빌렸다.

더 알고 싶은 해설

정답 풀이

❺ 선생님께서 지혜에게 선행상을 주셨다. — 홍길동 씨는 친구에게 5만 원을 빌렸다.

'주다'와 '빌리다'는 모두 '누가'에 해당하는 주어, '무엇을'에 해당하는 목적어뿐만 아니라 '누구에게'에 해당하는 부사어를 필요로 하는 세 자리 서술어입니다. 그러니까 '지혜에게'와 '친구에게'는 모두 필수적 부사어랍니다.

오답 풀이

① 나는 삼촌과 영화를 보았다. — 어제 본 것은 이것과 꽤 비슷하다.

'비슷하다'는 '무엇과'에 해당하는 부사어가 필요한 서술어니까 '이것과'는 필수적 부사어가 맞지만, '보았다'는 부사어를 필요로 하지 않는 서술어니까 '삼촌과'는 필수적 부사어에 해당하지 않아요.

② 인공위성이 궤도에서 이탈하였습니다. — 우리는 공원에서 선생님을 만났습니다.

'이탈하다'는 '어디에서'에 해당하는 부사어를 필요로 하는 서술어이지만, '만나다'는 주어와 목적어만 있으면 되는 서술어입니다. '공원에서'는 필수적 부사어에 해당하지 않아요.

③ 그들은 몽둥이로 멧돼지를 잡았다. — 왕은 그 용감한 기사를 사위로 삼았다.

'잡다'는 주어와 목적어만 있으면 되니까 '몽둥이로'는 필수적 부사어가 아니랍니다. '삼다'는 주어와 목적어, 부사어를 필요로 하는 세 자리 서술어니까 '사위로'는 필수적 부사어입니다.

④ 이 지역의 기후는 벼농사에 적합하다. — 나는 오후에 할머니 댁을 방문했습니다.

'적합하다'는 '어디에'에 해당하는 부사어를 필요로 하는 서술어니까 '벼농사에'는 필수적 부사어입니다. '방문하다'는 주어와 목적어만 있으면 되니 '오후에'는 필수적 부사어에 해당하지 않아요.

2 2018학년도 대수능 13번

다음은 부사어에 대해 탐구한 것이다. 탐구 내용으로 적절하지 않은 것은?

①	• 하늘이 눈이 부시게 푸른 날이다. ➡ 절인 '눈이 부시게'가 부사어로 쓰였군.
②	• 함박눈이 하늘에서 펑펑 내리고 있다. ➡ 부사격 조사가 결합한 '하늘에서'와 부사 '펑펑'이 부사어로 쓰였군.
③	• 그는 너무 헌 차를 한 대 샀다. ➡ 부사어 '너무'가 서술어 '샀다'를 수식하는군.
④	㉠ 영이는 엄마와 닮았다. / *영이는 닮았다. ㉡ 영이는 취미로 책을 읽는다. / 영이는 책을 읽는다. ➡ ㉠의 '엄마와', ㉡의 '취미로'는 둘 다 부사어인데, ㉠의 '엄마와'는 ㉡의 '취미로'와 달리 필수 성분[1]이군.
⑤	㉠ 모든 것이 재로 되었다. / *모든 것이 되었다. ㉡ 모든 것이 재가 되었다. / *모든 것이 되었다. ➡ ㉠의 '재로'는 부사어[2]이고 ㉡의 '재가'는 보어[2]로서, 문장 성분은 서로 다르지만 서술어가 반드시 필요로 하는 성분이라는 점에서는 같군.

※ '*'는 비문임을 나타냄.

개념 확인

1 필수 성분

온전한 문장을 이루기 위해 꼭 필요한 문장 성분을 필수 성분이라고 합니다. 일반적으로 주성분에 해당하는 '주어, 목적어, 보어, 서술어'가 이에 해당하지만, 서술어에 따라 부사어를 필수 성분으로 요구하기도 합니다.

④의 ㉠에서 '엄마와'라는 부사어가 없다면 ㉠은 온전한 문장이 되지 못합니다. 이를 통해 '엄마와'가 서술어 '닮았다'가 필요로 하는 필수 성분이라는 것을 알 수 있습니다.

2 부사어와 보어의 구별

체언 뒤에 쓰인 격 조사를 통해 구분할 수 있습니다. 보격 조사에는 '이/가'만 있으므로, '되다'나 '아니다' 앞에 '이/가'가 붙은 말이 오면 보어, 그밖의 격 조사가 붙은 것은 부사어라고 보면 됩니다.

더 알고 싶은 **해설**

정답 풀이

❸ 그는 너무 헌 차를 한 대 샀다. ➡ 부사어 '너무'가 서술어 '샀다'를 수식하는군.

부사어 '너무'는 바로 뒤에 오는 관형사 '헌'을 수식하고 있어요.

오답 풀이

① 하늘이 눈이 부시게 푸른 날이다. ➡ 절인 '눈이 부시게'가 부사어로 쓰였군.

'눈이 부시게'는 '눈이 부시다'와 같이 주어와 서술어로 이루어져 있으므로 '절'에 해당하며 전체 문장에서 부사어 역할을 해요.

② 함박눈이 하늘에서 펑펑 내리고 있다. ➡ 부사격 조사가 결합한 '하늘에서'(하늘(명사) + 에서(부사격 조사))와 부사 '펑펑'이 부사어로 쓰였군.

'하늘에서'와 '펑펑' 모두 서술어 '내리고 있다'를 수식하는 부사어랍니다.

④ ㉠ 영이는 엄마와 닮았다. / *영이는 닮았다. ㉡ 영이는 취미로 책을 읽는다. / 영이는 책을 읽는다.

➡ ㉠의 '엄마와', ㉡의 '취미로'는 둘 다 부사어인데, ㉠의 '엄마와'는 ㉡의 '취미로'와 달리 필수 성분이군.

㉡의 '취미로'와 달리 ㉠의 '엄마와'는 생략하면 온전한 문장이 되지 못하기 때문에 필수 성분에 해당해요.

⑤ ㉠ 모든 것이 재로 되었다. / *모든 것이 되었다. ㉡ 모든 것이 재가 되었다. / *모든 것이 되었다.

➡ ㉠의 '재로'(재(명사) + 로(부사격 조사))는 부사어이고 ㉡의 '재가'(재(명사) + 가(보격 조사))는 보어로서, 문장 성분은 서로 다르지만 서술어가 반드시 필요로 하는 성분이라는 점에서는 같군.

㉠의 '재로'와 ㉡의 '재가'를 생략하면 둘 다 온전한 문장을 이루지 못한다는 점에서 둘 다 필수 성분에 해당한다고 봐야 하죠? 이를 통해 서술어 '되었다'가 두 자리 서술어라는 것을 알 수 있어요.

• 정답과 해설 32쪽

문법 놀이터

다음은 국어의 문장 성분을 소재로 쓴 시입니다. 오늘 학습한 내용을 바탕으로 시의 ■, ▲, ●에 들어가기에 적절한 문장 성분을 써 보세요.

통사론

박상천

■와 ▲만 있으면 문장은 성립되지만
그것은 위기와 절정이 빠져 버린 플롯 같다.
'그는 우두커니 그녀를 바라보았다'라는 문장에서
● '우두커니'와 목적어 '그녀를'을 제외해 버려도
'그는 바라보았다'라는 문장은 이루어진다.
그러나 우리 삶에서 '그는 바라보았다'는 행위가
뭐 그리 중요한가.
우리 삶에서 중요한 것은
■나 ▲가 아니다.
차라리 ●가 아닐까.
■와 ▲만으로 이루어진 문장에는
눈물도 보이지 않고
가슴 설렘도 없고
한바탕 웃음도 없고
고뇌도 없다.
우리 삶은 그처럼
결말만 있는 플롯은 아니지 않은가.

'그는 힘없이 밥을 먹었다'에서
중요한 것은 그가 밥을 먹은 사실이 아니라
'힘없이' 먹었다는 것이다.
역사는 ■와 ▲만으로도 이루어지지만
시는 ●를 사랑한다.

문장 성분의 올바른 사용

월 일

궁금이의 문법 일기

지수가 보낸 문자를 보고 잠시 고민을 했다. 어제 내가 해 준 말이 도움이 되었다는 내용인 것 같은데 '전혀'라는 말이 있으니 뭔가 비꼬는 듯한 느낌도 들었다. '전혀'를 '정말'로 문자를 다시 보내 주니까 그제서야 마음이 놓였다. 그래서 어제 약속했던 동아리 배지를 달라고 했더니 모른 척하려 했다. 알고 보니 뭘 달라고 한 것인지 쓰지 않아서 그랬던 것이다. 한 문장 안에서 문장 성분 사이에 짝이 맞지 않으면 오해가 생길 수도 있다는 걸 알게 되었다. 그리고 문장 안에 꼭 써야 할 문장 성분을 빼먹으면 의사소통에 문제가 생길 수 있다는 것도...

콕쌤 한마디!

필요한 문장 성분이 빠졌거나, 문장 성분 간의 호응이 이루어지지 않으면 어법에 어긋난 문장이 됩니다. 어법에 어긋난 문장은 의미를 제대로 전달할 수 없게 되죠. 이번 시간에는 앞에서 배운 문장 성분들을 올바르게 사용하기 위한 방법들을 배울 거예요.

- 문장 성분의 올바른 사용
  - 필요한 문장 성분 갖추기
  - 불필요한 문장 성분 삭제
  - 문장 성분 간 호응

확인하기

1
주어가 생략된 문장에 해당하는 것은?

① 오늘따라 유난히 하늘이 맑다.
② 눈이 와서 길이 몹시 미끄럽다.
③ 내 동생은 지금 자기 방에 있다.
④ 나는 세계적인 물리학자가 되고 싶다.
⑤ 신분증은 몸에 꼭 지니고 다녀야 한다.

2
필요한 문장 성분을 다 갖추지 못한 문장은?

① 건이는 아버지와 꼭 닮았다.
② 나는 사과나무에 물을 주었다.
③ 그는 정직을 자신의 신조로 삼았다.
④ 현수는 여행지에서 그림엽서를 보냈다.
⑤ 준호는 친구와 함께 선생님 댁을 방문했다.

3
다음 문장에서 적절하지 않은 부분을 찾아 바르게 고쳐 쓰시오.

> 이 안건은 위원들의 과반수 이상의 찬성을 얻어 통과되었다.

오늘의 개념 사전

필요한 문장 성분 갖추어 쓰기

주어 갖춰 쓰기

앞 문장과 뒤 문장의 주어가 같으면 뒤 문장의 주어를 생략할 수 있지만, 같지 않다면 뒤 문장의 주어를 생략하면 안 됨.

예 건호는 독서실에 가서 (건호는) 책을 읽었다.
(생략 가능)

공사가 언제 시작되고, 언제 개통될지 모른다.

'무엇이(주어)' 개통되는지에 대한 정보가 없어 어색한 문장이 됨.
→ 공사가 언제 시작되고, 도로가 언제 개통될지 모른다.

목적어 갖춰 쓰기

서술어가 타동사인 경우 목적어를 반드시 밝혀 주어야 함.

예 수연이는 부모님께 드렸다.

'무엇을(목적어)' 드렸는지에 대한 정보가 없어 어색한 문장이 됨.
→ 수연이는 부모님께 선물을 드렸다.

부사어 갖춰 쓰기

부사어를 필요로 하는 서술어가 쓰인 경우 그 부사어를 밝혀 주어야 함.

예 육관대사는 성진이를 삼았다.

'무엇으로(부사어)' 삼았는지에 대한 정보가 없어 어색한 문장이 됨.
→ 육관대사는 성진이를 제자로 삼았다.

불필요한 문장 성분 없애기

반복되는 단어

한 문장 안에서 반복되는 어휘는 생략하는 것이 좋음.

예 그 학생은 성실한 성품을 지닌 학생이다.

'학생'이라는 단어가 주어에 이미 나왔으므로 생략함.
→ 그 학생은 성실한 성품을 지녔다.

의미가 겹치는 단어

같은 의미의 말이 중복되는 표현은 삭제해야 함.

예 미리 예고한 대로 시험을 보겠어요.

'예고'라는 단어에 '미리'라는 뜻이 포함되어 있어 의미가 중복됨.
→ 예고한 대로 시험을 보겠어요.

▶ 연계 학습 부록 234쪽으로 한번 더!

문장 성분 간의 호응

주어와 서술어의 호응

문장의 기본이 되는 주어와 서술어의 호응이 이루어지지 않으면 어색한 문장이 됨.

예 어젯밤에는 비와 바람이 거세게 불었다.

'비'는 서술어 '불었다'와 호응하지 않음.
→ 어젯밤에는 비가 [내리고] 바람이 거세게 불었다.

그의 장점은 착하고 성실하다.

주어 '장점은'이 서술어 '성실하다'와 호응하지 않음.
→ 그의 장점은 착하고 성실하다는 [것이다].

부사어와 서술어의 호응

부사어 중에는 특정한 서술어와 짝을 이루는 경우가 있음.

예 그것은 결코 우연한 일이다.

'결코'는 부정 서술어와 함께 쓰이는 부사어임.
→ 그것은 결코 우연한 [일이 아니다].

비록 가난하면서 그들은 행복하게 살았다.

'비록'은 '-ㄹ지라도', '-지마는'과 같은 어미가 붙는 용언과 함께 쓰이는 부사어임.
→ 비록 [가난하지만] 행복하다.

목적어와 서술어의 호응

조사 '와/과', '(이)나'로 연결되는 목적어의 경우 같은 서술어로 묶일 수 있는지 확인해야 함.

예 진수는 빵과 우유를 마셨다.

'빵'은 '우유'와 달리 서술어 '마셨다'와 호응하지 않음.
→ 진수는 빵을 [먹고] 우유를 마셨다.

• 정답과 해설 32~33쪽

확인하기

4
다음 중, 어법에 맞지 않는 문장은?

① 마침내 마을에 다리가 놓였다.
② 중국은 인구와 땅덩이가 넓다.
③ 옷장에는 옷이 한 벌도 없었다.
④ 이 책은 수많은 사람에게 읽혔다.
⑤ 강한 바람에 가로수가 뿌리째 뽑혔다.

5
밑줄 친 부사어에 유의하여 다음 문장의 서술어를 바르게 고쳐 쓰시오.

(1) 뜰에 핀 꽃이 여간 탐스러웠다.
(2) 지금은 별로 말할 기분이 내킨다.

6
목적어와 서술어의 호응이 어색한 문장은?

① 나는 어제 동생과 연극을 관람하였다.
② 호영이는 혼자서 청소와 빨래를 하였다.
③ 진규는 야구와 테니스를 모두 좋아한다.
④ 그는 쉬는 시간에 바둑이나 책을 읽는다.
⑤ 바자회 물품으로 책이나 옷을 기증받고 있다.

문제로 정복하기

1 밑줄 친 주어를 생략할 수 없는 것은?

① 동생은 숙제를 끝내고, 동생은 게임을 했다.
② 그는 지갑을 주워서 그는 주인에게 돌려주었다.
③ 체육 시간에 일부는 농구를 했고, 일부는 축구를 했다.
④ 나는 노래 듣기를 좋아하지만, 나는 노래를 잘 못한다.
⑤ 우리나라는 사계절이 뚜렷하고, 우리나라는 자연이 아름답다.

2 ㉠의 예에 해당하지 않는 것은?

> 관형어와 부사어는 뒤에 오는 말을 꾸며 주는 기능을 하는 문장 성분이다. 그런데 ㉠관형어나 부사어가 뒤에 오는 말과 의미가 중복되는 경우가 있는데, 이런 경우에는 의미가 중복되는 관형어나 부사어를 삭제해야 한다.

① 계속되는 연휴로 관광객이 크게 늘었다.
② 지금까지 설명한 내용을 간단히 요약해 줄게.
③ 그런 일이 생길 줄 알고 미리 마련해 두었어.
④ 공사장의 시끄러운 소음 때문에 불편한 점이 많다.
⑤ 불우 이웃들에게 따뜻한 온정을 베풀 수 있어야 한다.

3 밑줄 친 부사어 중, 생략이 가능한 것은?

① 나는 어제 공원에서 친구와 만났다.
② 남은 음식들을 냉장고에 보관하였다.
③ 왕은 그 용감한 기사를 사위로 삼았다.
④ 이 그림은 사진과 흡사하여 구별이 어렵다.
⑤ 집에 가는 길에 이 편지를 우체통에 넣어라.

4 밑줄 친 부사어와 서술어의 호응이 적절하지 않은 것은?

① 지성이는 축구하는 것을 전혀 싫어한다.
② 나는 그 사람을 도저히 용서할 수 없다.
③ 만약 내일 비가 온다면 집에 있을 것이다.
④ 곤히 자는 아기의 모습이 마치 천사 같다.
⑤ 그는 부끄러워 차마 얼굴을 들 수가 없었다.

5 다음 문장에 대한 설명으로 적절한 것은?

> 우리 동아리에 가입하기 위해서는 결코 직접 그린 작품을 제출해야 합니다.

① 같은 주어가 두 번 이상 사용되었다.
② 서술어가 필요로 하는 목적어가 생략되어 있다.
③ 불필요하게 의미가 중복되는 문장 성분이 쓰였다.
④ 목적어와 서술어 사이에 호응이 이루어지지 않았다.
⑤ 부사어와 서술어 사이에 호응이 이루어지지 않았다.

6 다음 문장의 문제점을 밝히고, 바르게 고쳐 쓰시오.

> 자화상은 화가가 자신의 모습을 그렸다.

7 ㉠~㉤을 수정하기 위한 의견으로 적절하지 않은 것은?

> 말다툼하는 친구들을 말린다고 끼어들었다가 말을 잘못해서 되레 ㉠다투게 되는 경우가 있다. 그러다 보면 ㉡틀림없이 친구들과의 관계가 서먹해질 수도 있다. 그럴 때 먼저 "아무러면 내가 너를 ㉢미워서 그랬겠니?"라고 말 한마디를 건네 ㉣풀리도록 해 보자. 물론 가장 좋은 것은 이런 오해가 생기지 않도록 평소에 말을 ㉤가려 쓰는 것이 좋다.

① ㉠은 부사어를 필요로 하는 서술어이기 때문에 앞에 '친구들과'를 추가한다.
② ㉡은 서술어와 어울리지 않기 때문에 삭제하거나 '자칫'으로 고친다.
③ ㉢은 목적어 '너를'과 호응하지 않으므로 '미워해서'로 고친다.
④ ㉣은 호응하는 주어가 빠져 있으므로 그 앞에 '오해가'를 추가한다.
⑤ ㉤은 주어와 호응하지 않으므로 '가려 쓰자'로 고친다.

8 다음 중 어법에 맞고 자연스러운 문장은?

① 친구들은 내가 노래 부르기를 원하였다.
② 숲에서는 다람쥐와 새들이 지저귀고 있다.
③ 동생은 나보다 키와 몸무게가 많이 나간다.
④ 내 꿈은 변호사가 되어 억울한 사람을 도우려고 한다.
⑤ 청소년들이 가장 원하는 선물은 스마트폰을 받는 것이다.

9 ㉠과 ㉡의 예로 적절하지 않은 것은?

> 정확한 문장을 구성하기 위해서는 문장을 형성하는 규칙인 문법을 지켜야 한다. ㉠주어, 목적어, 필수적 부사어 등 서술어가 필요로 하는 문장 성분이 빠져 있는 경우, ㉡주어와 서술어, 부사어와 서술어 등 문장 성분 간의 호응이 지켜지지 않은 경우, 조사나 어미를 잘못 사용한 경우에는 문법성이 결여되어 바르지 않은 문장이 된다.

① ㉠: 우리도 언제 시작될지 모른다.
② ㉠: 학생들이 식당에서 맛있게 먹는다.
③ ㉠: 이 나라는 국토가 대부분 되어 있다.
④ ㉡: 이 동작은 반드시 따라 하지 마세요.
⑤ ㉡: 이 지역의 토양은 벼농사에 적합하다.

수능 콕콕 수능 기출

개념 확인

1 호응
앞에 어떤 말이 오면 거기에 응하는 말이 따라오는 것을 뜻해요. 예를 들어, '결코'가 오면 서술어에 부정, '제발'이 오면 서술어에 청원, '아마'가 오면 서술어에 추측의 뜻을 가지는 말이 오는 것 등을 말합니다.

1 2015학년도 대수능 9월 모의평가 A/B형 15번

㉠~㉤의 잘못된 문장을 수정할 때 고려한 문법적 기준으로 적절하지 않은 것은?

	잘못된 문장 → 수정한 문장
㉠	그는 양말을 벗고 바위에 앉아서 발을 넣었다. → 그는 양말을 벗고 바위에 앉아서 물에 발을 넣었다.
㉡	내가 주장하는 바는 문화 회관 건설로 주민 생활이 개선된다. → 내가 주장하는 바는 문화 회관 건설로 주민 생활이 개선된다는 것이다.
㉢	이번 일로 우리는 불편과 피해를 입었다. → 이번 일로 우리는 불편을 겪고 피해를 입었다.
㉣	우리 모두 쓰레기 줄이기 운동을 동참합시다. → 우리 모두 쓰레기 줄이기 운동에 동참합시다.
㉤	이 사람에게 그 일은 여간 기쁜 일이다. → 이 사람에게 그 일은 여간 기쁜 일이 아니다.

① ㉠: 목적어인 '발을'을 수식하는 관형어가 있어야 한다.
② ㉡: '내가 주장하는 바는'과 호응[1]하는 서술어가 있어야 한다.
③ ㉢: 목적어의 하나인 '불편'과 호응하는 서술어가 있어야 한다.
④ ㉣: 서술어인 '동참합시다'가 요구하는 부사어에 정확한 조사를 사용해야 한다.
⑤ ㉤: 부사 '여간'은 부정의 의미를 나타내는 말과 호응해야 한다.

더 알고 싶은 해설

정답 풀이

❶ ㉠: 목적어인 '발을'을 수식하는 관형어가 있어야 한다.
서술어 '넣었다'는 주어('누가')와 부사어('어디에'), 목적어('무엇을')를 필요로 하는 세 자리 서술어입니다. 따라서 관형어가 아니라 부사어 '물에'를 추가하여 수정한 거랍니다.

오답 풀이

② ㉡: '내가 주장하는 바는'과 호응하는 서술어가 있어야 한다.
문장 전체의 주어인 '내가 주장하는 바는'과 호응하는 서술어인 '것이다'를 추가하여 주어와 서술어가 호응하도록 수정하였어요.

③ ㉢: 목적어의 하나인 '불편'과 호응하는 서술어가 있어야 한다.
서술어 '입었다'는 목적어 '피해를'과는 어울리지만 '불편'과는 어울리지 않아요. 그래서 '불편을'에 해당하는 서술어 '겪고'를 추가하여 수정하였습니다.

④ ㉣: 서술어인 '동참합시다'가 요구하는 부사어에 정확한 조사를 사용해야 한다.
서술어 '동참합시다'는 목적어가 아니라 부사어를 필요로 합니다. '운동을'에 쓰인 조사 '을'은 목적격 조사죠? 부사격 조사인 '에'로 바꾸어야 정확한 문장이 됩니다.

⑤ ㉤: 부사 '여간'은 부정의 의미를 나타내는 말과 호응해야 한다.
'여간'은 부정의 의미를 나타내는 말과 호응해야 하므로, '아니다'라는 서술어를 추가하여 수정하였어요.

2 2016학년도 대수능 9월 모의평가 A형 14번

〈자료〉와 같이 문장을 수정할 때 고려한 사항을 〈보기〉의 ㉠~㉣에서 고른 것은?

보기

㉠ 주어와 서술어의 호응
- 너희가 기억할 것은 좋은 지도자는 실패하더라도 좌절하지 않는다.
  → 너희가 기억할 것은 좋은 지도자는 실패하더라도 좌절하지 않는다는 점이다.

㉡ 부사어와 연결 어미의 호응
- 그는 아무리 돈이 많아서 그것을 쓸 줄 모른다.
  → 그는 아무리 돈이 많아도 그것을 쓸 줄 모른다.

㉢ 목적어의 누락
- 상대방의 함정에 빠진 그들은 머리를 모아 궁리하기 시작했다.
  → 상대방의 함정에 빠진 그들은 머리를 모아 탈출 방법을 궁리하기 시작했다.

㉣ 피동의 중복[1]
- 그것은 오래전에 불려지던 노래이다.
  → 그것은 오래전에 불리던 노래이다.

자료

- 그 프로그램을 쓰면 비록 초보자일수록 누구나 쉽게 표와 그래프 등을 그려서 작성할 수 있다.
  → 그 프로그램을 쓰면 비록 초보자일지라도 누구나 쉽게 표와 그래프 등을 그려서 문서를 작성할 수 있다.

① ㉠, ㉡ ② ㉠, ㉢ ③ ㉡, ㉢ ④ ㉡, ㉣ ⑤ ㉢, ㉣

개념 확인

1 피동의 중복

한 용언에 피동 접미사와 '-어지다'가 이중으로 붙어 피동 표현을 이중으로 사용하는 것을 이중 피동 표현이라고 하며, 비문법적 표현에 해당합니다.

예 "정말 믿겨지지 않아"에서 '믿겨지지'는 이중 피동 표현으로 '믿다'에 피동 접미사 '-기-'와 '-어지다'가 모두 쓰였습니다. 피동 접미사 '-기-'만 사용하여 '믿기지'라고 써야 올바른 표현입니다.

더 알고 싶은 **해설**

정답 풀이

❸ ㉡, ㉢

그 프로그램을 쓰면 비록 초보자일수록 누구나 쉽게 표와 그래프 등을 그려서 작성할 수 있다.

→ 그 프로그램을 쓰면 비록 초보자일지라도 누구나 쉽게 표와 그래프 등을 그려서 문서를 작성할 수 있다.

부사어 '비록'은 '-ㄹ지라도', '-지마는'과 같은 연결 어미가 붙는 서술어와 함께 쓰여야 해요. 그런데 위의 문장에서는 부사어와 연결 어미가 호응을 이루고 있지 않아서 연결 어미를 '-ㄹ지라도'로 수정했군요. (㉡)

'작성할'은 목적어를 필요로 하는 서술어인데 위 문장에서는 목적어가 누락되어 있군요. 그래서 '문서를'이라는 목적어를 넣었습니다. (㉢)

• 정답과 해설 34쪽

문법 놀이터

다음 문제를 풀면서 여러분이 선택한 정답이 지시하는 번호를 따라가면 비빔밥에 들어갈 재료가 선택됩니다. 한국의 맛, 비빔밥! 배운 내용을 기억하면서 맛있는 비빔밥을 만들어 보세요.

1. '봄꽃 축제를 열기로 했다.'에서 생략된 문장 성분은?
   ① 주어 (→ ⓐ 선택) ② 목적어 (→ ⓑ 선택)

2. '누구에게', '어디로'와 같은 부사어를 반드시 필요로 하는 서술어에 해당하는 것은? (정답 2개)
   ① 예쁘다 (→ ⓒ 선택) ② 입다 (→ ⓓ 선택) ③ 던지다 (→ ⓔ 선택)
   ④ 마시다 (→ ⓕ 선택) ⑤ 질문하다 (→ ⓖ 선택)

3. 부정을 나타내는 서술어와 함께 쓰이는 부사어는?
   ① 아마 (→ ⓗ 선택) ② 반드시 (→ ⓘ 선택) ③ 결코 (→ ⓙ 선택)

4. 문장 성분의 호응이 적절한 문장은?
   ① 나의 바람은 문법을 정복하는 것이다. (→ ⓚ 선택)
   ② 수지는 바이올린과 피아노를 잘 친다. (→ ⓛ 선택)

비빔밥에 들어갈 재료에 모두 ○표 해 보세요. 맛있는 비빔밥을 만들었나요?

ⓐ 계란 ⓑ 단무지 ⓒ 식초
ⓓ 초콜릿 ⓔ 애호박 ⓕ 레몬
ⓖ 산나물 ⓗ 새우젓 ⓘ 수박
ⓙ 볶은 고기 ⓚ 고추장 ⓛ 겨자

문장 구조의 짜임과 표현 효과

월 일

궁금이의 문법 일기

국어 시간에 문장 구조를 분석하는 방법에 대해 공부를 했다. 방법이 너무 어려워 왜 이런 것을 해야 하는지 조금 짜증이 났다. 그런데 친구가 어제 우리가 주고받았던 휴대 전화의 문자를 생각해 보면 좀 쉬울 거라고 했다. 그러고 보니 한 문장의 말을 일부분씩 끊어서 보내는 것이 문장 구조의 분석 방법과 비슷했다. 그리고 이런 분석이 문장의 의미를 정확히 이해하는 데 도움이 된다는 것을 알게 되었다. 이런 사실을 알게 해 준 친절한(?) 친구가 정말 고맙다.

콕샘 한마디!

궁금이는 문장 구조의 분석을 생활화하고 있는 셈이군요. 모든 문장은 일정한 틀로 구성되어 있어, 문장의 구조를 분석하면 그 의미를 정확하고 쉽게 이해할 수 있답니다. 오늘은 문장의 구조를 분석하는 방법을 알아보고, 문장의 종류에 대해서도 공부해 볼까요?

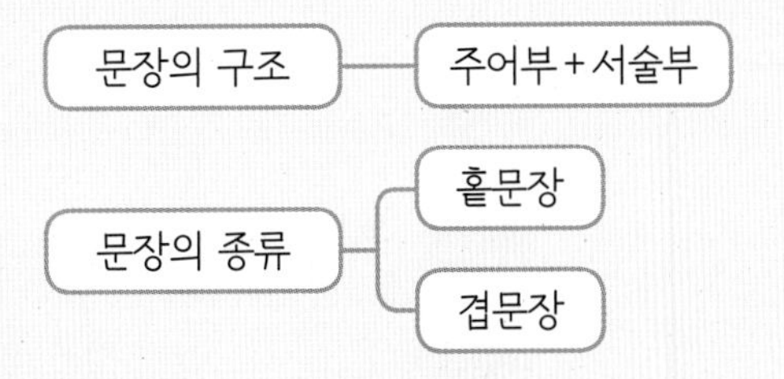

확인하기

1
문장을 주어부와 서술부로 바르게 나눈 것은?

① 아주 많은 학생들이/운동장에 있다.
② 이 책은 청소년들에게/매우 유익하다.
③ 차가운 바람이 나무를/흔들고 있었다.
④ 철수는 더 이상 우리 학교의 학생이/아니다.
⑤ 골목길에서 청소를 열심히 하는/아이는 민호다.

2
서술부가 하나의 어절로 이루어진 것은?

① 나는 짜장면을 좋아한다.
② 종이비행기가 높이 솟구쳤다.
③ 선생님께서 우리에게 문제를 내셨다.
④ 내 친구는 벌써 집에 갔다.
⑤ 아까 밖으로 나간 사람이 범인이다.

3
다음 문장의 구조를 분석할 때, 마지막 단계에 해당하는 것은?

흰 새가 파란 하늘로 날아올랐다.

① 흰/새가
② 날아/올랐다
③ 파란/하늘로
④ 새가/날아올랐다
⑤ 하늘로/날아올랐다

오늘의 개념 사전

문장의 구조
모든 문장이 가지고 있는 일정한 틀로, 주어부와 서술부로 구성되어 있음.

주어부

서술어의 서술 대상, 즉 주어가 되는 말과 그것을 꾸며 주는 부분. 주어 하나만으로 이루어진 경우와 주어와 주어를 꾸며 주는 말이 결합되어 이루어진 경우가 있다.

예 바다가(주어)/매우 푸르다.
넓은(주어를 꾸미는 말) 바다가(주어)/매우 푸르다.

서술부

하나의 문장 속에서 주어부를 설명하는 부분. 즉 대상의 행동이나 상태를 이르는 부분으로 서술어 하나만으로 이루어진 경우, 서술어와 서술어를 꾸며 주는 말이 결합되어 이루어진 경우, 목적어와 서술어로 이루어지는 경우, 보어와 서술어로 이루어지는 경우가 있다.

예 바다가/푸르다(서술어).
바다가/매우(부사어(서술어를 꾸밈)) 푸르다(서술어).
나는/밥을(목적어) 먹었다(서술어).
철희는/바보가(보어) 아니다(서술어).

문장 구조의 분석

1단계	문장을 주어부와 서술부로 나눈다.
2단계	주어부는 주어와 주어를 꾸미는 부분으로, 서술부는 서술어와 서술어를 꾸미는 부분으로 나눈다.
3단계	주어나 서술어를 꾸미는 부분에 수식 관계가 있을 경우, 이를 꾸미는 말과 꾸밈을 받은 말로 나눈다.

예 노란 들국화가 매우 아름답게 피었다.
1단계 노란 들국화가 / 매우 아름답게 피었다.
2단계 노란 / 들국화가 / 매우 아름답게 / 피었다.
3단계 매우 / 아름답게

▸연계 학습 부록 235쪽으로 한번 더!

문장의 종류
주어와 서술어가 몇 번 나타나는가에 따라 홑문장과 겹문장으로 나눔.

홑문장

주어와 서술어의 관계가 한 번만 이루어지는 문장

예 가을 날씨가(주어) 청명하다(서술어).
놀이터에 새 미끄럼틀이(주어) 놓였다(서술어).

겹문장

주어와 서술어의 관계가 두 번 이상 이루어지는 문장

- 이어진문장: 홑문장이 '-고'나 '-서', '-(으)나'와 같은 연결 어미에 의해 대등하거나 종속적으로 결합되는 겹문장

예 산은 높고, 골은 깊다.
(산은 높다) + (골은 깊다)
주어-서술어 주어-서술어

- 안은문장과 안긴문장(안긴절): 어느 문장(안긴문장)이 다른 문장(안은 문장) 속의 한 문장 성분이 되는 겹문장

예 내가 읽은 책이 정말 유익했다.
(주어-서술어) 주어 서술어
'책'을 꾸며 주는 관형어의 역할

• 정답과 해설 34~35쪽

확인하기

4
다음 문장의 구조를 단계적으로 분석하시오.

저 차는 내 동생의 것이다.

5
〈보기 1〉의 ㉮~㉰에 해당하는 문장을 〈보기 2〉에서 찾아 그 기호를 쓰시오.

◀보기 1▶

주어와 서술어의 관계가 두 번 이상 나타나는 문장인가요? → 아니요 ㉮
↓ 예
하나의 문장이 다른 문장 속의 성분이 되나요? → 아니요 ㉯
↓ 예
㉰

◀보기 2▶
㉠ 이것은 내가 좋아하는 공이다.
㉡ 아버지께서 나에게 선물을 주셨다.
㉢ 이것은 장미이고, 저것은 국화이다.

- ㉮
- ㉯
- ㉰

문제로 정복하기

1 다음 문장을 주어부와 서술부로 바르게 나눈 것은?

① 노란/들국화가 한적한 시골길에 아름답게 피었다.
② 노란 들국화가/한적한 시골길에 아름답게 피었다.
③ 노란 들국화가 한적한/시골길에 아름답게 피었다.
④ 노란 들국화가 한적한 시골길에/아름답게 피었다.
⑤ 노란 들국화가 한적한 시골길에 아름답게/피었다.

2 다음 문장을 주어부와 서술부로 나눈 것으로 적절하지 않은 것은?

① 영호는/언제나 공부를 열심히 한다.
② 이 사람은 우리 회사 사원이/아니다.
③ 빨간 사과가/나무에 주렁주렁 열렸다.
④ 결국 열심히 노력하는 사람이/성공한다.
⑤ 우리 청소년들은/이상을 지니고 있어야 한다.

3 ㉠의 예문으로 적절한 것은?

> 주어와 서술어의 관계가 한 번만 나타나는 문장을 홑문장, 주어와 서술어의 관계가 두 번 이상 나타나는 문장을 ㉠ 겹문장이라고 한다.

① 소년은 엉엉 울었다.
② 세상이 참 많이 변했다.
③ 물건은 좋은데 값이 비싸다.
④ 마침내 경찰관이 도둑을 잡았다.
⑤ 나는 친구에게 머리핀을 선물하였다.

4 〈보기〉를 참고할 때, 홑문장에 해당하는 것은?

> 보기
> • 홑문장: 주어와 서술어의 관계가 한 번만 나타나는 문장
> • 겹문장: 주어와 서술어의 관계가 두 번 이상 나타나는 문장

① 나는 아침에 운동을 했다.
② 눈이 내리고, 바람이 분다.
③ 지리산을 등산하려고 일찍 일어났다.
④ 우리 팀이 승리하기를 간절히 기원했다.
⑤ 나는 바람이 세게 불어서 밖에 안 나갔다.

5 다음 문장이 홑문장인지 겹문장인지 밝히고, 그 이유를 한 문장으로 서술하시오.

> 나는 나만의 삶을 나만의 방식으로 산다.

6 ㉠과 ㉡의 문장 성분과 문장 구조에 대한 설명으로 적절하지 않은 것은?

> ㉠ 그의 집 정원에 장미꽃이 피었다.
> ㉡ 내가 태어난 2002년에 우리나라에서 월드컵이 열렸다.

① ㉠은 홑문장이지만, ㉡은 겹문장이다.
② ㉠에는 부사어가 있지만, ㉡에는 부사어가 없다.
③ ㉠과 ㉡은 모두 서술부가 하나의 어절로 이루어져 있다.
④ ㉠과 ㉡의 문장 전체의 서술어는 모두 한 자리 서술어이다.
⑤ 형태를 고려할 때 ㉠에는 주어가 한 개, ㉡에는 주어가 두 개 쓰였다.

7 〈보기〉의 속담 중, 홑문장에 해당하는 것을 모두 골라 묶은 것은?

〈보기〉
㉠ 발 없는 말이 천 리 간다.
㉡ 까마귀 날자 배 떨어진다.
㉢ 원숭이도 나무에서 떨어진다.
㉣ 말 한 마디로 천 냥 빚을 갚는다.
㉤ 가는 말이 고와야 오는 말이 곱다.

① ㉠, ㉡ ② ㉡, ㉣
③ ㉢, ㉣ ④ ㉠, ㉢, ㉣
⑤ ㉢, ㉣, ㉤

8 〈보기 1〉을 참고하여, 〈보기 2〉에서 이어진문장을 모두 골라 묶은 것은?

〈보기 1〉
겹문장은 안은문장과 이어진문장으로 나눌 수 있다. 하나의 절이 다른 문장 속에 들어가서 하나의 문장 성분 역할을 하고 있을 때 이 전체의 문장을 안은문장이라고 한다. 이어진문장이란 두 개의 절이 나란히 결합하여 하나로 연결된 문장을 말한다.

〈보기 2〉
미륵사지 석탑은 미륵산을 향해서 왼쪽에 자리 잡았다. ㉠등산모를 벗고 탑 앞에 섰다. ㉡탑의 당당한 위용에 머리가 숙여진다. ㉢그러나 한 발 옆으로 옮겨 보니 가슴 한구석이 허전하다. ㉣석탑의 뒤쪽 부분의 반 이상이 무너져 있었다. ㉤탑의 모습이 흡사 주사를 맞고 있는 환자처럼 애처로워 보였다. ㉥ 석탑을 손으로 쓰다듬어 보니 손끝에 온기가 느껴진다.

① ㉠, ㉡ ② ㉡, ㉣, ㉥
③ ㉠, ㉢, ㉥ ④ ㉢, ㉤, ㉥
⑤ ㉠, ㉢, ㉣, ㉤

9 다음 문장을 분석한 것으로 적절하지 않은 것은?

친구들은 내가 그 대회에서 우승하기를 바란다.

① 문장의 기본 구조는 '누가+어찌하다'이다.
② 주어부에 해당하는 부분은 '친구들은 내가'이다.
③ '주어－서술어' 관계가 두 번 나타나는 겹문장이다.
④ 부속 성분에 해당하는 것은 '그'와 '대회에서' 둘뿐이다.
⑤ '바란다'는 주어와 목적어를 필요로 하는 두 자리 서술어이다.

10 ㉠과 ㉡의 예가 바르게 짝지어진 것은?

주어와 서술어가 두 번 이상 나타나는 문장을 겹문장이라고 한다. 겹문장은 ㉠안은문장과 ㉡이어진문장으로 나눌 수 있다. 안은문장은 하나의 홑문장이 절의 형식(명사절, 관형사절, 부사절, 서술절, 인용절)으로 바뀌어 다른 문장 속의 한 성분이 된 겹문장이고, 이어진문장은 두 개 이상의 홑문장이 연결 어미에 의해 이어져서 이루어진 겹문장이다.

① ㉠: 코끼리는 코가 무척 길다.
　 ㉡: 나는 표지가 빨간 공책을 샀다.
② ㉠: 가을이 오니 산이 붉게 물들었다.
　 ㉡: 나는 축구보다 야구를 더 좋아한다.
③ ㉠: 인생은 짧지만 예술은 길다.
　 ㉡: 구름이 걷히자 멀리에 산이 나타났다.
④ ㉠: 이것은 내가 아직 읽지 않은 책이다.
　 ㉡: 농부들은 비가 오기를 간절히 기다렸다.
⑤ ㉠: 내가 그린 그림이 최우수상으로 뽑혔다.
　 ㉡: 약속 시간이 지났지만 그는 오지 않았다.

수능 콕콕 수능 기출

개념 확인

1 안긴문장
하나의 문장이 다른 문장에 하나의 문장 성분처럼 쓰이는 문장을 '안긴문장'이라고 합니다. 안긴문장을 '절'이라고 하는데, 절의 종류에는 명사절, 관형사절, 서술절, 인용절이 있습니다.

1 2018학년도 고3 3월 전국연합학력평가 14번

㉠~㉣의 문장 성분과 문장 구조에 대한 설명으로 적절하지 않은 것은?

> ㉠ 내가 빌린 자전거는 내 친구의 것이다.
> ㉡ 우리는 공연이 시작되기 전에 극장에 도착했다.
> ㉢ 피아노를 잘 치는 영수는 손가락이 누구보다 길다.
> ㉣ 파수꾼이 마을에 사는 사람들을 속였음이 드러났다.

① ㉠, ㉢에는 모두 서술어의 기능을 하는 안긴문장[1]이 있다.
② ㉠, ㉣에는 모두 체언을 수식하는 안긴문장이 있다.
③ ㉡의 안긴문장에는 부사어가 없지만, ㉢의 안긴문장에는 부사어가 있다.
④ ㉡에는 관형어의 기능을 하는 안긴문장이 있고, ㉣에는 조사와 결합하여 주어의 기능을 하는 안긴문장이 있다.
⑤ ㉢, ㉣에는 모두 주어가 생략된 안긴문장이 있다.

더 알고 싶은 해설

정답 풀이

❶ ㉠, ㉢에는 모두 서술어의 기능을 하는 안긴문장이 있다.
㉢에는 '손가락이 누구보다 길다'가 서술어 기능을 하고 있지만, ㉠에는 서술절이 없어요. ㉠의 안긴문장인 '내가 빌린'은 체언인 '자전거'를 수식하는 관형사절에 해당합니다.

오답 풀이

② ㉠, ㉣에는 모두 체언을 수식하는 안긴문장이 있다.
㉠에서 '내가 빌린', ㉣에서 '마을에 사는'은 각각 체언인 '자전거'와 '사람들'을 수식하는 관형사절에 해당합니다.

③ ㉡의 안긴문장에는 부사어가 없지만, ㉢의 안긴문장에는 부사어가 있다.
㉡의 안긴문장인 '공연이 시작되기'에는 부사어가 없지만, ㉢의 안긴문장인 '피아노를 잘 치는'과 '손가락이 누구보다 길다'에는 각각 '잘'과 '누구보다'라는 부사어가 있어요.

④ ㉡에는 관형어의 기능을 하는 안긴문장이 있고, ㉣에는 조사와 결합하여 주어의 기능을 하는 안긴문장이 있다.
㉡에는 '공연이 시작되기'가 관형사절에 해당하고, ㉣에는 주격 조사 '이'가 결합하여 주어의 기능을 하는 명사절 '파수꾼이 마을에 사는 사람들을 속였음'이 있어요.

⑤ ㉢, ㉣에는 모두 주어가 생략된 안긴문장이 있다.
㉢의 '피아노를 잘 치는'에는 주어 '영수가'가 생략되어 있고, ㉣의 '마을에 사는'에는 주어 '사람들이'가 생략되어 있어요.

2 2018학년도 6월 모의평가 14번

㉠~㉣의 문장 성분과 문장 구조에 대한 설명으로 적절하지 않은 것은?

보기

㉠ 그녀는 따뜻한 봄이 빨리 오기를 기다린다.
㉡ 내가 만난 친구는 마음이 정말 착하다.
㉢ 피곤해하던 동생이 엄마가 모르게 잔다.
㉣ 그가 시장에서 산 배추는 값이 비싸다.

① ㉠과 ㉡은 체언을 수식하는 안긴문장이 있다.
② ㉢과 ㉣은 서술어의 기능을 하는 안긴문장이 있다.
③ ㉠은 명사절[1] 속에 부사어가 있고, ㉡은 서술절[1] 속에 부사어가 있다.
④ ㉠은 주어가 생략된 안긴문장이 있고, ㉣은 목적어가 생략된 안긴문장이 있다.
⑤ ㉢은 부사어의 기능을 하는 안긴문장이 있고, ㉣은 관형어의 기능을 하는 안긴문장이 있다.

개념 확인

1 명사절, 서술절
명사절은 문장에서 주어, 목적어, 부사어 등 다양한 기능을, 관형사절은 관형어의 기능을, 부사절은 부사어의 기능을, 서술절은 서술어의 기능을 해요. 그리고 인용절은 다른 사람의 말이나 생각을 인용하는 기능을 하죠.

더 알고 싶은 해설

정답 풀이

❷ ㉢과 ㉣은 서술어의 기능을 하는 안긴문장이 있다.
서술어의 기능을 하는 안긴문장을 '서술절'이라고 해요. ㉣에서 주어 '배추는'의 서술어 자리에 있는 '값이 비싸다'가 서술절에 해당해요. ㉢에는 서술절이 쓰이지 않았어요.

오답 풀이

① ㉠과 ㉡은 체언을 수식하는 안긴문장이 있다.
체언을 수식하는 안긴문장을 '관형사절'이라고 해요. ㉠의 '따뜻한'과 ㉡의 '내가 만난'은 관형사절입니다.

③ ㉠은 명사절 속에 부사어가 있고, ㉡은 서술절 속에 부사어가 있다.
㉠의 '따뜻한 봄이 빨리 오기'가 명사절이며 '빨리'가 부사어입니다. ㉡의 '마음이 정말 착하다'가 서술절이며 '정말'이 부사어입니다.

④ ㉠은 주어가 생략된 안긴문장이 있고, ㉣은 목적어가 생략된 안긴문장이 있다.
㉠의 관형사절 '따뜻한'에서 주어 '봄이'가 생략되었어요. ㉣의 관형사절 '그가 시장에서 산'에서 목적어 '배추를'이 생략되었어요.

⑤ ㉢은 부사어의 기능을 하는 안긴문장이 있고, ㉣은 관형어의 기능을 하는 안긴문장이 있다.
㉢의 '엄마가 모르게'는 '잔다'를 꾸며 주는 부사절입니다. ㉣의 '그가 시장에서 산'은 '배추'를 꾸며 주는 관형사절입니다.

• 정답과 해설 36쪽

문법 놀이터

'마방진'은 여러 개의 자연수를 정사각형 모양으로 나열하여 가로나 세로나 대각선으로나 그 합이 모두 같게 한 것입니다. 마방진은 흔히 행운의 표식으로 많이 사용되었는데, 여러분도 문제를 풀어 행운의 주인공이 되어 보세요.

23	㉦	19	㉢	15
10	18	㉥	14	22
17	㉡	13	21	9
㉤	12	25	8	16
11	24	㉠	20	㉣

방법

다음 질문의 답을 찾으면 문제를 쉽게 풀 수 있습니다.

㉠ '깊은 강물에 오리 두 마리가 떠 있었다.'는 몇 개의 어절로 이루어져 있나요?
㉡ '키 큰 아이가 웃고 있다.'의 주어부는 몇 음절로 이루어져 있나요?
㉢ 겹문장은 '주어+서술어' 구조가 몇 개 이상으로 이루어져 있나요?
㉣ '나는 빵을, 동생은 떡을, 형은 밥을 먹었다.'는 몇 개의 홑문장이 모여 이루어진 겹문장인가요?
㉤ '그녀는 흰 옷을 즐겨 입었다.'의 서술부는 몇 개의 어절로 이루어져 있나요?
㉥ '들판에 곡식이 익어 가고 있다.'는 몇 개의 문장으로 이루어져 있나요?
㉦ '강물이 흐른다.'는 몇 개의 음절로 이루어져 있나요?

18일 문장의 짜임 1-이어진문장

월 일

궁금이의 문법 일기

국어 선생님께서 말하고 싶은 걸 전달하려면 문장을 짧게 쓰는 게 좋다고 하셔서 그렇게 문장을 썼다. 그런데 선생님은 무조건 짧게 쓴다고 다 좋은 것은 아니라고 하셨다. 도대체 어떻게 쓰라는 것인지 모르겠다. 3월, 여전히 날씨가 추웠지만 버드나무에 싹이 돋은 것을 보니 봄이 왔음을 느꼈다고 쓴 것인데……. 혹시 선생님께서 심오한 내 글을 이해하지 못하신 것은 아닐까?

콕샘 한마디!

선생님은 궁금이가 말하려는 글의 '심오한 의미'를 이해했답니다. 물론 문장이 짧으면 의미를 좀 더 명확하게 전달할 수 있어요. 하지만 이때도 문장과 문장의 관계는 분명히 제시해야 하지요. 바로 이때 사용하는 것이 연결 어미예요. 두 개 이상의 문장이 연결 어미에 의해 연결된 겹문장을 '이어진문장'이라고 하는데, 오늘은 이에 대해 알아볼까요?

- 이어진문장
  - 대등하게 이어진 문장 — 나열, 대조
  - 종속적으로 이어진 문장 — 원인, 조건, 의도, 배경, 양보 등

확인하기

1
이어진문장에 해당하는 것은?

① 해가 서쪽 하늘로 지고 있었다.
② 우리 집 정원에 꽃이 활짝 피었다.
③ 저 사람은 아버지가 영화 감독이다.
④ 민지는 집에 갔지만 영희는 남아 있었다.
⑤ 그는 자신의 소망이 실현될 것을 믿고 있었다.

2
대등하게 이어진 문장에 해당하지 않는 것은?

① 도로에 차가 많아서 걷기가 힘들었다.
② 내 친구는 노래도 잘하고 춤도 잘 춘다.
③ 강호는 많이 먹지만 살이 찌지는 않는다.
④ 동생은 과일은 좋아하나 야채는 싫어한다.
⑤ 너희는 집으로 가도 되고 도서관으로 가도 된다.

오늘의 개념 사전

이어진문장
두 개 이상의 문장이 연결 어미에 의해 결합되는 겹문장. 앞 절과 뒤 절의 의미 관계에 따라 '대등하게 이어진 문장'과 '종속적으로 이어진 문장'으로 나뉨.

이어진문장의 특징

- 둘 이상의 홑문장이 '-고'와 같은 연결 어미에 의해 결합하여 확대된 문장을 말한다.
- 두 홑문장이 결합될 때에는 각각 절의 형태로 이어지되, 앞 절과 뒤 절에서 반복되는 내용은 생략될 수 있다.

예 나는(주어) 세수를 했다(서술어). + 나는(주어) 아침밥을 먹었다(서술어). + 나는(주어) 책가방을 쌌다(서술어). + ……

→ 나는 세수를 하고(연결 어미), (나는) 아침밥을 먹고(연결 어미), (나는) 책가방을 싸고(연결 어미), ……

대등하게 이어진 문장
의미 관계가 대등한 두 홑문장이 이어진 문장

대등하게 이어진 문장의 특징

- 앞 절과 뒤 절의 구조가 대칭이 된다.
- 일반적으로 앞 절과 뒤 절의 순서를 바꿀 수 있다.
- 앞 절과 뒤 절의 서술어가 동일할 때에는 앞 절의 서술어가 생략되기도 한다.

예 낮말은 새가 듣고, 밤말은 쥐가 듣는다.

'~은 ~이/가 어찌하다.'의 구조가 대칭된다.
'밤말은 쥐가 듣고, 낮말은 새가 듣는다.'라고 바꿔도 의미 변화가 없다.
'낮말은 새가 (듣고), 밤말은 쥐가 듣는다.'처럼 앞 절의 서술어를 생략할 수 있다.

대등하게 이어진 문장의 종류

의미 관계	연결 어미	예문
나열	-고, -며	바람도 잠잠했고, 하늘도 맑았다.
대조	-나, -지만	눈은 내리지만, 날씨가 춥지는 않다.

▶연계 학습 부록 236쪽으로 한번 더!

종속적으로 이어진 문장
앞 절과 뒤 절의 의미가 독립적이지 못하고 종속적인 관계에 있는 문장

종속적으로 이어진 문장의 특징

- 앞 절과 뒤 절의 순서를 바꾸면 의미가 통하지 않거나 의미가 달라질 수 있다.
  예 서리가 내려서 채소가 얼었다. → 채소가 얼어서 서리가 내렸다.(×)
- 앞 절과 뒤 절의 서술어가 동일해도 생략할 수 없는 경우가 있다.
  예 근로자가 없으면 기업도 없다. → 근로자가, 기업도 없다.(×)

종속적으로 이어진 문장의 종류

의미 관계	연결 어미	예문
원인	-(아)서	눈이 와서 길이 미끄럽다
조건	-(으)면	근로자가 없으면 기업도 없다.
의도	-(으)려고	등산을 하려고 우리는 일찍 일어났다.
배경	-는데	내가 집에 가려는데, 저쪽에서 누군가 달려왔다.
양보	-(으)ㄹ지라도	비가 올지라도 우리는 계획대로 출발할 것이다.

※ '양보'는 '설사 그렇다고 가정하여도 다른 경우와 마찬가지로 상관없음'의 의미이다.

• 정답과 해설 37쪽

확인하기

3

다음 두 문장을 연결하여 '나열'과 '대조'의 의미를 지니는 겹문장으로 각각 만드시오.

> 장미는 바다로 휴가를 갔다. 국희는 산으로 휴가를 갔다.

(1) 나열

(2) 대조

4

종속적으로 이어진 문장의 의미 관계를 바르게 분석한 것은?

① 비가 와서 길이 물에 젖어 있었다. – 조건
② 배가 고프면 라면이라도 끓여 먹어라. – 원인
③ 내가 잠을 자는데 누가 깨울 수 있을까? – 의도
④ 해외 출장을 떠나려고 아침 일찍 일어났다. – 배경
⑤ 시험에 낙방할지라도 남의 것을 베끼지는 않겠다. – 양보

5

다음의 두 문장을 의미 관계를 고려하여 한 문장으로 만드시오.

(1) 눈이 왔다. 길이 미끄럽다.
→ 앞 절이 뒤 절의 원인에 해당하는 겹문장:

(2) 그는 집을 마련한다. 그는 저축을 한다.
→ 앞 절이 뒤 절의 의도에 해당하는 겹문장:

문제로 정복하기

1 밑줄 친 '이어진문장'의 예로 적절하지 않은 것은?

> 둘 이상의 문장이 연결 어미에 의해 결합된 겹문장을 이어진문장이라고 한다. 이때 앞에 오는 문장을 앞 절(앞문장)이라 하고, 뒤에 오는 문장을 뒤 절(뒷문장)이라고 한다. 이어진문장은 앞 절과 뒤 절의 의미 관계에 따라 대등하게 이어진 문장과 종속적으로 이어진 문장으로 나뉜다.

① 작은 물이 모이지 않으면 강을 이룰 수 없다.
② 멀리 있는 친척은 가까이 있는 이웃만 못하다.
③ 의심스런 사람은 쓰지 말며 쓰게 된 사람은 의심하지 마라.
④ 거울은 몸을 살필 수 있게 하고 과거는 지금을 알 수 있게 한다.
⑤ 물이 너무 맑으면 고기가 없고 사람이 너무 살피면 친구가 없다.

2 다음 문장을 이루고 있는 홑문장들을 모두 찾아 쓰시오. (단, 모든 문장에 주어 '나는'을 추가하여 쓸 것.)

> 지금 잠을 자면 꿈을 꾸지만, 지금 공부하면 꿈을 이룬다.

3 이어진문장의 종류가 나머지와 다른 하나는?

① 남편은 친절하고 아내는 인정이 많다.
② 그는 키는 크지만 민첩성이 떨어진다.
③ 경기가 진행될수록 긴장감이 더 높아졌다.
④ 여하튼 산으로 가든지 바다로 가든지 하자.
⑤ 엄마 친구의 딸은 공부도 잘하며 운동도 잘한다.

4 밑줄 친 '대등하게 이어진 문장'의 예로 적절한 것은?

> 이어진문장은 대등하게 이어진 문장과 종속적으로 이어진 문장으로 나눌 수 있다. 대등하게 이어진 문장은 앞 절과 뒤 절의 의미가 대등한 관계에 있는 문장으로 앞 절과 뒤 절이 '나열, 대조, 선택' 등의 의미 관계를 가진다. 종속적으로 이어진 문장은 앞 절의 의미가 뒤 절의 의미에 종속된 문장으로 앞 절과 뒤 절이 '원인, 배경, 조건, 의도, 양보' 등의 의미 관계를 가진다.

① 준기는 발에 땀이 나도록 열심히 뛰었다.
② 그의 몸은 늙었지만 정신은 여전히 젊다.
③ 그는 집을 마련하려고 평소에 열심히 저축을 했다.
④ 네가 고집을 부릴수록 어머니 기분만 나빠질 뿐이야.
⑤ 내가 텔레비전을 보고 있는데 전화벨이 시끄럽게 울렸다.

5 ㉠~㉤의 예문으로 적절하지 않은 것은?

> 종속적으로 이어진 문장은 종속적 연결 어미 '-면, -자, -니까, -는데, -도록, -라도' 등에 의해 두 문장이 하나로 연결된 문장을 말한다. 종속적으로 이어진 문장은 연결 어미에 따라 앞 절과 뒤 절이 ㉠조건·가정, ㉡이유·원인, ㉢의도·목적, ㉣양보, ㉤중단, 첨가, 연발 등의 의미 관계를 갖는다.

① ㉠: 비가 오면 내일 행사는 취소된다.
② ㉡: 재호는 너무 기뻐서 만세를 외쳤다.
③ ㉢: 산에 오를수록 다리가 뻐근해졌다.
④ ㉣: 문법이 어렵더라도 절대 포기하지 마라.
⑤ ㉤: 비가 내리다가 이제는 눈이 온다.

6 두 문장의 연결이 적절하지 않은 것은?

① 나는 서점에 갔다. 나는 만화책을 샀다.
→ 나는 서점에 가서 만화책을 샀다.
② 가을이 되었다. 날씨가 서늘해졌다.
→ 가을이 되자 날씨가 서늘해졌다.
③ 민수는 도서관에 갔다. 경미는 집에 갔다.
→ 민수는 도서관에 가고 경미는 집에 갔다.
④ 그는 아무것도 못 먹었다. 그는 배가 몹시 고팠다.
→ 그는 아무것도 못 먹었지만 배가 몹시 고팠다.
⑤ 나는 수현이를 만났다. 우리는 함께 영화를 보러 갔다.
→ 나는 수현이를 만나 함께 영화를 보러 갔다.

7 ㉠과 ㉡의 예로 적절한 것은?

이어진문장에서 앞 절과 뒤 절에 같은 말이 있으면, ㉠뒤 절에서 그 말이 다른 말로 대치되거나 생략된다. 앞 절과 뒤 절의 서술어가 같을 경우에는 ㉡앞 절의 서술어가 생략되거나, 뒤 절의 서술어가 '그러하다'로 대치된다.

① ㉠: 내년에 나는 고등학생이, 동생은 중학생이 된다.
② ㉠: 나는 야구를 좋아하지만, 형주는 좋아하지 않는다.
③ ㉠: 나는 닭고기는 잘 먹지만, 돼지고기는 못 먹는다.
④ ㉡: 도훈이는 체육관에, 지수는 도서관에 가려고 한다.
⑤ ㉡: 나는 순기와 짝꿍이지만, 그를 좋아하지 않는다.

8 〈보기〉의 문장을 분석한 것으로 적절하지 않은 것은?

〈보기〉
호랑이는 죽어서(㉠) 가죽을 남기지만(㉡),
사람은 죽어서(㉢) 이름을 남긴다(㉣).

① ㉠과 ㉡, ㉢과 ㉣은 각각 종속적으로 이어져 있다.
② ㉡과 ㉣에는 각각 '호랑이는'과 '사람은'이 생략되어 있다.
③ ㉢의 '죽어서'와 ㉣의 '남긴다'는 모두 한 자리 서술어이다.
④ '㉠+㉡'과 '㉢+㉣'은 대조의 의미 관계로 대등하게 이어져 있다.
⑤ '㉠+㉡+㉢+㉣'에는 주어와 서술어 관계가 모두 네 번 나타나 있다.

9 〈보기〉를 참고할 때, 어색하지 않고 자연스러운 문장은?

〈보기〉
대등하게 이어진 문장에서 앞 절과 뒤 절이 이어질 때에는 몇 가지 제약이 따른다. 우선 앞 절의 의미와 뒤 절의 의미가 밀접한 관련이 있어야 한다. 또한, 앞 절과 뒤 절의 서술어의 품사가 같아야 한다. 접속 조사 '와/과'로 이어진 문장의 경우에는 서술어와의 호응이 자연스러워야 한다. 이러한 제약을 따르지 않고 이어진 문장은 자연스럽지 않고 어색한 문장이 된다.

① 중국은 인구와 땅덩이가 넓다.
② 바다는 넓고, 창재는 부지런하다.
③ 어제는 바람과 비가 몹시 많이 내렸다.
④ 소원이는 춤도 잘 추고, 노래도 잘한다.
⑤ 아버지는 엄하시지만, 어머니는 주무신다.

수능 콕콕 수능 기출

개념 확인

1 와/과

'와/과'는 접속 조사로도 쓰이고, 부사격 조사로도 쓰입니다.

- 접속 조사: 둘 이상의 사물이나 사람을 같은 자격으로 이어 줌.
  예 나는 개와 고양이를 좋아한다.
- 부사격 조사: 다른 것과 비교하거나 기준으로 삼는 대상임을 나타냄. 일 따위를 함께 함을 나타냄. 상대로 하는 대상임을 나타냄.
  예 개는 늑대와 비슷하게 생겼다.

2 접속 조사와 부사격 조사를 구분하는 방법

- 접속 조사는 경우에 따라 생략이 가능하며, 생략된 자리에는 쉼표를 찍어요.
- 두 문장으로 나눌 수 있으면 접속 조사, 나눌 수 없으면 부사격 조사입니다.

1 2016학년도 고3 3월 전국연합학력평가 13번

〈보기〉를 참고할 때, 다음 중 '이어진문장'에 해당하지 않는 것은?

〈보기〉

'우리는 자유와 평화를 원한다.'라는 문장은 서술어가 하나뿐이어서 홑문장처럼 보이지만, 실제로는 '우리는 자유를 원한다.'와 '우리는 평화를 원한다.'라는 두 홑문장이 결합된 **이어진문장**이다. 이때의 '와/과'[1]는 접속 조사[2]로, '자유'와 '평화'를 같은 자격으로 이어준다. 한편, '와/과'는 '빠르기가 번개와 같다.'나 '그는 당당히 적과 맞섰다.'처럼 비교의 대상이나 행위의 상대임을 나타내는 격 조사[2]로도 쓰이는데, 이때는 서술어가 하나이면 홑문장이 된다.

① 나는 시와 소설을 좋아한다.
② 그녀는 집과 도서관에서 공부했다.
③ 고향의 산과 하늘은 예전 그대로였다.
④ 성난 군중이 앞문과 뒷문으로 들이닥쳤다.
⑤ 그 사람과 나는 오래 전부터 서로 사귀어 왔다.

더 알고 싶은 해설

정답 풀이

❺ 그 사람과 나는 오래 전부터 서로 사귀어 왔다.

이 문장에 쓰인 '과'는 상대로 하는 대상임을 나타내는 부사격 조사입니다. 부사격 조사는 접속 조사와 달리 두 문장으로 나눌 수 없습니다. 따라서 이 문장은 홑문장이라고 해야 합니다.

오답 풀이

① 나는 시와 소설을 좋아한다.

'나는 시를 좋아한다.'와 '나는 소설을 좋아한다.'로 나눌 수 있죠? '와'는 접속 조사이고, 이 문장은 이어진문장입니다.

② 그녀는 집과 도서관에서 공부했다.

'그녀는 집에서 공부했다.'와 '그녀는 도서관에서 공부했다.'로 나눌 수 있어요. '과'는 접속 조사이고, 이 문장은 이어진문장입니다.

③ 고향의 산과 하늘은 예전 그대로였다.

'고향의 산은 예전 그대로였다.'와 '고향의 하늘은 예전 그대로였다.'로 나눌 수 있는 이어진문장입니다.

④ 성난 군중이 앞문과 뒷문으로 들이닥쳤다.

'성난 군중이 앞문으로 들이닥쳤다.'와 '성난 군중이 뒷문으로 들이닥쳤다.'로 나눌 수 있으니 이것도 역시 이어진문장입니다.

2 2016학년도 대수능 9월 모의평가 A형 12번

밑줄 친 부분이 〈보기〉의 ㉠에 해당하지 않는 것은?

〈보기〉

동사의 어간에 연결 어미[1] '-(으)며'가 결합할 때, ㉠앞 문장과 뒤 문장의 주어가 서로 같고, '-(으)며'를 연결 어미 '-(으)면서'로 바꾸어 쓸 수 있는 경우에 '-(으)며'는 앞뒤 문장의 동작이 동시에 일어남을 나타낸다.

예 철수가 음악을 듣는다. + 철수가 커피를 마신다.
→ 철수가 음악을 들으며(들으면서) 커피를 마신다.

① 우리는 함께 걸으며 희망에 대해 이야기했다.
② 모두들 음정에 주의하며 노래를 제대로 부르자.
③ 아는 사람 하나가 미소를 지으며 내게 다가왔다.
④ 마라톤 선수가 가쁜 숨을 몰아쉬며 결승선을 통과했다.
⑤ 출근할 때, 일부는 버스를 이용하며 일부는 지하철을 이용한다.

개념 확인

1 연결 어미
어간에 붙어 다음 말에 연결하는 구실을 하는 어미를 뜻해요. '-게', '-고', '-(으)며', '-(으)면', '-(으)니', '-아/어' 등이 있어요.
예 "밥을 먹고 학교에 가라."에서 '-고'가 연결 어미에 해당해요.

더 알고 싶은 해설

정답 풀이

❺ 출근할 때, 일부는 버스를 이용하며 일부는 지하철을 이용한다.

앞 문장의 주어 '일부는'과 뒤 문장의 주어 '일부는'은 형태는 같지만 가리키는 대상이 서로 달라요. 따라서 두 문장의 주어가 서로 같지 않으므로 '이용하며'의 '-며'는 앞뒤 문장의 동작이 동시에 일어남을 나타내지 못합니다.

오답 풀이

① 우리는 함께 걸으며 희망에 대해 이야기했다.

앞 문장과 뒤 문장의 주어가 서로 같아 뒤 문장의 주어를 생략하였으며, '-으면서'로 바꾸어 쓸 수 있는 경우에 해당하기 때문에 ㉠에 해당해요.

② 모두들 음정에 주의하며 노래를 제대로 부르자.

앞 문장과 뒤 문장의 주어가 서로 같아 뒤 문장의 주어를 생략하였으며, '-면서'로 바꾸어 쓸 수 있는 경우에 해당하기 때문에 ㉠에 해당해요.

③ 아는 사람 하나가 미소를 지으며 내게 다가왔다.

앞 문장과 뒤 문장의 주어가 서로 같아 뒤 문장의 주어를 생략하였으며, '-으면서'로 바꾸어 쓸 수 있는 경우에 해당하기 때문에 ㉠에 해당해요.

④ 마라톤 선수가 가쁜 숨을 몰아쉬며 결승선을 통과했다.

앞 문장과 뒤 문장의 주어가 서로 같아 뒤 문장의 주어를 생략하였으며, '-면서'로 바꾸어 쓸 수 있는 경우에 해당하기 때문에 ㉠에 해당해요.

문법 놀이터

다음 (   ) 안의 조건에 따라 이어진문장을 만들어, 이 동화를 다시 써 보세요.

세상에서 가장 무서운 이야기

한솔이는 숙제를 하려 했다. 그런데 숙제 할 게 사라졌다.(배경) 밤늦게야 한솔이는 숙제 공책을 학교에 두고 왔다는 걸 알았다. 한솔이는 학교로 가서 가져오려고 했다. 한솔이는 밤이라 무서웠다.(대조) 그래도 한솔이는 학교로 갔다. 학교에 가던 중, 어떤 할머니가 공책을 삼천 원에 팔고 있었다. 공책이 비쌌다. 한솔이는 그냥 지나갔다.(원인) 그러나 한솔이는 무서워 학교로 들어가지 못했다. 문구점을 갔는데 그곳도 문이 다 닫혀 있었다.(나열) 한솔이는 혹시나 하는 마음에 할머니가 있던 장소로 갔는데, 할머니는 역시 있었다. 그런데 할머니는 이렇게 말했다. "공책을 산다. 이 말을 지켜야 해.(조건) 집에 갈 때까지 공책 뒤를 절대 보지 마." 할머니는 공책 뒤를 보면 쓰러질 것이라고 했다. 공책을 사고 돌아오던 한솔이는 무서웠다. 그러나 호기심을 억누르지 못했다. 쓰러진다. 공책 뒤를 보기로 했다.(양보) 한솔이는 공책을 보았다. 결국 쓰러졌다.(원인) 공책 뒤엔 이렇게 쓰여 있었다. '삼백 원'

문장의 짜임 2-안은문장

월 일

궁금이의 문법 일기

국어 시험 공부를 하다가 안은문장과 안긴문장이 잘 이해되지 않았는데, 동생의 합체 로봇 덕에 이해할 수 있었다. 안은문장과 안긴문장은 각각 합체 로봇 중 몸통과 몸통에 결합되는 팔에 해당하는 것이다. 즉 팔처럼 안긴문장은 다른 문장 속에 하나의 문장 성분처럼 쓰이는 문장이고, 몸통처럼 안은문장은 안긴문장을 포함한 큰 틀이 되는 문장이라 생각하니 쉽게 이해하고 기억할 수 있었다.

콕샘 한마디!

궁금이가 스스로 안은문장과 안긴문장의 의미를 깨닫게 되었다니 참 대견하네요. 궁금이가 깨달은 대로 하나의 문장이 다른 문장에서 어떤 문장 성분의 역할을 할 때, 이 문장을 안긴문장이라고 한답니다. 안은문장의 종류는 다양한데, 오늘은 안은문장의 종류에 대해 알아볼까요?

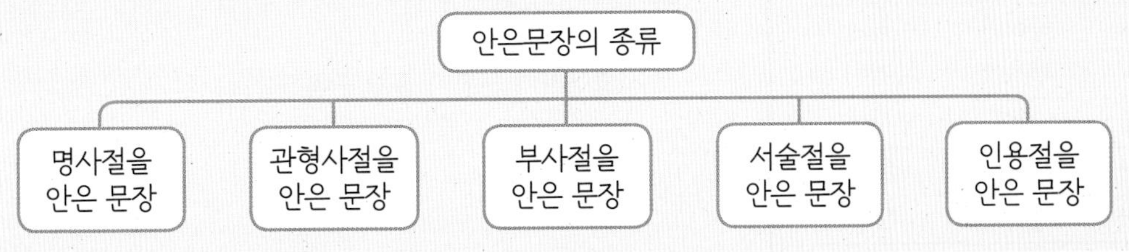

확인하기

1

안은문장에 해당하지 않는 것은?

① 코끼리는 코가 매우 길다.
② 바람이 불었고, 비가 쏟아졌다.
③ 동생은 내가 오기만을 기다렸다.
④ 철수는 발에 땀이 나도록 뛰었다.
⑤ 누나는 자기가 함께 가겠다고 말했다.

2

밑줄 친 명사절의 기능이 바르게 짝지어진 것은?

ㄱ. 우리는 그가 무죄임을 믿었다.
ㄴ. 그 일을 성공하기가 매우 어렵다.
ㄷ. 지금은 밥을 먹기에 이른 시간이다.

	ㄱ	ㄴ	ㄷ
①	주어	목적어	부사어
②	주어	부사어	목적어
③	목적어	주어	부사어
④	목적어	부사어	주어
⑤	부사어	목적어	주어

오늘의 개념 사전

안은문장과 안긴문장(안긴절)

다른 문장 속에 들어가 하나의 문장 성분처럼 쓰이는 문장을 '안긴문장(안긴절)'이라고 하고, 이 문장을 포함한 문장을 '안은문장'이라고 함.
안은문장에 안기는 안긴문장을 '절'이라고 하는데, 절의 종류로는 명사절, 관형사절, 부사절, 서술절, 인용절이 있음.

명사절을 안은 문장

- 절이 문장에서 주어, 목적어, 보어, 부사어 등 다양한 기능을 한다.
- 명사절은 명사형 어미 '-기', '-(으)ㅁ' 등이 붙어 만들어진다.

예 그 일은 하기가 쉽지 않다.
명사절(주어 역할)

우리는 그가 정당했음을 깨달았다.
명사절(목적어 역할)

지금은 집에 가기에 이른 시간이다.
명사절(부사어 역할)

관형사절을 안은 문장

- 절 전체가 체언을 꾸미는 관형어의 기능을 한다.
- 관형사절은 어미 '-(으)ㄴ, -는, -(으)ㄹ, -던' 등이 붙어 만들어지는데, 이를 통해 과거, 현재, 미래, 회상의 시간을 표현하는 데 사용한다.

과거 현재 미래 회상
예 이 책은 내가 {읽은/읽는/읽을/읽던} 책이다.
관형사절

부사절을 안은 문장

- 절 전체가 부사어의 기능을 한다. 부사절은 주로 서술어를 꾸미는 역할을 한다.
- 부사절은 '-이, -게, -도록' 등이 붙어 만들어진다.

예 그는 아는 것도 없이 잘난 척을 한다.
부사절

군고구마가 군침이 돌게 구워졌다.
부사절

▶연계 학습 부록 237쪽으로 한번 더!

서술절을 안은 문장

- 서술절은 절 전체가 서술어의 기능을 한다.

예 토끼는 앞발이 짧다.
(앞발이 짧다: 서술절)

인용절을 안은 문장

- 다른 사람의 말이나 생각을 인용한 것이 절의 형식으로 안기는 경우이다.
- 문장을 직접 인용하는 '직접 인용절'과 간접적으로 인용하는 '간접 인용절'로 구분된다.
- 대개 직접 인용절은 문장에 인용격 조사인 '라고'를 붙이고, 간접 인용절은 '고'를 붙인다.

예 갈릴레이는 "그래도 지구는 돈다."라고 말했다.
("그래도 지구는 돈다.": 직접 인용절)

그 사람은 자기가 학생이라고 주장하였다.
(자기가 학생: 간접 인용절)

• 정답과 해설 39쪽

확인하기

3

밑줄 친 부분의 절에 대한 분석으로 적절하지 않은 것은?

① 색깔이 희기가 눈과 같다. – 명사절
② 몸에 좋은 약은 입에 쓰다. – 관형사절
③ 우리 할아버지는 인정이 많으시다. – 서술절
④ 부모는 언제나 자식이 행복하기를 바랐다. – 부사절
⑤ 나폴레옹은 "내 사전에 불가능이란 없다."라고 말했다. – 인용절

4

다음 문장에서 안긴절을 찾아 쓰시오.

희수는 밤이 깊도록 책을 읽었다.

5

㉠~㉤에 대한 설명으로 적절하지 않은 것은?

저녁 무렵에 언덕에 올랐다. 그러고는 ㉠서산에 물든 노을을 바라보았다. ㉡그 모습이 아름다워서 눈을 떼지 못했다. ㉢장관을 한참이나 바라보았지만 눈이 부시지 않았다. 날이 서서히 저물어 갔다. ㉣산그림자가 소리도 없이 다가와 있었다. ㉤새들은 둥지를 찾아 사라졌고, 꽃들이 입술을 굳게 다물었다.

① ㉠: 관형사절을 안은 문장이다.
② ㉡: 종속적으로 이어진 문장이다.
③ ㉢: 대등하게 이어진 문장이다.
④ ㉣: 명사절을 안은 문장이다.
⑤ ㉤: 대등하게 이어진 문장이다.

문제로 정복하기

[1~2] 다음을 읽고 물음에 답하시오.

> 다른 문장 속에 들어가 하나의 성분처럼 쓰이는 홑문장을 ㉠안긴문장이라고 하며, 이 홑문장을 포함한 문장을 ㉡안은문장이라고 한다. 안긴문장은 문장에서 어떤 성분처럼 쓰이느냐에 따라 크게 명사절, 관형사절, 부사절, 서술절, 인용절로 나눌 수 있다.

1 ㉠에 해당하는 부분이 포함되어 있는 문장은?

① 실패는 성공의 어머니이다.
② 인내는 쓰지만 열매는 달다.
③ 웃음은 그 자체로 건강하다.
④ 일찍 일어나는 새가 벌레를 잡는다.
⑤ 고개를 치켜들고 세상을 똑바로 보라.

2 ㉡의 종류가 나머지와 다른 하나는?

① 좋은 차는 몸이 먼저 느낍니다.
② 종수는 우산도 없이 빗속을 걸었다.
③ 내가 태어난 집은 이미 사라지고 없다.
④ 여러분의 따뜻한 마음을 안고 떠납니다.
⑤ 지금 들려오는 노래의 제목을 알고 있니?

3 다음 문장에 대한 설명으로 적절하지 않은 것은?

> 그는 나에게 건이가 다쳤음을 아느냐고 물었다.

① 모두 세 개의 홑문장으로 이루어진 겹문장이다.
② 문장 전체의 주어부는 '그는 나에게 건이가'이다.
③ 문장 전체의 서술어 '물었다'는 세 자리 서술어이다.
④ '그'가 '나'에게 한 말의 내용을 인용절로 표현하였다.
⑤ '건이가 다쳤음을'은 목적어의 역할을 하는 명사절이다.

4 〈보기〉를 이용하여 국어의 문장 구조에 관한 탐구 학습을 하고 발표한 내용으로 적절하지 않은 것은?

> 보기
> ㄱ. 소녀는 두 볼에 흐르는 눈물을 닦았다.
> ㄴ. 의원들은 밤이 새도록 토론을 계속하였다.
> ㄷ. 그가 대학에 합격했음이 뒤늦게 부모에게 알려졌다.

① ㄱ, ㄴ, ㄷ에서 밑줄 친 부분은 모두 다른 문장 속에 안긴문장입니다.
② ㄱ, ㄴ, ㄷ에서 밑줄 친 부분은 각각 관형어, 부사어, 주어의 구실을 하고 있습니다.
③ ㄱ의 밑줄 친 부분에는 주어가 나타나 있지 않은데, 생략된 주어는 '소녀는'입니다.
④ ㄴ의 전체 문장의 주어와 밑줄 친 부분의 주어는 서로 다릅니다.
⑤ ㄷ의 전체 서술어인 '알려졌다'가 반드시 필요로 하는 문장 성분의 수는 두 개입니다.

5 다음 문장 속에 안겨 있는 문장을 분리한 것으로 적절하지 않은 것은?

① 그는 아는 것도 없이 알은체를 한다.
→ 아는 것도 없다.
② 소원이는 성격이 무척 좋다.
→ 소원이는 무척 좋다.
③ 농부들은 비가 오기를 간절히 기다렸다.
→ 비가 오다.
④ 그는 우리가 돌아왔다는 사실을 모른다.
→ 우리가 돌아왔다.
⑤ 우리는 모든 인간이 존귀하다고 믿는다.
→ 모든 인간이 존귀하다.

6 〈보기〉를 참고할 때, 밑줄 친 관형사절의 종류가 나머지와 다른 하나는?

〈보기〉
- 관계 관형사절: 수식하는 체언과 동일한 문장 성분을 포함하고 있어 그 문장 성분이 생략되는 관형사절
- 동격 관형사절: 수식하는 체언과 의미상 동격 관계에 있어 문장 성분의 생략이 없는 관형사절

① 향기가 좋은 꽃이 가득하다.
② 나는 그가 범인이라는 확신이 없다.
③ 우리가 한 일을 그는 모르고 있었다.
④ 저 언덕 끝에 내가 공부한 학교가 있다.
⑤ 내가 태어난 그해에 그 사건이 벌어졌다.

7 〈보기 1〉을 참고하여, 〈보기 2〉에 쓰인 명사절의 역할을 이해한 것으로 적절하지 않은 것은?

〈보기 1〉
명사절은 일반적으로 문장의 서술어에 명사형 어미 '-(으)ㅁ', '-기' 등이 결합되어 이루어진다. 명사절은 문장에서 주어, 목적어, 보어, 부사어 등의 기능을 하는데, 명사절 뒤에 붙은 격 조사를 참고하면 명사절이 어떤 문장 성분으로 쓰이는지 알 수 있다.

〈보기 2〉
㉠ 요즈음 너를 보기가 무척 어렵구나.
㉡ 장사에서는 신용을 얻음이 제일이다.
㉢ 그 일은 네가 하기에 쉽지 않을 거야.
㉣ 오늘의 목표는 지리산 정상에 오르기이다.
㉤ 나는 뒤늦게 그의 말이 옳았음을 깨달았다.

① ㉠: 주어
② ㉡: 보어
③ ㉢: 부사어
④ ㉣: 서술어
⑤ ㉤: 목적어

8 다음 문장에 대한 설명으로 적절하지 않은 것은?

선생님께서는 "전주는 아름다운 옛 모습을 간직한 도시야."라고 말씀하셨다.

① 전체적으로 '주어 – 서술어' 관계가 네 번 나타나 있다.
② 인용절의 주어는 '전주는', 서술어는 '도시야'이다.
③ 선생님의 말씀을 그대로 인용한 직접 인용절을 안은 문장이다.
④ 인용된 선생님의 말씀에는 관형사절과 서술절이 포함되어 있다.
⑤ 문장 전체의 주어는 '선생님께서는', 서술어는 '말씀하셨다'이다.

9 〈보기〉를 참고할 때, 적절하지 않은 문장은?

〈보기〉
다른 사람의 말이나 생각을 인용한 것을 절의 형식으로 안은 문장을 인용절을 안은 문장이라고 한다. 이러한 안은문장은 인용절이 될 절에 인용격 조사 '(이)라고, 고'가 붙어서 만들어진다. 주어진 문장을 그대로 인용하는 직접 인용절에는 '(이)라고'가 쓰이고, 말하는 사람의 표현으로 바꾸어서 간접 인용하는 간접 인용절에는 '고'가 쓰인다. 서술격 조사 '이다'로 끝난 간접 인용절에서는 '이다고'가 아니라 '이라고'로 나타난다.

① 그는 자기가 학생이라고 주장하였다.
② 아직도 네가 잘했다라고 생각하느냐?
③ 팻말에는 '금지구역'이라고 쓰여 있었다.
④ 경찰이 도둑을 향해 "꼼짝 마."라고 외쳤다.
⑤ 그는 나에게 낙엽 밟는 소리가 좋으냐고 물었다.

수능 콕콕 수능 기출

개념 확인

1 홑문장, 겹문장

주어와 서술어의 관계가 한 번만 이루어지는 문장을 '홑문장', 주어와 서술어의 관계가 두 번 이상 이루어지는 문장을 '겹문장'이라고 합니다.

〈보기〉의 〈자료〉에 제시된 문장들은 모두 주어와 서술어의 관계가 한 번만 이루어진 홑문장입니다.

1 2020학년도 대수능 9월 모의평가 15번

〈보기〉의 ㉠~㉤에 해당하는 문장으로 적절하지 않은 것은?

보기

[학습 활동]

겹문장은 홑문장보다 복잡한 생각을 효과적으로 표현할 수 있는 장점이 있다. 〈자료〉에 제시된 홑문장[1]을 활용하여 〈조건〉에 해당하는 겹문장[1]을 만들어 보자.

〈자료〉	〈조건〉
• 날씨가 춥다. • 형은 물을 마셨다. • 동생은 얼음을 먹었다. • 동생은 추위와 상관없다. • 형은 동생에게 불평을 했다.	㉠ 명사절을 안은 문장 ㉡ 관형사절을 안은 문장 ㉢ 부사절을 안은 문장 ㉣ 인용절을 안은 문장 ㉤ 대등하게 이어진 문장

① ㉠: 동생은 추운 날씨에도 얼음을 먹었다.

② ㉡: 형은 얼음을 먹는 동생에게 불평을 했다.

③ ㉢: 동생은 추위와 상관없이 얼음을 먹었다.

④ ㉣: 형은 동생에게 날씨가 춥다고 불평을 했다.

⑤ ㉤: 형은 물을 마셨지만 동생은 얼음을 먹었다.

더 알고 싶은 해설

정답 풀이

❶ ㉠: 동생은 추운 날씨에도 얼음을 먹었다.

명사절을 만들기 위해서는 명사형 전성 어미 '-(으)ㅁ'이나 '-기'를 사용해야 해요. '날씨가 춥다.'는 문장이 '날씨'를 수식하는 관형사절로 쓰였기 때문에 이 문장은 관형사절은 안은 문장에 해당합니다.

오답 풀이

② ㉡: 형은 얼음을 먹는 동생에게 불평을 했다.

'동생은 얼음을 먹었다.'는 문장이 '동생'을 수식하는 관형사절로 쓰였어요. 관형사절이 수식하는 '동생'과 주어 '동생은'이 같은 대상이기 때문에 '동생은'은 생략한 것이죠.

③ ㉢: 동생은 추위와 상관없이 얼음을 먹었다.

'동생은 추위와 상관없다.'는 문장이 '먹었다'를 수식하는 부사절로 쓰였어요. 안은문장의 주어 '동생은'과 주어가 같기 때문에 '동생은'을 생략하였어요.

④ ㉣: 형은 동생에게 날씨가 춥다고 불평을 했다.

'날씨가 춥다.'는 문장이 인용절로 쓰였어요. 간접 인용을 하고 있으므로 뒤에 조사 '고'를 결합하였습니다.

⑤ ㉤: 형은 물을 마셨지만 동생은 얼음을 먹었다.

'형은 물을 마셨다.'와 '동생은 얼음을 먹었다.'가 대조의 의미 관계로 대등하게 이어져 있어요. 따라서 두 문장의 순서를 바꾸어도 의미가 크게 달라지지 않아요.

2 2019학년도 대수능 9월 모의평가 15번

〈보기〉의 자료를 탐구한 결과로 적절한 것은?

◀ 보기 ▶

[탐구 과제]

하나의 문장이 안긴문장으로 다른 문장에 안길 때, 원래 있던 문장 성분이 생략되는 경우가 있다. 아래의 각 문장에서 안긴문장을 파악한 후, 생략된 문장 성분[1]이 있다면 무엇인지 확인해 보자.

[자료]

㉠ 부모님은 자식이 건강하기를 바란다.
㉡ 그 친구는 연락도 없이 그곳에 안 왔다.
㉢ 동생은 자신의 판단이 옳았음을 깨달았다.
㉣ 그는 내가 늘 쉬던 공원에서 산책을 했다.
㉤ 그 사람들은 아주 어려운 과제를 금방 끝냈다.

		안긴문장의 종류	생략된 문장 성분
①	㉠	부사절	없음
②	㉡	명사절	없음
③	㉢	명사절	주어
④	㉣	관형사절	부사어
⑤	㉤	관형사절	목적어

개념 확인

1 문장 성분의 생략

안긴문장의 어떤 문장 성분이 그것을 안은 문장의 한 성분과 같으면 그 문장 성분은 생략됩니다. 예를 들어, '지수는 빨간 모자를 샀다.'에는 '모자가 빨갛다.'는 문장이 안겨 있는데, 주어 '모자가'가 안은 문장의 '모자'와 같기 때문에 생략된 것입니다.

더 알고 싶은 해설

정답 풀이

❹ ㉣ 그는 내가 늘 쉬던 공원에서 산책을 했다.

관형사형 전성 어미 '-던'이 쓰였으므로 관형사절에 해당해요. 안긴문장이 수식하는 '공원'과 '내가 늘 공원에서 쉬었다.'라는 문장의 부사어 '공원에서'가 같은 곳이므로 안긴문장의 부사어를 생략하였죠.

오답 풀이

① ㉠ 부모님은 자식이 건강하기를 바란다.

명사형 전성 어미 '-기'가 쓰였으므로 명사절에 해당해요. '자식이 건강하다.'라는 문장이 그대로 명사절로 쓰인 것이기 때문에 생략된 문장 성분은 없어요.

② ㉡ 그 친구는 연락도 없이 그곳에 안 왔다.

부사를 만드는 접사 '-이'가 쓰였으므로 부사절에 해당해요. '연락도 없다.'라는 문장이 그대로 부사절로 쓰인 것이기 때문에 생략된 문장 성분은 없어요.

③ ㉢ 동생은 자신의 판단이 옳았음을 깨달았다.

명사형 전성 어미 '-음'이 쓰였으므로 명사절에 해당해요. '자신의 판단이 옳았다.'라는 문장이 그대로 명사절로 쓰인 것이기 때문에 생략된 문장 성분은 없어요.

⑤ ㉤ 그 사람들은 아주 어려운 과제를 금방 끝냈다.

관형사형 전성 어미 '-ㄴ'이 쓰였으므로 관형사절에 해당해요. 안긴문장이 수식하는 '과제'와 '과제가 아주 어렵다.'라는 문장의 주어인 '과제가'가 같으므로 안긴문장의 주어를 생략하였어요.

문법 놀이터

궁금이의 어머니는 궁금이에게 간식을 만들어 주기 위해 장을 좀 봐 오라고 심부름을 시키셨습니다. 어머니는 다음과 같은 퀴즈를 풀고 답에 해당하는 거리에 있는 가게의 음식 5가지를 차례대로 모두 사 오라고 하셨습니다. 과연 궁금이네 식탁에는 어떤 음식들이 차려졌을까요? (단, '예', '아니요'의 거리는 앞 가게로부터의 거리입니다.)

1. '농부는 비가 오기를 기다린다.'는 명사절을 안은 문장이다.
   (예 – 300m, 아니요 – 400m)

2. '이 음식은 내가 먹고 싶어 하던 것이다.'는 부사절을 안은 문장이다.
   (예 – 200m, 아니요 – 400m)

3. '궁금이가 100점을 받았다는 소문은 사실이다.'는 관형사절을 안은 문장이다.
   (예 – 200m, 아니요 – 300m)

4. '궁금이는 마음이 착하다.'는 서술절을 안은 문장이다.
   (예 – 100m, 아니요 – 300m)

5. '궁금이는 자기가 심부름을 하겠다고 말했다.'는 직접 인용절을 안은 문장이다.
   (예 – 100m, 아니요 – 200m)

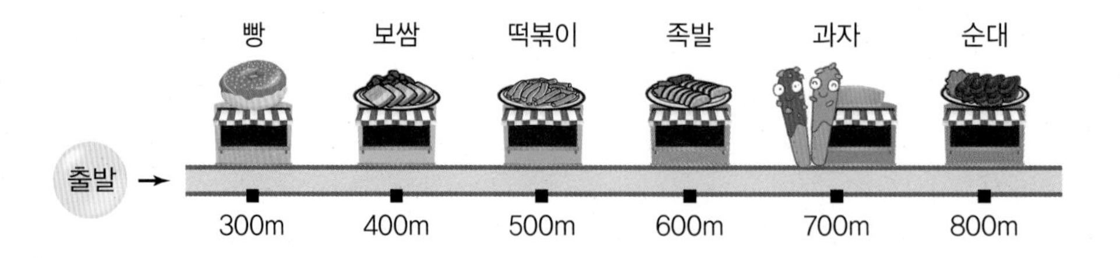

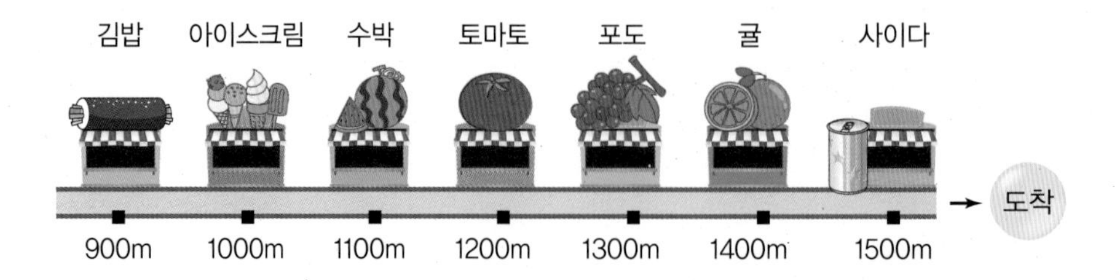

담화의 개념과 특징

월 일

궁금이의 문법 일기

어제 누나와 함께 드라마를 보다 다투었다. 내가 드라마의 여자 주인공이 왜 화를 내는지 모르겠다고 말하니까 누나는 남자 주인공이 여자 주인공의 말을 이해하지 못했으니 화를 내는 것이 당연하다고 말했다. 그러면서 너도 저 남자 주인공같이 말하면 평생 연애하기 힘들 거라고 악담을 했다. 아니 내가 왜 평생 연애하기 힘들 거라는 거야? 아직도 나는 남자 주인공이 뭘 잘못했다는 건지 모르겠다. 여자 주인공이 춥다고 하기에 자기처럼 장갑을 끼고 나오라고 한 것뿐인데…….

콕샘 한마디!

남자 주인공이 상황 파악을 못 했기 때문에 여자 주인공이 화를 낸 거예요. 여자 주인공이 손을 비비며 춥다고 말한 것은 따뜻하게 손을 잡아 달라는 마음에서였는데 그걸 알아차리지 못했으니 화날 만도 하죠. 이처럼 말을 할 때에는 말하는 사람과 듣는 사람이 처한 상황, 즉 맥락을 잘 파악해야 합니다. 오늘은 의사소통의 단위인 담화의 개념과 특징에 대해 알아보도록 할까요?

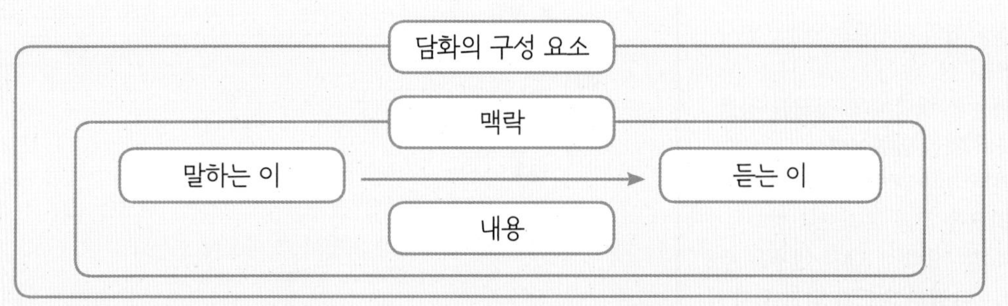

확인하기

1

담화에 대한 설명으로 적절하지 않은 것은?

① 둘 이상의 문장이 연속되어 이루어지는 의사소통의 단위이다.
② 담화의 구성 요소에는 말하는 이와 듣는 이, 내용, 맥락이 있다.
③ 말하는 이의 심리적 태도는 용언의 어미를 통해 드러낼 수 있다.
④ 말하는 이와 듣는 이의 친소 관계에 따라서도 표현이 달라질 수 있다.
⑤ 듣는 이의 태도에 따라 정보 제공, 호소, 약속, 사교, 선언 담화로 나눌 수 있다.

2

다음 담화의 유형으로 적절한 것은?

> 선생님, 다시는 지각하지 않겠습니다.

① 호소 ② 약속 ③ 사교
④ 선언 ⑤ 정보 제공

3

담화의 유형에 대한 설명으로 적절한 것은?

① 사교 담화의 사례로는 광고, 설교, 연설 등이 있다.
② 정보 제공 담화의 사례로는 잡담, 인사말 등이 있다.
③ 호소 담화는 상대방에게 정확한 정보를 전달하기 위한 담화이다.
④ 선언 담화는 인간관계의 형성과 사회적 상호 작용을 주된 목적으로 한다.
⑤ 약속 담화에는 발화에 담긴 내용을 수행하겠다는 다짐의 의도가 담겨 있다.

오늘의 개념 사전

담화
둘 이상의 문장이 연속되어 이루어지는 의사소통의 단위

담화의 구성 요소

맥락
말하는 이 → 듣는 이
내용(발화)

- **말하는 이와 듣는 이**: 말하는 이는 발신자 또는 화자라고 하고, 듣는 이는 수신자 또는 청자라고 하는데, 담화에서 꼭 필요한 요소이다.
- **내용**: 발화를 통해 말하는 이와 듣는 이가 주고받는 느낌, 생각, 믿음 등의 정보
- **맥락**: 상황 맥락과 사회·문화적 맥락

담화의 유형

말하는 이의 의도에 따라 다음과 같이 5가지 유형으로 나눌 수 있다.

유형	말하는 이의 의도	사례
정보 제공	정보 제공 예 오늘은 밤부터 비가 내립니다.	강의, 뉴스, 보고서 등
호소	상대방의 설득 예 손수건 사용을 생활화합시다.	광고, 설교, 연설 등
약속	발화에 담긴 내용을 수행하겠다는 다짐 예 다음에는 내가 밥 살게.	맹세, 선서 등
사교	인간관계의 형성, 사회적 상호 작용 예 그동안 많이 예뻐졌구나.	잡담, 인사말 등
선언	의견, 주장 등을 외부에 정식으로 밝힘. 예 지금부터 학급 회의를 시작하겠습니다.	개회 선언, 주례사 등

담화의 표현

- **지시 표현**: 지시어는 말하는 이와 듣는 이의 거리나 심리적 요인에 따라 달리 표현된다. 지시어로는 지시 대명사, 지시 관형사, 지시 부사 등이 있다.

'이' 계열	말하는 이에게 좀 더 가까운 대상
'그' 계열	말하는 이보다 듣는 이에게 좀 더 가까이 있는 대상
'저' 계열	말하는 이와 듣는 이 모두에게서 멀리 떨어져 있는 대상

예
현지: 나는 이것이 마음에 안 들어.
(현지에게 가까이 있는 물건)
태호: 나는 그것이 마음에 드는데.
(태호에게 멀리 떨어져 있지만 현지에게는 가까이 있는 물건)
현지: 난 이것보다 저것이 더 마음에 드는데.
(현지와 태호 모두로부터 멀리 떨어져 있는 물건)

▶연계 학습 부록 238쪽으로 한번 더!

• **높임 표현**: 말하는 이와 듣는 이의 상하 관계와 친소(친함과 친하지 않음) 관계에 따라 높임 표현과 낮춤 표현을 구별하여 쓴다.

예

갑: 자네, 어디 가나?
을: 도서관에 공부하러 갑니다.

갑은 을에게 '자네'라고 칭하며 '가나'라는 하게체를 쓰고, 을은 갑에게 '갑니다'라는 하십시오체를 쓰고 있다. 따라서 갑이 을보다 나이가 많음을 알 수 있다.

후배: 처음 뵙겠습니다. 저는 1학년 ○○○입니다.
선배: 그래, 만나서 반가워.

(몇 개월 후)

후배: 선배, 노래 정말 잘한다.
선배: 뭘, 이 정도 가지고 그래.

처음 만났을 때에는 후배가 선배에게 높임 표현을 쓰고 있지만, 몇 개월 후에는 후배가 선배에게 낮춤 표현을 쓰고 있다. 이처럼 말하는 이와 듣는 이의 친소 관계가 높임 표현을 결정하는 데 중요한 역할을 할 수 있다.

• **심리적 태도**: 용언의 어미를 통해 말하는 이는 심리적 태도를 드러낸다.

예 현지는 지금 숙제를 하고 있어. (사실 전달)
있겠지. (추측)
있구나. (새로 깨닫게 된 사실)
있니? (의문)

• 정답과 해설 41쪽

확인하기

4

㉠~㉥ 중, 가리키는 대상이 같은 것끼리 짝지으시오.

창호: ㉠이 책은 너무 재미없어. ㉡그 책은 재미있니?
민지: ㉢이 책도 마찬가지야. ㉣그 책이 재미없으면 ㉤저 책을 읽어 봐.
창호: ㉥저 책은 이미 다 읽었어.

5

다음 담화의 ㉠~㉤에 대한 설명으로 적절하지 않은 것은?

찬영: 여기 있는 과자 누가 먹었니? (소라를 보며) ㉠너지?
소라: 아니야, ㉡실은 좀 전에 정화가 배고프다고 해서 줬어.
찬영: 주인한테 허락도 없이 ㉢참 잘 하셨네요.
소라: 그 과자가 네 건지 몰랐어. 미안해. (빵을 건네며) ㉣대신 이 빵이라도 먹을래?
찬영: 그래, 배고픈데 그거라도 먹을게. (받았던 빵의 반을 떼어 건네며) 그런데 너는 배 안 고파?
소라: ㉤난 밥 먹었어.

① ㉠: 과자를 먹은 사람이 '소라'라고 의심하면서 이를 확인하려는 의도가 담겨 있다.
② ㉡: '찬영'에게 과자를 먹은 사람에 대한 정보를 전달하려는 의도가 담겨 있다.
③ ㉢: '소라'와의 상하 관계를 확인함에 따라 '소라'를 높이려는 의도가 담겨 있다.
④ ㉣: '소라'의 행위로 미루어 볼 때 빵을 주고 싶다는 제안의 의미가 담겨 있다.
⑤ ㉤: 앞에서 한 '찬영'의 말을 제대로 이해했다면 사양의 의미가 담겨 있다.

문제로 정복하기

1 〈보기〉의 설명 중, ㉠의 사례로 적절한 것은?

〈보기〉

발화는 생각이 문장 단위로 실현된 것이라고 할 수 있다. 발화는 사실을 있는 그대로 말하는 정보 전달, 상대에게 어떤 행동을 할 것을 지시하는 명령, 궁금한 것에 대한 답을 요구하는 질문, ㉠방침이나 주장 등을 정식으로 알리는 선언 등 다양한 기능을 수행한다.

① 우리 공놀이하러 나가자.
② 아버지께서는 내일 돌아오신단다.
③ 다음에 여행갈 땐 너와 꼭 같이 갈게.
④ 사람의 머리카락 수는 모두 몇 개일까?
⑤ 오늘부터 아침 자습 시간에 독서를 하도록 하겠습니다.

2 담화 상황을 고려할 때, 자연스러운 대화 장면은?

① (준태는 약속 시간에 늦은 승호에게 화가 나 있다.)
준태: 지금 몇 시냐?
승호: 세 시 십 분이야.
② (배고픈 승지가 분식집 앞에 서 있다.)
승지: 떡볶이 맛있겠지?
민정: 우리 영화 보러 갈까?
③ (찬수가 장난을 치다가 팔을 다쳤다.)
아버지: 참, 잘했다.
찬수: 감사합니다.
④ (밤늦게 집에 돌아온 딸을 꾸중하며)
어머니: 밤늦게까지 어디서 아주 신나게 놀았구나?
소희: 친구들과 노래방에서 놀았어요.
⑤ (동주 집에 놀러 온 은태는 닫힌 창문을 바라본다.)
은태: 방 안이 왜 이리 덥지?
동주: 창문을 좀 열까?

3 〈보기〉에 나타난 담화의 기능으로 가장 적절한 것은?

〈보기〉

충청 이남 지방은 내일부터 계속 비가 내리다가 모레 밤에 모두 그치겠고, 이후 일요일에 다시 전국적으로 비가 내리겠습니다.

① 대상에 대한 정보를 전달하고 있다.
② 말하는 내용을 수행하겠다고 약속하고 있다.
③ 심리적 정서를 전달하여 관계를 원활하게 만들고 있다.
④ 자기의 의견이나 주장 등을 외부에 정식으로 밝히고 있다.
⑤ 상대의 마음을 움직여 무엇인가를 하도록 유도하고 있다.

4 상황 맥락을 고려할 때, ㉮에 들어갈 내용으로 적절한 것은?

선생님: (따스한 눈빛으로 바라보며) 이번 2월 자체 평가에서 기록이 크게 향상되었구나. 부상 때문에 마음고생을 하더니 이제 좀 괜찮아졌니?
학 생: (편안한 눈빛과 표정으로) 예. 이제는 마음도 안정되고, 훈련도 더 재미있어졌어요.
선생님: (학생에게 미소를 짓고, 창밖의 강을 바라보며) 겨울은 가고, 얼었던 강물도 이제는 풀려 가고 있구나.
학 생: [㉮]

① (크게 놀라며) 저 멀리 있는 강이 보이세요?
② (어리둥절해 하며) 풀린다고요? 아직 꽁꽁 얼어만 있는데요?
③ (황당하다는 표정으로) 그럼요. 벌써 3월 첫 주가 지났는 걸요.
④ (입맛을 다시며) 얼음 다 녹기 전에 얼른 얼음 낚시 가고 싶어요.
⑤ (가볍게 미소를 지으며) 이제는 좌절하지 않고, 앞으로만 나아갈게요.

5 〈보기〉의 대화에 대한 이해로 적절하지 않은 것은?

◀ 보기 ▶
범준: (영화표 두 장을 들고, 쑥스러운 표정을 지으며) 지현아, 너 영화 보는 거 좋아해?
지현: (영화표를 보고, 당황하면서도 새침한 표정으로) 음, 글쎄…….
범준: 이번 주말은 휴일이니까 한가하지?
지현: 음…… 잘 모르겠어.

① 지현이는 범준이의 발화 의도를 이해하고 있다.
② 지현이는 영화 보는 것을 그리 좋아하지 않는다.
③ 지현이는 범준이와 영화 보러 가는 것을 다소 꺼리며 망설이고 있다.
④ 범준이는 지현이와 영화를 보러 가고 싶다는 마음을 우회적으로 건네고 있다.
⑤ 지현이는 범준이의 기분이 상하지 않게 하려고 명확한 표현을 하지 않았다.

6 다음 담화에 대한 의미 해석으로 적절하지 않은 것은?

㉠ (약 봉투를 바라보며 간호사가 환자에게) 식사한 지 30분 됐는데…….
㉡ (자정이 다 된 시각에 어머니가 아들에게) 내일 학교 안 갈 거니?
㉢ (밤에 거실에서 뛰노는 아이에게 아버지가) 아래층 집에 갓난아기가 있어.
㉣ (인터넷 대화창에서 상대방에게) 저는 방에서 나갑니다.
㉤ (공연장에서 관객들에게) 휴대 전화를 확인해 주세요.

① ㉠은 약 먹을 시간이 되었다는 의미이다.
② ㉡은 늦었으니 빨리 자라는 명령의 의미이다.
③ ㉢은 자는 아기가 깰 수 있으니 뛰지 말라는 의미이다.
④ ㉣은 컴퓨터가 있는 자신의 방에서 나가야 한다는 의미이다.
⑤ ㉤은 공연에 방해되지 않도록 휴대 전화를 꺼 달라는 의미이다.

7 ㉠~㉤에 대한 설명으로 적절하지 않은 것은?

승미: 이 집 예쁜 가방 정말 많다. 마음에 드는 게 너무 많은데, 뭘 사지?
혜인: 내가 하나 골라 줄까? (가방 하나를 가리키며) ㉠이건 어때?
승미: ㉡거기 연보랏빛 가방 말이지?
혜인: 그래. ㉢여기 와서 한번 들어 봐.
승미: (혜인 옆으로 다가가서) 좋긴 한데……, 이거 지연이 가방이랑 디자인이 비슷하지 않니?
혜인: 듣고 보니 그렇구나. 어쩐지 익숙한 느낌이 들더라. (가게 안을 둘러보며) ㉣저건 어때?
승미: (혜인이 가리킨 곳으로 가서 그 가방을 보고) 음…… 디자인이나 색상은 마음에 드는데, 가격이 조금 비싸네.
혜인: 맞다. 우리 지난 주말에 갔었던 가게에서 할인 행사 한다던데 ㉤거기 한번 가 보자.
승미: 그럴까? 거기에도 마음에 드는 게 좀 있었던 것 같아.

① ㉠은 '승미'보다 '혜인'에게 가까이 있는 사물을 가리키는 표현이다.
② ㉡을 사용하여 '승미'가 지시한 사물은, ㉠이 가리키는 사물과 동일하다.
③ ㉢은 '혜인'이 있는 장소이면서, '승미'와 떨어져 있는 장소를 가리키는 표현이다.
④ ㉣은 '승미'와 '혜인' 모두에게서 멀리 있는 사물을 가리키는 표현이다.
⑤ ㉤은 '혜인'은 알고 있지만 '승미'는 모르는 장소를 가리키는 표현이다.

수능 콕콕 수능 기출

개념 확인

1 담화
둘 이상의 문장이 연속되어 이루어지는 의사소통의 단위를 뜻해요. 〈보기〉와 같이 두 사람 이상이 대화를 나누는 것도 담화에 해당합니다.

1 2018학년도 대수능 9월 모의평가 13번

〈보기〉의 담화[1] 상황에서 ⓐ~ⓔ가 가리키는 대상이 같은 것끼리 바르게 짝지은 것은?

보기

(수빈, 나경, 세은이 대화를 하고 있다.)
수빈: 나경아, 머리핀 못 보던 거네. 예쁘다.
나경: 고마워. ⓐ우리 엄마가 얼마 전 새로 생긴 선물 가게에서 사 주셨어.
세은: 너희 어머니 참 자상하시네. 나도 그런 머리핀 하나 사고 싶은데 ⓑ우리 셋이 지금 사러 갈까?
수빈: 미안해. 나도 같이 가고 싶은데 ⓒ우리 집에 일이 있어 못 갈 것 같아.
세은: 그래? 그럼 할 수 없네. ⓓ우리끼리 가지, 뭐.
나경: 그래, 수빈아. 다음엔 꼭 ⓔ우리 다 같이 가자.

① ⓐ－ⓑ　② ⓐ－ⓓ　③ ⓑ－ⓔ
④ ⓒ－ⓓ　⑤ ⓒ－ⓔ

더 알고 싶은 해설

정답 풀이

❸ ⓑ－ⓔ

ⓑ와 ⓔ는 담화에 참여하고 있는 '수빈, 나경, 세은'을 모두 가리키는 말로 쓰였어요.

오답 풀이

ⓐ와 ⓒ는 각각 말하는 사람인 '나경'과 '수빈'을 가리키고, ⓓ는 '수빈'을 제외한 '세은, 나경'을 가리킵니다.

2 2016학년도 대수능 6월 모의평가 A형 15번

담화 상황을 고려할 때, 〈보기〉의 ㉠~㉤에 대한 이해로 적절하지 않은 것은?

보기

A: 어제 낮엔 많이 바빴니? 전화를 바로 끊더라.
B: 아니야, 끊은 게 아니라 ㉠끊어진 거야. 바로 전화 못해서 미안해. 표정이 심각해 보이는데 무슨 일 있었어?
A: 아니, ㉡저기, 심각한 건 아니고, 어제 점심에 도서관에서 만나기로 했잖아. 기다려도 안 오길래 말이야.
B: ㉢아차! 내가 먼저 얘기하려고 했는데 깜빡했네. 가려고 했는데 ㉣못 갔어.
A: ㉤자세히 말해 볼래?
B: 동생이 갑자기 아파서 병원에 데리고 가야 했거든.
A: 그런 일이 있었구나. 동생은 좀 괜찮니?

① ㉠: 피동 표현[1]을 사용하여 상황이 B의 의지와 무관하게 일어났음을 나타낸다.
② ㉡: 지시 대명사를 사용하여 B로부터 멀리 떨어져 있는 곳으로 관심을 유도한다.
③ ㉢: 감탄사를 사용하여 A의 발화를 듣고 어떤 것을 갑자기 깨달았음을 나타낸다.
④ ㉣: 부정 부사 '못'을 사용하여 B에게 일어난 상황이 불가피했음을 나타낸다.
⑤ ㉤: 의문 표현을 사용하여 B에게 일의 까닭을 상세히 말해 달라고 요청한다.

개념 확인

1 피동 표현

주체가 다른 주체에 의해서 어떤 동작을 당하게 됨을 나타내는 표현입니다. 예를 들어 '토끼가 호랑이에게 잡혔다.'는 주체인 '토끼'가 다른 주체인 '호랑이'에게 잡는 행위를 당했음을 나타낸 피동 표현입니다.

더 알고 싶은 해설

정답 풀이

❷ ㉡: 지시 대명사를 사용하여 B로부터 멀리 떨어져 있는 곳으로 관심을 유도한다.

㉡은 말을 꺼내기 거북할 때에 쓰는 말로서 대명사가 아닌 감탄사입니다. 감탄사는 말하는 이의 본능적인 놀람이나 느낌, 부름, 응답 등을 나타내는 말입니다.

오답 풀이

① ㉠: 피동 표현을 사용하여 상황이 B의 의지와 무관하게 일어났음을 나타낸다.

'끊은 거'가 아니고 '끊어진 거'라고 한 것은 본인의 의지로 사건이 일어난 것이 아님을 의미해요. 이처럼 상황이 일어나게 된 것이 의지와 무관하게 일어난 경우에는 주로 피동 표현을 사용합니다.

③ ㉢: 감탄사를 사용하여 A의 발화를 듣고 어떤 것을 갑자기 깨달았음을 나타낸다.

'아차'라는 감탄사는 어떤 것, 특히 무엇이 잘못된 것을 갑자기 깨달았을 때 하는 말입니다.

④ ㉣: 부정 부사 '못'을 사용하여 B에게 일어난 상황이 불가피했음을 나타낸다.

어떤 이의 능력 부족이나 불가피한 상황 때문에 어떤 일이 이루어지지 않았음을 나타낼 때에는 '못'을 사용한 부정 표현을 사용합니다. 참고로, 단순한 부정이나 의지 부정일 때에는 '안'을 사용합니다.

⑤ ㉤: 의문 표현을 사용하여 B에게 일의 까닭을 상세히 말해 달라고 요청한다.

"자세히 말해 볼래?"는 형식상으로는 의문문이지만 내용상으로는 말해 달라는 요청의 의미를 담고 있어요.

• 정답과 해설 42쪽

문법 놀이터

다음 그림의 정사각형 9개에서 변 4개를 다른 곳에 옮겨 똑같은 크기의 정사각형 7개를 만들어 보세요.

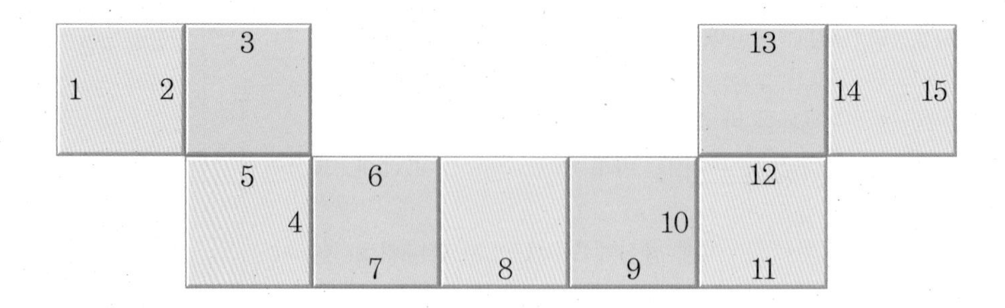

힌트

다음 문장 중 틀린 설명에 해당하는 번호의 네 변을 움직여 다른 곳에 놓으세요.

1. 담화란 둘 이상의 문장이 연속되어 이루어지는 의사소통 단위이다.

2. 담화의 구성 요소로는 말하는 이, 듣는 이, 맥락, 내용이 있다.

3. 담화의 유형 중, 정보 제공 담화의 사례로는 광고, 연설 등이 있다.

4. 담화에서 장면은 말하는 이와 듣는 이가 처한 시간적·공간적 상황을 의미한다.

5. 맹세나 선서는 발화 내용을 수행하겠다는 의지가 담겨 있는 담화이다.

6. 담화의 유형 중, 사교 유형은 원만한 인간관계의 형성이라는 의도가 담겨 있다.

7. 담화의 유형 중, 선언 유형의 사례로는 강의, 뉴스, 보고서 등이 있다.

8. 지시 표현은 말하는 이와 듣는 이의 거리나 심리적 요인에 따라 달라질 수 있다.

9. '이것'은 말하는 이와 듣는 이 모두에게서 멀리 떨어져 있는 대상을 가리킨다.

10. '그것'은 말하는 이보다 듣는 이에게 좀 더 가까이 있는 대상을 가리킨다.

11. 높임 표현은 말하는 이와 듣는 이의 상하 관계에 따라 구별하여 사용한다.

12. 높임 표현은 말하는 이와 듣는 이의 친소 관계에 따라 구별하여 사용한다.

13. 말하는 이의 심리적 태도는 용언의 어간을 통해 드러낼 수 있다.

14. '-어'는 사실, '-겠어'는 불확실한 추측을 나타내는 종결 표현이다.

15. '-니'는 말하는 이가 듣는 이에게 의문을 전달할 때 사용하는 어미이다.

21일 한글의 창제 원리

월 일

궁금이의 문법 일기

새해 달력을 넘겨 보니 내년엔 쉬는 날이 많다. 10월 9일도 쉬는 날로 되어 있다. 와, 신난다! 이날은 '한글날'이란다. '한글날'은 한글을 창제해서 세상에 펴낸 것을 기념하기 위한 국경일이라고 한다. 과거 우리글이 없을 때는 한자를 빌려 글자를 썼는데 다행히 세종 대왕이 학자들과 함께 백성을 위하여 한글을 만드셨고, 이 글자를 당시에는 '훈민정음'이라고 불렀다고 한다. 한글을 제대로 쓰는 것도 힘든데, 세종 대왕은 어떻게 새로운 글자를 만들기까지 하셨을까? 존경스럽다.

콕샘 한마디!

10월 9일이 한글날이라는 것을 알게 된 궁금이가 한글에 관심을 보이고 있군요. 여러분도 지금 편리하게 사용하고 있는 한글이 어떻게 탄생했는지 궁금했던 적이 있나요? 자랑스럽고 소중한 한글, 오늘은 한글의 창제 당시 명칭인 '훈민정음'의 뜻과 한글을 어떤 원리로 만들었으며 한글에 어떤 가치가 있는지 알아볼까요?

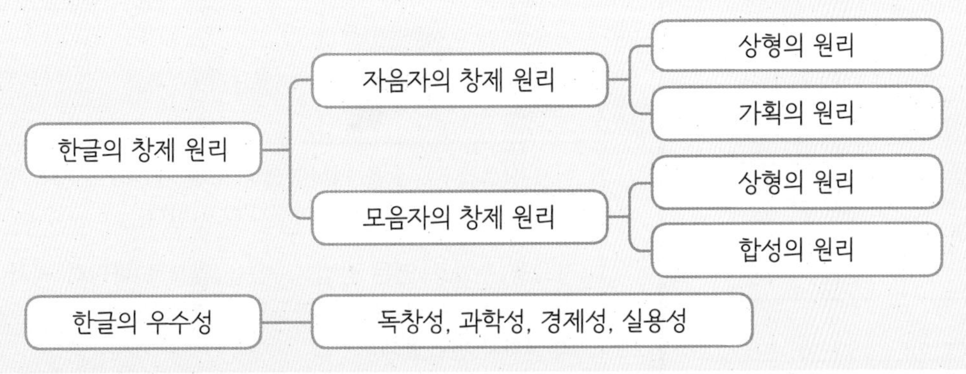

확인하기

1

다음 설명에 맞는 글자를 바르게 연결하시오.

(1) 혀뿌리가 목구멍을 막는 모양을 본뜬 글자 • • ㉠ ㅅ

(2) 하늘의 둥근 모양을 본뜬 글자 • • ㉡ ·

(3) 이의 모양을 본뜬 글자 • • ㉢ ㄱ

2

한글의 창제 원리에 맞게 다음 빈칸을 채우시오.

[자음 체계]

	어금닛소리	혓소리	입술소리	잇소리	목구멍소리
기본자	ㄱ	ㄴ	(㉠)	(㉡)	ㅇ
가획자	ㅋ	ㄷ, (㉢)	ㅂ, ㅍ	ㅈ, ㅊ	ㆆ, (㉣)
이체자	ㆁ	ㄹ		ㅿ	

[모음 체계]

	기본자		초출자	재출자
천	(㉤)	➡	ㅗ, ㅏ	ㅛ, ㅑ
지	ㅡ		(㉥)	ㅠ, ㅕ
인	ㅣ			

오늘의 개념 사전

훈민정음(訓民正音)

'백성을 가르치는 바른 소리'라는 뜻으로, 1443년 세종 대왕이 한글을 창제하고, 1446년 반포했을 당시 우리나라 글자를 이르는 말임. 당시 자음 17자와 모음 11자를 합하여 28자를 창제함.

자음자의 창제 원리

발음 기관의 모양을 본떠서 만든 '상형'의 원리와 기본자에 획을 더해 만든 '가획'의 원리

상형의 원리

자음의 기본자는 발음 기관의 모양을 본떠서 만들었다.

가획의 원리

기본자에 획을 더하여 소리의 세기를 표현한다. 가획을 할수록 소리의 세기가 강해진다.

기본자	창제 원리		가획자	이체자
ㄱ (어금닛소리 – 아음)		혀뿌리가 목구멍을 막는 모양을 본뜸.	ㅋ	ㆁ
ㄴ (혓소리 – 설음)		혀끝이 윗잇몸에 닿는 모양을 본뜸.	ㄷ → ㅌ	ㄹ
ㅁ (입술소리 – 순음)		입 모양을 본뜸.	ㅂ → ㅍ	
ㅅ (잇소리 – 치음)		이 모양을 본뜸.	ㅈ → ㅊ	ㅿ
ㅇ (목구멍소리 – 후음)		목구멍 모양을 본뜸.	ㆆ → ㅎ	

※ 이체자(異體字): 획을 더하였으나 소리 세기와 상관이 없기 때문에 모양이 다른 글자라고 하여 '이체자'라고 한다.

※ 자음을 추가로 만든 방법: 자음을 옆으로 나란히 써서 'ㅃ(ㅂ + ㅂ)', 'ㅳ(ㅅ + ㄷ)' 등의 글자를 만들었고, 아래로 이어 써서 'ㅸ(ㅂ + ㅇ)' 등의 글자를 만들었다.

▶연계 학습 부록 239쪽으로 한번 더!

모음자의 창제 원리

천(天), 지(地), 인(人)의 모양을 본떠서 만든 '상형'의 원리와 모음의 기본 글자를 합해서 만든 '합성'의 원리

상형의 원리

모음의 기본자는 '하늘, 땅, 사람(삼재: 三才)'의 모양을 본떠서 만들었다.

합성의 원리

모음의 기본 글자를 합성하여 초출자(初出字)와 재출자(再出字)를 만들었다.

기본자	창제 원리	
·	천(하늘)	하늘의 둥근 모양을 본뜸.
ㅡ	지(땅)	땅의 평평한 모양을 본뜸.
ㅣ	인(사람)	사람이 서 있는 모양을 본뜸.

➡

초출자 (· + ㅡ) (· + ㅣ)	재출자 (초출자 + ·)
ㆍㅡ, ㅣㆍ (ㅗ, ㅏ)	ㆍㆍㅡ, ㅣㆍㆍ (ㅛ, ㅑ)
ㅡㆍ, ㆍㅣ (ㅜ, ㅓ)	ㅡㆍㆍ, ㆍㆍㅣ (ㅠ, ㅕ)

※ 모음을 추가로 만든 방법: 이미 만들어진 모음을 합하여 'ㅘ(ㅗ+ㅏ)', 'ㅝ(ㅜ+ㅓ)', 'ㅔ(ㅓ+ㅣ)' 등을 만들었다.

한글의 우수성과 가치

한글은 독창적, 과학적, 경제적, 실용적인 글자임.

- 당시 널리 사용되던 한자를 모방하지 않고 독창적으로 새롭게 글자를 만들었다.
- 우리의 말소리에 대한 연구를 바탕으로 글자의 모양과 소리의 관계를 쉽게 이해할 수 있도록 만들어진 과학적이고 체계적인 문자이다.
  예 'ㄱ, ㅋ, ㄲ'은 모두 어금닛소리이며, 발음이 유사한 글자이므로 모양도 유사하다.
- 자음과 모음을 합쳐 창제 당시 28자로 많은 소리를 표현할 수 있도록 만들었다는 점에서 경제적인 글자라고 할 수 있다.
- 글자를 '모아쓰기'한 것은 독서의 능률을 높여 주며, 한 음절과 한 글자가 대응하여 정보화 시대에 활용 가치가 높다는 점에서 실용적인 글자라고 할 수 있다.

• 정답과 해설 42쪽

확인하기

3

한글의 창제 원리에 대한 설명으로 적절하지 않은 것은?

① 모음자는 상형과 가획, 합성의 원리로 만들었다.
② 모음과 자음의 기본자를 창제한 원리는 같다.
③ 자음 중 'ㅇ'은 목구멍 모양을 본떠서 만들었다.
④ 모음 중 'ㅏ'는 'ㅣ'와 '·'를 합한 초출자에 해당한다.
⑤ 획을 더하였으나 소리의 세기와 관련 없는 자음도 있다.

4

〈보기〉와 관련지어 한글의 특성에 대해 이해한 것으로 적절하지 않은 것은?

◀ 보기 ▶

이 휴대 전화 자판에서 모음은 기본 글자를 한 칸에 한 자씩 배치했고, 자음은 발음 위치나 발음 방법이 비슷한 글자들을 한 칸에 함께 배치했다. 우리가 사용하는 모든 글자는 이 자판에 제시된 자음과 모음을 조합해서 쉽게 입력할 수 있고, 입력한 글자는 말소리와 일대일로 대응한다.

① 한자를 모방하기는 하였지만 기본적으로 독창적인 문자이다.
② 적은 수의 글자로 많은 소리를 표현할 수 있다는 점에서 경제적인 문자이다.
③ 글자에 획을 더하여 소리 세기를 표현할 수도 있다는 점에서 과학적인 문자이다.
④ 음성적으로 발음이 유사한 글자는 모양도 비슷하다는 점에서 체계적인 문자이다.
⑤ 한정된 자판으로 글자 입력이 가능하다는 점에서 정보화 시대에 활용 가치가 높은 문자이다.

문제로 정복하기

[1~2] 다음을 읽고 물음에 답하시오.

서동요(薯童謠)

〈원문〉	〈현대어 풀이〉
㉠ 善化公主主隱	㉡ 선화 공주님은
他密只嫁良置古	남몰래 결혼하고
薯童房乙	맛둥서방을
夜矣卯乙抱遣去如	밤에 몰래 안고 가다.

※ 서동요: 백제의 서동이 지은 향가. 한자의 음과 뜻을 빌려 적는 향찰(鄕札)로 기록됨.

1 〈보기〉는 ㉠에 사용된 한자의 소리와 뜻을 정리한 것이다. 〈보기〉와 ㉠, ㉡을 비교하여 소리를 빌려 쓴 글자와 뜻을 빌려 쓴 글자를 적절하게 구분하지 않은 것은?

◀ 보기 ▶

한자	뜻	소리
善	착하다	선
化	되다	화
公	공변되다	공
主	임금, 님(임), 주인	주
隱	숨다	은

善化	公	主	主	隱
① 소리	② 소리	③ 소리	④ 뜻	⑤ 뜻

2 윗글의 표기 방식에 대한 설명으로 적절하지 않은 것은?

① 한자를 모르면 내용을 이해할 수 없었다.
② 하나의 한자는 단 하나의 우리말을 나타내었다.
③ 한자의 소리와 뜻을 빌려 국어 문장 전체를 표기하였다.
④ 신라 시대부터 고려 초기까지 창작된 향가의 표기 수단이었다.
⑤ 우리말이 가지고 있는 정서나 느낌 등을 있는 그대로 표기할 수 없었다.

[3~5] 다음을 읽고 물음에 답하시오.

우리나라 말이 중국과 달라서 한자와는 서로 통하지 않는다. 이런 이유 때문에 글자를 모르는 백성들이 말하고자 하는 바가 있어도 마침내 제 뜻을 능히 펴지 못하는 사람이 많다. 내가 이것을 가엾게 여겨 새로 ㉠ 스물여덟 글자를 만드니, 모든 사람들로 하여금 ㉡ 쉽게 익혀서 날마다 쓰는 데 편하게 하고자 할 따름이다.

– 『훈민정음(訓民正音)』 언해본 현대어 풀이

3 윗글을 통해 알 수 있는, 세종대왕의 한글 창제 정신과 거리가 먼 것은?

① 자주성 ② 독창성 ③ 실용주의
④ 사대주의 ⑤ 애민 정신

4 ㉠에 대해 탐구한 내용으로 적절하지 않은 것은?

① 자음 17자와 모음 11자를 합한 것이다.
② 'ㅿ, ㆍ'와 같이 오늘날에는 사용되지 않는 글자도 포함하고 있다.
③ 자음의 경우 발음이 비슷하면 글자 모양도 비슷하게 만들려고 했다.
④ 백성들이 재미있게 배울 수 있도록 글자 모양을 서로 비슷하게 만들려고 했다.
⑤ 스물여덟 글자를 바탕으로 'ㅸ(순경음 비읍), ㅘ'와 같이 다른 글자들도 더 만들 수 있다.

5 ㉡이 가능한 이유를 훈민정음 창제 이전의 문자 생활과 관련지어 적절하게 파악한 것은?

① 백성들이 한자를 배경지식으로 지니고 있었기 때문이다.
② 한자의 발음을 표기하기에 유용하도록 만들었기 때문이다.
③ 한자에 비해 익혀야 할 글자 수가 적고 체계적이기 때문이다.
④ 백성들이 일상생활에서 쉽게 접할 수 있는 물건을 본떠서 글자를 만들었기 때문이다.
⑤ 사람의 말소리뿐만 아니라 천지자연의 모든 소리를 표기할 수 있게 만들었기 때문이다.

• 정답과 해설 42~43쪽

[6~8] 다음을 읽고 물음에 답하시오.

'훈민정음' 등의 문헌 기록과 그동안의 연구들을 통해 확인된 한글의 제자 원리는 대략 다음과 같이 요약, 정리될 수 있다.

㉠ 음(절)을 초성과 중성, 종성으로 분석하였다.
㉡ 초성과 중성을 구분하여 각각의 문자를 별도로 만들었다.
㉢ 종성에 대해서는 따로 문자를 만들지 않고 초성자를 같이 쓰기로 하였다.
㉣ 초성과 중성 모두 약간의 기본자를 먼저 만들고 그것을 이용하여 나머지 문자를 만들었다.
㉤ ⓐ 초성의 기본자(ㄱ, ㄴ, ㅁ, ㅅ, ㅇ)는 발음 기관의 모양을 본떠 만들고, 중성의 기본자(ㆍ, ㅡ, ㅣ)는 천, 지, 인을 상형(象形)하였다.
㉥ 초성의 경우, 각 발음 위치별로 가장 약한 소리를 기본자의 대상으로 삼고, 나머지는 센 정도에 따라 거기에 획을 더하였다.
㉦ 중성의 글자꼴 결정에는 음양오행설 등의 철학적 원리도 반영되었다.
㉧ 실제로 글을 적을 때에는 초성과 중성, 종성을 합해 적기로 하였다.

– 강창석, 『한글의 제자 원리와 글자꼴』 중에서

6 윗글을 바탕으로 한글에 대해 이해한 내용으로 적절하지 않은 것은?

① 종성을 따로 만들었다면 훨씬 더 많은 자음이 필요했을 거야.
② 'ㄷ → ㅌ'은 소리의 세기에 따라서 획을 추가해 만든 것이구나.
③ 스물여덟 글자가 모두 하나의 원리 아래 만들어진 것은 아니구나.
④ 기본 모음자 'ㆍ, ㅡ, ㅣ'를 이용하여 'ㅏ', 'ㅑ' 등의 모음을 만들었구나.
⑤ 기본 자음자와 기본 모음자는 모두 발음 기관을 상형하여 만들었구나.

7 ⓐ에 대한 설명으로 적절하지 않은 것은?

① ㅁ: 입 모양을 본뜸.
② ㅇ: 목구멍 모양을 본뜸.
③ ㄴ: 혀끝이 윗잇몸에 닿는 모양을 본뜸.
④ ㄱ: 혀뿌리가 목구멍을 막는 모양을 본뜸.
⑤ ㅅ: 입술 사이로 바람이 새어 나가는 모양을 본뜸.

8 ㉧과 관련된 한글의 특성을 바르게 이해한 반응은?

① 한글의 창제 원리는 꽤나 추상적이고 철학적이야.
② 한글은 하나의 글자가 여러 가지 소릿값을 지니고 있어서 매우 경제적이야.
③ 한글은 체계적인 음성으로 분류하긴 어렵지만 소리글자라 쉽게 배울 수 있어.
④ 한글의 모아쓰기는 정보를 음절 단위로 빠르고 정확하게 이해할 수 있게 해 주지.
⑤ 우리말은 문법 요소가 띄어쓰기 단위로 이루어져 있어서 글자만으로 문법 요소를 이해하기는 어려워.

9 한글 'ㅏ'와 영어 알파벳 'a'의 발음을 비교한 다음 자료를 참고하여, 한글의 우수성을 〈조건〉에 맞게 한 문장으로 서술하시오.

ㅏ	a
사과[사과] 천사[천사] 자동차[자동차]	apple[애플] angel[에인절] car[카아]

◀ 조건 ▶
• 한글과 알파벳의 차이점을 드러낼 것
• 대조의 방법으로 설명할 것

수능 콕콕 수능 기출

개념 확인

1 상형의 원리
한글 자음의 기본자는 발음 기관의 모양을, 모음의 기본자는 천(天), 지(地), 인(人)의 모양을 본떠서 만들어졌습니다.

2 가획의 원리
한글 자음은 발음 기관을 본떠 기본자 'ㄱ, ㄴ, ㅁ, ㅅ, ㅇ'을 만들고 이에 획을 더하여 'ㅋ, ㄷ, ㅌ, ㅂ, ㅍ, ㅈ, ㅊ, ㆆ, ㅎ'을 만들었습니다.

3 합성의 원리
모음의 기본 글자를 합성하여 초출자와 재출자를 만들었으며 이를 다시 합용하여 더 많은 모음을 만들었습니다.

1 2015학년도 대수능 B형 14번

〈보기 1〉의 학생 의견과 관련된 한글의 제자 원리를 〈보기 2〉에서 찾아 바르게 짝지은 것은?

보기 1

학습 활동: 오늘날 우리가 한글을 사용하면서 생각한 바를 각자 정리하여 발표해 봅시다.

- 학생 1: 'ㄱ'의 글자 모양이 그 소리를 낼 때 혀뿌리가 목구멍을 막는 모양과 관련된다니 한글은 정말 대단해요.
- 학생 2: 휴대 전화 자판 중에는 'ㆍ, ㅡ, ㅣ'를 나타내는 3개의 자판만으로 모든 모음자를 입력하는 것도 있어서 참 편리해요.
- 학생 3: 〈예사소리〉-〈거센소리〉-〈된소리〉의 관계가 〈A〉-〈A에 획 추가〉-〈AA〉로 글자 모양에 나타나 있어서 참 체계적인 문자인 것 같아요.
- 학생 4: 'ㅁ'과 'ㅁ'에 획을 추가해서 만든 자음자들은 'ㅁ' 모양을 공통으로 포함하고 있는데, 이때 포함된 'ㅁ' 모양은 이들 자음자들의 공통된 소리 특징을 반영한 것이에요.
- 학생 5: 한글은 음절 단위로 모아쓰기를 하면서도 받침 글자를 따로 만들지 않았어요. 만약 그렇지 않았다면 지금보다 글자 수가 훨씬 많아졌을 거예요.

보기 2

〈한글의 제자 원리〉

가. 초성자와 중성자의 기본자는 상형의 원리로 만들었다.[1]
나. 기본자에 가획하여 새로운 초성자를 만들었다.[2]
다. 초성자를 나란히 써서 또 다른 초성자로 사용하였다.
라. 기본자 외의 8개 중성자는 기본자를 합하여 만들었다.[3]

① 학생 1 – 가, 나 ② 학생 2 – 다, 라 ③ 학생 3 – 나, 다
④ 학생 4 – 나, 라 ⑤ 학생 5 – 가, 라

더 알고 싶은 해설

정답 풀이

❸ 학생 3 – 나, 다

'ㄱ'을 예로 들면 〈예사소리〉인 'ㄱ(A)'에 획을 추가하여 〈거센소리〉인 'ㅋ(A에 획 추가)'을 만든 것은 '나'와 관련되고요. 'ㄱ(A)'을 나란히 써서 〈된소리〉인 'ㄲ(AA)'을 만든 것은 '다'와 관련됩니다.

오답 풀이

① 학생 1 – 가, 나
'ㄱ'을 만든 원리는 '가'의 상형의 원리와 관련되지만, '나'의 가획의 원리와는 관련이 없어요.

② 학생 2 – 다, 라
모음의 기본자인 'ㆍ, ㅡ, ㅣ'만으로 모든 모음자를 입력할 수 있는 것은 '라'의 합성의 원리와 관련되지만, '다'와는 관련이 없어요.

④ 학생 4 – 나, 라
기본자인 'ㅁ'에 획을 추가하여 만든 자음자는 'ㅂ', 'ㅍ'으로, 이는 '나'와 관련되지만, '라'와는 관련이 없어요.

⑤ 학생 5 – 가, 라
'모아쓰기'는 한글이 경제적, 실용적인 글자라는 특성과 관련되지만, 〈보기 2〉의 제자 원리와는 관련이 없어요.

2 2013학년도 고3 3월 전국연합학력평가 B형 16번

다음은 '훈민정음'에 대한 발표를 위해 학생들이 수집한 자료이다. 자료의 활용 방안으로 적절하지 않은 것은?

◀ 보기 ▶

[초성자]

조음 위치에 따른 분류	기본자	가획자[1]	이체자
어금닛소리	ㄱ	ㅋ	ㆁ
혓소리	ㄴ	ㄷ, ㅌ	ㄹ
입술소리	ㅁ	ㅂ, ㅍ	
잇소리	ㅅ	ㅈ, ㅊ	ㅿ
목구멍소리	ㅇ	ㆆ, ㅎ	

[중성자]

기본자	초출자	재출자
·, ㅡ, ㅣ	ㅗ, ㅏ, ㅜ, ㅓ	ㅛ, ㅑ, ㅠ, ㅕ

[종성자]

종성에는 초성 글자를 다시 쓴다.

① 같은 위치에서 소리 나는 기본자와 가획자는 형태상의 유사성이 있음을 설명한다.
② 가획자는 기본자에 획을 더하는 방식으로 만들었다는 점을 설명한다.
③ 이체자는 가획자에 한 번 더 획을 더하여 만들었다는 점을 설명한다.
④ 모음의 초출자와 재출자는 기본자의 결합으로 만들어졌다는 점을 설명한다.
⑤ 받침에 쓰는 자음을 추가로 만들지 않음으로써 문자 운용의 효율성을 높일 수 있었음을 설명한다.

개념 확인

1 가획자
기본 문자에 소리가 센 정도에 따라 획을 하나 또는 둘을 더하여 만드는 문자를 뜻합니다.

더 알고 싶은 해설

정답 풀이

❸ 이체자는 가획자에 한 번 더 획을 더하여 만들었다는 점을 설명한다.

이체자는 가획자에 한 번 더 획을 더하여 만든 글자가 아닙니다. 훈민정음에서는 이체자에 대해 획을 더한 뜻이 없다고 했어요. 눈으로만 봐도 이체자인 'ㆁ'이 가획자인 'ㅋ'에 획을 더해 만들었다고 보기는 어렵겠지요.

오답 풀이

① 같은 위치에서 소리 나는 기본자와 가획자는 형태상의 유사성이 있음을 설명한다.

어금닛소리의 기본자 'ㄱ'은 같은 조음 위치의 가획자 'ㅋ'과 형태상 유사해요. 혓소리, 입술소리, 잇소리, 목구멍소리의 기본자와 가획자 역시 마찬가지입니다.

② 가획자는 기본자에 획을 더하는 방식으로 만들었다는 점을 설명한다.

'ㄱ'과 'ㅋ'을 비교해 보면 가획자는 기본자에 획을 더하는 방식으로 만들어졌음을 알 수 있어요.

④ 모음의 초출자와 재출자는 기본자의 결합으로 만들어졌다는 점을 설명한다.

모음의 초출자는 기본자 'ㆍ, ㅡ, ㅣ'의 결합으로 만들어졌어요. 모음의 재출자는 초출자에 기본자의 'ㆍ'가 결합하여 이루어진 것인데 이것 역시 기본자의 결합으로 만들어졌다고 볼 수 있습니다.

⑤ 받침에 쓰는 자음을 추가로 만들지 않음으로써 문자 운용의 효율성을 높일 수 있었음을 설명한다.

훈민정음에서는 종성을 위해 별도의 문자를 만들지 않고, 초성자를 다시 사용할 수 있게 하였습니다. 이는 자음의 수가 불필요하게 늘어나지 않게 하여 문자 운용의 효율성을 높이는 효과를 가져왔습니다.

• 정답과 해설 43쪽

문법 놀이터

자랑스러운 우리의 한글과 관련된 다음 내용들을 알고 있나요?

첫째, 외국인들의 한글 사랑! 한글 패션이 갈수록 인기랍니다. 여러분이 배운 내용을 토대로 빈칸을 채워 보세요.

둘째, "훈민정음 해례본"은 1997년 유네스코에서 '세계 기록 유산'으로 지정되었어요!

"훈민정음 해례본"은 인류 역사상 유일하게 문자 창제에 대한 해설이 담긴 책이기 때문에 역사적, 문화적으로 가치가 높아요. 특히 이 책은 한글의 창제 목적, 창제 원리 등이 기록되어 있는 소중한 자료랍니다.

셋째, "세종 대왕 문맹퇴치상(King Sejong Literacy Prize)"을 아세요?

국립국어원의 조사에 따르면 우리나라의 비문해율(글이나 출판물을 이해, 해석할 수 없는 정도)은 2013년 현재 약 1.7%라고 합니다. 이것은 배우기 쉬운 한글이 있어서 가능한 일이에요. 이 상은 한글을 만든 세종 대왕의 이름을 따서 1990년부터 세계적으로 문맹 퇴치에 공헌한 이들에게 수여하는 상이랍니다.

넷째, 한글은 외국 학자들로부터 우수성을 인정받았답니다.

"한글은 세계에서 가장 우수한 알파벳이다." – 맥콜리 교수(미국)

"한글이 세계에서 가장 과학적인 문자라는 것은 의심의 여지가 없다." – 샘슨 교수(영국)

어때요, 자랑스러운 우리 한글을 아끼고 사랑해야겠죠?

22일 남북한의 언어

월 일

궁금이의 문법 일기

버스 안에서 얼마 전에 우리 동네에 이사 온 아주머니를 보았다. 짐이 무거워 보여 자리를 양보하기 위해 일어났는데 "일없습네다."라고 말하며 거절하셨다. 내 성의를 무시하는 것 같아 조금 기분 나쁘기도 했다. 집에 와서 어머니께 이 이야기를 했더니 어머니께서는 그 아주머니가 북에서 오신 분인데, 북한의 '일없다'라는 말은 남한의 '괜찮다'와 같은 뜻이라고 설명해 주셨다. 그 말을 들으니 기분이 풀리고, 혼자 오해하며 화냈던 것이 죄송했다. 통일 시대를 대비하기 위해서라도 북한어에 관심을 가져야 할 것 같다.

콕샘 한마디!

남북이 평화롭게 하나가 되는 날은 언젠가 반드시 우리에게 올 거예요. 그런데 남한 사람과 북한 사람 사이에 사용하는 말이 다르면 어떤 일이 벌어질까요? 서로의 말을 이해하는 데 시간이 많이 걸리고, 불필요한 오해가 발생할 수도 있겠죠? 통일 시대를 대비하기 위해서라도 이번 시간에 함께 공부할 남북한의 언어에 대해 열심히 공부하기로 해요.

- 남한과 북한의 언어 차이
  - 차이가 생긴 원인
  - 차이의 실상
  - 차이를 극복하기 위한 노력

확인하기

1

빈칸에 들어갈 적절한 말을 쓰시오.

> 남한에서는 서울말을 공통어로 정하고, 이를 (㉠)라고 부르고 있으며, 북한에서는 평양말을 공통어로 정하고, 이를 (㉡)라고 부르고 있다.

- ㉠
- ㉡

2

남북한 언어의 이질화에도 불구하고 남한 사람과 북한 사람 사이에 기본적인 의사소통이 가능한 이유를 쓰시오.

3

〈보기〉를 통해 알 수 있는 남북한 언어의 차이점으로 적절한 것은?

보기

> 남한에서 '동무'는 '늘 친하게 어울리는 사람'이라는 뜻으로 쓰이는데 북한에서는 '이념이나 사상을 같이하는 사람'이라는 뜻으로 한정하여 사용하고 있다.

① 말은 같지만 의미가 다른 경우
② 의미는 같지만 말이 다른 경우
③ 발음은 같지만 표기가 다른 경우
④ 표기는 같지만 발음이 다른 경우
⑤ 이미 사라진 말이 아직도 쓰이는 경우

오늘의 개념 사전

남북의 공통어

남한 – 표준어	북한 – 문화어
• 전 국민이 공통적으로 쓸 수 있는 자격을 부여받은 단어. • 교양 있는 사람들이 두루 쓰는 현대 서울말	• 북한에서, 언어생활의 기준으로 삼기 위해 규범화한 언어. • 근로 인민 대중이 사용하는 현대 평양말.

남북의 언어 차이가 나타난 이유

- 서로 다른 언어 정책으로 말다듬기를 했기 때문
- 지역적인 차이로 인한 방언이 각각의 표준말로 정착했기 때문
- 서로 다른 정치 체제 및 이념, 생활상 등이 언어에 영향을 미쳤기 때문
- 분단 이후 남한과 북한 사이에 교류가 활발히 이루어지지 않았기 때문

남북한 언어의 동질성

- 남북은 분단 이전까지 한 민족으로서 같은 역사적 배경을 가지고, 오랫동안 같은 말과 글을 사용해 왔음.
- 19개의 자음, 21개의 모음을 사용하고 있음.
- '주어+목적어+서술어'와 같은 문장의 구조가 동일함.
- 다소 차이는 있지만 사용하는 언어가 같아 서로 의사소통이 가능함.

남북한 언어의 이질성

- 발음의 차이

남한	• 두음 법칙을 인정함. 예 연락, 여인
북한	• 두음 법칙을 인정하지 않음. 예 련락, 녀인

- 억양, 어조의 차이

남한	• 대체로 낮은 억양으로 말함. • 부드럽게 흘러가는 자연스러운 느낌을 줌.
북한	• 높은 데서 낮은 데로 떨어지는 억양이 반복됨. • 명확하고 또박또박하면서 강한 느낌을 줌.

▶ 연계 학습 부록 240쪽으로 한번 더!

• 어휘의 차이

남한	• 한자어를 많이 사용함. 예 인물화, 한복 • 외래어를 그대로 사용하는 경우가 많음. 예 터널, 시럽
북한	• 고유어를 많이 사용함. 예 사람그림, 조선옷 • 외래어를 고유어로 바꾸어 사용하는 편임. 예 차굴, 단물

※ 말은 같지만 의미가 다른 경우가 있음.
예 동무
(남한) 늘 친하게 어울리는 사람.
(북한) 혁명을 위하여 함께 싸우는 사람을 친근하게 이르는 말.

• 표기의 차이

남한	• 합성어를 표기할 때, 사이시옷을 적음. 예 나룻배, 장맛비 • 의존 명사를 앞말과 띄어 씀. 예 할 수가, 먹을 만큼
북한	• 합성어를 표기할 때, 사이시옷을 적지 않음. 예 나루배, 장마비 • 의존 명사를 앞말과 붙여 씀. 예 할수가, 먹을만큼

남북의 언어 차이를 극복하기 위한 방안

• 《겨레말큰사전》을 완성하여 남북 학교에서 교육하고 널리 보급한다.
• 공동 연구 기관을 만들어 남북의 어문 규정을 조화시킨 통일안을 만든다.
• 남북 언어 차이 극복의 필요성을 알리고 이에 대한 관심을 갖도록 노력한다.

• 정답과 해설 43~44쪽

확인하기

4
북한어의 특징으로 적절하지 않은 것은?

① 두음 법칙을 인정하지 않는다.
② 합성어에서 사이시옷을 적지 않는다.
③ 남한어에 비해 띄어쓰기를 적게 한다.
④ 강하고 드센 느낌의 어조를 사용한다.
⑤ 외래어를 가급적 한자어로 바꾸어 사용한다.

5
다음 자료를 통해 알 수 있는 남북 언어의 특성으로 적절한 것은?

남한	북한
패스	련락
드리블	곱침
소시지	고기순대
스위치	전기여닫개

① 남한은 북한에 비해 외래어를 많이 사용한다.
② 북한과 달리 남한에서는 음운 변동이 자주 일어난다.
③ 남한과 달리 북한에서는 합성어가 활발히 만들어졌다.
④ 남한에 비해 북한에서는 띄어쓰기를 많이 하지 않는다.
⑤ 같은 형태의 말이지만 의미가 다르게 쓰이는 어휘가 많다.

문제로 정복하기

1 〈보기〉를 통해 알 수 있는, 남북한 언어의 이질화가 심화된 원인으로 가장 적절한 것은?

〈보기〉

40여 년 분단 국가였던 동독과 서독에서는 분단 이후 상호 간 문화적, 인적, 통신적 교류가 있었다. 그럼에도 불구하고 동독과 서독 간에 어휘적 차이가 있었다는 얘기를 들은 바 있다. 남과 북은 지난 70년 동안 문화적, 인적, 통신적 교류 없이 분단된 채 살아왔다. 분단 독일보다 더 오랜 세월 교류 없이 서로 다른 체제를 유지하고 살았기 때문에 남북한의 언어 차이는 생각보다 다양하게 나타난다.

– 권순희, 『남북의 언어 차이가 있나요』

① 남과 북의 정치 체제가 서로 달랐기 때문
② 지역적 차이로 인한 방언이 존재하였기 때문
③ 분단 이후 오랫동안 서로 교류가 없었기 때문
④ 남과 북이 서로 다른 언어 정책을 시행했기 때문
⑤ 북한의 통신 상황이 남한에 비해 뒤떨어졌기 때문

2 〈보기 1〉을 통해 알 수 있는 북한어의 특징만을 〈보기 2〉에서 모두 골라 묶은 것은?

〈보기 1〉

남한: 장맛비가 예년에 비해 길어지면 피해가 더 커질 것이다.
북한: 장마비가 례년에 비해 길어지면 피해가 더 커질것이다.

〈보기 2〉

ㄱ. 두음 법칙을 인정하지 않는다.
ㄴ. 의존 명사를 앞말과 붙여 쓴다.
ㄷ. 외래어를 순우리말로 바꾸어 사용한다.
ㄹ. 합성어에서 사이시옷을 표기하지 않는다.

① ㄱ, ㄴ ② ㄱ, ㄹ
③ ㄴ, ㄷ ④ ㄱ, ㄴ, ㄹ
⑤ ㄴ, ㄷ, ㄹ

3 ㉠의 사례로 들기에 가장 적절한 것은?

남북한의 언어 사이에는 ㉠ 형태나 발음이 같은 단어라도 서로 다른 의미로 사용되는 경우도 있고, 같은 의미를 뜻하지만 형태가 서로 다른 경우도 있다.

① 남한의 '화장실'을 북한에서는 '위생실'이라고 한다.
② 남한의 '노인'을 북한에서는 '로인'이라고 발음한다.
③ 북한에서는 남한과 달리 부정어를 강하게 발음하는 편이다.
④ 남한에서는 '노크'라고 하는 것을 북한에서는 '손기척'이라고 한다.
⑤ '소행'이라는 단어는 남한에서와 달리 북한에서는 긍정적 의미로 사용된다.

4 〈보기〉를 바탕으로 남북한 언어 차이로 인한 문제점을 지적한 것으로 가장 적절한 것은?

〈보기〉

국제 규칙에 따라 영어 용어를 대부분 사용하는 한국과 달리 북한은 대부분 순우리말로 된 용어를 사용한다. 주요 용어 중에선 리바운드를 '판공 잡기', 패스는 '연락', 슛은 '투사', 득점은 '근거리넣기(골밑슛), 중거리넣기(미들슛), 3점 넣기(3점슛)'로 부른다. 또 트레블링 바이얼레이션을 '걷기 위반', 퍼스널 파울을 '개별 선수 반칙', 자유투는 '벌 넣기'로 부른다.

– 중앙일보(2018. 08. 02.)

① 우리말 어휘의 수가 점차 사라질 수 있다.
② 상대방의 말을 전혀 알아듣지 못하게 된다.
③ 어휘가 서로 달라 의사소통이 원활하지 않을 수 있다.
④ 경기 방식과 규칙을 이해하는 데 시간이 오래 걸린다.
⑤ 이념이 반영된 어휘로 인해 서로 위화감이 생길 수 있다.

• 정답과 해설 44~45쪽

5 다음은 북한 이탈 주민의 경험을 그린 만화이다. 이를 통해 남북의 언어 차이를 설명한 것으로 가장 적절한 것은?

① 표기는 같지만 남북의 발음이 다른 경우가 있다.
② 북한에서는 남한에 비해 고유어를 많이 사용한다.
③ 북한은 남한에 비해 자신의 생각을 직접적으로 표현한다.
④ 같은 말이라도 남북에서 쓰이는 뜻이 서로 다른 경우가 있다.
⑤ 같은 어휘라도 억양의 차이로 인해 의미가 달라지는 경우가 있다.

6 남한 사람과 북한 사람이 대화할 때, 의사소통에 가장 큰 장애물이 되는 것은?

① 문법 ② 어휘 ③ 어조
④ 발음 ⑤ 어순

7 다음 설명의 예에 해당하지 않는 것은?

> 남한의 표준어와 북한의 문화어는 발음에서 차이를 보인다. 표준어에서는 'ㄹ'과 'ㄴ, ㄴ, ㄴ, ㄴ'가 낱말의 첫소리에 나타나지 않지만, 문화어에서는 이러한 소리가 첫소리에 나타난다.

	남한	북한		남한	북한
①	노인	로인	②	양심	량심
③	여성	녀성	④	규율	규률
⑤	낙천적	락천적			

8 북한어의 특성을 정리한 것으로 적절하지 않은 것은?

발음	• 단어의 첫소리에 'ㄴ'과 'ㄹ'을 그대로 발음한다. ······ ①
표기	• 남한에 비해 단어 사이를 띄어 쓰는 경우가 많다. ······ ② • 합성어에서 사이시옷을 거의 표기하지 않는다. ······ ③
어휘	• 같은 대상을 남한과 다른 어휘로 표현하는 경우가 있다. ······ ④ • 외래어를 순우리말로 순화하여 사용하는 경우가 많다. ······ ⑤

9 다음 자료를 통해 알 수 있는 북한어의 특징을 20자 내외로 서술하시오.

남한	북한	남한	북한
치어	새끼고기	호우	무더기비
훈제	내굴찜	지형	땅생김
주택	살림집	승선	배타기
마찰음	스침소리	적혈구	붉은피알

10 남북 언어의 차이를 극복하기 위한 방안으로 적절하지 않은 것은?

① 국어 관련 학술 교류를 자주 개최한다.
② 남북 언어 차이의 실상을 정확하게 인식한다.
③ 남북한의 어휘를 담은 통합 사전을 편찬한다.
④ 남북의 어문 규정을 조화시킨 통일안을 만든다.
⑤ 민간 교류보다 정부 차원의 교류를 활성화한다.

정답과 해설 45쪽

문법 놀이터

동물원에 왔어요. 다음 물음에 답을 하면서 길을 찾아가 보세요.

[시작]
남한에서 공통어로 제정한 것은?
- 표준어 → [1]번 방으로
- 문화어 → [2]번 방으로

[1]

맛있는 아이스크림 먹고 [3]번 방으로 가세요.

[2]

어흥! 호랑이에게 잡히기 전에 빨리 처음으로 돌아가세요.

[3]
두음 법칙을 적용하여 발음하는 것은 남한일까, 북한일까?
- 남한 → [4]번 방으로
- 북한 → [5]번 방으로

[4]
짝짝! 잘했어요. [6]번 방에서 다음 문제를 풀어 보세요.

[5]
하마가 콧김을 뿜고 있어요. [3]번 방으로 가서 다시 생각해 보세요.

[6]
북한에서는 외래어를 가급적 고유어로 바꾸어 쓰려고 노력한다.
- ○ → [7]번 방으로
- × → [8]번 방으로

[7]

귀여운 판다랑 사진 한 방! 이제 [9]번 방에서 문제를 풀어 보세요.

[8]

앗! 악어가 입을 벌리고 있어요. 빨리 [6]번 방으로 돌아가세요.

[9]
상대적으로 부드럽게 흘러가는 자연스러운 느낌을 주는 말은?
- 남한말 → [10]번 방으로
- 북한말 → [11]번 방으로

[10]

순하디 순한 꽃사슴이에요. [12]번 방으로 가세요.

[11]

어떤 동물이 (똥)을 쌌네요. [9]번 방으로 돌아가세요.

[12]
남한에서 '터널'이라는 말과 같은 뜻으로 쓰이는 북한말은?
- 차굴 → [13]번 방으로
- 땅굴 → [14]번 방으로

[13]

잠깐 앉았다가 [16]번 방으로 가세요.

[14]
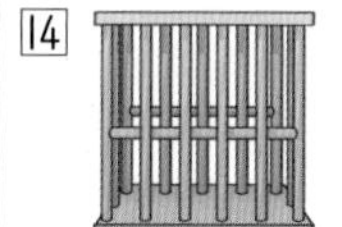
우리에 아무도 없네요. 다시 [12]번 방으로 가세요.

[15]
'나뭇잎', '나룻배'와 같이 합성어를 표기할 때, 사이시옷을 적는 것은 남한일까, 북한일까?
- 남한 → [16]번 방으로
- 북한 → [17]번 방으로

[16]
《겨레말큰사전》을 남북이 함께 만들어 보급하면 남북 언어 차이를 극복하는 데 도움이 된다.
- ○ → A 출구로
- × → B 출구로

[17]
귀신의 집에 잘못 왔어요! [15]번 방으로 다시 가세요.

A
참 잘했어요. 다음에 또 놀러 오세요!^^

B
앗, 문이 없네요! [16]번 방으로 가세요.
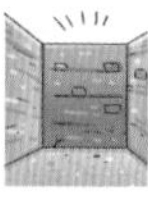

더 알아두기 1 음운의 변동 1-교체

궁금이의 문법 일기

현장 체험 학습을 식물원으로 갔다. 화단에 꽃이 한가득 피어 있었다. 기분이 좋아 말을 하는데 친구가 말끝마다 발음이 틀렸다며 지적을 했다. 자존심이 상해 집에 와 찾아보니 뒤에 오는 말에 따라서 '꽃'이 [꼬치], [꼰만]으로 다르게 소리 났다. 꽃은 예쁜데 이건 너무 어렵다. 왜 같은 '국'인데 '국밥'은 [국빱]으로 발음해서 '국'으로 소리가 나고 '국물'은 [궁물]로 발음해서 '궁'으로 소리가 날까? 왜 글자 그대로 발음하지 않고 글자와 다르게 소리가 나는 것일까?

콕샘 한마디!

궁금이가 오늘은 '꽃'과 관련한 발음 때문에 힘들었군요. 우리말은 음운이 놓인 환경에 따라서 발음이 달라지는데, 이를 '음운의 변동'이라고 합니다. 음운의 변동은 좀 더 쉽고 편하게 발음하기 위해 나타나는 현상인데, 이 때문에 결합하는 환경에 따라 '꽃', '국'의 발음이 달라지는 것이지요. 오늘은 음운의 변동 중에서 '교체'에 대해 알아볼까요?

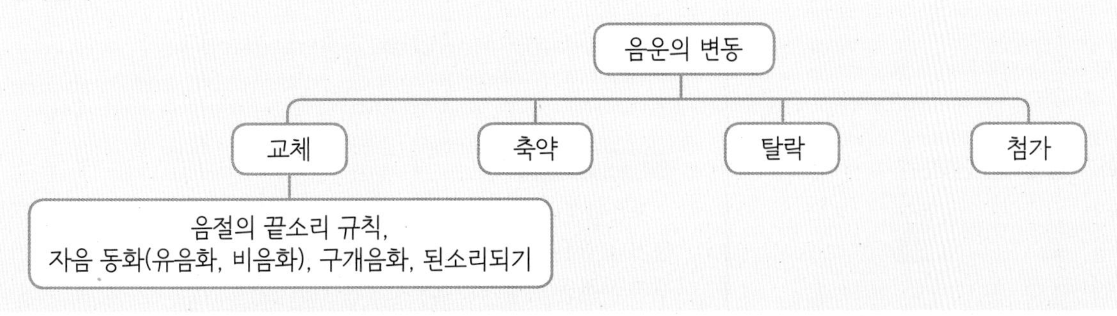

확인하기

오늘의 개념 사전

1

빈칸에 들어갈 적절한 말을 쓰시오.

> 우리말 음운의 변동은 크게 (   ), 축약, 탈락, 첨가로 나눌 수 있다.

2

음운의 변동이 일어나지 않는 것은?

① 낟　② 낫　③ 낮
④ 낯　⑤ 낱

3

음운의 변동의 종류가 나머지와 다른 하나는?

① 밥물[밤물]
② 국물[궁물]
③ 종로[종노]
④ 백로[뱅노]
⑤ 칼날[칼랄]

4

비음화가 일어나는 단어는?

① 사람　② 눈물
③ 격정　④ 썰물
⑤ 국민

음운의 변동
음운이 놓인 환경에 따라 발음이 달라지는 현상으로 교체, 축약, 탈락, 첨가가 있음.

예 꽃[꼳], 꽃을[꼬츨], 꽃만[꼰만]

'꽃'이라는 소리가 단독으로 발음될 때 받침 'ㅊ'이 그대로 소리 나지 않고 'ㄷ' 소리로 바뀌어서 발음된다. '꽃' 뒤에 '을'이 오면 [꼬츨]로 'ㅊ' 소리가 나고, '만'이 오면 [꼰만]으로 'ㅊ'이 'ㄴ'으로 바뀌어 소리가 난다.

교체
어떤 음운이 환경에 따라 다른 음운으로 바뀌는 것

음절의 끝소리 규칙

- 대표음(ㄱ, ㄴ, ㄷ, ㄹ, ㅁ, ㅂ, ㅇ) 이외의 자음이 종성으로 쓰일 때 대표음으로 소리 나는 현상
- 국어의 음절의 끝소리(받침소리)로는 7개의 자음(대표음)만 발음될 수 있기 때문이다.

음절의 받침(종성)	종성의 변화	예
ㄲ, ㅋ	ㄱ	밖[박], 부엌[부억]
ㅅ, ㅆ, ㅈ, ㅊ, ㅌ, ㅎ	ㄷ	옷[옫], 밭[받], 히읗[히읃]
ㅍ	ㅂ	숲[숩]

- 홑받침: 음절의 끝에 받침이 하나 있는 경우
  - 단독
    예 꽃[꼳] → 음절의 끝소리 규칙에 따라 'ㅊ'이 'ㄷ'으로 발음된다.
  - 이어지는 소리가 모음이고 문법적 의미를 지닌 것
    예 꽃으로[꼬츠로] → 앞의 받침 'ㅊ'이 다음 음절의 첫소리로 이어져서 발음된다.
- 겹받침: 음절의 끝에 받침이 겹쳐 나타나는 경우
  - 단독
    예 흙[흑] → 두 개의 자음 중 하나인 [ㄱ]으로 발음된다.
  - 이어지는 소리가 모음이고 문법적인 의미를 지닌 것
    예 흙이[흘기] → 뒤의 자음이 다음 음절의 첫소리로 이어져 발음된다.
  - 이어지는 소리가 자음으로 시작하는 말인 것
    예 흙도[흑또] → 두 자음 중 하나만 발음된다.

자음 동화

자음이 다른 자음과 만날 때, 어느 한쪽이 다른 쪽을 닮아서 그와 비슷하거나 같은 소리로 바뀌기도 하고, 양쪽이 서로 닮아서 두 소리가 다 바뀌기도 하는 현상

▶ 연계 학습 부록 241쪽으로 한번 더!

• 비음화: 국어의 자음 중에서 비음(ㄴ, ㅁ, ㅇ)이 아닌 소리가 비음의 영향으로 비음으로 바뀌는 현상
예 국물[궁물]: ㄱ + ㅁ → ㅇ + ㅁ
'ㄱ'이 'ㅁ'의 영향으로 같은 비음인 'ㅇ'으로 바뀌어서 발음된다.

• 유음화: 국어의 자음 중에서 유음(ㄹ)이 아닌 소리 'ㄴ'이 유음의 영향으로 유음으로 바뀌는 현상
예 신라[실라]: ㄴ + ㄹ → ㄹ + ㄹ
'ㄴ'이 'ㄹ'의 영향으로 같은 유음인 'ㄹ'로 바뀌어서 발음된다.

구개음화

잇몸소리 'ㄷ, ㅌ'으로 끝나는 형태소가 'ㅣ' 모음으로 시작되는 형식 형태소의 영향으로 센입천장소리 'ㅈ, ㅊ'으로 바뀌는 현상

예 • 해돋이[해도디 → 해도지]
'ㄷ + ㅣ → ㅈ + ㅣ'로 바뀐다. 'ㅣ' 모음이 발음되는 위치가 'ㄷ'보다는 'ㅈ' 소리가 나는 위치와 가깝기 때문이다.

• 같이[가티 → 가치]
'ㅌ + ㅣ → ㅊ + ㅣ'로 바뀐다. 'ㅣ' 모음이 발음되는 위치가 'ㅌ'보다는 'ㅊ' 소리가 나는 위치와 가깝기 때문이다.

된소리되기

예사소리였던 것이 된소리로 바뀌는 현상

예 닫고[닫꼬], 목덜미[목떨미], 국밥[국빱], 입술[입쑬], 닭장[닥짱]
받침의 예사소리(ㄱ, ㄷ, ㅂ) 뒤에 예사소리(ㄱ, ㄷ, ㅂ, ㅅ, ㅈ)가 만나, 뒤의 예사소리가 된소리(ㄲ, ㄸ, ㅃ, ㅆ, ㅉ)로 발음된다.

자음군 단순화

• 겹받침이 발음될 때 홑자음으로 바뀌어 소리 나는 현상
• 받침(음절의 끝소리) 중 겹받침 관련 음운 변동을 구분하여 두 음운 중 하나가 없어지는 '탈락'에 의한 '자음군 단순화'로 설명하기도 함.
예 몫[목] → 'ㅅ' 탈락, 닭[닥] → 'ㄹ' 탈락

※ 음운의 변동이 이중으로 일어나는 예

예 꽃만[꼳만 → 꼰만]
(ㄷ+ㅁ → ㄴ+ㅁ: 비음화)
(ㅊ → ㄷ: 음절의 끝소리 규칙)

흙도[흑도 → 흑또]
(ㄱ+ㄷ → ㄱ+ㄸ: 된소리되기)
(ㄺ → ㄱ: 자음군 단순화)

• 정답과 해설 46쪽

확인하기

5
〈보기〉의 두 단어를 발음할 때, 공통적으로 일어나는 음운 변동은?

보기
맏이, 붙이다

① 비음화 ② 유음화
③ 구개음화 ④ 된소리되기
⑤ 음절의 끝소리 규칙

6
(가), (나)의 밑줄 친 부분에 대한 설명으로 적절한 것은?

(가) 네가 굳이 따라가겠다면 할 수 없다.
[구디] → [구지]

(나) 나는 친구와 같이 밥을 먹었다.
[가티] → [가치]

① 모두 비음화가 일어난 것이다.
② 모두 잇몸소리가 아닌 소리가 잇몸소리로 바뀌었다.
③ 모두 뒤의 'ㅣ' 모음의 영향으로 발음이 변화한 것이다.
④ (가)의 '굳이'의 '이'가 실질적인 뜻을 지닌 말이기 때문에 [구디]로 발음된다.
⑤ (나)의 [가티]가 [가치]로 발음 나는 것은 'ㅌ' 소리가 'ㅣ' 모음에 가깝기 때문이다.

7
된소리되기가 일어나는 것은?

① 밖[박]
② 값[갑]
③ 흙을[흘글]
④ 넓다[널따]
⑤ 부엌에[부어케]

8
다음 빈칸에 들어갈 적절한 말을 쓰시오.

앞 음절의 받침이 (   )이고, 뒤 음절의 첫소리가 'ㄱ, ㄷ, ㅂ, ㅅ, ㅈ'일 때에는 예외 없이 된소리되기가 일어난다.

문제로 정복하기

• 정답과 해설 46~47쪽

1 다음의 ㉠~㉤에 들어갈 내용으로 적절한 것은?

> ⊙ 다음 단어들을 발음해 보고 단계별 활동을 수행해 보자.
>
> 부엌, 간, 옷, 빛, 달, 섬, 앞, 창
>
> (1) 음절 끝의 자음이 바뀌는 것과 그렇지 않은 것을 구분해 보자.
> (㉠)
>
> (2) 음절 끝의 자음이 안 바뀌는 경우는 어떤 경우인지 알아보자.
> (㉡)
>
> (3) 음절 끝의 자음이 바뀌는 경우에는 어떤 자음으로 변하는지 정리해 보자.
> (㉢)
>
> (4) (3)과 동일한 음운 변동이 일어난 예들을 더 찾아보자.
> (㉣)
>
> (5) 이상의 활동을 바탕으로 음절 끝에서 발음되는 자음의 목록을 정리해 보자.
> (㉤)

① ㉠: 음절 끝의 자음이 바뀌지 않는 경우는 '부엌, 간, 달, 섬, 창'이다.
② ㉡: 음절 끝의 자음이 예사소리일 때에는 바뀌지 않는다.
③ ㉢: 음운 변동이 일어나면 'ㄱ, ㄹ, ㅂ' 중 하나로 바뀐다.
④ ㉣: '밖'과 '밑'을 음운 변동의 예로 추가할 수 있다.
⑤ ㉤: 음절 끝에서는 'ㄱ, ㄴ, ㄷ, ㄹ, ㅁ, ㅂ, ㅅ, ㅇ'만 발음된다.

2 밑줄 친 부분에서 음운의 교체 현상이 일어나지 않는 것은?

① 가는 날이 장날
② 누워서 떡 먹기
③ 누워서 침 뱉기
④ 호박에 말뚝 박기
⑤ 우물에 가 숭늉 찾기

3 〈보기〉를 참고할 때, 밑줄 친 단어 중 동화의 방향이 나머지와 다른 하나는?

> **보기**
>
> 자음 동화는 동화의 방향에 따라 다음과 같이 나누어 볼 수 있다.
>
> | 구분 | 성격 |
> |---|---|
> | 순행 동화 | 앞 자음의 영향으로 뒤 자음이 변화함. |
> | 역행 동화 | 뒤 자음의 영향으로 앞 자음이 변화함. |
> | 상호 동화 | 앞뒤 자음이 서로 영향을 주고받아 모두 변화함. |

① 그는 평생을 진리 탐구에 매달렸다.
② 네 속마음을 솔직히 말해 줄 수 없니?
③ 국물이 맛있어서 세 그릇이나 먹었다.
④ 그의 눈빛이 칼날처럼 빛나고 있었다.
⑤ 문을 소리 나게 닫는 바람에 잠에서 깼다.

4 다음 설명에 해당하는 음운 변동이 일어나는 단어는?

> • 끝소리 'ㄷ, ㅌ'이 형식 형태소 'ㅣ'를 만나 'ㅈ, ㅊ'으로 바뀌어 소리 난다.
> • 소리 나는 위치가 다른 두 음 사이의 거리를 좁혀 좀 더 편하고 쉽게 발음한다.

① 티끌　② 잔디　③ 갖바치
④ 해돋이　⑤ 달맞이

5 다음과 같이 발음 과정을 구조화했을 때, ㉠과 ㉡에서 발생한 음운 변동에 대하여 서술하시오.

> 꽃밭[→ 꼳받 → 꼳빧]
> ㉠ ㉡

6 〈보기 1〉에 해당하는 음운 변동이 일어나는 단어를 〈보기 2〉에서 모두 찾아 쓰시오.

> **보기 1**
>
> 예사소리끼리 만날 때 뒤의 예사소리가 된소리로 바뀌는 음운 현상이다.

> **보기 2**
>
> 국기, 국밥, 논밭, 앞길, 맏며느리

수능 콕콕 수능 기출

1 2020학년도 대수능 9월 모의평가 13번

〈보기〉의 ㉠에 들어갈 말로 적절한 것은?

보기

선생님: 오늘은 일상생활에서 흔하게 들을 수 있는 부정확한 발음에 대해 알아 볼까요? 우선 아래 표에서 부정확한 발음과 정확한 발음을 확인해 보세요.

예	찰흙이	안팎을	넋이	끝을	숲에
부정확한 발음	[찰흐기]	[안파글]	[너기]	[끄츨]	[수베]
	⬇	⬇	⬇	⬇	⬇
정확한 발음	[찰흘기]	[안파끌]	[넉씨]	[끄틀]	[수페]

다 봤나요? 그럼 정확한 발음을 참고하여, 부정확한 발음을 하게 된 이유를 말해 볼까요?

학생: ㉠

선생님: 네, 맞아요. 그럼 이제 정확한 발음을 일상생활에서 실천해 보세요.

① '찰흙이'는 자음군 단순화[1]를 적용하고 연음[2]해야 하는데, [찰흐기]는 자음군 단순화를 적용하지 않고 연음을 했습니다.

② '안팎을'은 음절의 끝소리 규칙을 적용하지 않고 연음해야 하는데, [안파글]은 음절의 끝소리 규칙을 적용하고 연음을 했습니다.

③ '넋이'는 연음을 하고 된소리되기를 적용해야 하는데, [너기]는 음절의 끝소리 규칙을 적용하고 연음을 했습니다.

④ '끝을'은 연음을 하고 구개음화를 적용해야 하는데, [끄츨]은 구개음화를 적용하고 연음을 했습니다.

⑤ '숲에'는 거센소리가되기를 적용하지 않고 연음해야 하는데, [수베]는 거센소리되기를 적용하고 연음을 했습니다.

개념 확인

1 자음군 단순화

겹받침이 쓰일 때 겹받침이 홑자음으로 바뀌어 소리 나는 현상을 자음군 단순화라고 하지요. 예를 들어, '몫[목]'은 겹받침 ㄳ 중 'ㄱ'이 발음되는데, 이러한 현상을 자음군 단순화라고 한답니다.

2 연음

앞 음절의 끝 자음이 모음으로 시작되는 뒤 음절의 초성으로 이어져 나는 소리를 연음(連音)이라고 합니다. 그리고 '연음하다'는 '앞 음절의 끝 자음을 모음으로 시작되는 뒤 음절의 초성으로 이어 소리를 내다.'를 뜻합니다. 예를 들어, '봄이[보미]'에서 앞 음절의 끝 자음 'ㅁ'이 뒤 음절의 초성으로 연음한다고 말할 수 있답니다.

더 알고 싶은 해설

정답 풀이

❷ '안팎을'은 음절의 끝소리 규칙을 적용하지 않고 연음해야 하는데, [안파글]은 음절의 끝소리 규칙을 적용하고 연음을 했습니다.

| '안팎을'은 [안파끌]이 정확한 발음이므로, 음절의 끝소리 규칙이 적용되지 않고 연음하여 발음해야 해요.

오답 풀이

① '찰흙이'는 자음군 단순화를 적용하고 연음해야 하는데, [찰흐기]는 자음군 단순화를 적용하지 않고 연음을 했습니다.

| '찰흙이'의 정확한 발음은 자음군 단순화를 적용하지 않고 연음하는 [찰흘기]입니다.

③ '넋이'는 연음을 하고 된소리되기를 적용해야 하는데, [너기]는 음절의 끝소리 규칙을 적용하고 연음을 했습니다.

| '넋이'의 정확한 발음은 [넉씨]이에요. 연음되고 된소리되기가 일어난([넉시 → 넉씨]) 것이지요.

④ '끝을'은 연음을 하고 구개음화를 적용해야 하는데, [끄츨]은 구개음화를 적용하고 연음을 했습니다.

| '끝을'의 정확한 발음은 [끄틀]이에요. 받침 'ㅌ'만 음운의 변동 없이 뒤 음절로 연음되죠. 구개음화는 'ㄷ, ㅌ' 뒤에 'ㅣ' 모음이 있을 경우에만 일어난답니다.

⑤ '숲에'는 거센소리가되기를 적용하지 않고 연음해야 하는데, [수베]는 거센소리되기를 적용하고 연음을 했습니다.

| '숲에'의 정확한 발음은 [수페]입니다. 받침 'ㅍ'만 음운의 변동 없이 뒤 음절로 연음되지요.

수능 콕콕 수능 기출

2 2019학년도 대수능 6월 모의평가 14번

〈보기〉의 ⓐ~ⓒ에 들어갈 말로 적절한 것은?

○ 탐구 과제

겹받침을 가진 용언을 발음할 때 어떤 음운 변동이 나타나야 표준 발음에 맞는지 혼동되는 경우가 있다. 자음군 단순화, 된소리되기, 비음화, 유음화, 거센소리되기[1] 등의 음운 변동으로 비표준 발음과 표준 발음을 설명해 보자.

○ 탐구 자료

	비표준 발음	표준 발음
㉠ 긁는	[글른]	[긍는]
㉡ 짧네	[짬네]	[짤레]
㉢ 끊기고	[끈기고]	[끈키고]
㉣ 뚫지	[뚤찌]	[뚤치]

○ 탐구 내용

㉠의 비표준 발음과 ㉡의 표준 발음에는 자음군 단순화 후 (ⓐ)가 나타난다. 이에 비해, ㉠의 표준 발음과 ㉡의 비표준 발음에는 자음군 단순화 후 (ⓑ)가 나타난다. ㉢과 ㉣의 표준 발음은 (ⓒ)만 일어난 발음이다.

	ⓐ	ⓑ	ⓒ
①	유음화	비음화	거센소리되기
②	유음화	비음화	된소리되기
③	비음화	유음화	거센소리되기
④	비음화	유음화	된소리되기
⑤	비음화	된소리되기	거센소리되기

개념 확인

1 거센소리되기

받침 'ㅎ' 뒤에 'ㄱ, ㄷ, ㅈ'이 결합되는 경우 'ㅎ'이 뒤 음절 첫소리와 합쳐서 [ㅋ, ㅌ, ㅊ]으로 발음하는 현상을 거센소리되기라고 합니다. 거꾸로 받침소리 'ㄱ, ㄷ, ㅂ, ㅈ' 다음에 'ㅎ'이 만나도 합쳐서 [ㅋ, ㅌ, ㅍ, ㅊ]으로 발음하는데, 이것도 거센소리되기입니다.

더 알고 싶은 해설

정답 풀이

❶ ⓐ 유음화 ⓑ 비음화 ⓒ 거센소리되기

㉠의 비표준 발음 '긁는[글는 → 글른]'에서는 'ㄹ+ㄴ → ㄹ+ㄹ'의 유음화가 일어났어요. ㉡의 표준 발음 '짧네[짤네 → 짤레]'에서도 'ㄹ+ㄴ → ㄹ+ㄹ'의 유음화가 일어났어요. ㉠의 표준 발음 '긁는[극는 → 긍는]'에서는 'ㄱ+ㄴ → ㅇ+ㄴ'의 비음화가 일어났어요. ㉡의 비표준 발음 '짧네[짭네 → 짬네]'에서도 'ㅂ+ㄴ → ㅁ+ㄴ'의 비음화가 일어났어요. ㉢의 표준 발음 '끊기고[끈키고]'와 ㉣의 표준 발음 '뚫지[뚤치]'에서는 각각 'ㅎ+ㄱ → ㅋ', 'ㅎ+ㅈ → ㅊ'의 거센소리되기가 일어났습니다.

더 알아두기 2 음운의 변동 2–축약, 탈락, 첨가

궁금이의 문법 일기

말이 서툰 동생에게 사과가 열리는 사과나무, 밤이 열리는 밤나무 등 나무의 이름을 가르쳐 주었다. 그런데 '소나무'가 '소가 열리는 나무냐'는 동생의 질문에 말이 막혀 버렸다. 하긴 '소나무'는 소와 나무가 더해진 형태인데, 정말 음매, 음매~ 하는 소가 열리는 것은 아니고……. 엄마께 여쭤 봤더니 '음매' 하는 소가 아니라 '솔(방울)'이라는 말에 '나무'가 더해진 것이라고 하신다. 그러면 '솔나무'가 되어야 하는데 왜 '소나무'라고 하는 것일까? 소나무의 잎은 '솔잎'이라고 하는데, 어떤 때는 '소'이고 어떤 때는 '솔'인지 아직도 잘 모르겠다.

콕샘 한마디!

궁금이가 오늘은 왜 '솔나무'가 아니고 '소나무'인지가 궁금했군요. '솔'이 '잎'과 결합하면 '솔잎'이 되는데, '나무'와 결합하면 '소나무'가 되는 것은 발음을 편하게 하기 위해 'ㄹ' 소리가 떨어져 나갔기 때문이랍니다. 반면 '솔'이 '잎'과 결합할 때는 발음이 덜 불편하기 때문에 '솔'의 'ㄹ'이 그대로 유지되는 것이지요. 오늘은 이와 같이 말들이 결합하면서 나타나는 음운의 축약, 탈락, 첨가에 대해서 알아볼까요?

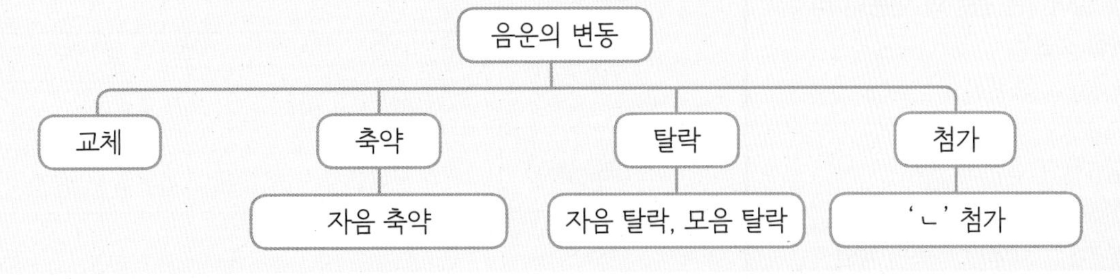

확인하기

1
밑줄 친 부분에서 일어나는 음운 변동은?

> 책상 위에 책을 놓다.

① 음운의 교체 ② 음운의 축약
③ 음운의 첨가 ④ 음운의 탈락
⑤ 음운의 동화

2
발음할 때 음운의 축약이 일어나지 않는 것은?

① 높이 ② 하얗다 ③ 밝혀
④ 굽혀 ⑤ 젖히다

3
밑줄 친 단어 중, 일어나는 음운 변동이 나머지와 다른 하나는?

① 따님이 올해 시집간다고 들었습니다.
② 요즘은 목화가 뭔지 모르는 학생도 많아.
③ 요즘에도 학교에서 바느질을 배우는구나.
④ 즐거운 일이 많으면 하루가 화살처럼 빠르게 지나간다.
⑤ 아궁이나 화로의 재를 치울 때 사용하는 조그마한 삽을 부삽이라고 한다.

4
발음할 때 일어나는 음운의 변동이 바르게 짝지어진 것은?

① 입술[입쑬] – 유음화
② 좋고[조:코] – 자음 축약
③ 담력[담:녁] – 음운의 탈락
④ 솜이불[솜:니불] – 구개음화
⑤ 국화[구콰] – 음절의 끝소리 규칙

오늘의 개념 사전

축약
두 음운이 합쳐져서 하나의 음운이 되는 것

자음 축약

예사소리 'ㄱ, ㄷ, ㅂ, ㅈ'이 'ㅎ'을 만나 거센소리 'ㅋ, ㅌ, ㅍ, ㅊ'이 되는 것

예 좋고[조:코]: ㅎ + ㄱ → ㅋ 많다[만:타]: ㅎ + ㄷ → ㅌ
잡히다[자피다]: ㅂ + ㅎ → ㅍ 옳지[올치]: ㅎ + ㅈ → ㅊ

※ 축약과 표기

자음 축약	표기 미반영	국화[구콰] ➡ 표기: 국화

탈락
두 형태소가 결합하면서, 그중의 한 음운이 완전히 탈락하는 것

자음 탈락

두 형태소가 결합하면서 자음이 없어지는 것

- 'ㄹ' 탈락: 'ㄹ'로 끝나는 형태소가 다른 형태소와 결합하면서 'ㄹ'이 탈락한 것이다.
  예 울- + -는 → 우는 멀- + -니 → 머니
  딸 + -님 → 따님 바늘 + -질 → 바느질
- 'ㅎ' 탈락: 'ㅎ'을 끝소리로 가지는 어간은 모음으로 시작하는 어미나 접미사 앞에서 'ㅎ'이 탈락한다.
  예 좋은[조:은] 넣어[너어]
  쌓이다[싸이다] 끓이다[끄리다]

모음 탈락

두 형태소가 결합하면서 모음이 없어지는 것

- 'ㅏ' 탈락: 두 형태소가 결합하면서 'ㅏ'가 탈락한 것이다.
  예 가- + -아서 → 가서
- 'ㅡ' 탈락: 두 형태소가 결합하면서 'ㅡ'가 탈락한 것이다.
  예 고프- + -아서 → 고파서

※ 탈락과 표기

자음 탈락	표기 반영	울-+-는 → 우는 ➡ 표기: 우는
	표기 미반영	좋은[조:은] ➡ 표기: 좋은
모음 탈락	표기 반영	가-+-아서 → 가서 ➡ 표기: 가서 고프-+-아 → 고파 ➡ 표기: 고파

▶연계 학습 부록 242쪽으로 한번 더!

첨가
형태소가 결합할 때나 단어와 단어 사이에 음운이 덧붙는 것

'ㄴ' 첨가

합성어 및 파생어 또는 단어와 단어 사이에서 'ㄴ'이 첨가되어 발음되는 것

- 합성어, 파생어에서
  예 솜+이불 → 솜이불[솜:니불], 논+일 → 논일[논닐]
  맨-+입 → 맨입[맨닙], 홑-+이불 → 홑이불[혼니불]
  합성어 및 파생어에서 앞 단어나 접두사의 끝이 자음이고 뒤 단어나 접미사의 첫음절이 '이, 야, 여, 요, 유'인 경우에는 'ㄴ' 음을 첨가하여 [니, 냐, 녀, 뇨, 뉴]로 발음한다.
- 두 단어를 이어서 한 마디로 발음할 때
  예 한 일[한닐], 옷 입다[온닙따]

※ 'ㄴ'이 첨가되는 조건이지만 반드시 'ㄴ'이 첨가되지는 않는 경우도 있다.
예 금융[금늉/그뮹]('ㄴ'이 첨가되지 않는 발음도 인정함.)
송별연[송:벼련]('ㄴ'이 첨가되지 않음.)

※ 음운의 변동이 이중으로 일어나는 예
예 홑이불[홑니불 → 혿니불 → 혼니불]
('ㄴ' 첨가, 음운의 첨가 / 음절의 끝소리 규칙(ㅌ → ㄷ) / 비음화(ㄷ+ㄴ → ㄴ+ㄴ))
옷 입다[옷닙다 → 옫닙다 → 온닙다 → 온닙따]
('ㄴ' 첨가, 음운의 첨가 / 음절의 끝소리 규칙(ㅅ → ㄷ) / 비음화(ㄷ+ㄴ → ㄴ+ㄴ) / 된소리되기(ㅂ+ㄷ → ㅂ+ㄸ))

사이시옷을 받치어 적는 경우

앞말이 모음으로 끝난 순우리말 합성어 또는 순우리말과 한자어로 된 합성어 가운데

- 뒷말의 첫소리가 된소리로 나는 경우
  예 내 + 가 → 냇가[내:까/낻:까]
  나무 + 가지 → 나뭇가지[나무까지/나묻까지]
- 뒷말의 첫소리 'ㄴ, ㅁ' 앞에서 'ㄴ' 소리가 덧나는 경우
  예 코 + 물 → 콧물[콘물], 이 + 몸 → 잇몸[인몸]
- 뒷말의 첫소리 모음 앞에서 'ㄴㄴ' 소리가 덧나는 경우
  예 예사 + 일 → 예삿일[예:산닐], 나무 + 잎 → 나뭇잎[나문닙]
- 두 음절로 된 다음 한자어: 찻간, 곳간, 툇간, 횟수, 숫자, 셋방

• 정답과 해설 47~48쪽

확인하기

5
밑줄 친 단어를 발음할 때, 공통적으로 첨가되는 음운은 무엇인지 쓰시오.

- 벌써 겨울이야. <u>솜이불</u>을 꺼내야겠어.
- 꽃밭에 앉아서 <u>꽃잎</u>을 보네.

6
밑줄 친 단어 중, 형태소가 결합하는 과정에서 음운의 탈락 현상이 일어나지 <u>않는</u> 것은?

① 새로 설치한 문을 <u>여닫다</u>.
② 배가 <u>고파</u> 먹을 것을 찾았다.
③ 밥을 먹은 자리에 <u>앉아야</u> 돼.
④ 새가 <u>우니</u> 내 마음도 슬프다.
⑤ 김치를 <u>담가</u> 먹는 사람들이 다시 늘어나고 있다.

7
㉠, ㉡에서 일어나는 음운 현상에 대한 설명으로 적절한 것은?

- 문익점은 원나라에서 ㉠<u>목화</u>씨를 고려로 가져왔다.
- 솔밭에 있는 ㉡<u>소나무</u>가 매우 아름답다.

① ㉠과 ㉡은 음운이 탈락했다.
② ㉠과 ㉡은 모두 음운의 축약이 일어났다.
③ ㉠과 ㉡은 모두 발음할 때 거센소리가 나타난다.
④ ㉠은 [모콰]로 발음된다.
⑤ ㉡은 'ㅎ'이 탈락한 것이다.

8
다음과 같은 과정으로 만들어진 단어의 표기와 발음을 적고, 이 단어에서 일어난 음운의 변동 현상이 무엇인지 쓰시오.

코 + 날

- 표기: (   )
- 발음: [   ]
- 음운의 변동 현상: (   )

문제로 정복하기

• 정답과 해설 48~49쪽

1 밑줄 친 두 단어에서 공통적으로 일어나는 음운 변동은?

> 바람이 부니 나뭇잎이 우짖고 있다.

① 구개음화 ② 자음 동화
③ 음운의 축약 ④ 음운의 탈락
⑤ 음절의 끝소리 규칙

2 음운 변동의 종류가 나머지와 다른 하나는?

① 날- + -는 → 나는[나는]
② 놓- + -은 → 놓은[노은]
③ 담그- + -아 → 담가[담가]
④ 놀라- + -아 → 놀라[놀라]
⑤ 좋- + -지만 → 좋지만[조치만]

3 음운 변동을 고려하여, 다음 문장을 소리 나는 대로 쓰시오.

> 수지가 화단에 국화를 심었다.

4 다음 밑줄 친 단어에 나타난 모든 음운 변동이 일어나는 것은?

> 서인아,
> 급히 먹는 밥이 체한다는 말이 있어. 마음이 답답하면 창문을 열고 잠시 먼 산을 바라보렴.

① 국밥 ② 단단히
③ 끝소리 ④ 지혜롭다
⑤ 묵직하다

5 ㉠~㉣에서 일어나는 음운 변동에 대한 설명으로 적절하지 않은 것은?

> 저 ㉠소나무는 거북이등과 ㉡같이 갈라져서 ㉢연륜을 ㉣똑똑히 보여 준다.

① ㉠은 '솔'과 '나무'가 결합하면서 'ㄹ'이 탈락했다.
② ㉡에서 일어난 음운의 변동은 '굳이'를 [구지]라고 하는 데서도 일어난다.
③ ㉢은 'ㄴ'이 'ㄹ' 앞에서 'ㄹ'로 바뀌면서 [열륜]이라고 발음된다.
④ ㉣은 [똑똑키]로 발음되어 'ㅎ'이 'ㅋ'으로 바뀐 것을 확인할 수 있다.
⑤ ㉠과 ㉣은 모두 음운의 변동이 일어나면서 음운의 개수가 하나 줄어든다.

6 빈칸에 들어갈 내용을 〈조건〉에 맞게 서술하시오.

> • ㉠극히[그키] 「부사」
> 더할 수 없는 정도로.
> • ㉡맨입[맨닙] 「명사」
> 아무것도 먹지 아니한 입.
>
> 선생님: 국어사전을 보면, ㉠의 올바른 발음은 [그키]입니다. 2개의 자음이 하나의 자음으로 줄어들었어요. ㉡은 [맨닙]으로 발음되는데, 없던 자음이 하나 더 생기죠. ㉠과 ㉡에 나타난 음운의 변동은 무엇이고 표기에는 어떻게 반영되는 걸까요?
> 순영: (   )

조건
• 밑줄 친 선생님의 물음에 대한 답을 쓸 것.
• ㉠과 ㉡을 별도의 주어로 하여 각각 한 문장으로 쓸 것.

수능 콕콕 수능 기출

1 2020학년도 대수능 6월 모의평가 14번

〈보기〉에 대한 이해로 적절하지 않은 것은?

보기

㉠풀잎[풀립]　　㉡읊네[음네]　　㉢벼훑이[벼훌치]

① ㉠, ㉡에서는 음운 변동이 각각 세 번씩 일어났군.
② ㉠, ㉡에서는 인접한 자음과 조음 방법[1]이 같아지는 음운 변동이 일어났군.
③ ㉠에서 첨가된 음운과 ㉡에서 탈락된 음운은 서로 다르군.
④ ㉠, ㉢에서는 음운 개수가 달라지는 음운 변동[2]이 일어났군.
⑤ ㉠은 'ㄹ'로 인해, ㉢은 모음 'ㅣ'로 인해 동화되는 음운 변동이 일어났군.

개념 확인

1 조음 방법에 따른 자음의 분류
우리말 자음은 조음 방법, 즉 소리 내는 방법에 따라서 파열음(ㄱ, ㄲ, ㅋ, ㄷ, ㄸ, ㅌ, ㅂ, ㅃ, ㅍ), 파찰음(ㅈ, ㅉ, ㅊ), 마찰음(ㅅ, ㅆ, ㅎ), 비음(ㄴ, ㅁ, ㅇ), 유음(ㄹ)으로 나누어집니다.

2 음운 개수가 달라지는 음운 변동
일반적으로 축약과 탈락 현상이 일어나면 음운의 개수가 달라집니다. 예를 들어 '낳다[나:타]'에서는 'ㅎ+ㄷ → ㅌ'의 자음 축약이 일어나는데, 음운이 원래 5개(ㄴ, ㅏ, ㅎ, ㄷ, ㅏ)에서 4개(ㄴ, ㅏ, ㅌ, ㅏ)로 줄었습니다. 또한 '따님(딸+-님)'에서는 'ㄹ' 탈락이 일어났는데, 음운이 원래 6개(ㄸ, ㅏ, ㄹ, ㄴ, ㅣ, ㅁ)에서 5개(ㄸ, ㅏ, ㄴ, ㅣ, ㅁ)로 줄었습니다.

더 알고 싶은 해설

정답 풀이

❹ ㉠, ㉢에서는 음운 개수가 달라지는 음운 변동이 일어났군.

㉠'풀잎[풀립]'에서는 음운이 원래 5개(ㅍ, ㅜ, ㄹ, ㅣ, ㅍ)에서 6개(ㅍ, ㅜ, ㄹ, ㄹ, ㅣ, ㅍ)로 늘어났어요. 그러나 ㉢'벼훑이[벼훌치]'에서는 음운이 원래 7개(ㅂ, ㅕ, ㅎ, ㅜ, ㄹ, ㅌ, ㅣ)에서 7개(ㅂ, ㅕ, ㅎ, ㅜ, ㄹ, ㅊ, ㅣ)로 개수가 달라지지 않았습니다. 다만 여기서 'ㅕ'를 '반모음 ㅣ'와 'ㅓ'의 결합으로 파악하여 2개의 음운으로 취급하기도 한답니다.

오답 풀이

① ㉠, ㉡에서는 음운 변동이 각각 세 번씩 일어났군.

㉠'풀잎'은 [풀입 → 풀닙 → 풀립]으로 음절의 끝소리 규칙(ㅍ → ㅂ), 'ㄴ' 첨가, 유음화(ㄹ+ㄴ → ㄹ+ㄹ)가 일어났어요. ㉡'읊네[음네]'는 [읖네 → 읍네 → 음네]로 자음군 단순화(ㄿ → ㅍ), 음절의 끝소리 규칙(ㅍ → ㅂ), 비음화(ㅂ+ㄴ → ㅁ+ㄴ)가 일어났어요.

② ㉠, ㉡에서는 인접한 자음과 조음 방법이 같아지는 음운 변동이 일어났군.

㉠'풀잎[풀입 → 풀닙 → 풀립]'과 ㉡'읊네[읖네 → 읍네 → 음네]'에서는 각각 자음의 조음 방법이 같아지는 유음화(ㄹ+ㄴ → ㄹ+ㄹ)와 비음화(ㅂ+ㄴ → ㅁ+ㄴ)가 일어났군요.

③ ㉠에서 첨가된 음운과 ㉡에서 탈락된 음운은 서로 다르군.

㉠'풀잎[풀입 → 풀닙 → 풀립]'에서는 'ㄴ'이 첨가되었고, ㉡'읊네[읖네 → 읍네 → 음네]'에서는 'ㄹ'이 탈락되었습니다.

⑤ ㉠은 'ㄹ'로 인해, ㉢은 모음 'ㅣ'로 인해 동화되는 음운 변동이 일어났군.

㉠'풀잎[풀입 → 풀닙 → 풀립]'에서 유음화(ㄹ+ㄴ → ㄹ+ㄹ)는 'ㄹ'의 영향으로 'ㄴ'이 'ㄹ'로 동화된 것입니다. ㉢'벼훑이[벼훌티 → 벼훌치]'에서 일어난 구개음화(ㅌ+ㅣ → ㅊ+ㅣ)는 모음 'ㅣ'의 영향으로 'ㅌ'이 'ㅊ'으로 동화된 것입니다.

수능 콕콕 수능 기출

2 2019학년도 대수능 6월 모의평가 13번

〈보기〉의 1가지 조건으로 적절하지 않은 것은?

◀ 보기 ▶

'한글 맞춤법'에 따르면, 사이시옷은 아래의 조건 ⓐ~ⓓ가 모두 만족되어야 표기된다. 단, '곳간, 셋방, 숫자, 찻간, 툇간, 횟수'는 예외이다.

○ 사이시옷 표기에 고려되는 조건

ⓐ 단어 분류상 '합성 명사[1]'일 것.

ⓑ 결합하는 두 말의 어종[2]이 다음 중 하나일 것.

- 고유어 + 고유어
- 고유어 + 한자어
- 한자어 + 고유어

ⓒ 결합하는 두 말 중 앞말이 모음으로 끝날 것.

ⓓ 두 말이 결합하며 발생하는 음운 현상이 다음 중 하나일 것.

- 앞말 끝소리에 'ㄴ' 소리가 덧남.
- 앞말 끝소리와 뒷말 첫소리에 각각 'ㄴ' 소리가 덧남.
- 뒷말 첫소리가 된소리로 바뀜.

㉠~㉤ 각각의 쌍은 위 조건 ⓐ~ⓓ 중 1가지 조건만 차이가 나서 사이시옷 표기 여부가 갈린 예이다.

	사이시옷이 없는 단어	사이시옷이 있는 단어
㉠	도매가격[도매까격]	도맷값[도매깝]
㉡	전세방[전세빵]	아랫방[아래빵]
㉢	버섯국[버섣꾹]	조갯국[조개꾹]
㉣	인사말[인사말]	존댓말[존댄말]
㉤	나무껍질[나무껍찔]	나뭇가지[나무까지]

① ㉠: ⓐ ② ㉡: ⓑ ③ ㉢: ⓒ ④ ㉣: ⓓ ⑤ ㉤: ⓓ

개념 확인

1 합성 명사

실질적 의미를 타나내는 어근과 어근이 결합하여 만들어진 명사를 합성 명사라고 합니다. 합성 명사의 예로 '보리밥(보리+밥)', '나뭇가지(나무+가지)' 등을 들 수 있답니다.

2 어종에 따른 어휘

우리말은 어종, 다시 말해서 단어의 기원에 따라 고유어, 한자어, 외래어로 나눌 수 있습니다. 예를 들어, '아내'는 고유어, '처'는 한자어입니다. 또한 '계산대'는 한자어, '카운터'는 외래어입니다.

더 알고 싶은 해설

정답 풀이

❶ '도매가격'은 한자어('도매')와 한자어('가격')로, '도맷값'은 한자어('도매')와 고유어('값')로 이루어졌으므로, 조건 ⓑ에 따라 사이시옷 표기가 달라진 것입니다.

오답 풀이

② '전세방'은 한자어와 한자어로, 아랫방은 고유어와 한자어로 이루어졌으므로, 조건 ⓑ에 따라 사이시옷 표기가 달라진 것입니다.

③ '버섯국'에서 '버섯'은 자음으로 끝났고, '조갯국'에서 '조개'는 모음으로 끝났으므로, 조건 ⓒ에 따라 사이시옷 표기가 달라진 것입니다.

④ '인사말[인사말]'에서는 음운 현상이 일어나지 않았고, '존댓말[존댄말]'에서는 'ㄴ' 소리가 덧나는 음운 현상이 일어났으므로, 조건 ⓓ에 따라 사이시옷 표기가 달라진 것입니다.

⑤ '나무껍질[나무껍찔]'은 '나무'와 '껍질'의 결합으로 뒷말의 첫소리 '껍'에 변화가 없습니다. '껍질'은 합성 명사가 아니며, [껍찔]로 발음되는 것은 된소리되기(ㅂ + ㅈ → ㅂ + ㅉ)이므로, 사이시옷 표기와 관련이 없습니다. '나뭇가지[나무까지]'는 '나무'와 '가지'의 결합으로 뒷말의 첫소리 'ㄱ'이 된소리 'ㄲ'으로 바뀌었어요. 따라서 '나무껍질'과 '나뭇가지'는 조건 ⓓ에 따라 사이시옷 표기가 달라진 것입니다.

더 알아두기 3 문장의 호응 1-높임, 시간 표현

궁금이의 문법 일기

오늘 교무실에 가서 "물어볼 게 있어요."라고 했다가 높임말을 제대로 사용하지 못했다는 지적을 받았다. 무척 당황스러웠다. 간신히 '여쭙다'라는 말이 생각나서 "어제 높임말 배우죠?... 여쭐 게 있으신데요..."라고 했더니 오히려 높임말뿐만 아니라 시간 표현도 틀렸다고 지적해 주셨다. 간신히 궁금한 것에 대한 설명을 듣기는 했는데, 내 말에 어떤 문제가 있었는지 아직 잘 모르겠다. 어떻게 하면 높임 표현과 시간 표현을 제대로 사용할 수 있을까? 더 집중해서 공부해야겠다.

콕샘 한마디!

궁금이가 높임 표현과 시간 표현을 잘못 사용해서 많이 당황했나 봐요. 높임법에 맞는 말은 "여쭈어 볼 게 있어요."입니다. 또 "어제 높임말 배웠죠?"라고 해야 시간 표현도 맞아요. 우리말의 높임 표현은 무척 다양한데, 이를 잘못 사용하면 곤란한 상황에 처할 수 있어요. 그리고 시간 표현이 부적절하면 소통에 어려움이 생길 수 있어요. 이번 시간에는 높임 표현과 시간 표현에 대해 알아볼까요?

확인하기

1

밑줄 친 부분에서 실현된 높임 표현의 종류를 바르게 연결하시오.

(1) 선생님, 제가 그 일을 하겠습니다. • • ㉠ 주체 높임

(2) 동생은 집에 오는 길에 할아버지를 모셔 왔다. • • ㉡ 객체 높임

(3) 어머니께서 동생에게 동화책을 읽어 주셨다. • • ㉢ 상대 높임

2

높임 표현이 적절하게 쓰인 것은?

① 궁금아, 선생님께서 오시래.
② 우리 선생님은 키가 무척 크다.
③ 궁금이가 어머니께 선물을 줬다.
④ 교장 선생님 말씀이 있으시겠습니다.
⑤ 이것은 할머니께서 기르는 화초이십니다.

3

높임 표현이 잘못된 부분을 바르게 고친 것은?

① 어머니 집에 계시니?
→ 어머니 댁에 있으시니?
② 아버지, 잠은 잘 자셨어요?
→ 아버지, 잠은 잘 주무셨어요?
③ 손님, 주문하신 음료 나오셨어요.
→ 손님, 주문하신 음료 나오셨습니다.
④ 이것은 선생님이 빌려 준 책이다.
→ 이것은 선생님께서 빌려 드린 책이다.
⑤ 어머니께서 동생에게 선물을 줬다.
→ 어머니께서 동생에게 선물을 드리셨다.

오늘의 개념 사전

주체 높임

문장의 주어, 즉 서술어가 나타내는 행위의 주체를 높이는 방법

주체 높임의 실현 방법

- 주체인 주어에 높임을 나타내는 주격 조사 '께서'를 사용한다.
- 서술어에 높임을 나타내는 선어말 어미 '-(으)시-'를 붙인다.
  예 궁금이가 오다. – 선생님께서(주격 조사) 오시다(선어말 어미).
- 높여야 할 대상과 관련된 특수한 어휘를 사용한다.
  예 궁금이가 낮잠을 자다. – 할머니께서 낮잠을 주무시다(특수한 어휘).

객체 높임

동작의 행위가 미치는 대상인 목적어나 부사어가 지시하는 대상, 즉 서술어의 객체를 높이는 방법

객체 높임의 실현 방법

- 대상인 부사어에 높임을 나타내는 부사격 조사 '께'를 사용한다.
- 대상인 목적어나 부사어를 높이기 위해 '드리다', '모시다' 등 특수한 어휘를 사용한다.
  예 궁금이가 친구에게 책을 주었다. – 궁금이가 선생님께(부사격 조사) 책을 드렸다(특수한 어휘).
  궁금이가 친구를 데리고 왔다. – 궁금이가 할머니를 모시고(대상인 목적어를 높이기 위한 특수한 어휘) 왔다.

상대 높임

말하는 이가 말을 듣는 상대방을 높이거나 낮추는 방법

격식체

격식을 갖추어 말해야 하는 자리에 사용하는 표현. 주로 공적인 상황에 사용하며, 종결 어미로 실현된다.

등급	구분	실현 방법
아주높임	하십시오체	-ㅂ니다/-습니다, -ㅂ니까/-습니까, -(으)십시오
예사높임	하오체	-오, -소, -(으)ㅂ시다
예사낮춤	하게체	-네, -나, -게
아주낮춤	해라체	-다, -니, -아라/-어라

비격식체

편안하게 말하는 자리에 사용하는 표현. 일상생활에서와 같이 격식을 덜 차릴 때 사용하며, 종결 어미와 높임의 보조사 '요'에 의해 실현된다.

등급	구분	실현 방법
두루높임	해요체	-아요/-어요, -지요
두루낮춤	해체	-아/-어, -지

▶연계 학습 부록 243쪽으로 한번 더!

시제
말하는 시점을 기준으로 하여 사건이 언제 일어났는지를 나타내는 것

과거 시제
말하고자 하는 사건이 말하는 시점(발화시) 이전에 일어난 것

과거 시제의 실현 방법

- 주로 과거 시제 선어말 어미 '-았-/-었-', '-았었-/-었었-'을 사용한다.
  예 궁금이가 그 책을 다 읽었다.
- 선어말 어미 '-더-'를 사용하여 회상한 내용을 표현한다.
  예 궁금이가 운동장에서 축구를 하더라.
- 관형사형 어미 -(으)ㄴ'을 사용한다.
  예 그때 읽은 책이 몇 권이나 되니?
- 과거의 시간을 나타내는 부사 '어제', '이미' 등을 사용한다.

현재 시제
말하고자 하는 사건이 일어난 시점(사건시)이 말하는 시점(발화시)과 같은 것

현재 시제의 실현 방법

- 동사의 경우 현재 시제 선어말 어미 '-ㄴ-/-는-'으로 실현된다.
  예 궁금이가 국어책을 읽는다.
- 형용사나 서술격 조사 '이다'의 경우 특정한 선어말 어미를 결합하지 않고 그대로 사용한다.
  예 지금 창밖의 저녁노을이 무척 붉다./나는 학생이다.
- 관형사형 어미 '-는', '-(으)ㄴ'을 사용한다.
  예 지금 읽는 책의 제목이 뭐니?
- 현재의 시간을 나타내는 부사 '지금', '오늘' 등을 사용한다.

미래 시제
말하고자 하는 사건이 일어난 시점(사건시)이 말하는 시점(발화시)보다 뒤에 오는 것

미래 시제의 실현 방법

- 주로 미래 시제 선어말 어미 '-겠-'을 사용한다. 예 조금 뒤에 비가 오겠다.
- 관형사형 어미 '-(으)ㄹ'을 사용한다. 예 내일 입을 옷을 미리 챙겨 두어라.
- '-(으)ㄹ 것이-' 또는 어미 '-(으)리-'를 사용한다.
  예 우리 학교는 내일 소풍을 갈 것이다./소풍을 가면 김밥을 먹으리라.
- 미래의 시간을 나타내는 부사 '내일', '곧' 등을 사용한다.
  예 궁금이는 내일 찐빵을 먹을 것이다.

• 정답과 해설 49~50쪽

확인하기

4
문장의 시제를 파악한 것으로 적절하지 않은 것은?

① 내일은 꼭 그를 만나고 말리라. – 미래
② 기차가 조금 전에 도착했습니다. – 과거
③ 지구는 태양의 주위를 공전한다. – 현재
④ 앞으로도 그 일은 아무도 모를 것입니다. – 현재
⑤ 어젯밤 꿈에 네가 복권에 당첨되었더라. – 과거

5
다음 문장의 시간 표현을 바르게 연결하시오.

(1) 나는 지금 학교에 간다. • • ㉠ 현재 시제
(2) 나는 내일 봉사 활동을 가겠다. • • ㉡ 과거 시제
(3) 궁금이는 친구들과 농구를 했다. • • ㉢ 미래 시제

6
다음 시간 표현에 알맞은 말을 고르시오.

(1) 우리는 어제 그 영화를 (보았다, 본다, 보겠다).
(2) 궁금이는 앞으로 친구들과 문법 공부를 (하더라, 했다, 할 것이다).

7
현재 시제를 나타낸 문장으로 적절한 것은?

① 길동이는 노래를 잘 불렀다.
② 궁금이가 물을 다 마셔 버렸다.
③ 비가 그친 뒤 하늘이 무척 파랗다.
④ 나는 문법 공부를 더 열심히 하겠다.
⑤ 영채가 운동장에서 농구를 하더라.

문제로 정복하기

• 정답과 해설 50쪽

1 높임 표현의 사용이 적절하지 않은 것은?

① 누나가 할머니를 모시고 왔다.
② 혜민아, 선생님께서 오시라고 했어.
③ 작은어머니께서 어제 아기를 낳으셨어.
④ 사장님의 인사 말씀이 있으시겠습니다.
⑤ 오늘은 할아버지께서 늦게 돌아오셨다.

2 〈보기〉를 참고할 때, 밑줄 친 말의 쓰임이 적절하지 않은 것은?

보기

'말'을 높이거나 낮출 때에 사용하는 어휘에는 '말씀'이 있다. '말씀'이 남의 말을 가리킬 때에는 그 사람을 높이는 의도가 담기지만, 자기의 말을 가리킬 때에는 자기를 낮추어 결과적으로 듣는 이를 높여 대우하는 의도가 담긴다.

① 제 말씀은 그런 뜻이 아닙니다.
② 아버님 말씀도 옳으신 데가 있어요.
③ 사장님께 드릴 말씀이 있어서 왔습니다.
④ 선생님께서는 은수의 말씀에 관심을 보이셨다.
⑤ 선생님의 말씀대로 학습 계획을 세워 보겠습니다.

3 높임 표현의 사용이 적절한 것은?

① "아버지께서는 피곤하셔서 지금 방에서 자고 있으십니다."
② "할아버지, 아버지는 지금 서재에서 책을 읽고 있습니다."
③ "어머니, 할아버지께서는 안방에서 진지를 먹고 계십니다."
④ "할머니께서 많이 아파서 오늘 일찍 집에 돌아가야 할 것 같습니다."
⑤ "어머니께서 제가 조퇴해도 되는지 선생님께 물어보라고 하셨습니다."

4 ㉠~㉢의 예문으로 적절하지 않은 것은?

시제는 기본적으로 발화시와 사건시의 선후 관계에 따라 파악된다. 발화시란 화자가 말하는 현재 시점을 가리키는 것이고, 사건시란 어떤 사건이나 상태가 나타나는 시점을 가리킨다. 발화시와 사건시의 선후 관계를 ㉠사건시가 발화시보다 앞서는 경우, ㉡사건시와 발화시가 같은 경우, ㉢발화시가 사건시보다 앞서는 경우로 나눌 수 있는데, 이는 차례대로 과거, 현재, 미래가 된다.

① ㉠: 나는 영화를 보는 내내 졸았다.
② ㉠: 나는 어제 도서관에서 친구를 만났다.
③ ㉡: 지금 밖에는 비가 내린다.
④ ㉡: 마당에 해바라기가 활짝 피었어.
⑤ ㉢: 잠시 후 열차가 도착하겠습니다.

5 ㉠~㉢의 시제 분석이 모두 적절한 것은?

죽는 날까지 하늘을 우러러
한 점 부끄럼이 없기를
잎새에 이는 바람에도
나는 ㉠괴로워했다.
별을 노래하는 마음으로
모든 죽어 가는 것을 사랑해야지.
그리고 나한테 주어진 길을 ㉡걸어가야겠다.

오늘 밤에도 별이 바람에 ㉢스치운다.

-윤동주, 「서시」

	㉠	㉡	㉢
①	과거	현재	미래
②	과거	미래	과거
③	과거	미래	현재
④	현재	미래	현재
⑤	현재	미래	과거

수능 콕콕 수능 기출

1 2016학년도 고3 7월 전국연합학력평가 13번

〈보기〉의 ㉠~㉤에 대한 설명으로 옳지 않은 것은?

> 높임법은 화자가 높이려는 대상이 누구인지에 따라 주체 높임법, 상대 높임법, 객체 높임법[1]으로 구분된다. 주체 높임법은 주어가 나타내는 대상인 주체를 높이는 것이며, 상대 높임법은 대화의 상대인 청자를 높이거나 낮추는 것이고, 객체 높임법은 문장의 목적어나 부사어가 나타내는 대상인 객체를 높이는 것이다.
>
> ㉠ 할머니께서 책을 읽고 계신다.
> ㉡ 누나는 어머니께 모자를 선물로 드렸다.
> ㉢ 할아버지께서 월요일 오후에 병원에 가신다.
> ㉣ (선생님과의 대화 중) 선생님, 제가 드릴 말씀이 있습니다.
> ㉤ (아버지와의 대화 중) 아버지, 저는 아버지를 예전부터 존경해 왔습니다.

① ㉠은 주체인 '할머니'를 높이는 데에 '께서'와 '계시다'를 사용하고 있다.
② ㉡은 객체인 '어머니'를 높이는 데에 '께'와 '드리다'를 사용하고 있다.
③ ㉢은 주체인 '할아버지'를 높이는 데에 '께서'와 '-시-'를 사용하고 있다.
④ ㉣은 주체인 '선생님'을 높이는 데에 '말씀'을 사용하고 있다.
⑤ ㉤은 상대인 '아버지'를 높이는 데에 '-습니다'를 사용하고 있다.

개념 확인

1 주체, 객체, 상대

문장 내에서 주어의 자리에 오는 대상이 '주체', 목적어나 부사어의 자리에 오는 대상이 '객체'이다. '상대'는 말을 듣는 사람을 가리킵니다.

예 선생님, 동수가 부모님께 드릴 선물을 만들었습니다.

주체	동수
객체	부모님
상대	선생님

더 알고 싶은 해설

정답 풀이

❹ ㉣은 주체인 '선생님'을 높이는 데에 '말씀'을 사용하고 있다.

㉣에서 '선생님'은 주체가 아니라 상대입니다. 주체는 말하는 사람인데, 상대를 높이기 위해 자신을 낮추어 '제가'라고 표현하고 있어요. 그리고 '-습니다'를 사용하여 상대인 '선생님'을 높이고 있습니다.

오답 풀이

① ㉠은 주체인 '할머니'를 높이는 데에 '께서'와 '계시다'를 사용하고 있다.

㉠에서 높임의 대상은 주어가 나타내는 대상(주체)인 '할머니'이고, 주격 조사 '께서'와 주체를 높이는 어휘 '계시다'를 사용하여 '할머니'를 높였어요.

② ㉡은 객체인 '어머니'를 높이는 데에 '께'와 '드리다'를 사용하고 있다.

㉡에서 높임의 대상은 부사어가 나타내는 대상(객체)인 '어머니'죠? 부사격 조사 '께'와 객체를 높이는 어휘 '드리다'를 사용하여 '어머니'를 높였어요.

③ ㉢은 주체인 '할아버지'를 높이는 데에 '께서'와 '-시-'를 사용하고 있다.

㉢에서 높임의 대상은 주체인 '할아버지'니까, 주격 조사 '께서'와 주체 높임 선어말 어미 '-시-'를 사용하였군요.

⑤ ㉤은 상대인 '아버지'를 높이는 데에 '-습니다'를 사용하고 있다.

㉤에서 높임의 대상은 상대인 '아버지'니까, 종결 어미 '-습니다'를 사용하여 '아버지'를 높이고 있어요.

수능 콕콕 수능 기출

2 2018학년도 대수능 9월 모의평가 15번

밑줄 친 말에 주목하여 〈보기〉의 ㉠~㉤에 대해 탐구한 결과로 적절하지 않은 것은?

〈보기〉

㉠ 거기에는 눈이 왔겠다. / 지금 거기에는 눈이 오겠지.
오-+-았-+-겠-+-다 / 오-+-겠-+-지

㉡ 그가 집에 갔다. / 막차를 놓쳤으니 나는 집에 다 갔다.
가-+-았-+-다 / 가-+-았-+-다

㉢ 내가 떠날 때 비가 올 것이다. / 내가 떠날 때 비가 왔다.
떠나-+-ㄹ / 떠나-+-ㄹ

㉣ 그는 지금 학교에 간다. / 그는 내년에 진학한다고 한다.
가-+-ㄴ-+-다 / 진학하-+-ㄴ-+-다고

㉤ 오늘 보니 그는 키가 작다. / 작년에 그는 키가 작았다.
작-+-다 / 작-+-았-+-다

① ㉠을 보니, 선어말 어미 '-겠-'[1]이 미래의 사건을 추측하는 데에 쓰이고 있군.
② ㉡을 보니, 선어말 어미 '-았-'[2]이 과거 시제를 나타내지 않는 경우도 있군.
③ ㉢을 보니, 관형사형 어미 '-ㄹ'이 붙을 때 미래의 사건을 나타내지 않는 경우도 있군.
④ ㉣을 보니, 현재 시제 선어말 어미 '-ㄴ-'이 미래의 사건을 나타낼 때도 쓰이고 있군.
⑤ ㉤을 보니, 형용사에서 현재 시제를 나타낼 때 시제 선어말 어미가 나타나지 않고 있군.

개념 확인

1 선어말 어미 '-겠-'
- 미래의 일이나 추측
  예 이제 신부가 입장하겠습니다.
- 주체의 의지
  예 나는 꼭 시인이 되겠다.
- 가능성이나 능력
  예 이걸 어떻게 혼자 다 하겠니?
- 완곡하게 말하는 태도
  예 내가 말해도 되겠니?

2 선어말 어미 '-았/었-'
- 이야기하는 시점에서 볼 때 사건이 이미 일어났음을 나타냄.
  예 나는 밥을 다 먹었다.
- 이야기하는 시점에서 볼 때 완료되어 현재까지 지속되거나 현재에도 영향을 미치는 상황을 나타냄.
  예 물건값이 많이 올랐다.
- 이야기하는 시점에서 볼 때 미래의 사건이나 일을 이미 정하여진 사실인 양 말할 때.
  예 비가 와서 내일 야유회는 다 갔네.

더 알고 싶은 해설

정답 풀이

❶ ㉠을 보니, 선어말 어미 '-겠-'이 미래의 사건을 추측하는 데에 쓰이고 있군.
'거기에는 눈이 왔겠다.'에서는 선어말 어미 '-았-'과 함께 쓰여 과거의 사건을 추측하고 있으며, '지금 거기에는 눈이 오겠지.'에서는 현재의 시간을 나타내는 부사어인 '지금'과 함께 쓰여 현재의 사건을 추측하고 있음을 알 수 있어요.

오답 풀이

② ㉡을 보니, 선어말 어미 '-았-'이 과거 시제를 나타내지 않는 경우도 있군.
'막차를 ~ 다 갔다.'에서 '-았-'은 미래의 사건이나 일을 이미 정하여진 사실인 양 말하는 것이기 때문에 과거 시제를 나타낸 것으로 볼 수 없어요.

③ ㉢을 보니, 관형사형 어미 '-ㄹ'이 붙을 때 미래의 사건을 나타내지 않는 경우도 있군.
'내가 떠날 때 비가 왔다.'는 과거의 사건을 나타낸 문장이기 때문에 '떠날'에 붙은 관형사형 어미 '-ㄹ'이 미래의 사건을 나타낸다고 볼 수 없겠죠?

④ ㉣을 보니, 현재 시제 선어말 어미 '-ㄴ-'이 미래의 사건을 나타낼 때도 쓰이고 있군.
'그는 내년에 진학한다고 한다.'에서 미래의 시간을 나타내는 부사어인 '내년에'가 쓰인 것으로 볼 때, '진학한다고'에 쓰인 '-ㄴ-'은 미래의 사건을 나타낸 것으로 볼 수 있어요.

⑤ ㉤을 보니, 형용사에서 현재 시제를 나타낼 때 시제 선어말 어미가 나타나지 않고 있군.
'오늘 보니 그는 키가 작다.'에서 현재의 시간을 나타내는 부사어인 '오늘'과 함께 쓰인 형용사 '작다'는 현재 시제를 나타내는데, 시제 선어말 '-ㄴ- / -는-' 어미 없이 기본형을 그대로 써서 현재 시제를 나타내고 있어요.

더 알아두기 4 문장의 호응 2-피동·사동, 부정 표현

궁금이의 문법 일기

나는 줏대가 있는 사람이다. 유행을 못 따라가는 것이 아니라 안 따라가려고 한다. 바지 뒤쪽이 찢겨 있었다. 내가 한 것이 아니라 어디선가 '찢어짐'을 당한 것이다. 가만, '찢기다'나 '찢어지다'처럼 어떤 행위를 당한 것을 무슨 표현이라고 했는데... 맞다. '피동'이다. 나는 피해를 당한 피해자니까 '피동'이라고 기억해야겠다. 앞쪽이 찢겼으면 금방 봤을 텐데, 뒤쪽이라서 볼 수 없었다. 수빈이가 알려 주지 않았다면 하루 종일 찢어진 바지를 입고 다닐 뻔했다.

콕샘 한마디!

'찢다'와 '찢기다'는 비슷하면서 다르죠? '안 따르다'와 '못 따르다'도 그렇고, '못 봤다'와 '안 봤다'도 비슷하면서도 말하고자 하는 의도가 다른 표현이랍니다. 오늘은 피동 표현과 사동 표현, 부정 표현에 대해 알아볼까요?

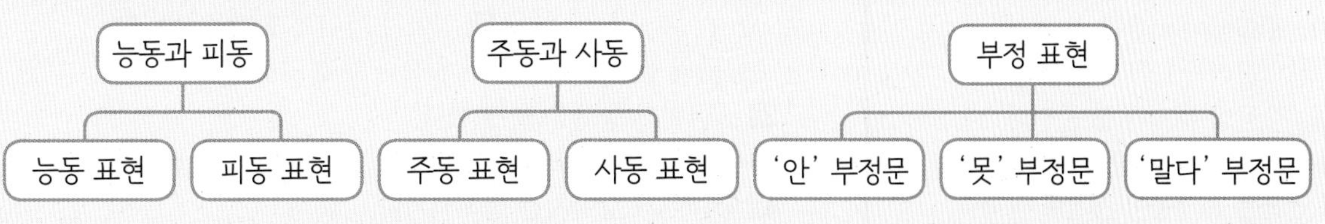

확인하기

1
㉠, ㉡이 피동 표현인지, 사동 표현인지 구분하시오.

> 궁금이가 나에게 그 책을 ㉠보였는데, 제목이 잘 ㉡보이지 않았다.

- ㉠
- ㉡

2
피동 표현이 사용된 문장을 모두 고르면?

> ㉠ 옷이 못에 걸려서 찢어졌다.
> ㉡ 궁금이가 닭을 지붕 위로 날렸다.
> ㉢ 밖에서 갑자기 음악 소리가 들렸다.
> ㉣ 선생님께서 방과 후에 궁금이를 남기셨다.

① ㉠, ㉡　② ㉠, ㉢　③ ㉡, ㉣
④ ㉡, ㉢　⑤ ㉢, ㉣

3
〈보기〉의 밑줄 친 부분에 사용된 것과 같은 기능의 접사가 사용된 것은?

> 보기
> 고기는 잘 익혀서 먹어야 한다.

① 과녁에 화살이 박혔다.
② 강풍이 불어서 나무가 뽑혔다.
③ 오늘은 문법 문제가 잘 풀린다.
④ 이순신 장군은 성벽을 높였다.
⑤ 이 건물은 출입문이 저절로 닫힌다.

오늘의 개념 사전

피동 표현
주체가 다른 주체에 의해서 어떤 동작을 당하게 됨을 나타내는 표현

피동문을 만드는 방법
- 능동문의 용언의 어간에 피동 접사 '-이-, -히-, -리-, -기-'를 붙인다. 예 토끼가 호랑이에게 잡혔다.
- 능동문의 용언의 어간에 '-아지다/-어지다', '-되다', '-게 되다' 등을 붙인다.
  예 물이 쏟아지다.
  궁금이가 학급 임원으로 선출되다.
  사건의 진실이 드러나게 되다.

피동 표현을 사용하는 의도
- 피동 표현은 주체가 동작을 당한 것을 강조하고자 하는 의도가 담긴 표현이다.
  예 ┌ 능동문: 경찰이 도둑을 잡다.
  └ 피동문: 도둑이 경찰에게 잡히다.

남학생은 '경찰'이 스스로 동작을 행한 것에 초점을 두고 능동문을 사용했고, 여학생은 주어인 '도둑'이 동작을 당한 것에 초점을 두고 피동문을 사용했다.

- 동작 주체가 불분명하거나 주체가 스스로 동작을 하지 못할 때는 피동 표현을 사용한다. 이때 능동 표현을 쓰면 어색하거나 의미가 다른 문장이 된다.
  예 ┌ 피동문: 궁금이가 감기에 걸리다.(○)
  └ 능동문: 감기가 궁금이를 걸다.(×)

사동 표현
주체가 남에게 어떤 동작을 하도록 시킴을 나타내는 표현

사동문을 만드는 방법
- 주동문의 용언의 어간에 사동 접사 '-이-, -히-, -리-, -기-, -우-, -구-, -추-'를 붙인다. 예 엄마가 아이에게 밥을 먹였다.
- 주동문의 용언의 어간에 '-게 하다'를 붙인다.
  예 궁금이가 동생을 웃게 했다.
- 명사에 '-시키다'를 붙인다.
  예 궁금이가 강아지를 산책시키다.

▶연계 학습 부록 244～245쪽으로 한번 더!

• 정답과 해설 50～51쪽

사동 표현을 사용하는 의도

사동 표현은 주체가 대상에게 동작을 시키는 역할을 함을 강조하는 의도가 담긴 표현이다.

예 누나가 종이배를 띄우다. (사동 표현: 누나의 역할을 강조)
종이배가 (물에) 뜨다. (주동 표현: 종이배의 동작을 강조)

'안' 부정문
단순 부정 또는 주체의 의지에 의한 부정을 표현함.

길이에 따른 분류

- 짧은 부정문: '아니(안)' + 서술어
  예 화단에 싹이 안 났다. (단순 부정)
  궁금이는 공부하느라 저녁밥을 안 먹었다. (의지 부정)
- 긴 부정문: 용언의 어간 + '-지 아니하다(않다)'
  예 화단에 싹이 나지 않았다. (단순 부정)
  궁금이는 공부하느라 저녁밥을 먹지 않았다. (의지 부정)

'못' 부정문
주체의 능력 부족 또는 외부의 원인에 의한 부정을 표현함.

길이에 따른 분류

- 짧은 부정문: '못'+서술어
  예 궁금이는 축구를 좋아하지만 골을 잘 못 넣는다. (능력 부정)
  궁금이는 시간이 없어서 저녁밥을 못 먹었다. (외부의 원인에 의한 부정)
- 긴 부정문: 용언 어간+'-지 못하다'
  예 궁금이는 축구를 좋아하지만 골을 잘 넣지 못한다. (능력 부정)
  궁금이는 시간이 없어서 저녁밥을 먹지 못했다. (외부의 원인에 의한 부정)

'말다' 부정문
명령문과 청유문의 부정 표현은 '안'이나 '못'을 사용하지 않고 명령문은 '-지 마(마라)', 청유문은 '-지 말자'라는 긴 부정문의 형태로 표현함.

예 • 교실에서 떠들지 않아라 / 못해라. (×)
→ 교실에서 떠들지 마(라). (명령문)
명령문에 '말다'를 활용할 때 'ㄹ'이 탈락한 형태인 '마(마라)'로 쓰는 것이 어법에 맞는 표현이다.
• 교실에서 떠들지 않자 / 못하자. (×)
→ 교실에서 떠들지 말자. (청유문)

확인하기

4
다음 문장의 부정문의 종류를 〈보기〉에서 골라 쓰시오.

〈보기〉
㉠ 짧은 부정문 ㉡ 긴 부정문

(1) 궁금이는 어제 게임을 안 했다.
(2) 궁금이는 친구에게 전화하지 않았다.

5
( ) 안에서 알맞은 말을 찾아 ○표 하시오.

(1) 이 수학 문제는 너무 어려워서 도저히 (못, 안) 풀겠다.
(2) 나는 오늘부터 즉석식품을 (못, 안) 먹기로 했다.
(3) 게임만 하지 (않고, 못하고, 말고) 공부도 좀 해.

6
부정 표현 중, 어법에 맞고 자연스러운 것은?

① 차가 막히지 못했으면 좋겠다.
② 다리가 아프니 걸어가지 않자.
③ 오늘 할 일을 내일로 미루지 못해라.
④ 용돈을 아끼려고 군것질을 하지 않았다.
⑤ 궁금이는 깜빡 잊고 친구에게 못 전화했다.

문제로 정복하기

• 정답과 해설 51~52쪽

1 〈보기〉를 참고할 때, '피동 표현'의 예로 적절하지 않은 것은?

〈보기〉
피동 표현은 주체가 남에 의해 어떤 동작을 당하는 것을 나타낸 표현이다. 예를 들어 '도둑이 경찰에게 잡혔다.'라는 문장은 주체 '도둑'이 스스로 한 행동이 아니라 남에 의해 '잡는' 동작을 당하는 것을 표현하고 있으므로 피동 표현이다.

① 개울에 새로운 다리가 놓였다.
② 준호는 친구들의 싸움을 말렸다.
③ 둘 사이에는 이미 신뢰가 쌓였다.
④ 태풍에 나무가 통째로 땅에서 뽑혔다.
⑤ 그녀의 설득에 그의 마음이 흔들렸다.

2 밑줄 친 단어 중, 〈보기〉의 설명에 해당하지 않는 것은?

〈보기〉
주어가 남에게 동작을 하도록 시키는 것을 나타내는 동사를 '사동사'라 하는데, 사동 접미사 '-이-', '-히-', '-리-', '-기-', '-우-', '-구-', '-추-'가 결합되어 이루어진다.

① 봄나물의 향기가 내 입맛을 돋우었다.
② 날씨가 추우니 집에서 몸 좀 녹이고 가자.
③ 아버지는 오랜만에 아이들에게 갈비를 뜯겼다.
④ 어머니는 아들에게 음식을 잔뜩 들려 보냈다.
⑤ 모두 무사하다는 소식을 듣고 마음이 놓였다.

3 다음 두 문장의 의미상 차이를 서술하시오.

(가) 준호는 잠을 안 잤다.
(나) 준호는 잠을 못 잤다.

4 〈보기〉에 대한 설명으로 적절하지 않은 것은?

〈보기〉
ㄱ. 수지는 약속을 안 지켰다.
ㄴ. 준기는 팔을 다쳐 공을 던지지 못한다.
ㄷ. 도서관에서는 떠들지 마라.

① ㄱ은 짧은 부정문, ㄴ과 ㄷ은 긴 부정문이다.
② ㄴ은 ㄷ과 달리 짧은 부정문으로 바꿀 수 있다.
③ ㄱ의 '안'을 '못'으로 바꾸면 외부 원인에 의한 행위로 해석될 수도 있다.
④ ㄴ을 '안' 부정문으로 바꾸면 부정의 정도가 약해진다.
⑤ ㄷ을 청유문으로 바꾸려면 '마라'를 '말자'로 바꾸면 된다.

5 〈보기〉를 바탕으로 '못' 부정문에 대해 탐구한 결과로 적절하지 않은 것은?

〈보기〉
ㄱ. 나는 집에 (안 간다/못 간다).
ㄴ. 준수는 대학교에 (못 갔다/가지 못했다).
ㄷ. 교실이 (*못 깨끗하다/깨끗하지 못하다).
ㄹ. 오늘은 나 (축구 못 해/*못 축구해).
'*' 표는 비문 표시임.

① ㄱ을 보니 '안' 부정을 쓸 때와 '못' 부정을 쓸 때의 의미가 다르군.
② ㄴ과 ㄷ을 보니 용언의 어간에 '-지 못하다'를 붙여 긴 부정문을 만드는군.
③ ㄷ을 보니 형용사에는 짧은 '못' 부정문을 쓰지 못하는군.
④ ㄷ을 보니 형용사의 '못' 부정은 기대에 미치지 못함을 아쉬워하는 의미가 있군.
⑤ ㄹ을 보니 부정 부사 '못'은 용언 앞에만 쓰일 수 있군.

수능 콕콕 수능 기출

1 2015학년도 6월 모평 A형 13번

〈보기〉의 ㉠, ㉡에 해당하는 것은?

보기

우리말의 용언 중에는 피동사[1]와 사동사[1]의 형태가 동일한 것이 있다. 예를 들어, '보다'는 사동사와 피동사가 모두 '보이다'로 그 형태가 같다. 이때 ㉠사동사로 쓰인 경우와 ㉡피동사로 쓰인 경우는 다음과 같이 문장에서의 쓰임을 통해 구별된다.

- 동생이 새 시계를 내게 보였다. (사동사로 쓰인 경우)
- 구름 사이로 희미하게 해가 보였다. (피동사로 쓰인 경우)

① ㉠: 운동화 끈이 풀렸다.
 ㉡: 아빠의 칭찬에 피로가 금세 풀렸다.

② ㉠: 우는 아이가 엄마 등에 업혔다.
 ㉡: 누나가 이모에게 아기를 업혔다.

③ ㉠: 나는 젖은 옷을 햇볕에 말렸다.
 ㉡: 동생은 집에 가겠다는 친구를 말렸다.

④ ㉠: 새들이 따뜻한 곳에서 몸을 녹였다.
 ㉡: 햇살이 고드름을 천천히 녹였다.

⑤ ㉠: 형이 친구에게 꽃다발을 안겼다.
 ㉡: 아기 곰이 어미 품에 포근히 안겼다.

개념 확인

1 피동사, 사동사

주체가 남의 행동을 입어서 행하여지는 동작을 나타내는 동사를 '피동사', 문장의 주체가 자기 스스로 행하지 않고 남에게 그 행동이나 동작을 하게 함을 나타내는 동사를 '사동사'라고 합니다. 피동사와 사동사는 같은 형태로 나타날 수 있으므로 의미를 통해 구별해야 해요.

예 ㉠ 이 책은 많은 사람에게 읽혔다. (주어가 '읽힘'을 당한 것이기 때문에 피동사)
㉡ 선생님은 학생에게 책을 읽혔다. (주어가 학생에게 책을 읽도록 시킨 것이기 때문에 사동사)

더 알고 싶은 해설

정답 풀이

❺ ㉠: 형이 친구에게 꽃다발을 안겼다. / ㉡: 아기 곰이 어미 품에 포근히 안겼다.

㉠의 '안기다'는 '안게 하다'라는 뜻의 사동사로 쓰였고, ㉡의 '안기다'는 '안김을 당하다'라는 뜻의 피동사로 쓰였습니다.

오답 풀이

① ㉠: 운동화 끈이 풀렸다. / ㉡: 아빠의 칭찬에 피로가 금세 풀렸다.

㉠과 ㉡의 '풀리다'는 모두 '풀림을 당하다'라는 뜻의 피동사로 쓰였습니다.

② ㉠: 우는 아이가 엄마 등에 업혔다. / ㉡: 누나가 이모에게 아기를 업혔다.

㉠의 '업히다'는 '업힘을 당하다'라는 뜻의 피동사로 쓰였고, ㉡의 '업히다'는 '업게 하다'라는 뜻의 사동사로 쓰였습니다.

③ ㉠: 나는 젖은 옷을 햇볕에 말렸다. / ㉡: 동생은 집에 가겠다는 친구를 말렸다.

㉠의 '말리다'는 '마르게 하다'라는 뜻의 사동사로 쓰였습니다. 하지만 ㉡의 '말리다'는 '마르다'에 피동이나 사동 접미사가 결합된 것이 아니라, 그 자체로 '다른 사람이 하고자 하는 어떤 행동을 못하게 방해하다.'라는 뜻을 나타내는 단어입니다.

④ ㉠: 새들이 따뜻한 곳에서 몸을 녹였다. / ㉡: 햇살이 고드름을 천천히 녹였다.

㉠과 ㉡의 '녹이다'는 모두 '녹게 하다'라는 뜻의 사동사로 쓰였습니다.

수능 콕콕 수능 기출

2 2015학년도 고3 7월 전국연합학력평가 B형 11번

〈보기〉를 통해 부정 표현의 특성에 대해 탐구한 내용으로 적절하지 않은 것은?

보기

ㄱ. 나는 수학 공부를 안 했다.
　나는 수학 문제가 어려워서 못 풀었다.
ㄴ. 여기에는 이제 해가 비치지 {않는다/못한다}.
ㄷ. 그녀를 만나지 {*않아라/*못해라/마라}.
ㄹ. 그는 결코 그 일을 {*했다/안 했다}.
　그는 분명히 그 일을 {했다/안 했다}.
ㅁ. 교실이 {안/*못} 깨끗하다.

*비문법적 표현.

① ㄱ을 보니, '안' 부정문은 '의지 부정'[1]을 나타내고, '못' 부정문은 '능력 부정'[2]을 나타내는군.
② ㄴ을 보니, 행동 주체의 의지를 부정할 때는 '긴 부정문'만 쓸 수 있군.
③ ㄷ을 보니, 명령문의 부정 표현은 보조 용언 '말다'를 활용하여 사용하는군.
④ ㄹ을 보니, 어떤 부사는 반드시 부정 표현과 함께 쓰여야 하는군.
⑤ ㅁ을 보니, 형용사를 부정할 때에는 부사 '못'을 사용하여 부정 표현을 나타낼 수 없군.

개념 확인

1 의지 부정
동작을 행하고자 하는 주체의 의지가 작용되는 부정을 뜻하며, '안' 부정문에 의해 나타냅니다.
예 나는 친구를 안 만났다.
→ 나의 의지에 의해 일부러 만나지 않은 것을 뜻해요.

2 능력 부정
동작을 하는 주체의 의도나 의지와는 다르게, 능력 부족이나 외부 환경의 이유로 그 일이 일어나지 못함을 나타내는 부정을 뜻하며, '못' 부정문에 의해 나타냅니다.
예 나는 친구를 못 만났다.
→ 내 의지와 상관없이 어떤 외부적 이유 때문에 만남의 행위가 이루어지지 않음을 뜻해요.

더 알고 싶은 해설

정답 풀이

❷ ㄴ을 보니, 행동 주체의 의지를 부정할 때는 '긴 부정문'만 쓸 수 있군.
ㄴ의 '해가 비치다'는 객관적 사실을 부정하는 표현이며, 긴 부정문뿐만 아니라 '~안 비치다 / ~못 비친다'처럼 짧은 부정문도 가능해요.

오답 풀이

① ㄱ을 보니, '안' 부정문은 '의지 부정'을 나타내고, '못' 부정문은 '능력 부정'을 나타내는군.
주체인 '나'의 의지에 의해 수학 공부를 안 한 것은 '의지 부정', 실력이 부족하여 문제를 못 푼 것은 '능력 부정'에 해당해요.

③ ㄷ을 보니, 명령문의 부정 표현은 보조 용언 '말다'를 활용하여 사용하는군.
명령문이나 청유문에서는 '안' 부정문이나 '못' 부정문 모두 쓸 수 없어요. '말다'를 활용하는데, 이 경우 긴 부정문으로만 쓰입니다.

④ ㄹ을 보니, 어떤 부사는 반드시 부정 표현과 함께 쓰여야 하는군.
부사 '결코'는 '아니다', '없다', '못하다' 등의 부정 표현과 함께 쓰입니다. 그러니까 뒤에 긍정 표현이 오면 호응이 어색해진답니다.

⑤ ㅁ을 보니, 형용사를 부정할 때에는 부사 '못'을 사용하여 부정 표현을 나타낼 수 없군.
형용사인 '깨끗하다' 앞에 '못'을 쓰니 어색하죠? 형용사를 부정할 때에는 '안'을 써야 해요.

더 알아두기 5 형태소, 어근과 접사

궁금이의 문법 일기

제시된 글자 카드를 사용하여 최대한 많은 단어를 만들기 위한 방법은 없을까? 참, 수업 시간에 단어는 뜻을 지니고 홀로 쓸 수 있어야 한다고 배웠지? 그럼 '사과나무'를 더 쪼개서 '사과'와 '나무'로 쪼개면 되겠구나. 그러면 '욕심쟁이'는 '욕심'과 '쟁이'로 나누면 되는 걸까? 잠깐 '쟁이'도 단어라고 할 수 있을까? 생각보다 쉽지 않다. 다음 수업 시간에 좀 더 잘 들어야겠다.

콕샘 한마디!

우리가 사용하는 단어들은 어떻게 만들어지는 걸까요? 단어는 하나 이상의 형태소로 만들어지는데요, 이번 시간에는 뜻을 가진 가장 작은 말의 단위인 '형태소'에 대해 알아보고, 단어를 구성하는 성분인 '어근'과 '접사'에 대해 배워 볼까요?

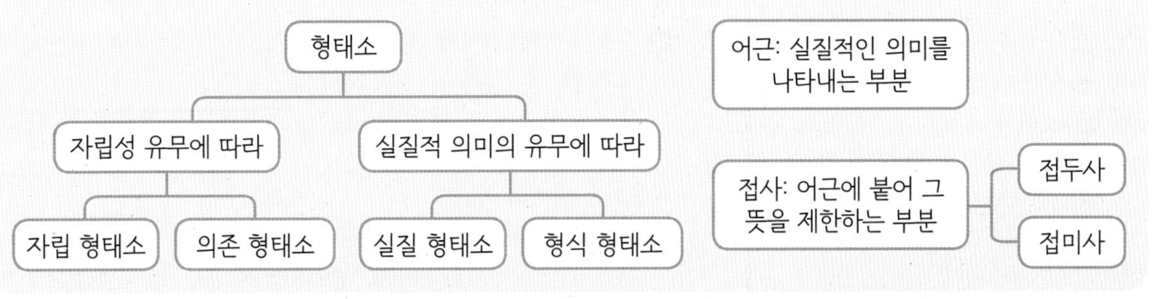

확인하기

1

다음 문장은 총 몇 개의 형태소로 이루어져 있는지 쓰시오.

나는 산에서 주먹밥을 먹었다.

2

형태소의 개수가 나머지와 다른 하나는?

① 안개꽃　② 꽃밭
③ 이야기책　④ 푸르다
⑤ 잡는다

3

다음 문장에 대한 설명으로 적절하지 않은 것은?

가을 하늘은 매우 높고 푸르다.

① 8개의 형태소로 이루어진 문장이다.
② '은, 높-, -고, 푸르-, -다'는 의존 형태소이다.
③ '가을, 하늘, 매우'는 자립 형태소이자 실질 형태소이다.
④ '높-, 푸르-'는 실질적 의미가 있기 때문에 실질 형태소이다.
⑤ '은, -고, -다'는 문법적 기능을 하는 조사로 실질 형태소이다.

오늘의 개념 사전

형태소
뜻을 가진 가장 작은 말의 단위

예 • 산 → 1개의 형태소

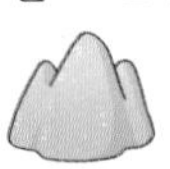

'ㅅ', 'ㅏ', 'ㄴ'이 결합하여 '평지보다 높이 솟아 있는 땅의 부분'이라는 하나의 뜻을 나타내므로 1개의 형태소이다.

• 주먹밥 → 2개의 형태소(주먹+밥)

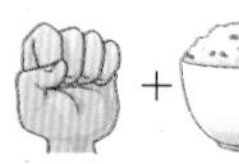
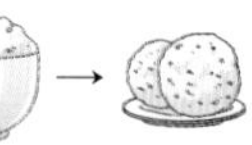

'주먹'이라는 하나의 형태소와 '밥'이라는 하나의 형태소가 결합했으므로 2개의 형태소로 이루어진 단어이다.

형태소의 종류

• 자립성 유무에 따라

자립 형태소	혼자 쓰일 수 있는 형태소 예 사람, 꽃, 바다, 사랑, ……
의존 형태소	혼자 쓰일 수 없는 형태소 예 이/가, 을/를, -다, -었-, 먹-, 파랗-, ……

• 실질적 의미의 유무에 따라

실질 형태소	실질적 의미가 있는 형태소 예 사람, 꽃, 바다, 사랑, 먹-, 파랗-, ……
형식 형태소	실질적 의미가 없이 형식적 의미나 문법적 관계만 나타내는 형태소 예 이/가, 을/를, -다, -었-, ……

※ 자립 형태소는 모두 실질 형태소이지만, 의존 형태소에는 형식 형태소만 있는 것이 아니라 '먹-', '파랗-'과 같은 실질 형태소도 있다.

어근
형태소가 결합할 때 실질적인 의미를 나타내며 의미상 중심이 되는 부분

어근의 종류

• 활용하지 않는 단어의 어근
예 하늘 → '하늘' 1개의 어근
사과나무 → '사과+나무' 2개의 어근
풋고추 → '고추'만 어근('풋-'은 '고추'에 '덜 익은'의 뜻을 더하는 접사)

• 활용하는 단어의 어근
예 예쁘고 → 실질적인 의미를 나타내는 '예쁘-'가 어근
오가며 → 실질적인 의미를 나타내는 '오-'와 '가-' 2개가 모두 어근

▶ 연계 학습 부록 246~247쪽으로 **한번 더!**

접사
어근에 결합하여 특정한 의미를 더하거나 기능을 부여하는 형태소

접사의 종류

• 접두사: 어근의 앞에 붙는 접사. 뜻을 더해 주는 접사로, 일반적으로 단어의 품사가 바뀌지 않는다.

날-	말리거나 익히거나 가공하지 않은	날고기, 날달걀
개-	야생 상태의, 질이 떨어지는, 흡사하지만 다른	개떡, 개살구, 개머루
참-	진짜, 진실하고 올바른	참말, 참사랑
짓-	마구, 함부로, 몹시	짓누르다, 짓밟다
치-	위로 향하게, 위로 올려	치솟다, 치밀다

• 접미사: 어근의 뒤에 붙는 접사. 뜻을 더하기도 하고, 때로는 단어의 품사를 바꾸기도 한다.

뜻을 더하는 접미사	• -꾼(어떤 일을 하는 사람): 사냥꾼, 사기꾼 • -님(직위나 신분을 나타내는 일부 명사 뒤에 붙어 '높임'의 뜻을 더함.): 선생님, 고모님 • -들('복수'의 뜻을 더함): 나무들, 새들
품사를 바꾸는 접미사	• -답다(명사 → 형용사): 인간답다 • -하다(명사 → 동사): 공부하다 • -거리다(부사 → 동사): 출렁거리다 • -기(동사 → 명사): 달리기

※ 동사나 형용사를 만드는 접사를 표기할 때 마지막 형태소 '-다'는 편의상 붙여 표기한 것이다. 본래 '인간답다'에서 접사는 '-답-'이고, '공부하다'에서 접사는 '-하-'이지만 이해하기 편하도록 '-답다', '-하다'로 적는다.

• 정답과 해설 52쪽

확인하기

4
밑줄 친 부분이 어근이 아닌 것은?

① 지우개 ② 먹보
③ 욕심쟁이 ④ 나무꾼
⑤ 날고기

5
다음 중 접두사가 쓰인 것은?

① 아드님 ② 바느질 ③ 귀염둥이
④ 헛고생 ⑤ 소나무

6
다음에서 접미사가 쓰인 말을 모두 찾아 쓰시오.

가난뱅이	맨손	생각하다
덮개	개살구	따님

7
'어근+접미사'의 형태로 이루어진 단어는?

① 늦더위 ② 달리기
③ 배나무 ④ 짓누르다
⑤ 큰아버지

문제로 정복하기

• 정답과 해설 52~53쪽

1 〈보기〉와 같이 문장을 나눈 기준에 대한 설명으로 적절한 것은?

◀ 보기 ▶
- 오늘은 김밥이 참 맛있다.
  → 오늘/은/김/밥/이/참/맛-/-있-/-다

① 띄어쓰기의 최소 단위이다.
② 홀로 쓰일 수 있는 말의 최소 단위이다.
③ 뜻을 지니고 있는 가장 작은 말의 단위이다.
④ 단어에서 실질적인 의미를 나타내는 부분이다.
⑤ 말의 뜻을 구별해 주는 소리의 최소 단위이다.

2 〈보기〉의 단어 중에서 하나의 형태소로 이루어진 것을 모두 찾아 쓰시오.

◀ 보기 ▶

꿈	먹이	물병	나무
선생님	햇곡식	땅바닥	짚신벌레

3 〈보기 1〉의 ㉮와 ㉯에 들어갈 수 있는 말을 〈보기 2〉에서 적절하게 고른 것은?

◀ 보기 1 ▶

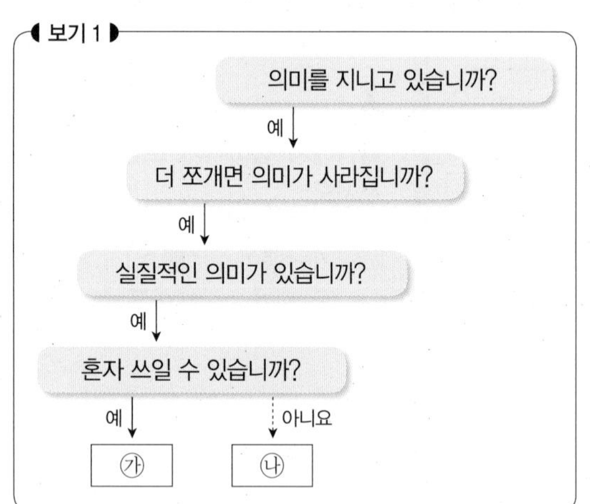

◀ 보기 2 ▶
바다에서 먹은 고등어회는 이 맛이 아니다.

	㉮	㉯
①	에서	먹-
②	바다	-은
③	고등어	먹-
④	고등어	에서
⑤	-은	아니-

4 다음 문장에 사용된 어근의 개수를 쓰시오.

아침에 바람이 불었다.

5 밑줄 친 부분에 대한 설명으로 적절하지 않은 것은?

햇사과

① 독립적으로 쓰일 수 없다.
② '사과'의 의미를 제한한다.
③ 실질적인 의미를 지니고 있다.
④ 형태소로서의 자격을 지니고 있다.
⑤ '사과'에 '그해에 난'이라는 뜻을 더한다.

6 단어에 사용된 접사의 종류가 나머지와 다른 하나는?

① 군살　　② 맨손　　③ 톱질
④ 짓누르다　　⑤ 새빨갛다

7 밑줄 친 부분이 〈보기〉에서 설명하고 있는 대상에 해당하지 않는 것은?

◀ 보기 ▶
- 어근의 뒤에 붙는 접사
- 단어의 품사를 바꾸는 접사

① 학생이면 학생답게 행동하자.
② 철호는 언제나 달리기에서 1등을 한다.
③ 자기 자신에 대한 믿음이 성공의 열쇠이다.
④ 울보였던 꼬마가 어느새 어엿한 청년이 되었다.
⑤ 선녀와 나무꾼 이야기를 비판적으로 바라보는 사람들도 많다.

수능 콕콕 수능 기출

1 2017학년도 대수능 14번 변형

다음 글을 바탕으로 〈보기〉의 ⓐ~ⓔ를 이해한 내용으로 적절한 것은?

첫째로, 접미사[1]는 동사나 형용사에 붙어 새로운 어간을 형성한다. 예를 들면, '녹다'의 어근 '녹-'에 접미사 '-이-'가 붙어 새로운 어간 '녹이-'가 형성된다. 이렇게 만들어진 '녹이다'의 어간 '녹이-'는 '녹다'의 어간 '녹-'과 구별된다. 둘째로 접미사는 동사나 형용사의 어근에 붙어 품사를 바꾸기도 한다. 예를 들면, 명사 '먹이'나 '넓이'는 각각 동사와 형용사의 어근에 접미사 '-이'가 붙어 형성된 단어이다. 이때 '먹이'와 '넓이'의 '먹-'과 '넓-'은 서술어로 기능하지 못한다. (중략)

한편, 하나의 접미사가 모든 동사나 형용사에 자유롭게 결합하는 것은 아니다. 예를 들면, 접미사 '-히-'는 '읽다'의 어근 '읽-'에 붙어 '읽히다'를 만들 수 있지만, '살다'의 어근 '살-'에는 붙지 못한다. 어근 '살-'에는 접미사 '-리-'가 붙어 '살리다'가 형성된다. 또한 어근과 접미사 사이에는 다른 형태소가 끼어들 수 없다. 가령, 어근 '읽-'과 접미사 '-히-' 사이에 '-시-'와 같은 선어말 어미가 끼어든 '읽시히-'와 같은 것은 만들어지지 않는다.

〈보기〉

ⓐ 달콤한 휴식을 위해 시간을 비워 놓았다.
ⓑ 아주 높이 나는 새라야 멀리 볼 수 있다.
ⓒ 마을 앞 공터를 놀이 공간으로 조성했다.
ⓓ 멀리서 찾아온 손님을 위해 차를 끓였다.
ⓔ 할아버지께서는 오늘 일찍 오시기 힘들다.

① ⓐ에서 '비워'의 어간은 '시간이 빈다.'에서 '비다'의 어간과 같다.
② ⓑ에서 '높이'는 형용사 '높다'의 어근 '높-'에 접미사 '-이'가 붙어 형성된 명사이다.
③ ⓒ에서 '놀이'는 명사이므로 '놀이' 속의 '놀-'은 서술어로 기능하지 못한다.
④ ⓓ에서 '끓였다'의 어근에 붙은 접미사 '-이-'는 모든 동사에 자유롭게 결합한다.
⑤ ⓔ에서 '오시기'는 '오-'와 '-기' 사이에 다른 형태소가 끼어든 것이므로 명사이다.

개념 확인

1 접미사
어근이나 단에 뒤에 붙어 새로운 단어가 되게 하는 말입니다. '선생님'의 '-님', '먹보'의 '-보', '지우개'의 '-개', '잡히다'의 '-히-' 등이 접미사에 해당한답니다.

더 알고 싶은 해설

정답 풀이

❸ ⓒ에서 '놀이'는 명사이므로 '놀이' 속의 '놀-'은 서술어로 기능하지 못한다.
| 접미사 '-이'가 결합하여 품사가 명사로 바뀌었기 때문에 '놀-'은 서술어로 기능하지 못해요.

오답 풀이

① ⓐ에서 '비워'의 어간은 '시간이 빈다.'에서 '비다'의 어간과 같다.
| '비워'의 어간은 '비우-'이고, '비다'의 어간은 '비-'입니다.

② ⓑ에서 '높이'는 형용사 '높다'의 어근 '높-'에 접미사 '-이'가 붙어 형성된 명사이다.
| ⓑ에서 '높이'는 명사가 아니라 부사입니다.

④ ⓓ에서 '끓였다'의 어근에 붙은 접미사 '-이-'는 모든 동사에 자유롭게 결합한다.
| 윗글에서 하나의 접미사가 모든 동사에 자유롭게 결합하는 것은 아니라고 하였죠? 한 예로 '-이-'는 '날-'과 결합하지 못해요.

⑤ ⓔ에서 '오시기'는 '오-'와 '-기' 사이에 다른 형태소가 끼어든 것이므로 명사이다.
| 어근과 접미사 사이에는 다른 형태소가 끼어들 수 없어요. 따라서 '오시기'는 어근과 접미사의 결합으로 볼 수 없겠군요. 접미사가 붙어 품사가 바뀐 것이 아니기 때문에 '오시기'의 품사는 어간 '오-'의 품사와 마찬가지로 동사입니다.

수능 콕콕 수능 기출

2 2018학년도 대수능 11번 변형

다음 문장에서 ㉠~㉤에 해당하는 예를 찾아 이를 설명한 내용으로 적절하지 않은 것은?

국어의 단어들은 ㉠어근과 어근이 결합해 만들어지기도 하고 어근과 파생 접사[1]가 결합해 만들어지기도 한다. 어근과 파생 접사가 결합한 단어는 ㉡파생 접사가 어근의 앞에 결합한 것도 있고, ㉢파생 접사가 어근의 뒤에 결합한 것도 있다. 어근이 용언 어간이나 체언일 때, 그 뒤에 결합한 파생 접사는 어미나 조사와 혼동될 수도 있다. 그러나 파생 접사는 주로 새로운 단어를 만든다는 점에서 차이가 있다. 이에 비해 ㉣어미는 용언 어간과 결합해 용언이 문장 성분이 될 수 있도록 해 주고, ㉤조사는 체언과 결합해 체언이 문장 성분임을 나타내 줄 뿐 새로운 단어를 만들지는 않는다. 이 점에서 어미와 조사는 파생 접사와 분명하게 구별된다.

아기장수가 맨손으로 산 위에 쌓인 바위를 깨뜨리는 모습이 멋졌다.

① '아기장수가'의 '아기장수'는 ㉠에 해당하는 예로, 어근 '아기'와 어근 '장수'가 결합했다.
② '맨손으로'의 '맨손'은 ㉡에 해당하는 예로, 파생 접사 '맨-'이 어근 '손' 앞에 결합했다.
③ '쌓인'의 어간은 ㉢에 해당하는 예로, 파생 접사 '-이-'가 어근 '쌓-' 뒤에 결합했다.
④ '깨뜨리는'은 ㉣에 해당하는 예로, 어미 '-리는'이 용언 어간 '깨뜨-'와 결합했다.
⑤ '모습이'는 ㉤에 해당하는 예로, 조사 '이'가 체언 '모습'과 결합했다.

개념 확인

1 파생 접사
접두사와 접미사를 파생 접사라고 해요. 조사와 어미를 굴절 접사라고 하는데, 이와 구별하기 위해 접두사와 접미사를 파생 접사라고 하는 거랍니다.

더 알고 싶은 해설

정답 풀이

❹ '깨뜨리는'은 ㉣에 해당하는 예로, 어미 '-리는'이 용언 어간 '깨뜨-'와 결합했다.
'깨뜨리는'은 '깨뜨리다, 깨뜨리고, 깨뜨리니, …'와 같이 활용해요. 따라서 어간은 변하지 않는 부분인 '깨뜨리-'이고 어미는 변하는 부분인 '-는'입니다.

오답 풀이

① '아기장수가'의 '아기장수'는 ㉠에 해당하는 예로, 어근 '아기'와 어근 '장수'가 결합했다.
아기(어근) + 장수(어근) → 아기장수(합성어)

② '맨손으로'의 '맨손'은 ㉡에 해당하는 예로, 파생 접사 '맨-'이 어근 '손' 앞에 결합했다.
맨-(접두사) + 손(어근) → 맨손(파생어)

③ '쌓인'의 어간은 ㉢에 해당하는 예로, 파생 접사 '-이-'가 어근 '쌓-' 뒤에 결합했다.
'쌓이-(어간) + -ㄴ(어미)
쌓-(어근) + -이-(접미사) → 쌓이-(파생어)

⑤ '모습이'는 ㉤에 해당하는 예로, 조사 '이'가 체언 '모습'과 결합했다.
모습(명사) + 이(조사) → 모습이(주어)

더 알아두기 6 합성어와 파생어

궁금이의 문법 일기

시험이 코앞이라 요 며칠 잠을 좀 줄이고 공부를 했더니 몸이 놀랐나 보다. 코피가 날 줄이야! 그런데 영구가 애들 앞에서 "코딱지 파서 코피 났다!"라고 놀렸다. 혜수가 나를 어떻게 생각할까. ㅠㅠ 그나저나 코에서 나는 피니까 '코피'인 건 알겠는데, 왜 '코딱지'는 '코딱지'라고 부를까? 생각해 보니 딱지가 붙은 말이 '게딱지, 등딱지, 피딱지'도 있네? '딱지'라는 말이 붙으면 뭔가 딱딱하고 납작한 것을 가리키는 말인가 보다. 아무튼 오늘은 일찍 자면서 내일 영구한테 어떻게 복수할지 고민해 봐야겠다!

콕샘 한마디!

우리가 쓰는 단어들 중에는 둘 또는 그 이상의 형태소들이 모여 하나의 단어를 이룬 경우도 많답니다. 오늘은 단어의 짜임을 살펴보면서 둘 이상의 어근이 결합하여 만들어진 '합성어'와 어근에 접사가 결합하여 만들어진 '파생어'를 통해 단어가 만들어지는 과정과 방법을 배워 보도록 할까요?

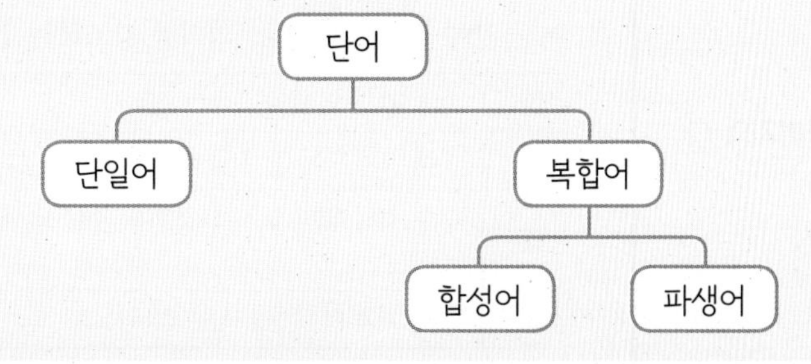

확인하기

1

㉠~㉤에 대한 설명으로 적절하지 않은 것은?

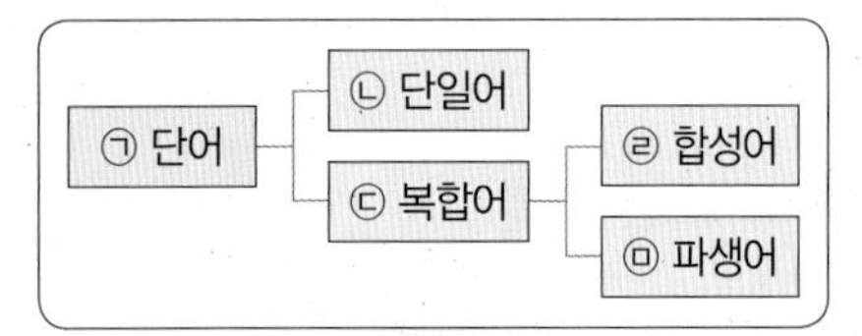

① ㉠: 분리하여 자립적으로 쓸 수 있는 말이나 이에 준하는 말이다.
② ㉡: 하나의 형태소로만 이루어진 말로 '가위, 하늘' 등을 예로 들 수 있다.
③ ㉢: 두 개 이상의 어근이 결합하거나, 어근과 접사가 결합하여 만들어진 말이다.
④ ㉣: 둘 이상의 어근으로 이루어진 말로 '눈물, 손발' 등을 예로 들 수 있다.
⑤ ㉤: 접두사와 어근 또는 어근과 접미사가 결합한 말로 '헛일, 손님' 등을 예로 들 수 있다.

2

〈보기〉의 단어를 단일어와 합성어로 구분해 쓰시오.

보기

하늘	떡국	밤송이	시골
감나무	춥다	오가다	꽃병

(1) 단일어
(2) 합성어

3

둘 이상의 어근이 결합되어 이루어진 단어는?

① 뛰놀다 ② 높이다
③ 밝히다 ④ 새롭다
⑤ 자연스럽다

4

두 어근 사이의 의미 관계가 나머지와 다른 합성어는?

① 물걸레 ② 나무상자
③ 돌다리 ④ 책가방
⑤ 피땀

오늘의 개념 사전

단일어
하나의 어근으로만 이루어진 단어

복합어
둘 이상의 어근이 결합되거나(합성어), 어근과 접사가 결합되어 이루어진 단어(파생어)

합성어
둘 이상의 어근이 결합하여 만들어진 단어

합성어의 종류

- 대등 합성어: 두 개의 어근이 대등하게 결합하여 각각의 어근의 본래 뜻을 유지하는 합성어
  예 오가다(오(다)+가다), 팔다리(팔+다리), 뛰놀다(뛰(다)+놀다)
- 종속 합성어: 한쪽 어근이 다른 어근에 종속되어 있는 합성어
  예 물걸레, 책가방, 쇠사슬, 돌다리, 도시락밥
- 융합 합성어: 어근들이 완전히 하나로 융합하여 새로운 의미를 나타내는 합성어
  예 춘추(나이), 바늘방석(앉아 있기 아주 불안스러운 자리), 빈말(실속 없이 헛된 말), 피땀(노력과 정성)

합성어가 될 때의 형태 변화

- 'ㄹ' 탈락: 솔+나무 → 소나무, 말+소 → 마소, 쌀+전 → 싸전
- 첫 어근의 끝 모음 탈락: 가지+가지 → 갖가지, 어제+저녁 → 엊저녁
- 어미 삽입: 뛰다+나다 → 뛰어나다('-어' 삽입)
- 소리 나는 대로 표기: 닭+알 → 달걀

파생어
어근과 접사가 결합하여 만들어진 단어

접두사 + 어근

어근 앞에 뜻을 더하거나, 의미를 강조하는 접두사가 결합하여 형성된 단어

햇-	'그 해에 난'의 뜻을 더하는 접두사	햇나물, 햇과일, ……
덧-	'본래 있는 위에 더, 거듭'의 뜻을 더하는 접두사	덧신, 덧저고리, ……
맨-	'다른 것이 없이 오직 그것뿐'의 뜻을 더하는 접두사	맨주먹, 맨몸, ……
되-	'다시, 거듭'의 뜻을 더하는 접두사	되묻다, 되풀이하다, ……

▶ 연계 학습 부록 248쪽으로 **한번 더!**

어근 + 접미사

어근 뒤에 뜻을 더하거나, 어근의 품사를 바꾸는 접미사가 결합하여 형성된 단어

• 뜻을 더해 주는 접미사가 결합된 경우

장난꾸러기	장난(어근)+-꾸러기
	'그것이 심하거나 많은 사람'의 뜻을 더함.
심술쟁이	심술(어근)+-쟁이
	'그것이 나타내는 속성을 많이 가진 사람'의 뜻을 더함.

• 품사를 바꾸는 접미사가 결합된 경우

유형	접미사	예
명사 파생	-보, -(으)ㅁ, -이, -기	• 꾸-(동사 어근)+-ㅁ(접미사) → 꿈(명사) • 달리-(동사 어근)+-기(접미사) → 달리기(명사)
동사 파생	-하다, -추다, -거리다	• 위반(명사)+-하다(접미사) → 위반하다(동사) • 출렁(부사)+-거리다(접미사) → 출렁거리다(동사)
형용사 파생	-답다, -롭다, -스럽다, -다랗다	• 학생(명사)+-답다(접미사) → 학생답다(형용사) • 새(관형사)+-롭다(접미사) → 새롭다(형용사)
부사 파생	-히, -이	• 자연(명사)+-히(접미사) → 자연히(부사) • 깨끗-(형용사의 어근)+-이(접미사) → 깨끗이(부사)

• 정답과 해설 53~54쪽

확인하기

5

파생어가 만들어지는 유형과 해당하는 예를 찾아 바르게 연결하시오.

(1) 명사로 파생됨. • • ㉠ 슬기롭다
(2) 동사로 파생됨. • • ㉡ 공부하다
(3) 형용사로 파생됨. • • ㉢ 조용히
(4) 부사로 파생됨. • • ㉣ 쓰기

6

합성어를 이룰 때 형태가 달라진 단어를 모두 쓰시오.

여닫다 쇠사슬 갖가지 달걀
코피 뛰어나다 팔다리

7

접미사에 의해 형성된 파생어가 아닌 것은?

① 마음씨 ② 도둑질
③ 애호박 ④ 새롭다
⑤ 자연히

8

밑줄 친 단어 중 어근들이 완전히 하나로 융합하여 본래의 뜻과 전혀 다른 뜻을 지니게 된 것은?

① 돌다리도 두드려 보고 건너라.
② 오가며 그 집 앞을 지나노라면.
③ 솔방울은 소나무에 열리는 거란다.
④ 떨어진 나뭇잎이 바람에 바스락거린다.
⑤ 남북으로 갈라진 강산이 하나 되는 날!

정복하기

• 정답과 해설 54~55쪽

1 단일어에 해당하는 것은?

① 꿈 ② 날개 ③ 예쁘다
④ 목소리 ⑤ 오가다

2 밑줄 친 단어 중, 형태소의 결합 과정에서 어근의 형태에 변화가 생기지 않은 것은?

① 오늘따라 삶은 달걀이 먹고 싶어.
② 이 사진 속에는 따님도 들어 있죠?
③ 이튿날, 범인이 다시 모습을 드러내었다.
④ 어머니께서는 밤늦게까지 바느질을 하셨다.
⑤ 이 커다란 고인돌은 도대체 어떻게 옮긴 걸까?

3 합성어와 파생어에 해당하는 예를 적절하게 제시한 것은?

	합성어	파생어
①	샛노랗다, 개살구	논밭, 김밥, 소나무
②	논밭, 김밥, 소나무	샛노랗다, 개살구
③	논밭, 김밥	소나무, 샛노랗다, 개살구
④	논밭, 소나무	샛노랗다, 개살구, 김밥
⑤	샛노랗다, 소나무	논밭, 김밥, 개살구

4 파생어끼리 짝지어진 것은?

① 가방, 손발, 눈물
② 군밤, 군소리, 군침
③ 개살구, 개떡, 개집
④ 울보, 헛기침, 생각하다
⑤ 돌다리, 헛다리, 구름다리

5 〈보기 2〉의 ㉠~㉤ 중, 〈보기 1〉에서 설명하는 합성어의 예로 적절한 것은?

보기 1

한쪽의 어근이 다른 한쪽의 어근을 수식한다.

보기 2

㉠도랑물이 불어나자 ㉡몸집을 불린 올챙이들이 드디어 개구리가 되어 ㉢뛰놀기 시작했다. ㉣앞뒤로 다리를 오므렸다가 펼치면서 ㉤오르내릴 때마다 개구리는 세상을 다 가진 듯 하였다.

① ㉠ ② ㉡ ③ ㉢ ④ ㉣ ⑤ ㉤

6 〈보기〉와 같이 합성어를 나누었을 때, ㉠, ㉡, ㉢의 예를 순서대로 바르게 나열한 것은?

보기

㉠ 대등 합성어	어근 = 어근
㉡ 종속 합성어	어근 → 어근
㉢ 융합 합성어	어근 + 어근 → 새로운 뜻

	㉠	㉡	㉢
①	시골길	팔다리	가시방석
②	시골길	가시방석	위아래
③	가시방석	위아래	산나물
④	위아래	산나물	가시방석
⑤	산나물	가시방석	물걸레

7 다음에서 설명하는 합성어가 들어 있지 않은 문장은?

한쪽의 어근이 다른 한쪽의 어근을 수식하는 합성어

① 콘크리트 벽에는 쇠못을 써야지.
② 옛날에는 가죽신이 참 귀했단다.
③ 너도 손발이 있는데, 직접 하지 그래?
④ 이것 좀 쓰레기통에 버려 줄 수 있니?
⑤ 앞으로는 손수건을 가지고 다닐거야.

수능 콕콕 수능 기출

1 2018학년도 대수능 9월 모의평가 12번 변형

밑줄 친 단어 중 ㉠의 예로 적절한 것은?

< 보기 >

학생 1: 선생님, 합성 명사[1]는 명사와 명사가 합쳐진 말 아닌가요?

선생님: 네, 그런 경우가 많지요. 예를 들어 '논밭, 불고기'처럼 명사에 명사가 결합하는 경우가 있어요. 그 밖에 용언의 활용형이 명사와 결합[2]한 '건널목, 노림수, 섞어찌개'와 같은 경우도 있고 '새색시'처럼 명사를 꾸며 주는 관형사가 앞에 오는 경우도 있어요.

학생 2: 그런데 선생님, 말씀하신 합성 명사들을 보니 뒤의 말이 모두 명사네요?

선생님: 그래요. 우리말에서 합성어의 품사는 뒤에 오는 말의 품사와 같은 것이 원칙이에요. 앞에서 말한 예들이 다 그래요. 그런데 이러한 일반적인 경우와는 달리 ㉠ 명사가 아닌 품사들로만 이루어진 합성 명사도 있답니다.

① 자기 잘못은 자기가 책임져야 한다.
② 언니는 가구를 전부 새것으로 바꿨다.
③ 아이가 요사이에 몰라보게 훌쩍 컸다.
④ 오늘날에는 교육에서 창의성이 중시된다.
⑤ 나는 갈림길에서 어디로 가야 할지 몰랐다.

개념 확인

1 합성 명사
둘 이상의 말이 결합된 명사를 뜻합니다. '논밭', '눈물', '새해', '지름길', '늦더위', '부슬비' 등이 합성 명사에 해당합니다.

2 용언의 활용형+명사
- 건널목: 건너-(어간)+-ㄹ(관형사형 어미)+목(명사)
- 노림수: 노리-(어간)+-ㅁ(명사형 어미)+수(명사)
- 섞어찌개: 섞-(어간)+-어(연결 어미)+찌개(명사)

더 알고 싶은 해설

정답 풀이

❶ 자기 잘못은 자기가 책임져야 한다.
| '잘(부사)+못(부사) → 잘못(합성 명사)'이기 때문에 ㉠의 예로 적절해요.

오답 풀이

② 언니는 가구를 전부 새것으로 바꿨다.
| '새(관형사)+것(의존 명사) → 새것(합성 명사)'으로, 명사가 쓰였기 때문에 ㉠의 예로 적절하지 않아요.

③ 아이가 요사이에 몰라보게 훌쩍 컸다.
| '요(관형사)+사이(명사) → 요사이(합성 명사)'로, 명사가 쓰였기 때문에 ㉠의 예로 적절하지 않아요.

④ 오늘날에는 교육에서 창의성이 중시된다.
| '오늘(명사)+날(명사) → 오늘날(합성 명사)'로, 명사가 쓰였기 때문에 ㉠의 예로 적절하지 않아요.

⑤ 나는 갈림길에서 어디로 가야 할지 몰랐다.
| '갈리-(어간)+-ㅁ(명사형 어미)+길(명사) → 갈림길(합성 명사)'로, 명사가 쓰였기 때문에 ㉠의 예로 적절하지 않아요.

수능 콕콕 수능 기출

2 2020학년도 대수능 9월 모의평가 14번

〈보기〉의 ㉠과 ㉡을 모두 충족하는 예로 적절한 것은?

보기

'붙잡다'의 어간 '붙잡-'은 어근 '붙-'과 어근 '잡-'으로 나뉘고, '잡히다'의 어간 '잡히-'는 어근[1] '잡-'과 접사[1] '-히-'로 나뉜다. 이렇듯 어떤 말을 둘로 나누었을 때 나누어진 두 요소 각각을 직접 구성 요소[2]라 하는데, 어근과 어근으로 분석되는 말을 합성어라 하고 어근과 접사로 분석되는 말을 파생어라 한다.

그런데 ㉠어간이 3개 이상의 구성 요소로 이루어진 경우가 있다. 이때 ㉡직접 구성 요소가 먼저 어근과 어근으로 분석되면 합성어이고 어근과 접사로 분석되면 파생어이다. 예컨대 '밀어붙이다'는 직접 구성 요소가 먼저 어근과 어근으로 분석되므로 합성어이다.

① 밤새 거센 비바람이 내리쳤다.
② 책임을 남에게 떠넘기면 안 된다.
③ 차바퀴가 진흙 바닥에서 헛돌았다.
④ 거리에는 매일 많은 사람이 오간다.
⑤ 그들은 끊임없이 짓밟혀도 굴하지 않았다.

개념 확인

1 어근, 접사

단어를 분석할 때, 실질적 의미를 나타내는 중심이 되는 부분을 '어근', 주로 어근에 붙어 의미나 기능을 더하는 부분을 '접사'라고 합니다.

예 '덮개'에서 실질적 의미를 나타내는 '덮-'은 어근, 어근에 붙어 간단한 도구의 뜻을 더하는 '-개'는 접사에 해당합니다.

2 직접 구성 요소

어떤 말을 둘로 나누었을 때 나누어진 두 요소 각각을 가리킵니다.

예 '놀이'의 직접 구성 요소는 '놀-'과 '-이'이고, '밤나무'의 직접 구성 요소는 '밤'과 '나무'입니다.

더 알고 싶은 해설

정답 풀이

❷ 책임을 남에게 떠넘기면 안 된다.

떠넘기-(어간)+-면(어미). 어간 '떠넘기-'의 직접 구성 요소는 '뜨-'(어근)와 '넘기-'(어근)이므로 ㉡을 충족해요. 그리고 '넘기-'는 다시 '넘-'(어근)과 '-기-'(접사)로 나눌 수 있기 때문에, 어간 '떠넘기-'는 3개의 구성 요소로 이루어져 있어 ㉠도 충족합니다.

오답 풀이

① 밤새 거센 비바람이 내리쳤다.

내리치-(어간)+-었-(선어말 어미)+-다(어말 어미). 어간 '내리치-'는 '내리-'(어근)와 '치-'(어근)가 직접 구성 요소이기 때문에 ㉡은 충족하지만, 2개의 구성 요소로 이루어져 있기 때문에 ㉠을 충족하지 못합니다.

③ 차바퀴가 진흙 바닥에서 헛돌았다.

헛돌-(어간)+-았-(선어말 어미)+-다(어말 어미). 어간 '헛돌-'은 '헛-'(접사)와 '돌-'(어근) 2개의 구성 요소로 이루어져 있기 때문에 ㉠과 ㉡ 모두 충족하지 못합니다.

④ 거리에는 매일 많은 사람이 오간다.

오가-(어간)+-ㄴ-(선어말 어미)+-다(어말 어미). 어간 '오가-'는 '오-'(어근)와 '가-'(어근)가 직접 구성 요소이기 때문에 ㉡은 충족하지만, 2개의 구성 요소로 이루어져 있기 때문에 ㉠을 충족하지 못합니다.

⑤ 그들은 끊임없이 짓밟혀도 굴하지 않았다

짓밟히-(어간)+-어도(어미). 어간 '짓밟히-'는 '짓밟-'(어근)과 '-히-'(접사)가 직접 구성 요소이기 때문에 ㉡을 충족하지 못합니다. '짓밟-'은 다시 '짓-'(접사)과 '밟-'(어근)으로 쪼갤 수 있기 때문에 어간 '짓밟히-'는 ㉠은 충족하는군요.

필독 중학 국어_문법

부록 ▸▸ 문법 완성 비법

한눈에 보기 Plus

<table>
<tr><td>자의성</td><td>언어의 내용(의미)과 형식(음성, 문자)의 결합 관계에는 필연성이 없다는 것</td></tr>
<tr><td>사회성</td><td>언어의 내용(의미)과 형식(음성, 문자)은 그 언어를 사용하는 사회의 약속이므로 개인이 함부로 바꿀 수 없다는 것</td></tr>
<tr><td>역사성</td><td>언어의 내용(의미)과 형식(음성, 문자)의 결합 관계가 시간의 흐름에 따라 바뀐다는 것
<table>
<tr><td rowspan="3">역사성의 양상</td><td>생성(새롭게 생겨남.)</td><td>예 인공위성, 스마트폰, 엘리베이터</td></tr>
<tr><td>변화(의미나 형태가 변함.)</td><td>예 어리다(어리석다 → 나이가 적다), 나모 → 나무</td></tr>
<tr><td>사멸(사라짐.)</td><td>예 가람(강), 뫼(산), 즈믄(천)</td></tr>
</table></td></tr>
<tr><td>창조성</td><td>제한된 언어 요소를 가지고 무한대의 표현을 만들어 낼 수 있다는 것</td></tr>
<tr><td>기호성</td><td>언어는 내용(의미)을 형식(음성, 문자)으로 표현한 기호라는 것
예 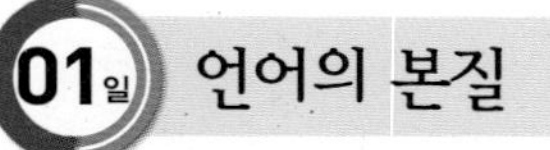 나무[나무]
'나무'라는 내용(의미) 형식(음성이나 문자)</td></tr>
<tr><td>규칙성</td><td>언어 집단마다 그 언어를 사용할 때 적용되는 일정한 규칙이 있다는 것</td></tr>
<tr><td>체계성</td><td>'음운 → 형태소 → 단어 → 어절 → 문장' 등의 체계를 이루고 있다는 것</td></tr>
<tr><td>분절성</td><td>• 여러 단위로 나누어지고 결합할 수 있다는 것
예 나무: '나'와 '무'의 결합 / 'ㄴ, ㅏ, ㅁ, ㅜ'의 결합
• 연속적으로 이루어져 있는 세계를 끊어서 표현한다는 것
예 경계가 분명하지 않은 무지개의 색깔을 일곱 개의 색깔로 표현함.</td></tr>
<tr><td>추상성</td><td>언어에서, 어떠한 개념이 형성될 때 서로 다른 개별적이고 구체적인 대상으로부터 공통되는 속성을 추출하는 과정을 거쳐 이루어진다는 것
예 소나무, 잣나무, 밤나무, …… → 나무</td></tr>
</table>

함정 넘기 Tip

❶ 언어의 특성들은 각각 따로 존재하는 것이 아니라 서로 관련된다!
하나의 언어생활 장면에서 하나의 언어의 특성(자의성, 사회성, 역사성, 창조성, 기호성, 규칙성 등)만 작용하는 것은 아니에요. 따라서 그 장면에서 가장 두드러진 언어의 특성이 무엇인지 판단할 필요가 있어요.

❷ 기호성과 자의성, 이렇게 구별하자!
내용(의미)을 나타내는 일정한 형식(음성, 문자)이 있다는 사실에 주목하면 '기호성', 그 형식(음성, 문자)이 언어마다 다르다는 것에 주목하면 '자의성'의 특성을 확인할 수 있답니다.

❸ 바꿀 수 없는 건 사회적 약속, 변화를 보여 주는 건 역사!
언어 사회 내의 변할 수 없는 '약속'이라는 사실(불역성)에 주목하면 '사회성', 그 약속이 시간의 흐름에 따라 '변한다'라는 사실(가역성)에 주목하면 '역사성'의 특성을 확인할 수 있답니다.

헷갈리는 QUIZ

❖ 원래의 지명을 개인이 마음대로 바꿀 수 없는 이유와 관련 있는 언어의 특성을 쓰세요.

TIP 바뀌는 것은 역사성, 바뀌어서는 안 된다는 것은 사회성으로 기억하세요.

답 사회성

한눈에 보기 Plus

■ 음운과 음절

<table>
<tr><td rowspan="3">음운</td><td colspan="2">• 뜻: 말의 뜻을 구별해 주는 소리의 가장 작은 단위
• 종류</td></tr>
<tr><td>분절 음운</td><td>자음과 모음처럼 쉽게 분리되는 음운</td></tr>
<tr><td>비분절 음운</td><td>• 소리의 길이, 높낮이, 강세와 같이 쉽게 분리되지 않는 음운
• 국어(표준어)에서는 소리의 길이로 말의 뜻을 구분함.
예 밤[밤]에 구운 밤[밤:]을 먹었다. 눈[눈]에 하얀 눈[눈:]이 들어갔다.</td></tr>
<tr><td>음절</td><td colspan="2">• 뜻: 독립하여 발음할 수 있는 최소의 소리 단위
• 국어 음절의 구성: 모음, 자음+모음, 모음+자음, 자음+모음+자음</td></tr>
</table>

■ 국어의 단모음 분류

• 단모음: 발음할 때 입술 모양이나 혀의 위치가 고정되어 소리가 나오는 모음

혀의 최고점의 위치 / 입술 모양 / 혀의 높낮이	전설 모음		후설 모음	
	평순 모음	원순 모음	평순 모음	원순 모음
고모음	ㅣ	ㅟ	ㅡ	ㅜ
중모음	ㅔ	ㅚ	ㅓ	ㅗ
저모음	ㅐ		ㅏ	

■ 국어의 이중 모음과 반모음

이중 모음	• 발음하는 동안 입술 모양이나 혀의 위치가 달라지면서 소리가 나오는 모음 예 ㅑ, ㅕ, ㅘ, ㅢ, ……
반모음	• 모음과 같이 발음하지만 단독으로 음절을 이루지 못하고 다른 모음과 결합하여 음절을 이루며, 발음의 지속 시간이 비교적 짧은 모음 예 'ㅑ', 'ㅘ'에서 각각 'ㅏ'를 제거하고 남은 'y', 'w'

함정 넘기 Tip

❶ 단모음, 나만의 문장으로 외우자.

첫째, 전설 모음은 '키위 제외해!(ㅣ, ㅟ, ㅔ, ㅚ, ㅐ)'로, 후설 모음은 '금붕어 좋아!(ㅡ, ㅜ, ㅓ, ㅗ, ㅏ)'로 외우는 방법이 있어요. 둘째, '뜨겁다 우동(ㅡ, ㅓ, ㅏ, ㅜ, ㅗ)'으로 후설 모음을 외우는 방법이 있어요. 여기에 'ㅡ' 대신 'ㅣ'가 오고 나머지는 'ㅣ'가 결합한 형태 '띠겝대 위됭(ㅣ, ㅔ, ㅐ, ㅟ, ㅚ)'으로 전설 모음을 외우면 됩니다. 단, 두 가지 중 자신이 외우기 편한 방법 한 가지만 선택해 기억해 두면 돼요. 또는 자신만의 창의적인 문장을 만들어서 기억해도 좋아요.

❷ 'ㅐ, ㅔ, ㅚ, ㅟ'는 단모음이다.

'ㅐ, ㅔ, ㅚ, ㅟ'는 두 개의 모음이 결합한 형태지만 '단모음'으로 인정합니다. 다만, 'ㅚ, ㅟ'는 이중 모음으로 발음하는 것도 허용하고 있어요.

❸ 원! 원순 모음, 'ㅗ, ㅜ, ㅚ, ㅟ' 동그란 입 모양을 기억해!

입 모양을 동그랗게 해서 소리 내는 원순 모음은 기본적으로 'ㅗ, ㅜ'를 포함해요. 따라서 'ㅗ, ㅜ'를 포함한 'ㅚ, ㅟ'도 원순 모음이지요.

❹ '으앙'에 사용된 음운의 개수는 몇 개? 3개!

'으앙'에 사용된 음운은 'ㅡ, ㅏ, ㅇ'으로 세 개입니다. 'ㅇ'은 초성일 때는 음가(소릿값)가 없으며, 종성일 때는 혀뿌리를 높여 연구개를 막고 날숨을 코안으로 내보낼 때 나는 비음으로 음가(소릿값)가 있기 때문이에요.

헷갈리는 QUIZ

❖ 다음 설명이 맞으면 ○표, 틀리면 ×표 하세요.

1 'ㅟ'는 단모음이다. (　　)

2 'ㅚ'는 이중 모음이다. (　　)

TIP 'ㅟ, ㅚ'는 이중 모음처럼 보이고 이중 모음으로 발음되기도 하지만, 이것은 단모음입니다.

답 1 ○ 2 ×

한눈에 보기 Plus

■ 자음 체계

장애 정도	소리 나는 위치 / 소리 내는 방법	입술소리(양순음)	잇몸소리(치조음)	센입천장소리(경구개음)	여린입천장소리(연구개음)	목청소리(후음)
안울림소리(장애음)	파열음	ㅂ, ㅃ, ㅍ	ㄷ, ㄸ, ㅌ		ㄱ, ㄲ, ㅋ	
	파찰음			ㅈ, ㅉ, ㅊ		
	마찰음		ㅅ, ㅆ			ㅎ
울림소리(공명음)	비음(콧소리)	ㅁ	ㄴ		ㅇ	
	유음(흐름소리)		ㄹ			

■ 소리의 세기(국어 자음의 삼중 체계)에 따른 느낌의 차이

예사소리(평음)	보통의 자음 소리	ㄱ	ㄷ	ㅂ	ㅅ	ㅈ
된소리(경음)	단단하고 급한 느낌의 소리	ㄲ	ㄸ	ㅃ	ㅆ	ㅉ
거센소리(격음)	크고 거친 느낌의 소리	ㅋ	ㅌ	ㅍ		ㅊ

함정 넘기 Tip

❶ 자음 중에도 울림소리(공명음)가 있다.

자음 중 'ㄴ, ㄹ, ㅁ, ㅇ'은 울림소리입니다. '노란 양말(ㄴ, ㄹ, ㅇ, ㅁ)'에 사용된 자음을 떠올리면 돼요. 이때 'ㄹ'은 유음이고 나머지 'ㄴ, ㅁ, ㅇ'은 비음입니다.

❷ '소리 나는 위치'와 '소리 내는 방법'을 중심으로 자음 체계를 외워 보자.

먼저 머릿속으로 자음 분류표의 가로축(입술부터 구강 구조에 따라 입술-잇몸-센입천장-여린입천장-목청)과 세로축(파열음-파찰음-마찰음, 터지는 소리-터지며 스치는 소리-스치는 소리)을 떠올립니다. 그리고 '바닷속 조개 후~'를 〈그림〉처럼 넣어 외워요. 된소리(ㄲ, ㄸ, ㅃ, ㅆ, ㅉ)와 거센소리(ㅍ, ㅌ, ㅊ, ㅋ)는 예사소리(ㄱ, ㄷ, ㅂ, ㅅ, ㅈ)와 함께 묶어 줍니다. 다음으로 울림소리 'ㅁ, ㄴ, ㄹ'을 닮은 꼴('ㅂ-ㅁ', 'ㄷ-ㄴ-ㄹ')로 배열하고, 마지막으로 'ㄱ'과 같은 연구개음 'ㅇ'도 빠뜨리지 않도록 합니다.

ㅂ — ㄷ ㄱ
ㅈ
ㅅ ㅎ

〈그림〉

❸ '자짜차'와 '가까캉'으로 센입천장소리(경구개음)와 여린입천장소리(연구개음)를 구분하자.

혀끝이나 손가락으로 입천장 앞쪽과 뒤쪽을 눌러 보면, 앞쪽이 딱딱하고(센입천장) 뒤쪽이 물컹함(여린입천장)을 알 수 있어요. '자자자/짜짜짜/차차차'를 반복하면 혀 앞부분(혀끝에서 1cm 정도 떨어진 부분)이 센입천장에 닿았다 떨어짐을 알 수 있지요. 또한 '가가가/까까까/카카카/앙앙앙'을 반복하면 혀 뒷부분이 여린입천장에 닿았다 떨어짐을 알 수 있습니다.

헷갈리는 QUIZ

❖ **울림소리(공명음)가 아닌 것에 ○표 하세요.**

ㄱ ㄴ ㄹ ㅁ ㅇ

TIP 자음 중 울림소리 'ㄴ, ㄹ, ㅇ, ㅁ'을 '노란 양말'로 기억하세요.

답 ㄱ

한눈에 보기 Plus

■ **표기의 원리**: 한글 맞춤법은 표준어를 소리대로 적되, 어법에 맞도록 함을 원칙으로 한다.(한글 맞춤법 제1항)

나무[나무] 구름[구름] 하늘[하늘]	⇨	표준어를 소리대로 적음.
꽃이[꼬치] 꽃만[꼰만] 꽃도[꼳또]	⇨	표준어를 어법에 맞도록 적음.

■ **발음의 원리**: 표준 발음법은 표준어의 실제 발음을 따르되, 국어의 전통성과 합리성을 고려하여 정함을 원칙으로 한다.(표준 발음법 제1항)

■ 국어의 전통성을 고려하여 정한 표준 발음의 예

현실 발음	표준 발음
모음의 길이가 정확히 구별되지 않는 경우가 많음.	국어의 전통성을 고려하여 모음의 길이를 규정함.
'ㅐ'와 'ㅔ'를 명확히 구별하여 발음하지 못하는 경우가 많음.	국어의 전통성을 고려하여 'ㅐ'와 'ㅔ'를 명확히 구별하여 발음하도록 규정함.

■ 국어의 합리성을 고려하여 정한 표준 발음의 예

현실 발음	표준 발음
'닭이/닭을/닭은'을 '[다기], [다글], [다근]'으로 발음하는 경우가 많음.	국어의 합리성을 고려하여 '[달기], [달글], [달근]'을 표준 발음으로 정함.
'맛있다/멋있다'를 '[마신따], [머신따]'로 발음하는 경우가 많음.	'[마딛따], [머딛따]'로 발음하는 것을 원칙으로 하고, '[마신따], [머신따]'로 발음하는 것을 허용함.

■ **받침의 연음**: 앞 음절의 끝 자음이 모음으로 시작되는 뒤 음절의 초성으로 이어져 소리가 남.

예 봄이[보미], 겨울이[겨우리], 닭이[달기], 닭을[달글]

함정 넘기 Tip

❶ 정확한 발음을 판단하는 3단계!

1단계 세 번 이상 반복적으로 발음해 봅니다. 예 꽃만, 꽃만, 꽃만, ……'

2단계 1단계에서 귀에 들리는 발음을 떠오르는 대로 적어 봅니다.

예 [꼳만] 또는 [꼰만]

3단계 2단계에서 적은 발음을 한 음절씩 끊어서 소리 내 읽어 보면서, 1단계에서 반복한 발음과 같은 것을 찾아봅니다.

예 [꼳, 만] ⇨ '꽃만'을 연속해 발음했을 때와 발음이 다르군.

[꼰, 만] ⇨ '꽃만'을 연속해 발음했을 때와 발음이 같군.

⇨ '꽃만'의 정확한 발음은 [꼰만]이군!

❷ '되어'로 풀어 쓸 수 있어야 '돼'!

'되어'가 줄어들면 '돼'가 됩니다. 용언(동사, 형용사)은 어간과 어미가 결합하여 사용되는 것이 원칙이므로, 어간 '되-'만 독립적으로 써서 '안 되!(×)', '됬다(×)'라고 쓰면 틀린 표기예요. '안 돼!(○)', '됐다(되었다)(○)'가 올바른 표기입니다.

❸ '반드시? 반듯이?' 어원을 찾으면 정확한 표기가 보인다!

반드시 앉을까, 반듯이 앉을까? '반드시'인지 '반듯이'인지 헷갈린다면 어원을 생각해 봐요. 어원상 '반듯하다'와 '반듯이'는 관련이 있어요! 따라서 '반듯하게 앉는 것'을 뜻한다면 '반듯이 앉아야' 입니다. '반드시'는 '꼭'이라는 뜻이니까 '꼭 앉아야 하는 것'을 뜻한다면 '반드시 앉아야' 이고요.

?? 헷갈리는 QUIZ

❖ 다음 중 표기가 잘못된 것을 찾아 바르게 고치세요.

늘어나다 들어나다 불어나다 우러나다 쓰러지다 길어지다

TIP 단어를 둘로 쪼개어 보세요. 쪼개진 말의 뜻이 남아 있으면 원형을 밝혀 적고, 쪼개진 말의 뜻에서 멀어졌으면 원형을 밝혀 적지 않는답니다.

답 들어나다 → 드러나다

한눈에 보기 Plus

■ 받침의 발음: 받침소리로는 'ㄱ, ㄴ, ㄷ, ㄹ, ㅁ, ㅂ, ㅇ'의 7개 자음만 발음한다.(표준 발음법 제8항)
- ㄱ, ㄲ, ㅋ → ㄱ // ㄴ → ㄴ // ㄷ, ㅅ, ㅆ, ㅈ, ㅊ, ㅌ, ㅎ → ㄷ // ㄹ → ㄹ // ㅁ → ㅁ // ㅂ, ㅍ → ㅂ // ㅇ → ㅇ

■ 겹받침의 발음
- 겹받침 'ㄳ', 'ㄵ', 'ㄼ, ㄽ, ㄾ', 'ㅄ'은 어말 또는 자음 앞에서 각각 [ㄱ, ㄴ, ㄹ, ㅂ]으로 발음한다.(표준 발음법 제10항)
- 겹받침 'ㄺ, ㄻ, ㄿ'은 어말 또는 자음 앞에서 각각 [ㄱ, ㅁ, ㅂ]으로 발음한다.(표준 발음법 제11항)
- 다만, '밟-'은 자음 앞에서 [밥]으로 발음하고, '넓-'은 다음과 같은 경우(넓죽하다, 넓둥글다)에 [넙]으로 발음한다.
  예 밟다[밥:따], 넓죽하다[넙쭈카다], 넓둥글다[넙뚱글다]
- 다만, 용언의 어간 말음 'ㄺ'은 'ㄱ' 앞에서 [ㄹ]로 발음한다.
  예 맑게[말께], 묽고[물꼬] // 맑지[막찌], 묽소[묵쏘]

■ 조건에 따른 받침/겹받침의 발음

조건	받침의 발음	예
어말 또는 자음 앞	• 대표음 [ㄱ, ㄷ, ㅂ]으로 발음함. • 겹받침 중 하나만 발음함.	• 부엌[부억], 꽃도[꼳또] 앞[압] • 넋[넉], 닭[닥]
모음으로 시작된 형식 형태소(조사나 어미, 접미사)가 결합될 때	받침(겹받침 중 뒤엣것)을 뒤 음절 첫소리로 옮겨 발음함.	부엌에[부어케] 넋이[넉씨] 닭을[달글]
모음으로 시작된 실질 형태소가 결합될 때	대표음으로 바꾸어서(겹받침 중 하나만) 뒤 음절 첫소리로 옮겨 발음함.	부엌 안[부어간] 넋 없다[너겁따] 닭 앞에[다가페]

함정 넘기 Tip

❶ 'ㅅ', 'ㅈ', 'ㅎ'은 대표음이 아니야.
우리말 음절 끝에서 발음되는 대표음에 'ㅅ'은 없어요. 또한 'ㅈ', 'ㅎ'도 없어요. 대표음 7개는 'ㄱ, ㄴ, ㄷ, ㄹ, ㅁ, ㅂ, ㅇ'입니다. 어렵다면 '가느다란 물방울(ㄱ, ㄴ, ㄷ, ㄹ, ㅁ, ㅂ, ㅇ)'로 외우면 되지요.

❷ 시험에 자주 출제되는 겹받침 발음 '읽다', '밟다', '넓다'를 기억해!
'읽다[익따]', '밟다[밥:따]', '넓다[널따]'가 표준 발음입니다. 대체로 겹받침 'ㄺ, ㄻ, ㄿ'은 둘째 자음, 나머지 겹받침은 첫째 자음이 선택되는데, 이때 세 가지의 예외가 있어요. 첫째, 어간에 'ㄺ'이 포함된 경우, '읽고[일꼬]'처럼 어미가 'ㄱ'으로 시작되면 첫째 받침 'ㄹ'이 선택됩니다. 둘째, '밟다'의 경우, '밟다[밥:따]', '밟고[밥:꼬]', '밟지[밥:찌]'처럼 둘째 받침 'ㅂ'이 선택됩니다. 셋째, '넓다'가 포함된 합성어나 파생어의 경우, '넓다[널따]'와 달리 '넓둥글다[넙뚱글다]', '넓죽하다[넙쭈카다]'처럼 둘째 받침 'ㅂ'이 선택됩니다.

❸ '국기'의 발음은 [국기]가 아니라 [국끼]야!
우리말에서 예사소리(ㄱ, ㄷ, ㅂ, ㅅ, ㅈ)가 연속되면, 다시 말해서 앞말의 받침이 예사소리(ㄱ, ㄷ, ㅂ)이고, 바로 이어지는 말의 첫소리가 예사소리(ㄱ, ㄷ, ㅂ, ㅅ, ㅈ)이면, 묻지도 따지지도 않고 뒤의 예사소리가 자연스럽게 된소리(ㄲ, ㄸ, ㅃ, ㅆ, ㅉ)로 바뀝니다. 그러니까 '국기[국끼], 국밥[국빱], 국자[국짜]'처럼 발음된다는 점을 명심해야 됩니다.

헷갈리는 QUIZ

❖ '꽃에'와 '흙에'의 올바른 발음을 쓰세요.

TIP 뒤에 모음이 이어지면 받침이 연음된답니다. 다만 특별한 경우에는 받침의 소리가 바뀌기도 한다는 점에는 유의하세요.

답 [꼬체] [흘게]

▶연계 학습 본문 48~49쪽 함께 보기!

한눈에 보기 Plus

■ 이중 모음의 발음: 'ㅑ, ㅒ, ㅕ, ㅖ, ㅘ, ㅙ, ㅛ, ㅝ, ㅞ, ㅠ, ㅢ'는 이중 모음으로 발음한다.(표준 발음법 제5항)

- 다만, 용언의 활용형에 나타나는 '져, 쪄, 쳐'는 [저, 쩌, 처]로 발음함.
  예 가지어 → 가져[가저](○), [가져](×) / 찌어 → 쪄[쩌](○), [쪄](×)
  다치어 → 다쳐[다처](○), [다쳐](×)
- 다만, '예, 례' 이외의 'ㅖ'는 [ㅔ]로도 발음함.
  예 시계[시계](○), [시게](○) / 연계[연계](○), [연게](○)
  예절[예절](○), [에절](×) / 결례[결례](○), [결레](×)
- 다만, 자음을 첫소리로 가지고 있는 음절의 'ㅢ'는 [ㅣ]로 발음함.
  예 희망[희망](×), [히망](○) / 무늬[무늬](×), [무니](○)
- 다만, 단어의 첫음절 이외의 '의'는 [ㅣ]로, 조사 '의'는 [ㅔ]로 발음함도 허용함.
  예 주의[주의](○), [주이](○), [주으](×) / 협의[혀븨](○), [혀비](○), [혀브](×)
  우리의[우리의](○), [우리에](○), [우리으](×)

■ 받침 'ㅎ'의 발음(표준 발음법 제12항)

조건	받침의 발음	예
뒤에 'ㄱ, ㄷ, ㅈ'이 결합되는 경우	'ㅎ'이 뒤 음절 첫소리와 합쳐서 [ㅋ, ㅌ, ㅊ]으로 발음함.	놓고[노코] 많고[만:코]
뒤에 'ㅅ'이 결합되는 경우	뒤의 'ㅅ'을 [ㅆ]으로 발음함.	닿소[다:쏘] 싫소[실쏘]
'ㅎ' 뒤에 'ㄴ'이 결합되는 경우	'ㅎ'을 [ㄴ]으로 발음함.	놓는[논는] 쌓네[싼네]
'ㄶ, ㅀ' 뒤에 'ㄴ'이 결합되는 경우	'ㅎ'을 발음하지 않음.	않네[안네] 않는[안는]
모음으로 시작된 어미나 접미사가 결합되는 경우	'ㅎ'을 발음하지 않음.	낳은[나은] 많아[마:나]

함정 넘기 Tip

❶ 시험에 자주 출제되는 '의'의 발음 '무늬의 의의'를 기억해!

자음을 첫소리로 가진 '의'는 [ㅣ]만 가능해요. 조사 '의'는 [ㅔ]도 허용합니다. 단어 첫 음절의 '의'는 [ㅢ]만 가능하고, 둘째 음절의 '의'는 [ㅣ]도 허용합니다. 이것을 '자이만 조에도, 첫의만 둘이도(자음이 첫소리일 때는 [ㅣ]로만, 조사 '의'는 [ㅔ]로도, 첫 음절에서는 [ㅢ]로만, 둘째 음절에서는 [ㅣ]로도)'로 외워 봐요. 그러니까 '무늬의 의의'는 '[무니] [의/에] [의의/의이]'로 발음할 수 있습니다. 여기서 잠깐 어떠한 경우에도 '의'는 [ㅡ]로 발음하지 않는다는 점을 명심합니다!

❷ 겹받침 'ㄶ, ㅀ'이 사용될 때 'ㅎ'의 발음 이렇게 구분한다!

'않고[안코], 많다[만:타], 앓지[알치]'와 같이 'ㄶ, ㅀ' 뒤에 'ㄱ, ㄷ, ㅈ'이 오면 'ㅎ'과 뒤의 자음이 합쳐져 거센소리 [ㅋ, ㅌ, ㅊ]으로 발음됩니다. 반면에 '않으면[아느면], 앓아[아라]'와 같이, 'ㄶ, ㅀ' 뒤에 모음이 연결되면 'ㅎ'이 발음되지 않아요. 이때 겹받침의 앞자음 'ㄴ, ㄹ'은 뒤 음절로 옮아가 발음된다는 점에도 유의해야 합니다.

❸ '놓는'의 발음은 [논는]! 받침 'ㅎ'이 [ㄴ] 소리도 날 수 있어!

우리말에서 받침 'ㅎ' 다음에 'ㄴ'으로 시작하는 말이 이어지면 'ㅎ'은 [ㄴ]으로 발음해요. '놓는'을 반복해서 발음해 보면 [놓는]이나 [놋는]이 아니라 [논는]임을 알 수 있어요. 그래도 헷갈린다면 [놓, 는], [놋, 는], [논, 는] 식으로 끊어서 발음해 보세요. '놓는'은 [논는]으로 발음됨을 확인할 수 있어요. 참고로 우리말 음절 끝에서 'ㅅ'은 발음되지 않으므로, [놋는]이란 발음은 존재하지 않아요.

헷갈리는 QUIZ

❖ 다음 중 발음할 때 받침 'ㅎ'이 어떠한 영향도 끼치지 않고 아예 사라져 버리는 경우를 찾으세요.

닿고 닿소 닿는 닿은

TIP 받침 'ㅎ' 뒤에 모음이 이어지면 'ㅎ'이 아예 사라집니다. '닿소[다:쏘]'의 경우 받침 'ㅎ'의 영향으로 'ㅅ'이 [ㅆ]으로 바뀐 것으로 볼 수 있답니다.

답 닿은

▶연계 학습 본문 56~57쪽 함께 보기!

한눈에 보기 Plus

■ 품사: 단어를 일정한 기준에 따라 분류해 놓은 갈래. 일반적으로 '형태 변화(활용)의 유무(가변어와 불변어)', '기능(체언, 용언, 수식언, 관계언, 독립언)', '의미(명사, 대명사, 수사, 동사, 형용사, 관형사, 부사, 조사, 감탄사)'가 분류의 기준이 됨.

■ 체언의 특징
- 형태의 변화가 없다(불변어).
- 주로 주어가 되는 자리에 오며, 때로는 목적어나 보어가 되기도 한다.
- 조사와 결합할 수 있다.
- 관형어의 수식을 받을 수 있다.(수사의 경우 관형어의 수식이 제한적임.)

■ 체언의 종류

명사	구체성의 여부에 따라	구체 명사	구체적인 모습을 갖춘 대상을 나타내는 명사 예 나무, 구름, 우산, 가방, ……
		추상 명사	추상적인 개념을 나타내는 명사 예 사랑, 희망, 우정, ……
	사용 범위에 따라	보통 명사	같은 종류의 사물에 두루 쓰이는 이름 예 사람, 건물, ……
		고유 명사	특정한 인명, 지명, 상표, 기관 등의 이름 예 고구려, 백두산, ……
	자립성 유무에 따라	자립 명사	홀로 자립하여 쓰일 수 있는 명사 예 전등, 배, ……
		의존 명사	관형어의 수식을 받아야만 쓰일 수 있는 명사 예 것, 따름, 뿐, 명, 대로, 리, 줄, ……
대명사		인칭 대명사	사람을 가리키는 대명사 예 나, 너, 그, 누구, ……
		지시 대명사	사물, 장소 등을 가리키는 대명사 예 이것, 그것, 저것
수사		양수사	수량을 나타내는 수사 예 하나, 둘, …… ; 일, 이, ……
		서수사	순서를 나타내는 수사 예 첫째, 둘째, …… ; 제일, 제이, ……

함정 넘기 Tip

❶ 상황이 달라져도 대상이 똑같으면 명사, 상황에 따라 대상이 달라지면 대명사!

'나무'는 상황이 달라져도 '(나무 그림)'이지만, '여기'는 상황이 달라지면 '운동장'이 될 수도 있고 '교실'이 될 수도 있어요. 명사는 대상의 이름을 나타내고 대명사는 그 이름을 대신해 쓸 수 있는 말입니다. '사랑, 평화'와 같은 추상적 개념을 나타내는 말도 명사라는 사실을 꼭 기억하세요.

❷ 형태가 같은 수사와 (수) 관형사, 명사, 이렇게 구별하면 쉽다!

'우리 집 둘째'의 '둘째'는 명사, '둘째, 공부를 열심히 해라.'의 '둘째'는 수사, '둘째 아이'의 '둘째'는 수 관형사입니다. '둘째'가 명사일 때는 '둘째 자식'을 나타내고, 수사일 때는 '두 번째 순서'를 나타내며, 수 관형사일 때는 뒤에 오는 명사를 꾸며 줍니다. (수) 관형사는 조사와 결합할 수 없다는 것도 구별하는 기준이 됩니다.

❸ '만큼', '대로', '뿐'을 띄어 쓰면 의존 명사, 붙여 쓰면 조사!

'할 만큼 했다.'처럼 용언 뒤에 사용되면 의존 명사이므로 띄어 쓰고, '너만큼 했다.'처럼 체언 뒤에 사용되면 조사이므로 붙여 씁니다.

헷갈리는 QUIZ

❖ 밑줄 친 '당신'과 '어디'는 명사, 대명사, 수사 중 어느 것일까요?

1 당신이 뭔데 이 일에 자꾸 참견이야?

2 네가 원하면 어디든 가도 좋다.

TIP '당신'과 '어디'가 가리키는 대상이 무엇인지 생각해 봅니다.

답 1 대명사(상대편을 낮잡아 이르는 2인칭 대명사) 2 대명사(잘 모르는 장소를 가리키는 지시 대명사)

▶연계 학습 본문 64~65쪽 함께 보기!

한눈에 보기 Plus

■ 용언의 특징

- 문장의 주체(주어)를 서술한다.
- 활용한다(가변어).: 용언의 어간에 여러 어미가 번갈아 결합한다.

■ 용언의 어간과 어미

구분		내용
어간		용언이 문장에서 쓰일 때 변하지 않는 부분
어미	어말 어미	• 종결 어미: -다, -구나, -니 등 • 연결 어미: -(으)면, -아서/-어서 등 • 전성 어미: -(으)ㄴ, -(으)ㄹ, -기, -(으)ㅁ, -게 등
	선어말 어미	• 높임: -(으)시-, -옵- • 시제 ┌ 과거: -았-/-었- ├ 현재: -ㄴ-/-는- (단, 형용사와 결합 불가) └ 미래: -겠-

■ 본용언과 보조 용언

구분	내용
본용언	서술의 주된 의미를 나타내는 용언
보조 용언	• 본용언의 의미를 보충(진행, 종결, 추측, 상태, 사동, 피동 등)하는 용언 • '보조 동사'와 '보조 형용사'로 나뉨.

■ 용언의 종류

구분		내용
동사	자동사	움직임이 주어에만 미치는 동사 예 나는 자리에 앉았다.
	타동사	움직임이 목적어에 미치는 동사 예 사진을 보다. / 밥을 먹다.
형용사	성상 형용사	상태나 성질을 나타내는 형용사 예 수진이는 얼굴도 예쁘고, 마음씨도 착하다.
	지시 형용사	상태나 성질의 의미를 대신 나타내는 형용사 예 상황이 그러하니 어쩔 수 없겠구나.

함정 넘기 Tip

❶ 기본형이 있다면 용언(동사, 형용사), 없다면 수식언(관형사, 부사)이다.
'새 휴지, 파란 휴지'에서 '새'와 '파란'의 품사는 달라요. '새'와 '파란' 모두 체언 '휴지'를 꾸미고 있지만 '새'는 형태가 변하지 않는 단어로 수식언(관형사)이고, '파란'은 '파랗다'가 활용된 형태이므로 용언(형용사)이거든요.

❷ '~하는 중이다'가 가능하면 동사, 불가능하면 형용사이다.
동사와 형용사를 구분할 때는 진행의 의미를 지닌 '~ 하는 중이다'나 현재 시제 선어말 어미 '-ㄴ-/-는-'을 붙여 보세요. '먹는 중이다/먹는다'는 가능하므로 '먹다'는 동사입니다. '*예쁘는 중이다/*예쁜다'는 불가능하므로 '예쁘다'는 형용사입니다. 다만 '예뻐지다'는 동사임에 유의해야 해요.

❸ 타동사는 목적어가 꼭 필요한 동사이다.
목적어가 꼭 있어야 한다면 타동사이고, 그렇지 않으면 자동사입니다. '세우다'는 '무엇을'에 해당하는 목적어를 필요로 하므로 타동사이고, '서다'는 목적어가 필요 없으므로 자동사입니다.

헷갈리는 QUIZ

❖ '굶는', '자라면서', '나쁘게'는 동사일까요, 형용사일까요?

TIP 먼저 용언의 원형을 밝혀 적어 봅니다. 그리고 어간에 현재를 나타내는 선어말 어미 '-ㄴ-/-는-'을 붙여 봅니다. '굶는다, 자란다'처럼 결합이 가능하면 동사, '*나쁜다'처럼 결합이 불가능하면 형용사랍니다.

답 굶는, 자라면서 – 동사, 나쁘게 – 형용사

▶연계 학습 본문 72~73쪽 함께 보기!

한눈에 보기 Plus

■ 수식언의 특징

관형사	• 형태가 변하지 않는다(불변어). • 시제와 높임의 구별이 없다. • 조사나 어미와 결합하지 않는다. 예 옛 친구(○) → 옛이 친구(×)
부사	• 형태가 변하지 않는다(불변어). • 문장 내에서 위치가 비교적 자유롭다. • 다른 부사, 관형사, 구절이나 문장 전체를 수식하기도 한다. • 보조사가 결합하기도 한다. 예 잘도 먹는다. / 빨리만 와라.

■ 수식언의 종류

관형사	성상 관형사		사물의 성질이나 상태를 나타내는 관형사 예 새, 순, 헌, 외딴, ……
	지시 관형사		특정한 대상을 지시하여 가리키는 구실을 하는 관형사 예 이, 저, 무슨, 어느, ……
	수 관형사		사물의 수나 양을 나타내어 체언을 꾸미는 관형사 예 한, 두, 세, 열, 모든, 여러, ……
부사	성분 부사	성상 부사	'어떻게'의 방식으로 꾸며 주는 부사 예 너무, 자주, 데굴데굴, ……
		지시 부사	방향, 거리, 시간 등을 지시하는 부사 예 이리, 그리, 내일, ……
		부정 부사	용언의 의미를 부정하는 부사 예 안(아니), 못
	문장 부사	양태 부사	말하는 이의 마음이나 태도를 표시하는 부사 예 설마, 과연, 다행히, 제발, 부디, 만일, ……
		접속 부사	단어와 단어, 문장과 문장을 연결해 주는 부사 예 그리고, 또한, 즉, 그러나, 더구나, 혹은, ……

함정 넘기 Tip

❶ '그는'의 '그'는 대명사, '그 일'의 '그'는 관형사!

'그는 그 일을 해내고야 말았다.'에서 '그는'처럼 조사를 붙일 수 있다면 체언인 대명사이고, '그 일'의 '그'처럼 조사를 붙일 수 없다면 관형사입니다.

❷ '다섯'은 수사일까, 관형사일까?

'다섯 아이'의 '다섯'은 관형사이고, '아이가 다섯'의 '다섯'은 수사입니다. '하나, 둘, 셋, 넷, 다섯, 여섯, ……'은 수사이고, '한, 두, 세, 네, 다섯, 여섯, ……'은 관형사입니다. 이처럼 '다섯, 여섯, ……'은 수사로도, 관형사로도 사용됩니다. 따라서 문장 속에서 쓰임이나 의미를 고려해 품사를 파악해야 합니다.

❸ '깨끗이/깨끗하게', 의미는 비슷해도 품사는 다르다!

'교실을 깨끗이/깨끗하게 청소했다.'에서 '깨끗이'는 '깨끗'과 '-이'(부사를 만드는 접미사)가 결합한 부사로 형태 변화가 없지만 '깨끗하게'는 '깨끗하다'가 활용된 형태이므로 형용사입니다.

헷갈리는 QUIZ

❖ 밑줄 친 '일곱'의 품사가 관형사이면 ○표, 아니면 ×표를 하세요.

1 민수가 빵을 일곱 개나 먹었대! (　　)

2 일곱은 너무 많지 않아? (　　)

TIP 관형사에는 조사가 결합할 수 없지만, 수사에는 조사가 결합할 수 있어요. '일곱의 개'는 안 되지만 '일곱은'은 가능하죠?

답 1 ○(관형사) 2 ×(수사)

▶연계 학습 본문 80~81쪽 함께 보기!

한눈에 보기 Plus

■ 조사와 감탄사의 특징

구분	특징
조사	• 홀로 쓰일 수 없고 반드시 다른 말에 붙어 쓰인다. • 여러 개가 겹쳐 쓰일 수 있다. 예 그에게는(에게, 는) 어떤 것도 줄 수 없었다.
감탄사	• 문장 내에서 독립적으로 사용된다. • 쉼표나 느낌표 등을 사용하여 독립된 요소임을 표현한다. • 구어체(일상적인 대화에서 쓰는 말로 된 문체)에 많이 사용되며, 시대나 유행에 따라 비교적 쉽게 만들어지거나 사라지기도 한다.

■ 조사의 종류

구분		형태와 예
격 조사	주격 조사	이/가, 께서, 에서 예 궁금이가 뛰어간다.
	서술격 조사	이다 예 궁금이는 학생이다.
	목적격 조사	을/를 예 궁금이가 밥을 먹는다.
	보격 조사	이/가 예 궁금이는 과학자가 되었다.
	관형격 조사	의 예 궁금이의 동생은 초등학생이다.
	부사격 조사	에, 에서, 에게, 한테서, (으)로 예 그 책은 궁금이에게 있다.
	호격 조사	아/야, (이)여, (이)시여 예 궁금아, 고마워.
보조사		만, 뿐('한정'의 의미를 더함.) 예 너만 빠지면 섭섭하지 않아?
		은/는('대조, 차이'의 의미를 더함.) 예 너는 빠져도 궁금이는 안 돼.
		마저, 조차('또한'의 의미를 더함.) 예 너마저 빠지면 누가 남겠니?
		부터('시작, 먼저'의 의미를 더함.) 예 그렇게 하려면 너부터 빠져라.
		도('역시'의 의미를 더함.) 예 너도 빠질래?
		(이)든지('선택'의 의미를 더함.) 예 너든지 나든지 둘 중 하나는 빠지자.
		요('존대'의 의미를 더함.) 예 돈이 없어요.
접속 조사		와/과, 하고, (이)랑 예 엄마하고 나하고 만든 꽃밭이다.

함정 넘기 Tip

❶ 체언 뒤에 붙여 쓴 '만'은 조사, 용언 뒤에 띄어 쓴 '만'은 의존 명사!

조사는 독립적으로 사용되지 못하며 앞말에 붙여 씁니다. '학교에서만이라도'에서 '학교'는 독립적으로 사용되는 명사이고, '에서'와 '만', '(이)라도'는 모두 독립적으로 사용되지 못하는 조사입니다. '에서'는 격 조사, '만'과 '(이)라도'는 보조사이며 이들은 모두 붙여 쓰죠. 그러나 '좋아할 만은 하다'의 '만'은 '좋아할'의 꾸밈을 받는 의존 명사로 앞말과 띄어 씁니다.

❷ 독립적으로 사용된다고 해서 모두 감탄사는 아니다.

'철수야, 학교 가자.'와 '학생, 길 좀 물어보자.'에서 '철수야'와 '학생'처럼 다른 문장 성분들과 관계를 맺지 않고 독립적으로 쓰였다고 해서 무조건 품사가 감탄사는 아닙니다. '철수야'는 명사 '철수'에 호격 조사 '야'가 결합된 형태입니다. '학생'은 명사로서, '학생아'에서 호격 조사 '아'가 생략된 형태입니다.

헷갈리는 QUIZ

❖ 다음 설명이 맞으면 ○표, 틀리면 ×표 하세요.

1 '지원아, 사랑해!'에서 '지원아'는 감탄사이다. (   )

2 '아니, 나는 그거 안 먹어.'에서 '아니'는 감탄사이다. (   )

TIP 1. 부르는 말이라고 다 감탄사는 아닙니다. 지원(명사)+아(호격 조사)
2. '아니다'는 형용사이지만, '아니'는 대답을 나타내는 감탄사이지요.

답 1 × 2 ○

▶연계 학습 본문 88~89쪽 함께 보기!

한눈에 보기 Plus

어종에 따라	고유어	다른 나라에서 들어오지 않고 본디부터 있던 말이나 그것에 기초하여 새로 만들어진 말 예 생각, 아버지, 어머니, 먹을거리
	한자어	한자에 기초하여 만들어진 말 예 사고(思考), 부친(父親)
	외래어	다른 나라에서 들어온 말이지만 우리말로 굳어진 말 예 아이디어(idea), 패스트푸드(fast food), 빵(pão)
어휘 양상에 따라	지역 방언	지역에 따라 달라진 말
	사회 방언	사회 집단, 세대 등의 사회적 원인에 따라 달라진 말
	전문어	전문 분야에서 사용하는 말 예 상기도염(감기), 부비동염(축농증)
	유행어	일시적으로 널리 쓰이다가 사라지는 말 예 안습(안구에 습기가 차다), 케미(사람 간의 화학 반응, 남녀 간의 강한 끌림)
	은어	다른 집단의 사람들이 알아듣지 못하도록 사용하는 말 예 청과물 상인의 은어: 먹주(1), 대(2), 삼패(3)
	비속어	비속하고 천박한 어감을 주는 말 예 입 – 주둥이, 아가리
	관용어	관습적으로 굳어진 표현으로 둘 이상의 단어가 결합하여 특별한 의미로 사용되는 것 예 발이 넓다, 귀가 얇다, 손이 크다

■ 방언의 양면성

방언의 긍정적 측면	방언의 부정적 측면
집단의 특성을 반영하며 구성원들의 소속감을 강화하고 유대감을 형성함.	구성원 밖의 사람들에게 사용하면, 의사소통에 어려움을 겪거나 정서적 소외감을 줄 수 있음.

⇩

상황에 맞는 어휘를 적절하게 사용해야 함.

함정 넘기 Tip

❶ '보라매, 담배, 빵, 냄비', 고유어 같은 외래어에 속지 말자.

우리나라에 들어온 지 오래된 외래어일수록 고유어로 착각하기 쉬워요. '보라매'는 난 지 1년이 안 된 새끼를 잡아 길들여서 사냥에 쓰는 매를 가리키는 말로, 고려 때 들어온 몽고어 '보라'와 우리말 '매'가 결합한 형태이지요. '담배'는 임진왜란 때 포르투갈어 'tabaco[타바쿠]'가 일본을 거쳐 들어온 말이고, '빵'은 개화기에 포루투갈어 'pão[팡]'이 일본을 거쳐 들어온 말입니다. '냄비'는 일제 강점기에 들어온 일본어 'なべ[나베]'가 변한 말입니다.

❷ 한때 유행처럼 너나없이 쓰는 말은 '유행어', 우리끼리만 통하는 말은 '은어'!

일시적으로 쓰이면 '유행어', 집단 내에서 은밀하게 쓰이면 '은어', 비속하고 천박한 느낌을 주면 '비속어', 주로 전문가 집단에서 쓰이면 '전문어'라고 할 수 있어요. 그러나 최근에 생겨나는 유행어 중에는 은어와 비속어의 성격을 함께 지닌 것도 있습니다. 또한 전문어는 전문 분야에서 주로 사용되기 때문에 그 분야를 잘 모르는 일반인에게는 '비밀을 유지하기 위해 사용되는 말', 즉 은어의 역할을 하기도 한답니다.

헷갈리는 QUIZ

❖ **'타짜(전문 노름꾼), 꼬장(노름판의 대표)'처럼 어떤 단어를 특정 집단 안에서 서로 비밀을 유지하기 위하여 독특하게 사용하는 경우, 이러한 어휘의 종류는 무엇인지 쓰세요.**

TIP 최근에 생겨나는 유행어들은 은어와 비속어의 성격을 함께 가지기도 합니다. 따라서 일시적으로 쓰이면 유행어, 다른 집단이 모르면 은어, 비속하고 천박하면 비속어이지요.

답 은어

▶연계 학습 본문 105쪽 함께 보기!

한눈에 보기 Plus

■ 문장의 종결 표현: 종결 어미의 종류와 기능에 따라 나뉨.

구분	내용
평서문	• 말하는 이가 자기의 생각이나 사건의 내용을 단순하게 진술하는 문장 • 평서형 종결 어미로 '-다' 등을 사용함. 예 건이는 축구를 좋아한다.
의문문	• 말하는 이가 듣는 이에게 질문하여 대답을 요구하는 문장 • 긍정이나 부정의 대답을 요구하는 '판정 의문문', 설명하는 대답을 요구하는 '설명 의문문', 굳이 대답을 요구하지 않는 '수사 의문문'이 있음. • 의문형 종결 어미로 '-(느)냐', '-니', '-ㄹ까' 등을 사용함. 예 너는 축구를 좋아하니? (판정 의문문) 너는 어떤 선수를 가장 좋아해? (설명 의문문) 네가 축구 좋아하는 것을 누가 말리겠니? (수사 의문문)
명령문	• 말하는 이가 듣는 이에게 어떤 행동을 하도록 강하게 요구하는 문장 • 명령형 종결 어미로 '-아라/-어라' 등을 사용함. 예 이제 그만 놀고 공부 좀 해라.
청유문	• 말하는 이가 듣는 이에게 어떤 행동을 함께하도록 요청하는 문장 • 청유형 종결 어미로 '-자' 등을 사용함. 예 건아, 우리 같이 밥 먹으러 가자.
감탄문	• 말하는 이가 듣는 이를 별로 의식하지 않고 자기의 느낌을 표현하는 문장 • 감탄형 종결 어미로 '-구나', '-아라/-어라' 등을 사용함. 예 아, 건이는 정말 축구를 좋아하는구나.

함정 넘기 Tip

❶ 명령문과 청유문은 동사 서술어만 가능하다.

명령문과 청유문은 듣는 이에게 어떤 행동을 요구(명령, 권유)하는 문장이기 때문에 명령문과 청유문의 서술어로는 동사만이 올 수 있어요. 형용사와 서술격 조사는 명령문과 청유문의 서술어에 올 수 없답니다.

예를 들어, 형용사인 '건강하다', '행복하다'를 '*할아버지, 건강하세요.', '*우리 앞으로 행복하자.'와 같이 명령문이나 청유문으로 쓰면 비문이 돼요. '할아버지, 건강하게 지내세요.'나 '우리 앞으로 행복하게 살자.'로 바꿔 써야 해요.

❷ 종결 표현의 종류는 문장의 맨 끝에 오는 종결 어미에 의해 결정된다는 것을 기억하자.

간혹 의미상 의문문과 명령문을 구별하기 어려운 경우가 있어요. 그러나 이때도 의문형 어미로 끝나면 의문문, 명령형 어미로 끝나면 명령문이에요.

예를 들어, '책 좀 빌려 주겠니?'라는 문장에 명령의 의도가 담겨 있다 하더라도 문장의 끝에 '-니'라는 의문형 종결 어미와 물음표(?)를 사용했기 때문에 의문문에 해당하죠. 즉, 이 문장은 의문문의 형식이지만 '책을 빌려 달라.'라는 명령의 기능을 수행해요. 이처럼 문장의 형식과 그 문장이 수행하는 기능이 일치하지 않는 경우가 있는데, 이러한 발화를 '간접 발화'라고 한답니다.

헷갈리는 QUIZ

❖ 다음 문장이 명령문인지, 청유문인지 구분해 보세요.

1 너 노래를 불러라.

2 우리 노래를 부르자.

TIP 명령문의 주어에는 듣는 이만 포함되지만 청유문의 주어에는 말하는 이와 듣는 이가 모두 포함된답니다.

답 1 명령문 2 청유문

한눈에 보기 Plus

■ 문장 성분: 문장 안에서 문장을 구성하면서 일정한 문법적인 기능을 하는 각 부분
- 주성분: 주어, 서술어, 목적어, 보어
- 부속 성분: 관형어, 부사어
- 독립 성분: 독립어

■ 주성분: 문장의 골격을 이루는 부분으로, 문장을 이루는 데 꼭 필요한 성분

주어	• 문장에서 주체를 나타내는 문장 성분 • 문장에서 '누가/무엇이'에 해당함. 예 소원이가 책을 읽는다.
서술어	• 문장에서 주체의 동작, 상태, 성질 등을 풀이하는 기능을 하는 문장 성분 • 문장에서 '어찌하다', '어떠하다', '무엇이다'에 해당함. • 서술어의 자릿수: 서술어가 필수적으로 요구하는 문장 성분의 개수에 따라 한 자리 서술어, 두 자리 서술어, 세 자리 서술어로 구분됨. 예 소원이가 책을 읽는다.(두 자리 서술어: 주어, 목적어를 반드시 필요로 함.)
목적어	• 서술어의 동작 대상이 되는 문장 성분 • 문장에서 '누구를/무엇을'에 해당함. 예 소원이가 책을 읽는다.
보어	• 완전한 뜻을 갖지 못하는 서술어를 보충하여 완전한 문장이 되게 하는 문장 성분 • 서술어 '되다', '아니다' 앞에 쓰인 주어가 아닌 '누가/무엇이'에 해당함. 예 소원이가 학급회장이 되었다.

헷갈리는 QUIZ

❖ 다음에서 보어가 들어 있는 문장을 찾아보세요.

ㄱ. 물이 얼음이 되었다.
ㄴ. 나는 어제의 내가 아니다.
ㄷ. 나는 더 이상 회장을 못하겠다.

TIP 문장에서 보어는 서술어 '되다', '아니다' 앞에만 옵니다.

답 ㄱ, ㄴ

함정 넘기 Tip

❶ 보조사 '은/는'은 격 조사 '이/가', '을/를'로 바꿔 문장 성분을 파악한다.

'은/는'은 격 조사가 아니라 보조사예요. 따라서 '은/는'을 근거로 문장 성분을 파악해서는 안 됩니다. 주어를 나타내는 격 조사에는 '이/가'와 '께서', '에서(단체가 주어일 때)'가 있으며 목적어를 나타내는 격 조사에는 '을/를', 보어를 나타내는 격 조사에는 '이/가'가 있어요. '은/는'과 같은 보조사가 쓰인 경우 그 자리에 보조사 대신 이들 격 조사를 넣어 문장 성분을 파악해야 해요.

예 준호는 국물은 안 마셔.(→ 준호가 국물을 안 마셔.)
⋯ '준호는'은 행위의 주체에 해당하므로 주어, '국물은'은 행위의 대상에 해당하므로 목적어입니다.

❷ 서술어의 자릿수 = 서술어 이외에 반드시 필요한 문장 성분의 수

서술어의 자릿수를 묻는 문제에 강해지기 위해서는 서술어가 요구하는 것으로 생각하는 꼭 필요한 문장 성분만을 남겨 그것만으로 문장이 자연스러운지 따져 봐야 해요. 그런데 같은 서술어라도 문맥에 따라 서술어가 필수적으로 요구하는 문장 성분이 다를 수 있어요. 예를 들어, '그가 학교에 왔다.'의 서술어 '왔다'는 주어와 부사어를 필수적으로 요구하는 두 자리 서술어이지만, '눈이 왔다.'의 서술어 '왔다'는 주어 하나만을 필수적으로 요구하는 한 자리 서술어랍니다.

❸ 보어 찾기, 두 가지만 확인하자.

1단계 서술어로 쓰인 단어가 '되다, 아니다'여야 해요.

2단계 주격 조사 '이/가' 외에 쓰인 보격 조사 '이/가'를 찾아보세요. 보조사가 쓰였다면 보격 조사 '이/가'로 바꿔 보세요. 단, '되다', '아니다' 앞에 쓰였더라도 보격 조사 '이/가'와 결합하지 않고 다른 격 조사가 붙어 있다면 보어가 아니랍니다.

예 (가) 물이 얼음이 되었다. (나) 물이 얼음으로 되었다.
⋯ (가)의 '얼음이'는 보어지만, (나)의 '얼음으로'는 부사격 조사 '으로'가 결합된 부사어입니다.

▶연계 학습 본문 120~121쪽 함께 보기!

한눈에 보기 Plus

■ 부속 성분: 문장에서 주로 주성분의 내용을 꾸며 뜻을 더해 주는 문장 성분

관형어	• 체언 앞에서 체언을 꾸며 주는 구실을 하는 문장 성분 • 문장에서 '어떠한', '무엇의' 등에 해당함. • 관형사, 체언+관형격 조사 '의', 용언의 어간+'-(으)ㄴ, -는, -(으)ㄹ, -던' 등의 형태로 나타남. 예 파란 하늘이 무척 아름답다.
부사어	• 주로 뒤에 오는 용언을 꾸며 주는 구실을 하는 문장 성분 • 용언뿐 아니라 다른 부사어나 관형어, 문장 전체를 꾸미기도 함. • 부사, 체언+부사격 조사 '에서, (으)로, 에, 와/과' 등, 용언의 어간+어미 '-게' 등의 형태로 나타남. 예 파란 하늘이 무척 아름답다. (용언 수식) 수연이는 더 빨리 뛰었다. (부사어 수식) 아주 빨간 감이 맛있어 보였다. (관형어 수식) 설마 너까지 나를 의심하는 것은 아니겠지? (문장 전체 수식)

■ 독립 성분: 문장의 어느 성분과도 직접적인 관련이 없는 문장 성분

독립어	• 문장의 다른 성분과 밀접한 관계없이 독립적으로 쓰이는 문장 성분 • 주로 문장의 첫머리에 놓이고, 생략해도 문장의 의미가 크게 달라지지 않음. • 감탄사, 체언+호격 조사, 제시어 등의 형태로 나타남. 예 아, 파란 하늘이 무척 아름답구나.

함정 넘기 Tip

❶ '관형사'는 품사, '관형어'는 문장 성분의 이름이다.

- '관형사'와 '관형어'가 헷갈리는 이유: 둘 다 체언 앞에 놓여서 체언을 꾸며 주는 역할을 하기 때문이죠.
- 구분 방법: 관형사는 품사 중 하나이니까 단어에 붙여 준 이름이고, 관형어는 문장 성분 중 하나이니까 어절에 붙여 준 이름입니다. 단어인 관형사는 조사와 결합할 수 없으며, 형태가 변하지도 않아요. 관형어는 체언을 꾸며 주는 역할을 하는 어절이므로 관형사는 당연히 관형어에 포함됩니다. 관형어에는 관형사 말고도 체언 뒤에 관형격 조사 '의'를 결합한 어절, 동사나 형용사의 어간에 관형사형 어미 '-(으)ㄴ, -는, -(으)ㄹ, -던' 등을 결합한 어절도 포함됩니다.

예 나는 푸른 들길을 걸었다. ···▸ '푸른'의 문장 성분은 체언을 꾸미고 있으므로 관형어입니다. 하지만 품사는 관형사가 아니라 형용사죠. 형용사 '푸르다'의 어간 '푸르-'에 관형사형 어미 '-ㄴ'이 결합된 것이기 때문입니다.

❷ 부사어 중에도 문장에 꼭 필요한 부사어가 있다.

부사어는 다른 말을 꾸며 주는 성분의 하나이므로 대개 문장을 구성하는 데에 꼭 필요하지 않은 부속 성분입니다. 그러나 어떤 서술어는 부사어를 반드시 요구하기도 하는데, 이처럼 문장의 성립에 반드시 필요한 부사어를 '필수적 부사어'라고 해요. 문장에 쓰인 부사어가 필수적 부사어인지 확인하기 위해서는 그 부사어를 생략했을 때 문장이 어색한지 그렇지 않은지 판단하면 됩니다.

예 나는 오후에 도서관에 갔다. ···▸ 부사어 '도서관에'를 생략하면 어색하지만, 부사어 '오후에'는 생략해도 어색하지 않아요. 따라서 '도서관에'는 필수적 부사어이지만, '오후에'는 필수적 부사어가 아니랍니다.

헷갈리는 QUIZ

❖ **다음 문장에서 관형어와 부사어를 각각 찾아 쓰세요.**

눈부시게 하얀 눈이 펑펑 내린다.

TIP 문장에서 관형어는 '어떠한/무엇의'에, 부사어는 주로 '어떻게'에 해당하는 부분이랍니다.

답 관형어: 하얀, 부사어: 눈부시게, 펑펑

16일 문장 성분의 올바른 사용

▶연계 학습 본문 128~129쪽 함께 보기!

한눈에 보기 Plus

■ 필요한 문장 성분 갖추어 쓰기

주어	앞 문장과 뒤 문장의 주어가 같지 않다면 뒤 문장의 주어를 생략하면 안 됨. 예 공사가 곧 끝나고, 개통된다고 한다. ⋯▸ '개통된다고' 앞에 '도로가'와 같은 주어를 추가해야 함.
목적어	서술어가 타동사인 경우 목적어를 반드시 밝혀 주어야 함. 예 동생은 큰 소리로 불렀다. ⋯▸ '불렀다'는 타동사이기 때문에 '노래를'과 같은 목적어를 추가해야 함.
부사어	부사어를 필요로 하는 서술어가 쓰인 경우 그 부사어를 밝혀 주어야 함. 예 승호는 꼭 닮았다. ⋯▸ '닮았다'는 부사어를 필요로 하는 서술어이므로 '형과'와 같은 부사어를 추가해야 함.

■ 문장 성분 간의 호응 살피기

주어와 서술어	문장의 기본이 되는 주어와 서술어의 호응이 이루어지지 않으면 어색한 문장이 됨. 예 어젯밤에는 비와 바람이 거세게 불었다. ⋯▸ '비'는 서술어 '불었다'와 호응하지 않음.
부사어와 서술어	부사어 중에는 특정한 서술어와 짝을 이루는 경우가 있음. 예 그것은 결코 우연한 일이다. ⋯▸ '결코'는 부정의 뜻을 지닌 서술어와 호응을 이룸.
목적어와 서술어	조사 '와/과', '(이)나'로 연결되는 목적어의 경우 같은 서술어로 묶일 수 있는지 확인해야 함. 예 진수는 빵과 우유를 마셨다. ⋯▸ '빵'은 서술어 '마셨다'와 호응하지 않음.

함정 넘기 Tip

❶ 문장이 길 경우 주어와 서술어가 무엇인지부터 파악한다.

선생님이 문제 하나를 내 볼까요? '가마솥을 쓰면 음식이 잘 타지 않고, 열을 골고루 전달해 주어 밥맛을 구수하게 만들어 준다.'라는 문장에서 문장 성분 간의 호응이 제대로 지켜지고 있나요? 앞 문장에서는 '음식이'가 주어, '타지 않고'가 서술어입니다. 뒤 문장에서는 주어가 생략되어 있어요. 뒤 문장에 주어가 생략되는 것은 앞 문장의 주어와 같을 때 가능해요. 그렇다면 뒤 문장의 주어도 '음식이'라는 것인데, 서술어와 호응을 이루지 못하죠? '무엇이' 밥맛을 구수하게 만들어 주나요? 앞 문장에서 언급한 '가마솥이'겠죠? 그러니까 '열을' 앞에 주어 '가마솥이'를 추가해야 자연스러운 문장이 된답니다.

❷ 접속 조사 '와/과'가 쓰인 경우 각각의 서술어가 짝을 이루는지 살펴봐야 한다.

접속 조사 '와/과'는 둘 이상의 사물이나 사람을 같은 자격으로 이어 주는 역할을 해요. 이 때문인지 접속 조사로 묶인 주어와 목적어를 한 묶음으로 보고 서술어와의 호응을 살피는 경우가 많아요. 다음 문장을 보고, 문장 성분 간의 호응이 적절한지 판단해 볼까요?

예 그는 기분이 좋아지자 노래와 춤을 추었다.

'노래와 춤을'이 묶여서 목적어 역할을 하는데, '춤을 추었다'는 자연스럽지만, '노래를 추었다'는 그렇지 않아요. 따라서 이 문장은 '그는 기분이 좋아지자 노래를 부르고 춤을 추었다.'와 같이 수정해야 해요.

헷갈리는 QUIZ

❖ **다음 문장에서 어색한 부분을 찾아 바르게 고쳐 쓰시오.**

모두들 늦게까지 일하느라 여간 힘들다.

TIP 부사어에 따라서는 특정한 서술어와 호응을 이루는 것들이 있어요. '여간', '결코', '차마', '도무지' 등의 부사어는 부정의 의미를 지닌 서술어와 짝을 이루어 쓰인답니다.

답 힘들다 → 힘들지 않다

17일 문장 구조의 짜임과 표현 효과

▶연계 학습 본문 136~137쪽 함께 보기!

한눈에 보기 Plus

문장 구조의 분석	• 1단계: 주어부와 서술부로 나눔. 예 어제 산 책이(주어부) 감쪽같이 사라졌다(서술부). • 2단계: 주어부는 주어와 주어를 꾸며 주는 부분으로, 서술부는 서술어와 서술어를 꾸며 주는 부분으로 나눔. 예 (주어부) 어제 산 책이(주어) / (서술부) 감쪽같이 사라졌다(서술어). • 3단계: 주어나 서술어를 꾸미는 부분에 수식 관계가 있을 경우, 이를 꾸미는 말과 꾸밈을 받은 말로 나눔. 예 (주어부) 어제 산 책이(주어) / (서술부) 감쪽같이 사라졌다(서술어).
문장의 종류	• 홑문장: 주어와 서술어의 관계가 한 번만 이루어지는 문장 예 비가 내린다. • 겹문장: 주어와 서술어의 관계가 두 번 이상 이루어지는 문장 ┌ 이어진문장: 홑문장들이 대등하거나 종속적으로 연결된 겹문장 └ 안은문장: 어떤 문장이 다른 문장 속의 한 문장 성분이 되는 겹문장 예 비가 내리고, 바람이 분다. ⋯ '비가 내리다'와 '바람이 분다'가 대등하게 연결됨. 비가 내리는 날에는 집에서 쉰다. ⋯ '비가 내리다'라는 문장이 관형어 역할을 함.

함정 넘기 Tip

❶ 전체 문장의 서술어와 짝을 이루는 주어를 찾으면 주어부 파악 끝!

주어와 서술어 관계가 두 번 이상 나타나는 겹문장의 경우 주어가 두 개 이상 나타날 수 있어요. 이런 경우에는 문장 전체의 서술어와 짝을 이루는 주어가 무엇인지 찾고, 대체로 그렇게 찾은 주어까지 주어부로 나누면 됩니다.

예 어제 산 책이 감쪽같이 사라졌다.

⋯ 문장 전체의 서술어가 '사라졌다'이므로 이와 짝을 이루는 '책이'가 문장의 주어가 됩니다. 따라서 이 문장의 주어부는 '어제 산 책이', 서술부는 '감쪽같이 사라졌다'입니다.

❷ '주어－서술어' 관계가 한 번만 나타나면 홑문장, 두 번 이상 나타나면 겹문장!

주어와 서술어는 문장을 만들 때에 원칙적으로 반드시 있어야 할 문장 성분입니다. 따라서 주어와 서술어에 주목하여 '주어－서술어' 관계가 한 번만 나타나면 홑문장, 두 번 이상 나타나면 겹문장으로 구분하는 것이죠. 절이 아닌 관형어나 부사어는 아무리 많이 나타난다 하더라도 그 문장은 홑문장입니다. 물론 독립어도 홑문장과 겹문장을 구분할 때에 아무런 영향을 끼치지 않아요.

예 세(관형어) 살(관형어) 버릇이(주어) 여든까지(부사어) 간다(서술어) – 홑문장

가는(관형어) 말이(주어) 고와야(서술어) 오는(관형어) 말이(주어) 곱다(서술어) – 겹문장

헷갈리는 QUIZ

❖ 다음 문장이 홑문장인지 겹문장인지 구분해 보세요.

1 유리구슬이 아름답게 반짝이고 있다.

2 키가 큰 외국인이 나에게 말을 걸었다.

TIP 문장에서 전체 주어와 전체 서술어를 찾고 이외에 다른 주어와 서술어가 있는지 확인해 보세요. 주어－서술어 관계가 하나이면 홑문장, 둘 이상이면 겹문장이랍니다.

답 1 겹문장 2 겹문장

▶연계 학습 본문 144~145쪽 함께 보기!

한눈에 보기 Plus

■ 이어진문장: 두 개 이상의 문장이 연결 어미에 의해 결합된 겹문장

대등하게 이어진 문장	• 앞 절과 뒤 절의 의미 관계가 대등하게 이어진 문장 • 앞 절과 뒤 절의 의미가 나열될 때는 연결 어미 '-고, -며', 대조일 때는 '-나, -지만', 같은 자격으로 묶을 때에는 접속 조사 '와/과'를 주로 사용함. 예 눈이 내리고, 바람도 강하게 분다. (나열) 몸은 비록 늙었지만 마음은 젊다. (대조) 은서는 영어와 중국어를 잘한다. (같은 자격: 은서는 영어를 잘한다. 은서는 중국어를 잘한다.)
종속적으로 이어진 문장	• 앞 절과 뒤 절의 의미가 독립적이지 못하고 종속적인 관계에 있는 문장 • 앞 절이 뒤 절의 원인일 때는 연결 어미 '-(아)서', 조건일 때는 '-(으)면', 의도일 때는 '-(으)려고', 배경일 때는 '-는데', 양보일 때는 '-(으)ㄹ지라도' 등을 사용함. 예 눈이 와서 도로가 미끄럽다. (원인) 눈이 오면 스키장에 놀러 가자. (조건) 그는 일출을 보려고 새벽에 일어났다. (의도) 내가 집에 가는데, 저쪽에서 누군가 다가왔다. (배경) 우리가 경기에 질지라도 정정당당하게 싸워야 한다. (양보)

함정 넘기 Tip

❶ 대등하게 이어진 문장, 앞 절과 뒤 절의 순서를 바꿔도 자연스럽다.

- 대등하게 이어진 문장은 앞 절과 뒤 절의 순서를 바꾸어도 자연스럽지만, 종속적으로 이어진 문장은 대부분 앞 절과 뒤 절의 순서를 바꾸면 의미가 통하지 않거나 원래 문장과 다른 의미가 됩니다.

  예 비가 내리고 바람이 분다. → 바람이 불고 비가 내린다.(○)
  비가 와서 기온이 내려갔다. → 기온이 내려가서 비가 온다.(×)

- 원칙적으로 대등하게 이어진 문장은 앞 절이 뒤 절 안에 위치할 수 없으나 종속적으로 이어진 문장은 앞 절이 뒤 절의 중간에 들어갈 수 있습니다.

  예 비가 내리고 바람이 분다. → 바람이 비가 내리고 분다.(×)
  비가 와서 기온이 내려갔다. → 기온이 비가 와서 내려갔다.(○)

❷ 같은 자격의 대상이 둘 이상 '와/과'로 연결되었다면 두 개의 문장으로 나눠 보자.

조사 '와/과'는 부사격 조사로도 쓰이고, 접속 조사로도 쓰인다. '와/과'가 부사격 조사로 쓰이면 홑문장이지만, 접속 조사로 쓰이면 겹문장이 됩니다. 이때 '와/과'가 부사격 조사인지 접속 조사인지 구분하는 가장 좋은 방법은 두 개의 문장으로 나눌 수 있는지를 따져 보는 것입니다. 두 개의 문장으로 나눌 수 있으면 접속 조사, 나눌 수 없으면 부사격 조사입니다.

예 윤지는 엄마와 닮았다. → 윤지는 닮았다. 엄마는 닮았다. (×)
– 부사격 조사, 홑문장
윤지와 엄마는 시장에 갔다. → 윤지는 시장에 갔다. 엄마는 시장에 갔다. (○)
– 접속 조사, 겹문장

헷갈리는 QUIZ

❖ 다음 문장이 대등하게 이어진 문장인지, 종속적으로 이어진 문장인지 구분해 보세요.

1 절약은 부자를 만들고, 절제는 사람을 만든다.
2 철수가 오면 그들은 출발할 것이다.

TIP 앞 절과 뒤 절의 구조가 유사하고, 앞 절과 뒤 절의 순서를 바꾸어도 의미상 큰 차이가 없으면 대등하게 이어진 문장이라고 할 수 있어요.

답 1 대등하게 이어진 문장 2 종속적으로 이어진 문장

한눈에 보기 Plus

■ 안은문장과 안긴문장

안은문장	다른 문장을 하나의 문장 성분처럼 포함한 문장
안긴문장	다른 문장 속에 들어가 하나의 문장 성분처럼 쓰이는 문장

■ 안은문장의 종류

명사절을 안은 문장	• 문장에서 주로 주어, 목적어, 보어, 부사어 등의 기능을 하는 절을 안은 문장 • 명사절은 명사형 어미 '-(으)ㅁ', '-기'가 붙어서 만들어짐. 예 우리는 그의 말이 옳았음을 깨달았다.(목적어 기능)
관형사절을 안은 문장	• 체언을 꾸미는 관형어의 기능을 하는 절을 안은 문장 • 관형사절은 관형형 어미 '-(으)ㄴ', '-는', '-(으)ㄹ, -던' 등이 붙어서 만들어짐. 예 친구는 내가 어제 준 펜을 잃어버렸다.
부사절을 안은 문장	• 부사어의 기능을 하며 주로 용언을 꾸미는 역할을 하는 절을 안은 문장 • 부사절은 '-게, -이', '-도록' 등이 붙어서 만들어짐. 예 그가 소리도 없이 내 뒤로 다가왔다.
서술절을 안은 문장	• 서술어의 기능을 하는 절을 안은 문장 • 서술절은 절 표지가 따로 없음. 예 건이는 성격이 좋다.
인용절을 안은 문장	• 다른 사람의 말이나 생각을 인용한 것을 절의 형식으로 안은 문장 • 인용절은 '(이)라고', '고' 등이 붙어서 만들어짐. 예 누나가 "내 책 좀 가져다 줘."라고 말했다.

함정 넘기 Tip

❶ 절 전체를 '누구', '어떤', '무엇' 등의 단어로 바꿔 절의 정체를 파악하자.

1단계 문장 속의 일부분을 이루는 '주어 + 서술어' 부분(절)이 어디부터 어디까지인지를 찾아보세요.

2단계 절 전체를 '누구', '어떤', '무엇' 등에 해당하는 하나의 단어로 바꾸어 보고 그 절이 문장 속에서 어떤 문장 성분으로 쓰였는지를 정확히 확인하세요.

3단계 단어로 파악한 문장 성분에 비추어 그 절이 명사절과 관형사절, 부사절, 서술절, 인용절 중 무엇에 해당하는지 파악하면 끝!

예 수지는 시내에서 털이 하얀 강아지를 샀다.
- ⋯→ 문장 속에 안겨 있는 절 찾기: '털이 하얀'
- ⋯→ 안긴문장의 성분 확인하기: '어떤'에 해당하므로 관형어의 역할을 함.
- ⋯→ 절의 정체 파악하기: 관형사절

❷ 서술어 하나에 주어가 둘이면, 서술절을 찾아라.

절 전체가 서술어의 기능을 하는 것을 서술절이라고 해요. 서술절을 안은 문장은 한 문장에 주어가 두 개 있는 것처럼 보입니다. 이런 경우 앞에 있는 주어가 전체 문장의 주어가 되고, 뒤에 있는 주어가 서술절의 주어가 됩니다.

예 코끼리는 코가 길다. ⋯→ '코끼리는'과 '코가'가 주어입니다. 이때 앞에 나오는 '코끼리는'이 문장 전체의 주어이고, 나머지 부분이 서술절에 해당합니다. 따라서 이 문장에서 서술절에 해당하는 부분은 '코가 길다'입니다.

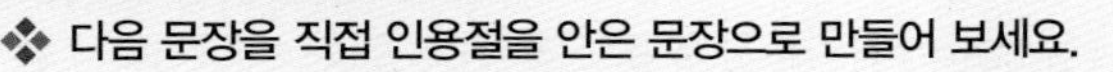

❖ 다음 문장을 직접 인용절을 안은 문장으로 만들어 보세요.

> 선생님께서 화가 많이 나셔서 나에게 이렇게 말씀하셨어. "너, 오늘 수업 끝나고 남아."

TIP 직접 인용절을 안은 문장을 만들 때에는 직접 인용을 표시하는 큰따옴표를 사용하고, 인용격 조사인 '라고'를 붙여야 해요. 간접 인용절을 안은 문장을 만들 때에는 인용격 조사인 '고'를 붙이고, 큰따옴표는 사용하지 않지요.

답 선생님께서 화가 많이 나셔서 나에게 "너, 오늘 수업 끝나고 남아."라고 말씀하셨어.

▶연계 학습 본문 160~161쪽 함께 보기!

한눈에 보기 Plus

■ 담화

둘 이상의 발화나 문장이 연속되어 이루어지는 의사소통의 단위로 말하는 이, 듣는 이, 내용(발화), 맥락(장면)으로 구성됨.

■ 담화의 유형

말하는 이의 의도에 따라 ① 정보 제공 담화, ② 호소 담화, ③ 약속 담화, ④ 사교 담화, ⑤ 선언 담화로 나눔.

■ 담화의 표현

지시 표현	지시어는 말하는 이와 듣는 이의 거리에 따라 달리 표현됨. 예 난 이것보다 그것이 더 마음에 들어. ('이것'은 말하는 이에게 가까운 대상, '그것'은 듣는 이에게 가까운 대상)
높임 표현	말하는 이와 듣는 이의 상하 관계와 친소(친함과 친하지 않음) 관계에 따라 구별하여 씀. 예 어디 가십니까? / 어디 가니? ('가십니까'는 듣는 이를 높이지만, '가니'는 그렇지 않음.)
생략 표현	전달하고자 하는 정보를 맥락을 통해 알 수 있다면 이를 생략하여 씀. 예 "진수는 지금 어디에 있니?" "(진수는 지금) 도서관에 (있어)."
심리적 태도 표현	주로 용언의 어미를 통해 말하는 이는 심리적 태도를 드러냄. 예 건이는 책을 읽고 있다/있니/있구나/있겠어/……. ('있다'는 단정, '있니'는 의문, '있구나'는 감탄, '있겠어'는 추측의 태도를 드러냄.)

■ 담화의 통일성과 응집성

- 통일성: 담화를 구성하는 요소들이 내용상 하나의 주제 아래 밀접한 관계를 맺고 있는 것
- 응집성: 발화들이 서로 긴밀하게 묶여 하나의 담화를 구성하도록 해 주는 것

함정 넘기 Tip

❶ 말하는 이를 중심으로, '이-그-저'로 거리감을 외워 두자.

'이것'은 말하는 이에게 좀 더 가까운 곳에 있는 대상을, '그것'은 말하는 이보다는 듣는 이에게 가까운 대상을, '저것'은 말하는 이와 듣는 이 모두에게서 멀리 있는 대상을 가리킬 때 각각 사용됩니다.

예 동민: (앞에 있는 운동화를 들어 보이며) 난 이것이 맘에 들어.
지영: (동민이 들고 있는 운동화를 가리키며) 그것은 색이 너무 화려하지 않니?
동민: (운동화를 내려놓고, 다른 곳을 가리키며) 그럼 저것은 어때?

❷ 발화에는 말하는 사람의 심리적 태도가 담긴다.

말하는 이의 심리적 태도에는 의지, 추측, 확신, 의문, 의심, 놀라움, 감탄, 의문 등이 있다. 이러한 심리적 태도는 '-겠-'과 같은 선어말 어미, '-구나, -지, -다니'와 같은 어말 어미, 그 밖에도 보조 용언, 부사, 보조사 등과 같은 표현을 통해 나타납니다.

예 지금쯤 집에 도착했겠지. (추측) 벌써 집에 도착했다니. (놀라움)
설마 재윤이가 공부를 잘할까? (의심) 재윤이는 공부만 잘한다. (대조, 아쉬움)

❸ 주제에서 벗어나면 '통일'이 안 되고, 접속어, 지시어를 잘못 쓰면 '응집'이 안 돼!

통일성이나 응집성과 관련한 문제에서 글의 주제와 관련이 없는 내용(발화)이 있는지 없는지를 따지는 것은 '통일성', 접속어나 지시어 등의 사용이 적절한지를 따지는 것은 '응집성'이라고 이해하고 글을 분석해 보세요.

헷갈리는 QUIZ

❖ 다음 말에 담긴 말하는 이의 심리적 태도를 〈보기〉에서 골라 써 보세요.

〈보기〉 의지, 추측, 감탄, 단정, 의문, 확신

1 현지는 지금 컴퓨터 게임을 하고 있을 지도 몰라.

2 네가 정말 그 일을 해냈구나.

TIP 말하는 이는 자기의 심리적 태도를 드러내기에 적절한 종결 어미를 선택합니다. 따라서 (1)에서는 '-을 거야.', (2)에서는 '-구나'가 어떤 의미로 쓰이고 있는지 파악해야 해요.

답 1 추측 2 감탄

한눈에 보기 Plus

■ 한글의 창제 원리

자음

- 상형의 원리: 기본자를 발음 기관의 모양을 본떠서 만듦.
- 가획의 원리: 기본자에 획을 더하여 소리의 세기를 표현함.

기본자	창제 원리(상형)	가획자	이체자
ㄱ(어금닛소리-아음)	혀뿌리가 목구멍을 막는 모양을 본뜸.	ㅋ	ㆁ
ㄴ(혓소리-설음)	혀끝이 윗잇몸에 닿는 모양을 본뜸.	ㄷ → ㅌ	ㄹ
ㅁ(입술소리-순음)	입 모양을 본뜸.	ㅂ → ㅍ	
ㅅ(잇소리-치음)	이 모양을 본뜸.	ㅈ → ㅊ	ㅿ
ㅇ(목구멍소리-후음)	목구멍 모양을 본뜸.	ㆆ → ㅎ	

- 병서의 원리: 자음을 옆으로 나란히 써서 추가로 글자를 만듦.
  예 ㄲ, ㅃ, ㅺ, ㅶ, ……
- 연서의 원리: 순음(ㅁ, ㅂ, ㅍ, ㅃ) 밑에 'ㅇ'을 이어 써서 순경음을 만듦.
  예 ㅱ, ㅸ, ㆄ, ㅹ

모음

- 상형의 원리: 기본자를 하늘, 땅, 사람(천, 지, 인 – 삼재)의 모양을 본떠서 만듦.
- 합성의 원리: 기본자를 합하여 초출자, 재출자를 만듦.

기본자	창제 원리			초출자	재출자
ㆍ	천(하늘)	하늘의 둥근 모양을 본뜸.	➡	ㅗ, ㅏ ㅜ, ㅓ	ㅛ, ㅑ ㅠ, ㅕ
ㅡ	지(땅)	땅의 평평한 모양을 본뜸.			
ㅣ	인(사람)	사람이 서 있는 모양을 본뜸.			

- 이미 만들어진 모음을 합하여 추가로 글자를 만듦. 예 ㅘ, ㅝ, ㅔ, ……

■ 한글의 우수성과 가치
- 독창적으로 새롭게 글자를 만들어 냄.
- 우리 말소리에 맞게 과학적, 체계적으로 글자를 제작함.
- 경제적이고 실용적인 문자임.

함정 넘기 Tip

❶ 'ㆍ, ㆆ, ㅿ, ㆁ' 사라진 네 글자여!

훈민정음에서 새로 만든 스물여덟 글자 중 'ㆍ(아래아)', 'ㆆ(여린히읗)', 'ㅿ(반치음)', 'ㆁ(옛이응)'은 현대 국어에 쓰이지 않아요. 다만 'ㆍ, ㆆ, ㅿ'은 글자와 소릿값 모두 사라졌지만, 'ㆁ'은 글자는 사라지고 소릿값은 남아 있어요. 현대 국어에서 받침으로 사용하는 'ㅇ(이응)'이 'ㆁ(옛이응)'을 대체하고 있습니다.

❷ 한글 자모를 가로세로로 모아 모아, '모아쓰기'!

'ㅎㅏㄴㄱㅡㄹ'과 같이 풀어 쓰지 않고 '한글'과 같이 한글 자모를 가로세로로 묶어서 쓰는 방식을 '모아쓰기'라고 해요. 한글은 모아쓰기를 채택함으로써 음절 단위로 정보를 빠르게 처리할 수 있게 되었어요. 더 나아가 우리말은 어간이나 어미, 접미사 등의 문법 요소가 음절 단위로 실현되는 경우가 많으므로, 모아쓰기는 우리말의 문법 요소를 파악하는 데도 도움이 됩니다. 예를 들어, '(할머니께서 아기에게 밥을) 먹이시었다.'에서 '먹-'은 어근, '-이-'는 사동 접미사, '-시-'는 주체 높임 선어말 어미, '-었-'은 과거 시제 선어말 어미, '-다'는 종결 어미에 해당함을 모아쓰기를 통해 쉽게 파악할 수 있어요. 'ㅁㅓㄱㅣㅅㅣㅓㅆㄷㅏ'와 같이 초성, 중성, 종성을 풀어 썼다면, 이들 문법 요소를 한눈에 파악하기 어려웠을 거예요.

헷갈리는 QUIZ

❖ 자음과 모음 기본자의 공통된 창제 원리는 무엇인가요?

TIP 자음과 모음의 기본자는 모두 무엇의 '모양을 본떠 만들었다'는 점이 공통점이랍니다.

답 상형의 원리

▶연계 학습 본문 176~177쪽 함께 보기!

한눈에 보기 Plus

■ 남북한 언어 차이의 원인
- 분단 이후 오랫동안 교류가 단절됨.
- 서로 다른 언어 정책으로 말다듬기를 시행함.
- 서로 다른 제도와 이념, 생활상 등이 반영된 어휘가 만들어짐.

■ 남북한 언어의 차이

구분	남한(표준어)	북한(문화어)
발음	두음 법칙을 인정함. 예 노인, 예문	두음 법칙을 인정하지 않음. 예 로인, 례문
억양 어조	• 대체로 낮은 억양으로 말함. • 부드럽게 흘러가는 자연스러운 느낌을 줌.	• 부정어를 높게 발음함. • 명확하고 또박또박하면서 강한 느낌을 줌.
어휘	• 한자어를 많이 사용함. 예 어근, 접미사 • 외래어를 그대로 사용하는 경우가 많음. 예 터널, 시럽	• 고유어를 많이 사용함. 예 말뿌리, 뒤붙이 • 외래어를 고유어로 바꾸어 사용하는 편임. 예 차굴, 단물
표기	• 합성어를 표기할 때, 사이시옷을 적음. 예 시냇물, 뒷문 • 의존 명사를 앞말과 띄어 씀. 예 아는 것이, 힘든 줄을	• 합성어를 표기할 때, 사이시옷을 적지 않음. 예 시내물, 뒤문 • 의존 명사를 앞말과 붙여 씀. 예 아는것이, 힘든줄을
담화	관계 형성을 위해 완곡한 표현을 사용하기도 함. 예 언제 밥 한번 같이 먹어요. ⋯▸ 친근한 관계 유지를 위한 인사말로 이해함.	발화의 표면적 의미로 해석하려는 경향이 있음. 예 언제 밥 한번 같이 먹어요. ⋯▸ 실제로 시간을 정해서 함께 밥을 먹자는 약속으로 이해함.

함정 넘기 Tip

❶ '두음 법칙'을 알면 남북한 사이의 발음 차이를 이해할 수 있다.

'두음 법칙'은 단어의 첫소리에 오는 음운과 관련이 있는 법칙인데요, 일부 소리가 단어의 첫머리에 발음되는 것을 꺼려 나타나지 않거나 다른 소리로 발음되는 것을 뜻합니다. 'ㅣ, ㅑ, ㅕ, ㅛ, ㅠ' 앞에서 'ㄹ'과 'ㄴ'이 나타나지 않거나, 'ㅏ, ㅗ, ㅜ, ㅡ, ㅐ, ㅚ' 앞에서 'ㄹ'이 'ㄴ'으로 변하는 것을 두음 법칙이라고 하죠. 남한에서는 두음 법칙을 인정하지만, 북한에서는 두음 법칙을 인정하지 않고 원래 음대로 발음합니다. 그래서 남한에서는 '여성(女性)', '양심(良心)', '냉면(冷麪)'이라고 발음하는 것을 북한에서는 각각 '녀성', '량심', '랭면'이라고 발음한답니다.

❷ 같은 형태와 발음의 단어라도 남북한 사이에 의미 차이가 있는 말이 있다.

어휘의 차이는 남북한 사람들 사이의 원활한 의사소통에 장애가 될 수 있어요. 발음이나 억양 등은 차이가 있다 하더라도 대화 상황에서 큰 어려움 없이 이해할 수 있습니다. 하지만 어휘가 다르면 상대방이 무슨 말을 하고자 하는지 이해하는 데 어려움을 겪거나 오해를 할 수도 있답니다. 예를 들어 '일없다'는 말은 남한에서는 '소용이나 필요가 없다'는 뜻으로 쓰이지만, 북한에서는 '괜찮다'라는 의미로 쓰입니다.

헷갈리는 QUIZ

❖ **다음은 밑줄 친 단어가 남한과 북한에서 어떤 의미로 쓰이는지 설명한 것이다. 괄호 안에서 적절한 말에 ○표 하시오.**

> 남한: 그는 자신이 저지른 소행을 깊이 반성하고 있다.
> 북한: 두 대학생의 아름다운 소행을 널리 알리자.

➡ '소행'은 남한에서는 (긍정적 , 부정적) 의미로 쓰이지만, 북한에서는 (긍정적, 부정적) 의미로 쓰인다.

TIP 어휘의 의미 차이를 이해하기 위해서는 그 어휘가 어떤 상황에서 쓰이고 있는지를 살펴보는 것이 중요해요. 예문을 보니 남한의 경우 '저지른', '깊이 반성'이라는 내용을 통해 '소행'이 부정적 의미로 쓰이고 있다는 것을 알 수 있어요. 북한의 경우 '아름다운', '널리 알리자'는 내용을 통해 '소행'이 긍정적 의미로 쓰이고 있다는 것을 알 수 있군요.

답 부정적, 긍정적

▶연계 학습 본문 182~183쪽 함께 보기!

한눈에 보기 Plus

■ 교체: 어떤 음운이 환경에 따라 다른 음운으로 바뀌는 것

구분		내용
음절의 끝소리 규칙		받침에 사용된 자음이 'ㄱ, ㄴ, ㄷ, ㄹ, ㅁ, ㅂ, ㅇ'의 7개 대표음으로 바뀜.
자음 동화	비음화	비음(ㄴ, ㅁ, ㅇ)이 아닌 소리가 비음의 영향으로 비음으로 바뀜. 예 국물[궁물]: ㄱ + ㅁ → ㅇ + ㅁ
	유음화	유음(ㄹ)이 아닌 소리 'ㄴ'이 유음의 영향으로 유음 'ㄹ'로 바뀜. 예 신라[실라]: ㄴ + ㄹ → ㄹ + ㄹ
구개음화		'ㄷ, ㅌ'이 조사나 접미사의 모음 'ㅣ'의 영향으로 구개음 'ㅈ, ㅊ'으로 바뀜. 예 해돋이[해도디 → 해도지], 같이[가티 → 가치], 굳히다[구티다 → 구치다] [붙임] 'ㄷ' 뒤에 접미사 '-히-'가 결합되어 '티'를 이루는 경우 '치'로 바뀜.
된소리되기		• 안울림 예사소리(ㄱ, ㄷ, ㅂ, ㅅ, ㅈ)가 안울림소리를 만나 된소리(ㄲ, ㄸ, ㅃ, ㅆ, ㅉ)로 바뀜. 예 목덜미[목떨미], 국밥[국빱] • 안울림소리로 시작하는 어미가 'ㄴ, ㅁ'으로 끝나는 용언의 어간 뒤에서 된소리로 바뀜. 예 안- + -고 → 안고[안:꼬], 감- + -자 → 감자[감:짜]

■ 겹받침 발음

소리 나는 환경		나는 소리	예
음절 끝 또는 자음이 이어질 경우		첫째 받침 선택: ㄳ, ㄵ, ㄼ, ㄽ, ㄾ, ㅄ	몫[목], 앉고[안꼬]
		둘째 받침 선택: ㄺ, ㄻ, ㄿ	닭[닥], 삶[삼:], 읊다[읍따]
모음이 이어질 경우	형식 형태소 앞	받침 모두 발음	몫을[목쓸], 닭이[달기]
	실질 형태소 앞	받침 중 하나만 발음	닭 아래[다가래]

함정 넘기 Tip

❶ 받침 'ㅌ', 'ㅊ', 'ㄺ'은 함부로 바꾸면 안 돼!

'밭을'을 [바슬]로 발음하여 'ㅌ → ㅅ'의 교체라고 생각할 수 있는데, 절대 아닙니다. '밭을'의 정확한 발음은 [바슬]이 아니라 [바틀]입니다. 마찬가지로 '꽃이'의 정확한 발음은 [꼬시]가 아니라 [꼬치]이며, '흙에'의 정확한 발음은 [흐게]가 아니라 [흘게]입니다. 정확한 발음을 기준으로 음운의 변동을 판단해야 한다는 점을 명심해야 합니다.

❷ 구개음화를 판단하는 3단계!

1단계 잇몸소리(치조음) 'ㄷ, ㅌ'이 'ㅣ'와 결합했는지 살펴봅니다.

2단계 결합한 'ㅣ'가 형식 형태소(조사, 접미사)가 맞는지 살펴봅니다. 구개음화는 하나의 형태소 안에서는 일어나지 않습니다.

예 잔디[잔지(×), 잔디(○)], 티끌[치끌(×), 티끌(○)]

3단계 'ㄷ, ㅌ'이 'ㅣ'와 결합해 'ㅈ, ㅊ'으로 소리 나는지 확인합니다.

예 밭 + 이[바치], 맏- + -이[마지]

❸ '밖[박]'은 교체! '닭[닥]'은 탈락!

'밖[박]'에서는 'ㄲ → ㄱ'의 변화를, '닭[닥]'에서는 'ㄺ → ㄱ'의 변화를 확인할 수 있는데, 각각의 음운 변동의 양상은 달라요. 'ㄲ'은 하나의 소리로 발음되는 하나의 음운이므로, '밖[박]'은 하나의 음운 'ㄲ'이 하나의 음운 'ㄱ'으로 교체된 것입니다. 반면에 'ㄺ'은 두 개의 음운 'ㄹ'과 'ㄱ'이 결합한 형태이므로, '닭[닥]'은 두 개의 음운 'ㄺ' 중에서 'ㄹ'이 탈락하고 'ㄱ'만 발음된 것이지요. 따라서 '밖[박]'의 'ㄲ → ㄱ'에서는 음운의 교체를, '닭[닥]'의 'ㄺ → ㄱ'에서는 음운의 탈락을 확인할 수 있어요. 참고로 '닭[닥]'에서 겹받침 'ㄺ'이 홑자음 'ㄱ'으로 바뀌는 현상을 '자음군 단순화'라고 합니다.

헷갈리는 QUIZ

❖ **구개음화 현상이 일어나지 않는 것은?**

① 굳이 ② 잔디 ③ 미닫이 ④ 가을걷이 ⑤ 해돋이

TIP 구개음화는 '잔디'처럼 한 형태소 안에서는 일어나지 않습니다.

답 ②

한눈에 보기 Plus

■ 축약과 탈락

축약	자음 축약	'ㄱ, ㄷ, ㅂ, ㅈ'+'ㅎ' → 'ㅋ, ㅌ, ㅍ, ㅊ' 예 국화[구콰], 옳지[올치]
	모음 축약	두 모음이 하나의 모음으로 줄어듦. 예 ㅗ+ㅏ → ㅘ, ㅜ+ㅓ → ㅝ, ㅚ+ㅓ → ㅙ ……
탈락	자음 탈락	두 형태소가 결합하면서 자음 'ㄹ, ㅎ' 등이 없어짐. 예 'ㄹ' 탈락: 울-+-는 → 우는, 딸+-님 → 따님 / 'ㅎ' 탈락: 좋은[조:은], 쌓이다[싸이다]
	모음 탈락	두 형태소가 결합하면서 모음 'ㅏ, ㅡ' 등이 없어짐. 예 'ㅏ' 탈락: 가-+-아서 → 가서 / 'ㅡ' 탈락: 고프-+-아서 → 고파서

■ 첨가

'ㄴ' 첨가	두 형태소 또는 단어가 결합하고 뒤의 단어 혹은 접미사가 '이, 야, 여, 요, 유'로 시작할 때 'ㄴ' 소리가 덧붙음. 예 합성어에서: 솜+이불 → 솜이불[솜:니불], 논+일 → 논일[논닐] 파생어에서: 맨-+입 → 맨입[맨닙], 홑-+이불 → 홑이불[혼니불] 두 단어 사이에서: 한 일[한닐], 옷 입다[온닙따]

사이시옷을 받치어 적는 경우

- 앞말이 모음으로 끝난 순우리말 합성어 또는 순우리말과 한자어로 된 합성어 가운데
  ① 뒷말의 첫소리가 된소리로 나는 경우 예 내+가 → 냇가[내:까/낻:까]
  ② 뒷말의 첫소리 'ㄴ, ㅁ' 앞에서 'ㄴ' 소리가 덧나는 경우 예 코+물 → 콧물[콘물]
  ③ 뒷말의 첫소리 모음 앞에서 'ㄴㄴ' 소리가 덧나는 경우
  예 예사+일 → 예삿일[예:산닐], 나무+잎 → 나뭇잎[나문닙]
- 두 음절로 된 다음 한자어: 찻간, 곳간, 툇간, 횟수, 숫자, 셋방

함정 넘기 Tip

❶ 표기 또는 발음에서 음운의 개수가 줄었다면 축약 아니면 탈락!
'A+B → C'로 되었다면 축약, 'A+B → A' 또는 'A+B → B'로 되었다면 탈락입니다.

❷ '되어'의 축약은 '돼'!
'되어'가 축약되면 '되'가 아니라 '돼'가 됩니다. 모음 'ㅚ'와 'ㅓ'가 축약되면 'ㅙ'가 되기 때문이지요. '(턱을) 괴다, (할아버지를) 뵈다, (설을) 쇠다, (바람을) 쐬다, (나사를) 죄다'가 각각 '괴었다, 뵈어, 쇠었다, 쐬어, 죄었다'로 활용될 때 각각의 축약형은 '괬다, 봬, 쇘다, 쐐, 좼다'입니다. '안 되'(×)가 아니라 '안 돼'(○)라는 점을 명심합니다.

❸ 겹받침 'ㄶ, ㅀ'이 사용될 때 축약과 탈락, 이렇게 구분한다!
'않고[안코], 많다[만:타], 앓지[알치]'와 같이, 'ㄶ, ㅀ' 뒤에 'ㄱ, ㄷ, ㅈ'이 결합되어 뒤 음절 첫소리가 [ㅋ, ㅌ, ㅊ]으로 발음되면 '축약'입니다. 반면에 '않으면[아느면], 앓아[아라]'와 같이, 'ㄶ, ㅀ' 뒤에 모음이 연결되어 'ㅎ'이 발음되지 않으면 '탈락'입니다.

헷갈리는 QUIZ

❖ '좋다'와 '따님'의 음운 변동을 구분해 보세요.

TIP 축약은 'A+B → C'로 두 음운이 합쳐져서 다른 소리가 되는 것이고, 탈락은 'A+B → A' 혹은 'A+B → B'로 두 음운 중 하나만 없어지고, 다른 하나는 그대로 있는 것이지요.

답 좋다[조타] – 음운 축약, 따님 – 'ㄹ' 탈락

▶연계 학습 본문 194~195쪽 함께 보기!

한눈에 보기 Plus

■ 높임 표현: 높임의 대상에 따라 주체 높임, 객체 높임, 상대 높임으로 나뉨.

구분	내용
주체 높임	• 문장의 주어, 즉 서술어가 나타내는 행위의 주체를 높임. • 선어말 어미 '-(으)시-', 주격 조사 '께서', 특수 어휘 '계시다, 잡수시다, 주무시다' 등을 사용함. 예 할머니께서 오늘 70번째 생신을 맞으셨다.
객체 높임	• 목적어나 부사어가 지시하는 대상, 즉 서술어의 객체를 높임. • 부사격 조사 '께', 특수 어휘 '드리다, 모시다, 뵙다, 여쭈다 등'을 사용함. 예 누나가 할머니께 선물을 드렸다.
상대 높임	• 말하는 이가 말을 듣는 상대방을 높이거나 낮춤. • 종결 표현으로 실현되며, 격식체와 비격식체가 있음. 예 선생님, 질문이 있습니다. (격식체: 의례적 용법으로 심리적 거리감을 나타냄.) 선생님, 질문이 있어요. (비격식체: 정감 있고 격식을 덜 차리는 표현임.)

■ 시제: 말하는 시점을 기준으로 하여 사건이 언제 일어났는지를 나타냄.

구분	내용
과거 시제	• 말하고자 하는 사건(사건시)이 말하는 시점(발화시) 이전에 일어난 것 • 선어말 어미: '-았-/-었-', '-더-' 예 어제 공원에서 친구를 만났다. • 관형사형 어미: 동사는 '-(으)ㄴ', 형용사나 서술격 조사는 '-던'
현재 시제	• 말하고자 하는 사건이 말하는 시점에 일어나는 것 • 선어말 어미: 동사는 '-는-/-ㄴ-', 형용사나 서술격 조사는 기본형 예 지금 밖에는 비가 내린다. • 관형사형 어미: 동사는 '-는', 형용사나 서술격 조사는 '-(으)ㄴ'
미래 시제	• 말하고자 하는 사건이 말하는 시점 이후에 일어나는 것 • 선어말 어미: '-겠-', '-(으)리-' 예 잠시 후에 야구 중계가 이어지겠습니다. • 관형사형 어미: '-(으)ㄹ'

함정 넘기 Tip

❶ '객체'는 문장의 목적어나 부사어에 나오는 대상임을 기억하자.

'주체'는 문장의 주어에 나오는 대상을, '객체'는 문장의 목적어나 부사어에 나오는 대상을 가리켜요.

예 아버지께서 할머니를 모시고 집에 오셨다. ⋯→ 이 문장에서는 '아버지'가 주체, '할머니'가 객체에 해당해요. 따라서 주체 높임과 객체 높임이 모두 나타나 있어요. 주체인 '아버지'를 높이기 위하여 주격 조사 '께서'와 주체 높임 선어말 어미 '-시-'를 사용하였고, 객체인 '할머니'를 높이기 위하여 '모시고'라는 특수 어휘를 사용하였죠.

❷ '요'가 붙어 있거나, '요'를 붙여 자연스러우면 비격식체이다.

'사랑한다'와 '사랑해' 중에서 격식체는 무엇일까요? 이런 경우에는 높임의 의미를 더해 주는 보조사 '요'를 뒤에 붙일 수 있는지를 따져 보면 쉽게 구분할 수 있어요. 즉, '요'를 붙여서 자연스러우면 비격식체, 자연스럽지 않으면 격식체로 보면 됩니다. '사랑한다요'는 자연스럽지 않으므로 '사랑한다'는 격식체에 해당하고, '사랑해요'는 자연스러우므로 '사랑해'는 비격식체에 해당해요.

❸ '-았-/-었-'이 미래 시제를 나타내기도 한다.

'-았-/-었-'을 사용했다고 해서 무조건 과거 시제라고 생각하면 함정에 빠질 수 있다. 맥락에 따라서는 미래 시제를 나타내는 경우도 있기 때문이죠.

예 (가) 그는 벌써 집에 갔다.

(나) 시험을 이렇게 못 봤으니 넌 이제 아버지께 혼났다.

⋯→ (가)에서는 '-았-'을 사용하여 과거 시제를 나타냈어요. 그러나 (나)에서 '혼났다'는 말하는 시점에서 볼 때 앞으로 일어날 사건에 해당해요. 이처럼 '-았-/-었-'은 과거 시제뿐만 아니라 미래에 일어날 수 있는 사건이나 일을 이미 정하여진 사실인 양 말할 때에도 쓰이므로 맥락을 잘 살펴 시제를 파악해야 해요.

헷갈리는 QUIZ

❖ '내가 산 책은 정말 재미있다.'에서 밑줄 친 부분의 시제는?

TIP 밑줄 친 '산'은 동사 '사다'의 어간에 과거를 나타내는 관형사형 어미 '-ㄴ'을 사용한 경우이지요. 말하는 시점에서 이미 '책을 샀다'는 사건이 일어났답니다.

답 과거 시제

한눈에 보기 Plus

■ 능동·피동 표현

능동 표현	• 주어가 스스로 어떤 동작을 행하는 것을 나타내는 표현 예 어머니가 아기를 업었다.
피동 표현	• 주어가 다른 주체에 의해서 어떤 동작을 당하는 것을 나타내는 표현 ┌ 단형 피동: 용언의 어간+피동 접미사 '-이-, -히-, -리-, -기-' └ 장형 피동: 용언의 어간+'-어지다, -게 되다' 예 아기가 어머니에게 업혔다. (단형 피동) 새로운 사실이 밝혀졌다. (장형 피동)

■ 주동·사동 표현

주동 표현	• 주어가 스스로 어떤 동작을 행하는 것을 나타내는 표현 예 아이가 옷을 입었다.
사동 표현	• 주어가 남에게 어떤 동작을 하도록 시키는 것을 나타내는 표현 ┌ 단형 사동: 용언의 어간+사동 접미사 '-이-, -히-, -리-, -기-, -우-, -구-, -추-' 또는 명사+접미사 '-시키다' └ 장형 사동: 용언의 어간+'-게 하다' 예 어머니가 아이에게 옷을 입혔다. (단형 사동) 너는 항상 나를 웃게 한다. (장형 사동)

함정 넘기 Tip

❶ 3단계로 피동사와 사동사를 파악하자.

1단계 주어가 '당하는' 의미라면 '피동', 주어가 다른 이에게 '시키는' 의미라면 '사동'입니다.

2단계 피동사와 달리 사동사는 목적어를 필요로 하기 때문에, 일부 예외적인 경우를 제외하고는 목적어가 쓰였으면 일단 사동사라고 판단할 수 있어요.

3단계 피동사 혹은 사동사 자리에 '-어지다'나 '-게 하다'를 대신 집어넣어, '-어지다'가 자연스러우면 피동, '-게 하다'가 자연스러우면 사동입니다.

❷ 시키는 행위에 주어가 직접 참여하면 '직접 사동', 말로만 시키면 '간접 사동'!

주어가 사동사가 나타내는 행위에 직접 참여하는 것이라면 '직접 사동', 참여하지 않고 말로만 시키는 것이라면 '간접 사동'입니다.

예 (가) 엄마가 아기에게 젖을 먹였다.

(나) 엄마가 아이에게 책을 읽혔다.

⋯→ (가)는 주어인 '엄마'가 먹이는 행위에 직접 참여하고 있으므로 직접 사동이다. (나)는 주어인 '엄마'가 '아이'에게 읽는 행위를 시킨 것으로 직접 읽어 주는 것이 아니므로 간접 사동이에요.

헷갈리는 QUIZ

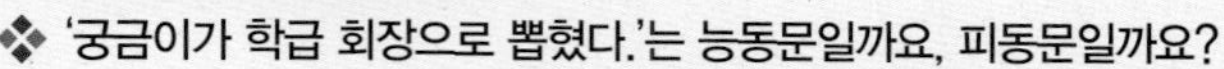

❖ '궁금이가 학급 회장으로 뽑혔다.'는 능동문일까요, 피동문일까요?

TIP 말이 헷갈리죠? 궁금이가 직접 뽑았으면 '능동문', 누군가에 의해 뽑힘을 당했으면 '피동문'이에요. 주체가 어떤 동작을 행하면 '능동문', 동작을 당하면 '피동문'이라는 사실을 기억하세요.

❖ 다음 문장이 피동문인지, 사동문인지 구분해 보세요.

1 아기가 엄마에게 안겼다.

2 엄마가 아기에게 인형을 안겼다.

TIP 용언 어간 뒤에 '-게 하다', '-(으)ㅁ을 당하다' 등을 넣어 보세요. '-게 하다'로 바꿀 수 있으면 사동문, '-게 되다, 또는 '-(으)ㅁ을 당하다'로 바꿀 수 있으면 피동문이에요. 참고로, 피동문은 목적어가 없는 경우가 대부분이에요.

답 피동문 / 1 피동문 2 사동문

한눈에 보기 Plus

■ 부정 표현

'안' 부정문	• 단순 부정 또는 주체의 의지에 의한 부정을 표현함. 예 ┌ 단순 부정: 오늘은 비가 안 내렸다. └ 의지 부정: 동생은 약속 장소에 안 갔다. • 짧은 부정문은 '아니(안)', 긴 부정문은 '-지 아니하다(않다)'의 형태로 표현함. 예 ┌ 짧은 부정문: 아무 소리도 안 들렸다. └ 긴 부정문: 아무 소리도 들리지 않았다.
'못' 부정문	• 주체의 능력 부족 또는 외부의 원인에 의한 부정을 표현함. 예 ┌ 능력 부족에 의한 부정: 열심히 공부했지만 이번 시험도 90점을 못 넘겼다. └ 외부 원인에 의한 부정: 비가 너무 많이 와서 야구를 못 했다. • 짧은 부정문은 '못', 긴 부정문은 '-지 못하다'의 형태로 표현함. 예 ┌ 짧은 부정문: 몸이 아파서 학교에 못 갔다. └ 긴 부정문: 몸이 아파서 학교에 가지 못했다.
'말다' 부정문	• 명령문과 청유문의 부정 표현에 사용되며, 긴 부정문의 형태만 가능함. 예 내 말을 믿고 걱정하지 마라. (명령문) 다시는 그곳에 가지 말자. (청유문)

함정 넘기 Tip

❶ 하기 싫어 '안' 하는 건지, 능력이 없어 '못' 하는 건지?

'안' 부정문은 단순 사실의 부정이나 주체의 의지에 의한 부정의 의미를, '못' 부정문은 주체의 능력 부족에 의한 부정이나 외부적 요인에 의한 부정의 의미를 지니고 있어요. 두 부정문을 구분하는 문제가 나올 경우, 내 마음대로 할 수 있는 거면 '안' 부정, 어쩔 수 없는 거라면 '못' 부정이라고 생각하면 함정을 피할 수 있답니다. '안' 부정문은 사실을 단순 부정하는 문장에도 사용되며, '못' 부정문은 외부 원인에 의한 부정 표현에도 사용된다는 사실도 꼭 기억해야 해요.

예 (가) 나는 학교에 안 갔다. (나) 나는 학교에 못 갔다.

⋯▸ (가)는 주체인 '나'의 의지에 의해 일부러 가지 않았다는 의미이고, (나)는 주체인 '나'가 어찌할 수 없는 상황에 의해 갈 수 없었다는 의미입니다.

❷ 명령문과 청유문의 부정은 '말다'로만 할 수 있다.

명령문과 청유문의 부정 표현에서는 '안' 부정문이나 '못' 부정문을 사용할 수 없어요. 참고로, 명령문과 청유문의 서술어에 올 수 있는 품사는 동사뿐이랍니다.

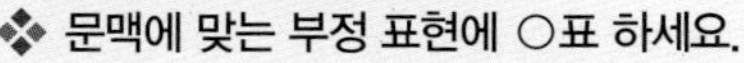

❖ 문맥에 맞는 부정 표현에 ○표 하세요.

1 나는 늦게 도착하는 바람에 그 버스를 타지 (않았다, 못했다).

2 나는 운동을 하려고 버스를 타지 (않았다, 못했다).

TIP 내가 일부러 '안' 하고, 어쩔 수 없이 '못' 해요. 또, 단순한 어떤 일(단순 부정)도 '안' 일어나요!

답 1 못했다 2 않았다

한눈에 보기 Plus

■ 형태소의 뜻과 종류

뜻	뜻을 가진 가장 작은 말의 단위		
종류	자립성 유무에 따라	자립 형태소	혼자 쓰일 수 있는 형태소 예 사람, 꽃, 바다, 사랑, ……
		의존 형태소	혼자 쓰일 수 없는 형태소 예 이/가, 을/를(조사), 먹-, 파랗-(용언의 어간), -다, -었-(용언의 어미), 치-, -꾼(접사), ……
	실질적 의미의 유무에 따라	실질 형태소	실질적 의미가 있는 형태소 예 사람, 꽃, 바다, 사랑, 먹-, 파랗-(용언의 어간), ……
		형식 형태소	형식적 의미나 문법적 관계를 나타내는 형태소 예 이/가, 을/를(조사), -다, -었-(용언의 어미), 치-, -꾼(접사), ……

형태소 분석의 실제

- '희-'나 '닦-'처럼 용언의 어간은 의존 형태소이면서 실질 형태소이다.
- 조사(으로, 를)나 접사(풋-), 어미(-ㄴ, -았-, -다)처럼 실질적인 뜻이 없어도, 일정한 문법적인 구실을 하면 하나의 형태소로 인정한다.

예 흰 손수건으로 풋사과를 닦았다.

형태소	희-	-ㄴ	손	수건	으로	풋-	사과	를	닦-	-았-	-다
자립 / 의존	의존	의존	자립	자립	의존	의존	자립	의존	의존	의존	의존
실질 / 형식	실질	형식	실질	실질	형식	형식	실질	형식	실질	형식	형식

■ 이형태: 한 형태소가 주위 환경에 따라 자음이나 모음이 교체되어 나타나는 경우가 있는데, 이때 한 형태소의 달라진 여러 모양을 이르는 말

예 민숙은 떡과 전병을 좋아한다. / 철수는 개와 고양이를 좋아한다.
→ '은/는', '과/와', '을/를'은 각각 앞말의 받침 유무에 따라 달리 선택되는 이형태임.

함정 넘기

❶ 용언의 형태소 분석은 기본형과 본딧말 파악부터!

용언의 형태소를 분석할 때에는 기본형과 함께 본딧말이 무엇인지 먼저 생각해 보아야 한다. 예를 들어, "오셨어요"는 '오다'가 기본형으로 '오시었어요'가 본딧말입니다. 따라서 '오시었어요'가 분석 대상이 됩니다. 어간 '오-'에 높임을 나타내는 선어말 어미 '-시-', 과거를 나타내는 선어말 어미 '-었-', 어말 어미 '-어', 청자에게 존대의 뜻을 나타내는 보조사 '요'로 나누는 것이 '오셨어요'의 정확한 형태소 분석입니다.

❷ '꼬리곰탕'에서 '-ㅁ'도 형태소라는 사실을 기억하라.

'꼬리곰탕'은 '꼬리'와 '곰탕'이 결합한 형태이고, '곰탕'은 다시 '곰'과 '탕'이 결합한 형태입니다. 이때 '곰'은 '고다(고기나 뼈 따위를 무르거나 진액이 빠지도록 끓는 물에 푹 삶다.)'의 어간 '고-'에 명사 파생 접사 '-ㅁ'이 결합한 형태입니다. 즉, '꼬리곰탕'은 모두 4개의 형태소(꼬리, 고-, -ㅁ, 탕)로 이루어져 있어요. 특히 '-ㅁ'은 음절이 아니라 하나의 음운으로 이루어진 형태소라는 사실에 유의해야 해요.

헷갈리는 QUIZ

❖ 의존 형태소이지만 실질 형태소인 것에 ○표 하세요.

나 는 오늘 도 눈 이 아프 게 책 을 읽 었 다.

TIP 용언의 어간을 찾아보세요.

❖ 밑줄 친 조사들은 몇 개의 형태소로 이루어진 것일까요?

1 나는 오늘 친구에게 생일 선물을 받았다.

2 엄마는 나한테만 잔소리를 하신다.

3 여기부터는 너 혼자 가거라.

TIP 조사는 여러 개가 겹쳐 쓰일 수 있으므로, 의미나 기능에 따라 각각을 하나의 형태소로 인정해 주어야 합니다.

답 아프, 읽 / 1 1개(에게) 2 2개(한테, 만) 3 2개(부터, 는)

더 알아두기 5 어근과 접사

▶연계 학습 본문 206~207쪽 함께 보기!

한눈에 보기 Plus

■ 어근과 접사

구분		내용
어근		형태소가 결합하여 단어를 형성할 때 실질적인 의미를 나타내며 의미상 중심이 되는 부분
	예 활용하지 않는 단어의 어근	• 사과나무 → '사과+나무' 2개의 어근 • 풋고추 → 접사 '풋-'을 제외한 '고추'만 어근
	활용하는 단어의 어근	• 예쁘고 → 실질적인 의미를 나타내는 '예쁘-'가 어근 • 오가며 → 실질적인 의미를 나타내는 '오-'와 '가-'가 어근(2개)
접사 - 접두사		어근의 앞에 붙어 특정한 의미를 더하는 형태소
	예 날-	'말리거나 익히거나 가공하지 않은'의 뜻을 더함. 예 날고기, 날달걀
	개-	'야생 상태의, 질이 떨어지는'의 뜻을 더함. 예 개떡, 개살구, 개머루
	참-	'진짜, 진실하고 올바른'의 뜻을 더함. 예 참말, 참사랑
접사 - 접미사		어근의 뒤에 붙어 특정한 의미를 더하거나 단어의 품사를 바꾸는 형태소
	예 -꾼	'어떤 일을 잘하는 사람'의 뜻을 더함. 예 사냥꾼, 사기꾼
	-님	일부 명사 뒤에서 '높임'의 뜻을 더함. 예 선생님
	-들	'복수'의 뜻을 더함. 예 나무들, 새들
	-답다	명사 → 형용사('성질이나 특성이 있음'의 뜻을 더함.) 예 인간답다, 학생답다

■ 어미와 접미사의 차이점

구분	내용
어미와 달리 접미사는 품사를 바꿀 수 있음.	• 접미사: 듣다(동사) → 듣기(명사) • 어미: 듣다, 듣고, 듣지만, 듣는, 들음(모두 동사)
어미와 달리 접미사는 결합이 매우 제한적임.	• 접미사: '-개'는 일부 어간에만 결합함. 예 덮개(○), 지우개(○), 달리개(×), 뛰개(×), …… • 어미: '-고'는 거의 모든 어간과 결합함. 예 높고, 춥고, 조용하고, …….

함정 넘기 Tip

❶ '고양이가 잠을 잠.', 모양은 같아도 품사는 서로 다른 '잠'
앞의 '잠'은 '자다'의 어간에 명사 파생 접미사 '-ㅁ'이 결합한 명사(파생어)입니다. 뒤의 '잠'은 '자다'가 명사형 어미 '-ㅁ'과 결합하여 '잠을 잠'으로 활용된 것이므로 동사(단일어)입니다. 해당 어휘를 서술어로 바꾸었을 때 문장이 성립하면 동사이고, 서술어로 바꿀 수 없으면 명사인 거죠.

❷ 접사 '-하다'는 동사나 형용사를 만든다.
'공부하다'는 어근 '공부'에 접미사 '-하다'가 결합한 형태입니다. 접미사 '-하다'는 일부 명사와 결합하여 동사를 만들기도, 형용사를 만들기도 해요. 또한 의성어·의태어, 일부 성상 부사나 몇몇의 어근과 결합하여 동사나 형용사를 만들기도 한답니다. '-하다'가 결합하여 만들어진 동사는 '-하다' 대신 '-시키다(사동)', '-되다(피동)', '-당하다(피동)' 등의 접사와 결합하기도 합니다.

헷갈리는 QUIZ

❖ 다음 설명이 맞으면 ○표, 틀리면 ×표 하세요.

1 '먹다'의 품사가 동사이듯이, '먹이'의 품사도 동사이다. (　　)

2 '조용하다'의 품사는 형용사이지만, '조용히'의 품사는 부사이다. (　　)

TIP 1. '먹이를 구하다.'처럼 '먹이'에는 조사가 결합 가능합니다.
2. '조용히'는 '조용히게, 조용히고'처럼 활용이 불가능하고, 항상 뒤의 용언을 꾸며 줍니다.

답 1 ×(명사) 2 ○(부사)

더 알아두기 6 합성어와 파생어

▶연계 학습 본문 212~213쪽 함께 보기!

한눈에 보기 Plus

■ 단일어와 복합어

단일어	어근 하나로 이루어진 단어 예 마음, 나무, 바다, 땅, 사랑, 가다, 춥다	
복합어	합성어	어근 + 어근 예 국밥, 밤나무, 안개꽃, 밤낮
	파생어	접사 + 어근 예 햇밤, 헛수고, 덧신, 날고기
		어근 + 접사 예 선생님, 멋쟁이, 생각하다

■ 어근의 의미적 결합 방식에 따른 합성어의 종류

대등 합성어	두 개의 어근이 대등하게 결합하여 각각의 어근이 본래 뜻을 유지하는 합성어 예 오가다(오(다) + 가다), 팔다리(팔 + 다리), 뛰놀다(뛰(다) + 놀다)
종속 합성어	한쪽 어근이 다른 어근에 종속되어 있는 합성어 예 물걸레(물 + 걸레), 책가방(책 + 가방), 쇠사슬(쇠 + 사슬), 돌다리(돌 + 다리)
융합 합성어	어근들이 완전히 하나로 융합하여 새로운 의미를 나타내는 합성어 예 춘추(나이), 바늘방석(앉아 있기 아주 불안스러운 자리), 빈말(실속 없이 헛된 말), 피땀(노력과 정성)

■ 어근의 형식적 결합 방식에 따른 합성어의 종류

통사적 합성어	어근과 어근의 결합 방식이 국어의 일반적인 어순이나 단어 배열법과 일치하는 합성어 예 논밭(명사 + 명사), 새해(관형사 + 명사), 돌아가다(용언의 어간 + 연결 어미 + 용언)
비통사적 합성어	어근과 어근의 결합 방식이 국어의 일반적인 어순이나 단어 배열법에 어긋나는 합성어 예 덮밥(용언의 어간 + 명사), 검붉다(용언의 어간 + 용언), 척척박사(부사 + 명사)

함정 넘기 Tip

❶ '예쁘다'는 복합어가 아니라 단일어이다.
'예쁘다'는 어간 '예쁘-'와 어미 '-다'의 결합이므로 형태소는 2개이지만, 어간 '예쁘-'가 하나의 어근으로 이루어져 있으므로 단일어로 취급합니다. 즉, 단일어는 대체로 하나의 형태소로 이루어져 있지만, 용언(동사, 형용사)의 경우에는 어미를 제외한 어간이 하나의 형태소로 이루어져 있으면 단일어로 취급하지요. 따라서 하나의 '형태소'가 아니라 하나의 '어근'으로 이루어진 단어가 '단일어'임을 기억해 두어야 합니다.

❷ '군밤'과 '군말', 의미를 생각하면 단어의 짜임이 보인다.
'군밤'은 '구운 밤'이란 뜻으로, '군'은 '구운(굽- + -은)'이 줄어든 형태입니다. 따라서 '군밤'은 어근과 어근이 결합한 합성어이지요. 반면 '군말'은 '쓸데없는 군더더기 말'이란 뜻으로, '쓸데없는'의 뜻을 더하는 접두사 '군-'과 어근 '말'이 결합한 파생어입니다.

❸ '짓누르다'에서 어근은 '누르-', 어간은 '짓누르-'!
'어근'은 단어의 형성과 관련된 개념이고, '어간'은 용언의 활용과 관련된 개념입니다. '어근'은 형태소가 결합하여 단어를 만들 때 실질적 의미를 나타내는 부분으로, 이러한 어근의 뜻을 제한하는 형태소인 '접사'와 대응하는 말입니다. '어간'은 용언이 활용할 때 변하지 않는 부분으로, 용언이 활용할 때 변하는 부분인 '어미'와 대응하는 말입니다. 예를 들어 '누르다'에 접두사 '짓-'이 결합한 '짓누르다'의 경우, '어근'은 '누르-'이지만 '어간'은 '짓누르-'입니다.

헷갈리는 QUIZ

❖ 접미사의 표기가 올바른 것에 ○표 하세요.

고요히	반듯이	솔직히	조용이	말끔히	꼿꼿히	따뜻히

TIP '-하다'로 끝나는 용언의 어근에는 '-히'를 붙여 부사를 만듭니다. 단, 예외로 'ㅅ' 받침 다음에는 '-이'가 결합합니다. 예 깨끗이, 따뜻이

답 고요히, 반듯이, 솔직히, 말끔히

EBS

중 | 학 | 도 | 역 | 시 EBS

정답과 해설

인터넷·모바일·TV
무료 강의 제공

중학 국어 | **문법**

필독 중학 국어_문법

정답과 해설

01일 언어의 본질

확인하기

본문 8~9쪽

1 자의적　2 ③　3 역사성　4 ③　5 ③

1 **정답 풀이** 언어의 의미(내용)와 말소리(형식) 사이에는 필연적인 관계가 없기 때문에, 동일한 의미를 언어마다 다르게 표현하고 있다.

2 **정답 풀이** ③ 〈보기〉는 언어의 사회성에 대한 설명이다. 언어의 내용(의미)과 형식(음성, 문자)의 결합 관계는 필연적이지 않지만 일단 결합이 이루어지면 그 언어를 쓰는 사회에서는 반드시 지켜야 하는 사회적 약속이 된다. 왜냐하면 언어 사회에서는 언어의 내용(의미)과 형식(음성, 문자)에 혼란이 있을 경우 의사소통이 불편해져 서로 자신의 생각을 표현하거나 다른 사람의 생각을 이해하는 데 어려움이 생기기 때문이다.

3 **정답 풀이** 시간이 흐름에 따라 언어의 내용(의미)이나 형식(음성, 문자)이 변하는 것은 언어의 역사성에 해당한다.

4 **정답 풀이** ③ 예전에는 '나모'로 쓰이던 말이 오늘날에는 '나무'로 바뀌었다. 이것은 언어의 말소리(형식)가 시간의 흐름에 따라 변화한 것이므로 언어의 역사성과 관련이 깊다.

5 **정답 풀이** ③ '의자'라고 부르기로 사회적으로 약속돼 있는 것을 개인이 함부로 바꿔서 '편안이'라고 하였기에 의사소통에 문제가 생긴 것이다. 이것은 언어의 사회성과 관련이 깊다.

오답 풀이

① 아이가 기존의 언어 지식을 바탕으로 새로운 표현을 만들어 내는 것은 언어의 창조성과 관련이 깊다.

② '가르치는 사람'이라는 언어의 내용(의미)을 나라마다 다른 형식(음성, 문자)으로 가리키는 것은 언어의 자의성과 관련이 깊다.

④ 새로운 말이 생겨나는 것은 언어가 시간의 흐름에 따라 변화한다는 언어의 역사성과 관련이 깊다. 또한 새로운 말이 만들어졌다는 측면에서 바라보면 언어의 창조성으로도 설명할 수 있다.

⑤ 기존의 언어 지식을 바탕으로 '길 도우미'라는 새로운 단어를 만들어 낸 것은 언어의 창조성과 관련이 깊다.

문제로 정복하기

본문 10~11쪽

1 ③　2 (언어의) 사회성　3 ④　4 ④　5 ⑤　6 ④　7 (언어의) 창조성　8 예 '리무버' 대신 '(화장) 지움액'을 사용하는 것이 우리말을 사용하는 사람들 사이의 약속으로 굳어지는 과정을 거쳐야 하며, 이는 '언어의 사회성'과 관련된다.　9 ④　10 예 언어의 내용(의미)과 그것을 가리키는 형식(음성, 문자)의 관계가 자의적이다(우연적이다/임의적이다/필연적이지 않다).

1 **정답 풀이** ③ 언어가 시간의 흐름에 따라서 변하는 것이 언어의 역사성이다. 오랜 세월에 걸쳐서 '집'이라는 말이 형성되었을지라도, 아주 먼 과거에 '집'이라는 말이 없었다가 생겨났을 것이고, 미래에는 '집'이 다른 말로 바뀔 수도 있다. 실제로 『우리말 어원 사전』(김민수, 태학사, 1997.)에 따르면, '집'은 '짓 – [建]'에서 온 말로, '짓'은 후에 받침 'ㅿ(반치음)'이 'ㅅ'으로 바뀌어 '짓'으로 변하였다가 다시 '집'으로 변하여 만들어진 말이다. '집'이란 '지은 것'이란 뜻을 가진다.

오답 풀이

① 언어의 내용(의미)과 형식(음성, 문자)의 관계가 필연적이지 않다는 것은 언어의 자의성과 관련된다.

② 언어가 사회적 약속이므로 개인이 함부로 바꿀 수 없는 것은 언어의 사회성과 관련된다.

④ 언어가 오랜 시간에 걸쳐서 변하는 것은 언어의 역사성과 관련된다.

⑤ 언어를 사용할 때에 일정한 규칙을 따라야 하는 것은 언어의 규칙성과 관련된다.

2 **정답 풀이** 승민, 성현, 지혜는 모두 '결혼'에 대하여 조금씩 다르게 설명하고 있지만, 세 사람의 말을 들은 사람들은 공통적으로 '결혼'이라는 단어를 떠올리게 된다. 이것은 우리나라 사람들이 '결혼'이라는 단어를 세 사람이 생각하고 있는 의미로 사용하기로 사회적으로 약속했기 때문이다. 이와 같은 언어의 특성을 언어의 사회성이라고 한다.

3 **정답 풀이** ④ 대화에서 영균과 윤아는 '김치'를 '금치'로 바꿔 부르기로 했다. 하지만 이것은 영균과 윤아, 두 사람만의 약속이므로 다른 사람들에게 '금치'라는 말을 사용하면 다른 사람들이 그 의미를 이해하는 데 어려움을 겪게 된다. 결국 의사소통이 원활하게 이루어지기 어렵다는 문제점이 발생할 것이다.

4 **정답 풀이** ④ 이 대화에서 수현은 '불휘 깊은 나모'와 '어린 백성'의 뜻을 정확하게 이해하지 못하고 있다. 오늘날 '불휘'는 '뿌리'로, '나모'는 '나무'로 형식(음성, 문자)이 변하였고, '어린 백성'의 '어리다'는 '어리석다'에서 '나이가 적다'로 그 의미가 변하였다. 이처럼 시간의 흐름에 따라 언어의 내

용과 형식(음성, 문자)이 변화하는 것을 언어의 역사성이라 고 한다.

오답 풀이

① 언어가 사라지는 것도 '언어의 역사성'과 관련되지만, '불휘', '나모', '어리다'는 각각 '뿌리', '나무', '나이가 적다'로 교체된 것이지 언어가 사라진 예로 볼 수 없다.
② 새로운 언어가 생겨나는 것도 '언어의 역사성'과 관련되지만, '불휘', '나모', '어리다'는 새로운 언어가 생겨난 예로 볼 수 없다.
③ '어린 백성'의 '어리다'는 '어리석다'에서 '나이가 적다'로 그 의미가 변하였지만, '불휘 – 뿌리', '나모 – 나무'는 그 형식(음성, 문자)이 변한 것이다.
⑤ '불휘 – 뿌리', '나모 – 나무'가 같은 시대에 동시에 쓰이는 것은 아니므로, 이는 하나의 의미를 다양한 형식(음성, 문자)으로 표현한 예로 볼 수 없다.

5 **정답 풀이** ⑤ 이미 알고 있는 언어 지식을 바탕으로 무한한 표현(문장이나 단어)을 만들어 낼 수 있는 것을 언어의 창조성이라고 한다. 아이가 이전에 배운 문장과 단어를 이용해 새로운 문장 '우유 먹자.'를 만들었으므로, 언어의 창조성을 보여 주는 예라고 할 수 있다.

오답 풀이

① 언어의 자의성과 관계 깊다.
② 언어의 사회성과 관계 깊다.
③ 언어의 역사성과 관계 깊다.
④ 언어의 자의성과 관계 깊다.

6 **정답 풀이** ④ 조선 시대에 사용하던 '고뿔, 가람'이란 단어가 오늘날에는 잘 사용되지 않고 대신에 '감기, 강'이라는 말이 주로 사용되는 것은 시간의 흐름에 따라 언어의 형식(말소리)이 바뀌었기 때문이라고 할 수 있다.

오답 풀이

① 언어의 기호성과 관련된 진술이다.
② '역사의식'은 '어떠한 사회 현상을 시간의 흐름에 따라 파악하고 판단하는 의식'이므로 제시된 언어 사용에 드러난 특성으로 볼 수 없다.
③ '고뿔 – 감기', '가람 – 강'은 언어의 내용(의미)은 비슷한데 언어의 형식(음성, 문자)이 바뀐 것이다.
⑤ 언어의 사회성과 관련된 진술로, 예시에 나타난 언어 특성 중 하나이지만, 가장 두드러진 특성이라고 할 수는 없다.

7 **정답 풀이** '배웠거나 들어 본 적이 있는 문장'을 토대로 '새로운 문장'을 만들어 사용하는 것은 언어의 창조성과 관련이 깊다.

8 **정답 풀이** 언어는 사회적 약속이므로 국립국어원에서 '리무버' 대신 '(화장) 지움액'을 사용하자고 정하더라도 우리말을 사용하는 사람들 사이에서 '특정한 물질을 제거하기 위해 사용하는 전용 물질'을 '(화장) 지움액'으로 부르기로 한 약속이 굳어지지 않는다면, 국립국어원의 우리말 순화 노력은 제대로 효과를 거둘 수 없다.

9 **정답 풀이** ④ '포도가 많이 열렸다.'라는 비슷한 의미를 담고 있는 문장을 학생들이 다양하게 표현하고 있다. 이처럼 이미 알고 있는 언어 지식을 바탕으로 무한한 표현을 만들어 내는 것은 언어의 창조성과 관련이 깊다.

10 **정답 풀이** 개가 짖는 소리, 즉 언어의 의미는 동일한데, 개 짖는 소리를 우리말, 영어, 중국어 등으로 말하고 쓸 때에는 각각 '멍멍[멍멍], Bowwow[바우와우], 汪汪[왕왕]' 등으로 다르게 표현한다. 이것은 언어의 내용(의미)과 형식(음성, 문자)의 관계가 자의적(임의적, 우연적)이기 때문에 빚어진 현상이다.

문법 놀이터

본문 14쪽

- 어리다 – 어리석다
- 하다 – 많다
- 어엿브다 – 불쌍하다
- 가람 – 강
- 온 – 100
- 미르 – 용
- 미리내 – 은하수

02일 음운의 체계와 특성 1–모음

확인하기

본문 16~17쪽

1 음운 2 길이 3 ④ 4 ② 5 ① 6 ⑤

1 **정답 풀이** 음운이란 말의 뜻을 구별해 주는 소리의 최소 단위를 말한다. 예를 들어 '말'과 '발'은 첫소리 'ㅁ'과 'ㅂ' 때문에 말의 뜻이 달라지고 있는데, 이 때문에 'ㅁ'과 'ㅂ'을 음운이라고 할 수 있다.

2 **정답 풀이** '말[말]'과 '말[말ː]'은 모두 첫소리(초성) 'ㅁ', 가운뎃소리(중성) 'ㅏ', 끝소리(종성) 'ㄹ'로 같은 자음과 모음으로 구성되어 있다. 다만 말소리를 길게 하느냐, 짧게 하느냐에 따라서 말의 뜻이 구별되고 있다. 이처럼 우리말에서는 소리의 길이도 말의 뜻을 구별하는 음운의 역할을 수행하고 있다.

3 **정답 풀이** ④ 분절 음운 중에서 자음과 모음은 소리를 내는 과정에서 장애를 받는지의 여부에 따라 구분된다.

오답 풀이

①, ② 입술을 벌리는 정도와 혀와 입천장 사이의 높이에 따라 고모음, 중모음, 저모음으로 구분한다.

③ 입안이나 코안의 울림 정도에 따라 울림소리(공명음)와 안울림소리(장애음)로 구분한다.

⑤ 대부분의 말소리는 공기를 내쉬는 과정에서 생긴다.

4 **정답 풀이** ② 'ㅑ'는 이중 모음이다.

오답 풀이

④ 'ㅚ'는 이중 모음으로 발음되는 경우도 있지만 우리 국어에서는 단모음으로 인정하고 있다.

5 **정답 풀이** ① 단모음은 혀의 높낮이에 따라 고모음(ㅣ, ㅟ, ㅡ, ㅜ), 중모음(ㅔ, ㅚ, ㅓ, ㅗ), 저모음(ㅐ, ㅏ)으로 분류된다.

6 **정답 풀이** ⑤ 혀의 높이가 높은 고모음(ㅣ, ㅟ, ㅡ, ㅜ)이면서, 혀의 최고점이 앞쪽에 있는 전설 모음(ㅣ, ㅔ, ㅐ, ㅟ, ㅚ)이고, 입술이 둥근 원순 모음(ㅟ, ㅚ, ㅜ, ㅗ)인 것은 'ㅟ'뿐이다.

문제로 **정복하기**

본문 18~19쪽

1 ② 2 ① 3 발음할 때 입술 모양이나 혀의 위치가 고정되어 소리가 나오는 모음이다. 4 ③ 5 ④ 6 ② 7 ④ 8 ③ 9 ④ 10 ⑤ 11 ① 12 ② 13 ㅗ, ㅜ, ㅚ, ㅟ 14 예 모음은 자음과 같은 다른 음운(소리)의 도움 없이 혼자 소리를 낼 수 있기 때문이다.

1 **정답 풀이** ② 음절은 독립하여 발음할 수 있는 최소의 소리 단위로, 국어의 음절을 구성하는 방식은 '모음', '자음+모음', '모음+자음', '자음+모음+자음'의 4가지가 있다. 즉 국어의 음절은 모음이 포함되어야만 하므로, 국어의 음절은 모음을 중심으로 이루어진다고 할 수 있다.

오답 풀이

① 국어에서는 자음 19개와 단모음 10개, 소리의 길이가 음운으로 사용되고 있다. 비분절 음운 중 소리의 높낮이, 강세는 현대 국어 표준어에서 말의 뜻을 구별해 주는 기능을 하지 않는다.

③ 발음할 때 장애를 받고 나오는 소리는 자음이다.

④ 말의 뜻을 구별해 주는 소리의 가장 작은 단위가 음운이므로, 말의 뜻을 구별해 주지 못한다면 국어의 음운이라고 할 수 없다.

⑤ 국어의 모음은 혀의 최고점의 위치에 따라 전설 모음과 후설 모음으로, 입술 모양에 따라 원순 모음과 평순 모음으로, 혀의 높낮이에 따라 고모음, 중모음, 저모음으로 나누어진다.

2 **정답 풀이** ① '밤하늘'은 'ㅂ, ㅏ, ㅁ, ㅎ, ㅏ, ㄴ, ㅡ, ㄹ'의 8개의 음운으로 구성되어 있다.

오답 풀이

② '손오공'은 'ㅅ, ㅗ, ㄴ, ㅗ, ㄱ, ㅗ, ㅇ'의 7개의 음운으로 구성되어 있다.

③ '항아리'는 'ㅎ, ㅏ, ㅇ, ㅏ, ㄹ, ㅣ'의 6개의 음운으로 구성되어 있다.

④ '분수대'는 'ㅂ, ㅜ, ㄴ, ㅅ, ㅜ, ㄷ, ㅐ'의 7개의 음운으로 구성되어 있다.

⑤ '자전거'는 'ㅈ, ㅏ, ㅈ, ㅓ, ㄴ, ㄱ, ㅓ'의 7개의 음운으로 구성되어 있다.

3 **정답 풀이** ㉠에 제시된 모음들은 모두 단모음으로, 발음할 때 입술 모양이나 혀의 위치가 고정되어 소리가 나온다.

4 **정답 풀이** ③ 발음할 때 입술 모양이 둥글게 변하는 모음은 '원순 모음'으로, 우리말 원순 모음으로는 'ㅗ, ㅜ, ㅚ, ㅟ' 4개가 있다. '삼일천하'는 평순 모음 'ㅏ, ㅣ, ㅓ, ㅏ'를 사용하고 있다.

오답 풀이

① '조'에 사용된 'ㅗ'가 원순 모음이다.

② 모음으로 'ㅗ, ㅏ, ㅗ, ㅟ'를 사용하고 있는데, 'ㅏ'는 평순 모음이고, 나머지는 모두 원순 모음이다.

④ '부'에 사용된 'ㅜ'가 원순 모음이다.

⑤ '오'가 원순 모음 'ㅗ' 하나로만 이루어진 음절이다.

5 **정답 풀이** ④ 'ㅣ, ㅔ, ㅐ, ㅟ, ㅚ'를 각각 발음해 보면 혀의 최고점의 위치가 앞쪽에 있다. 반면에 'ㅡ, ㅓ, ㅏ, ㅜ, ㅗ'를 각각 발음해 보면 혀의 최고점의 위치가 뒤쪽에 있다. 혀의 최고점의 위치가 앞쪽에 있는 것은 전설 모음, 뒤쪽에 있는 것은 후설 모음이다.

6 **정답 풀이** ② 입을 조금 벌리고 혀의 위치를 높여 발음하며, 이때 입천장과 혀 사이의 공간이 가장 좁은 고모음으로는 'ㅣ, ㅟ, ㅡ, ㅜ'가 있다.

오답 풀이

① '네'에서 'ㅔ'는 중모음에 해당한다.

③ '하'에서 'ㅏ'는 저모음에 해당한다.

④ '내'에서 'ㅐ'는 저모음에 해당한다.

⑤ '서'에서 'ㅓ'는 중모음에 해당한다.

7 **정답 풀이** ④ 혀의 높이가 중간인 중모음으로는 'ㅔ, ㅚ, ㅓ, ㅗ'가 있다. 이 중에서 입술을 둥글게 하여 소리를 내는 원순 모음으로는 'ㅚ'와 'ㅗ'가 있다. 그리고 이 중에서 혀의 최고점의 위치가 뒤쪽에 있는 후설 모음은 'ㅗ'이다. ④에는 모음 'ㅗ'가 사용되지 않았다.

오답 풀이

① '고양이'의 '고'에 모음 'ㅗ'가 사용되었다.
② '오용하면'의 '오'가 모음 'ㅗ' 하나로 이루어진 음절이다.
③ '모든'의 '모'와 '존중되어야'의 '존'에 모음 'ㅗ'가 사용되었다.
⑤ '고함을'의 '고'에 모음 'ㅗ'가 사용되었다.

8 **정답 풀이** ③ 발음하는 동안 입술 모양이나 혀의 위치가 달라지면서 소리가 나오는 것은 이중 모음으로, 국어에서는 'ㅑ, ㅒ, ㅕ, ㅖ, ㅘ, ㅙ, ㅛ, ㅝ, ㅞ, ㅠ, ㅢ'의 11개가 있다. ③에는 이와 같은 이중 모음이 사용되지 않았다.

오답 풀이

① '기역'에서 이중 모음 'ㅕ'가 사용되었다.
② '연기'에서 이중 모음 'ㅕ'가, '나랴'에서 이중 모음 'ㅑ'가 사용되었다.
④ '삼 년이면'에서 이중 모음 'ㅕ'가 두 번 사용되었고, '풍월'에서 이중 모음 'ㅝ'가 사용되었다.
⑤ '고와야'에서 이중 모음 'ㅘ'와 'ㅑ'가 사용되었다.

9 **정답 풀이** ④ 실질적인 의미나 문법적인 의미를 지니고 있는 것은 형태소이다. '산'처럼 어떤 음절은 실질적인 의미나 문법적인 의미를 지니고 있지만, 그렇지 않은 음절도 많다. 예를 들어 '아버지'를 구성하고 있는 세 개의 음절 '아', '버', '지'는 각각 실질적인 의미나 문법적인 의미를 지니고 있지 않다.

오답 풀이

① '아, 오, 야' 같은 음절은 하나의 모음으로 이루어져 있다.
② 영어의 경우 'strike'와 같이 음절의 첫소리로 's, t, r' 3개의 자음이 올 수 있다. 반면에 현대 국어에서는 음절의 첫소리로 단 하나의 자음만 사용할 수 있다. '땅'의 첫소리 'ㄸ'은 하나의 소리로 발음되므로 2개의 자음이 사용된 것이 아니다.
③ '모음[모:음]'은 음절 '모'와 '음'으로 이루어져 있다. '우리말[우리말]'은 음절 '우', '리', '말'로 이루어져 있다.
⑤ 음절 '악'의 경우 첫소리가 사용되지 않았고, 음절 '고'의 경우 끝소리가 사용되지 않았다.

10 **정답 풀이** ⑤ 발음하는 동안 입술 모양이나 혀의 위치가 변하지 않는 것이 단모음이다. '하늘바라기'를 이루고 있는 모음 'ㅏ, ㅡ, ㅣ'는 모두 단모음이다.

오답 풀이

① 'ㅘ'는 이중 모음이다.
② 'ㅕ'는 이중 모음이다.
③ 'ㅘ'와 'ㅝ'는 이중 모음이다.
④ 'ㅛ'는 이중 모음이다.

11 **정답 풀이** ① 빈칸에는 전설 모음, 평순 모음이면서 중모음인 'ㅔ'가 들어간다. '때에는'에 'ㅔ'가 사용되었다.

12 **정답 풀이** ② 발음하는 동안 입술 모양이나 혀의 위치가 달라지면서 소리가 나오는 모음이 이중 모음이다. 'ㅒ'를 길게 발음해 보면 'ㅔ'가 아니라 'ㅐ' 소리가 난다.

13 **정답 풀이** 발음할 때 입술 모양이나 혀의 위치가 고정된 상태에서 소리가 나오는 것은 단모음이며, 입술을 둥글게 오므려 발음하는 것은 원순 모음이다. 'ㅗ, ㅜ, ㅚ, ㅟ'의 4개의 모음만이 단모음이자 원순 모음에 해당한다.

14 **정답 풀이** 모음은 다른 음운(소리)의 도움 없이 혼자 소리를 낼 수 있기 때문에 홀소리라고 한다. 〈보기〉에서 접두사 '홀-'의 뜻을 보고 '혼자'라는 의미를 유추하고, '소리'가 '사람의 목소리', 즉 음운임을 유추할 수 있다.

문법 놀이터 본문 22쪽

- 첫 번째 숫자의 암호: 고모음 중에서 전설 모음이면서 평순 모음인 것은? (ㅣ → 0)
- 두 번째 숫자의 암호: 중모음 중에서 후설 모음이면서 원순 모음인 것은? (ㅗ → 9)
- 세 번째 숫자의 암호: 저모음 중에서 후설 모음인 것은? (ㅏ → 7)

비밀번호: 097

03일 음운의 체계와 특성 2-자음

확인하기 본문 24~25쪽

1 ① 2 ④ 3 ㅎ 4 마찰음 5 ① 6 ①

1 **정답 풀이** ① ㉠에서 나는 소리는 윗잇몸과 혀끝이 만나서 나는 잇몸소리(치조음)이다.

오답 풀이

② ㉡에서 나는 소리는 두 입술 사이에서 나는 입술소리이다.

③ ㉢에서 나는 소리는 코안에서 나는 비음이다.
④ ㉣에서 나는 소리는 혀의 뒷부분과 여린입천장이 만나서 나는 여린입천장소리(연구개음)이다.
⑤ ㉤에서 나는 소리는 목청 사이에서 나는 목청소리(후음)이다.

2 **정답 풀이** ④ ㉠에서는 잇몸소리 'ㄴ, ㄷ, ㄸ, ㅌ, ㄹ, ㅅ, ㅆ'이, ㉡에서는 입술소리 'ㅁ, ㅂ, ㅃ, ㅍ'이 난다.

오답 풀이
① 'ㅁ, ㅂ, ㅃ, ㅍ'은 입술소리이고, 'ㄱ, ㄲ, ㅋ, ㅇ'은 여린입천장소리이다.
② 'ㄱ, ㄲ, ㅋ, ㅇ'은 여린입천장소리이고, 'ㅈ, ㅉ, ㅊ'은 센입천장소리이다.
③ 'ㅈ, ㅉ, ㅊ'은 센입천장소리이고, 'ㅎ'은 목청소리이다.
⑤ 'ㅎ'은 목청소리이고, 'ㄴ, ㄷ, ㄸ, ㅌ, ㄹ, ㅅ, ㅆ'은 잇몸소리이다.

3 **정답 풀이** ㉤은 목청이다. 목청에서 소리 나는 목청소리로는 'ㅎ'이 있다.

4 **정답 풀이** 입안이나 목청 사이의 통로를 좁히고 그 틈 사이로 공기를 내보내어 마찰을 일으키면서 소리를 내는 것은 마찰음이다. 마찰음에는 'ㅅ, ㅆ, ㅎ'이 있다.

5 **정답 풀이** ① 파찰음에는 'ㅈ, ㅉ, ㅊ'이 있는데, '주최자'에 사용된 자음은 'ㅈ, ㅊ, ㅈ'으로 모두 파찰음이다.

오답 풀이
② '개회사'에 사용된 자음은 'ㄱ, ㅎ, ㅅ'이다. 'ㄱ'은 파열음이고, 'ㅎ, ㅅ'은 마찰음이다.
③ '성악가[성악까]'에 사용된 자음은 'ㅅ, ㅇ, ㄱ, ㄲ'이다. 'ㅅ'은 마찰음, 'ㅇ'은 비음, 'ㄱ, ㄲ'은 파열음이다.
④ '제빵업'에 사용된 자음은 'ㅈ, ㅃ, ㅇ, ㅂ'이다. 'ㅈ'은 파찰음, 'ㅃ, ㅂ'은 파열음, 'ㅇ'은 비음이다.
⑤ '짜장면'에 사용된 자음은 'ㅉ, ㅈ, ㅇ, ㅁ, ㄴ'이다. 'ㅉ, ㅈ'은 파찰음이고, 'ㅇ, ㅁ, ㄴ'은 비음이다.

6 **정답 풀이** ① 된소리는 예사소리에 비해 단단하고 급한 느낌의 소리이다.

오답 풀이
② 울림소리(공명음)에 대한 설명으로, 'ㅁ, ㄴ, ㄹ, ㅇ'이 해당한다.
③ 비음에 대한 설명으로, 'ㅁ, ㄴ, ㅇ'이 해당한다.
④ 마찰음에 대한 설명으로, 'ㅅ, ㅆ, ㅎ'이 해당한다.
⑤ 유음에 대한 설명으로, 'ㄹ'이 해당한다.

문제로 **정복하기**

본문 26~27쪽

1 ④ 2 ④ 3 ② 4 ③ 5 ② 6 모두 두 입술이 닿아서 나는 소리(양순음)이다. 7 ③ 8 ④ 9 뽕 10 ⑤ 11 ① 12 ③ 13 ①

1 **정답 풀이** ④ 'ㅋ'의 이름은 '키읔'이다. 우리말 자음의 이름은 '■으■'의 구조, 즉, '니은, 리을, 미음, ……'으로 이루어져 있다. 다만, 세 가지 예외가 있는데 바로 'ㄱ(기역), ㄷ(디귿), ㅅ(시옷)'이다.

2 **정답 풀이** ④ 자음은 소리 나는 위치에 따라 입술소리(양순음), 잇몸소리(치조음), 센입천장소리(경구개음), 여린입천장소리(연구개음), 목청소리(후음)로 나누어진다. 'ㅁ'은 입술소리이고 나머지는 모두 잇몸소리이다.

3 **정답 풀이** ② 대화에서는 코감기에 걸렸을 때 입안의 통로를 막고 코로 공기를 내보내는 소리, 즉 비음을 제대로 발음할 수 없다는 내용을 다루고 있다. 따라서 코감기에 걸린 남학생은 비음 'ㄴ, ㅁ, ㅇ'이 포함된 단어는 발음하기 어려울 것이다. '각설이'에는 비음이 사용되지 않았다.

4 **정답 풀이** ③ 센입천장소리(경구개음)로는 'ㅈ, ㅉ, ㅊ'이 있고, 저모음으로는 'ㅐ, ㅏ'가 있고, 잇몸소리(치조음)로는 'ㄴ, ㄷ, ㄸ, ㄹ, ㅅ, ㅆ, ㅌ'이 있다. 따라서 '센입천장소리+저모음+잇몸소리'를 만족하는 것은 '찬'이다.

오답 풀이
① '간'에서 'ㄱ'은 여린입천장소리(연구개음)이다.
② '불'에서 'ㅂ'은 입술소리(양순음), 'ㅜ'는 고모음이다.
④ '장'에서 'ㅇ'은 여린입천장소리(연구개음)이다.
⑤ '핀'에서 'ㅍ'은 입술소리(양순음), 'ㅣ'는 고모음이다.

5 **정답 풀이** ② 혀끝과 윗잇몸이 닿아서 나는 자음인 잇몸소리(치조음)로 'ㄴ, ㄷ, ㄸ, ㄹ, ㅅ, ㅆ, ㅌ'이 있다. 입술 모양을 둥글게 하며 소리 내는 모음인 원순 모음으로 'ㅗ, ㅜ, ㅚ, ㅟ'가 있다. '투수'에 사용된 자음(ㅌ, ㅅ)은 모두 잇몸소리(치조음)이고, 모음(ㅜ)은 원순 모음이다.

6 **정답 풀이** 제시된 자음들은 소리 나는 위치를 기준으로 두 입술이 닿아서 나는 입술소리(양순음)에 해당한다.

7 **정답 풀이** ③ 〈보기〉에서 밑줄 친 부분은 모음과 함께 자음 중 울림소리(공명음)인 'ㄹ'과 'ㅇ'이 주로 사용되었다. 울림소리 중에서도 혀끝을 잇몸에 가볍게 대었다가 떼거나 혀끝을 윗잇몸에 댄 채 공기를 그 양옆으로 흘려보내면서 내는 소리(유음, 흐름소리)인 'ㄹ'은 가볍고 경쾌하고 부드러운 느낌을 준다.

오답 풀이

① '얄'은 모음으로 시작하는 음절이지만, '리, 랑, 셩, 라' 등은 자음으로 시작하는 음절이다.

② '얄'의 끝소리 'ㄹ'은 유음(흐름소리)이지만, '랑, 셩'의 끝소리 'ㅇ'은 비음(콧소리)이다.

④ 'ㄹ, ㅇ'을 포함하여 모든 자음은 발음할 때 공기의 흐름에 장애가 일어나는 소리이다.

⑤ 자음 중에서 안울림소리(장애음)를 소리의 세기를 기준으로 나눌 때, 예사소리로는 'ㄱ, ㄷ, ㅂ, ㅅ, ㅈ', 된소리로는 'ㄲ, ㄸ, ㅃ, ㅆ, ㅉ', 거센소리로는 'ㅋ, ㅌ, ㅍ, ㅊ'이 있다. 예사소리를 사용한다고 무조건 경쾌한 느낌을 주는 것은 아니다.

8 **정답 풀이** ④ 단어가 크고 거친 느낌을 주기 위해서는 거센소리(ㅋ, ㅌ, ㅍ, ㅊ)를 포함하고 있어야 한다. '캄캄하겠지(캄캄하다)'에서 거센소리로 'ㅋ'이 사용되고 있다.

오답 풀이

⑤ [해야겓따]에서 된소리 'ㄸ'이 발음되는데, 된소리는 단단하고 급한 느낌을 준다.

9 **정답 풀이** 두 입술 사이에서 나는 소리는 입술소리(양순음)로 'ㅁ, ㅂ, ㅃ, ㅍ'이 있고, 단단하고 급한 느낌을 주는 소리는 된소리로 'ㄲ, ㄸ, ㅃ, ㅆ, ㅉ'이 있다. 따라서 〈보기 1〉을 모두 만족하는 소리는 'ㅃ'이다. 〈보기 2〉에서 'ㅃ'이 사용된 단어는 '뽕'이다.

10 **정답 풀이** ⑤ 'ㅅ'은 'ㄴ, ㄷ, ㄸ, ㄹ, ㅆ, ㅌ'과 마찬가지로 윗잇몸과 혀끝이 닿아서 소리가 나는 잇몸소리(치조음)이다. 센입천장과 혓바닥 사이에서 소리가 나는 센입천장소리(경구개음)로는 'ㅈ, ㅉ, ㅊ'이 있다.

11 **정답 풀이** ① ○ 부분은 여린입천장(연구개)과 혀의 뒷부분을 가리키고 있다. 이 부분에서 발음되는 자음, 즉 여린입천장소리(연구개음)로는 'ㄱ, ㄲ, ㅋ, ㅇ'이 있다.

오답 풀이

② 'ㄷ, ㄸ, ㅌ'은 혀끝과 윗잇몸이 닿아서 나는 잇몸소리(치조음)이다.

③ 'ㅁ, ㅂ, ㅃ'은 두 입술 사이에서 나는 입술소리(양순음)이다.

④ 'ㅅ, ㅆ'은 혀끝과 윗잇몸이 닿아서 나는 잇몸소리(치조음)이다.

⑤ 'ㅈ, ㅉ, ㅊ'은 혓바닥과 센입천장 사이에서 나는 센입천장소리(경구개음)이다.

12 **정답 풀이** ③ 윗잇몸과 혀끝이 닿아서 나는 소리는 잇몸소리(치조음)로, 'ㄴ, ㄷ, ㄸ, ㄹ, ㅅ, ㅆ, ㅌ'이 있다. 발음할 때 입술 모양을 평평하게 하여 내는 소리는 평순 모음으로, 'ㅣ, ㅔ, ㅐ, ㅡ, ㅓ, ㅏ'가 있다. 발음할 때 혀의 양옆으로 숨을 흘려보내면서 내는 소리는 유음(흐름소리)으로 'ㄹ'이 있다. 따라서 〈조건〉을 모두 만족시키는 단어는 '달'이다.

13 **정답 풀이** ① 'ㅈ, ㅉ, ㅊ' 중에서 크고 거친 느낌을 주는 거센소리는 'ㅊ'이다. 'ㅈ'은 예사소리이고, 'ㅉ'은 단단하고 급한 느낌을 주는 된소리이다.

오답 풀이

② 'ㅈ, ㅉ, ㅊ'은 모두 센입천장과 혓바닥 사이에서 나는 센입천장소리(경구개음)이다.

③ 'ㅈ, ㅉ, ㅊ'은 모두 입안이나 코안을 울리지 않고 내는 안울림소리(장애음)이다.

④ 'ㅈ, ㅉ, ㅊ'은 모두 공기를 막았다가 서서히 터뜨리면서 마찰하여 내는 파찰음이다.

⑤ 'ㅈ, ㅉ, ㅊ'은 모두 우리말에서 말뜻을 구별해 주는 음운의 역할을 한다.

문법 놀이터 본문 30쪽

1	초성	잇몸소리, 마찰음, 예사소리	ㅅ	손
	중성	후설 모음, 중모음, 원순 모음	ㅗ	
	종성	잇몸소리, 비음	ㄴ	
2	초성	목청소리, 마찰음	ㅎ	흥
	중성	후설 모음, 고모음, 평순 모음	ㅡ	
	종성	여린입천장소리, 비음	ㅇ	
3	초성	입술소리, 비음	ㅁ	민
	중성	전설 모음, 고모음, 평순 모음	ㅣ	
	종성	잇몸소리, 비음	ㄴ	

04일 정확한 발음과 표기 1-표기와 발음의 원리

확인하기 본문 32~33쪽

1 한글 맞춤법, 표준 발음법 2 ③ 3 ⑤ 4 ②
5 ④ 6 ④ 7 ㉠ 마딛따/마싣따, ㉡ 마덥따

1 **정답 풀이** 한글 맞춤법은 한글로 우리말을 표기하는 규칙을 정한 것이고, 표준 발음법은 표준어를 발음할 때 기준이 되는 규범과 규칙을 정한 것이다.

2 **정답 풀이** ③ '술래잡기'는 [술래잡끼]로 발음되므로 표기와 발음이 일치하지 않는다. 따라서 '술래잡기'는 소리대로 적

은 것이 아니다. 앞말의 받침이 'ㄱ, ㄷ, ㅂ'이고, 뒤에 예사소리 'ㄱ, ㄷ, ㅂ, ㅅ, ㅈ'이 이어질 때 뒤의 예사소리는 자연스럽게 된소리 [ㄲ, ㄸ, ㅃ, ㅆ, ㅉ]으로 발음된다.

3 **정답 풀이** ⑤ ㉠은 발음대로 적은 것이고, ㉡은 어법에 맞게 단어의 원래 형태를 밝혀 적은 것이다. 한글 맞춤법은 '표준어를 소리대로 적되, 어법에 맞도록 함을 원칙'으로 하고 있다. ㉠처럼 발음대로 적을 경우 단어의 뜻을 쉽게 파악하기 어려운 경우에는 ㉡처럼 어법에 맞도록 적어야 한다.

오답 풀이

① 표준어를 소리대로 적는 것 또는 원형을 밝혀 적는 것과 사람들의 교양은 관련이 없다.

②, ③ 실제 발음을 따르게 하거나 정확한 발음을 익히게 하려면 ㉠처럼 발음대로 표기해야 할 것이다.

④ 정확한 표기에는 소리대로 적는 것, 원형을 밝혀 적는 것 두 가지가 있다. ㉡은 원형을 밝혀 적는 것만 제시하고 있으므로 정확한 표기를 익히기 위한 것이라고 하기 어렵다.

4 **정답 풀이** ② 'ㅚ'와 'ㅓ'과 만나면 줄어서 'ㅙ'가 된다. 따라서 '되었다'의 준말은 '됐다'이다.

오답 풀이

① 'ㅗ'와 'ㅏ'가 만나 줄어서 'ㅘ'가 되었다.

③ 'ㅜ'와 'ㅓ'가 만나 줄어서 'ㅝ'가 되었다.

④ 'ㅣ'와 'ㅑ'가 만나 줄어서 'ㅒ'가 되었다.

⑤ '아니하-'가 줄어서 '않-'이 되었다. 과거의 뜻을 더하는 '-았/었-'은 '하다'에 쓰일 경우에는 '하였다'처럼 '-였-'의 형태를 취하게 된다.

5 **정답 풀이** ④ '접착하다'의 뜻일 때에는 '붙이다'이고, '발송하다'의 뜻일 때에는 '부치다'이다.

오답 풀이

① '(누군가가) 질문점을 닫다.'의 피동형은 '철문점이 닫히다.'이므로, '닫히기'로 바로잡아야 한다.

② '바라다'가 활용된 형태이다. '바라- + -아'의 결합에서 '아'가 생략되어 '바라'가 된다.

③ '배우다'의 반의어는 '가르치다'이다. '가르치는'으로 바로잡아야 한다.

⑤ '출산하다'의 뜻일 때에는 '낳다'이고, '치료되다'의 뜻일 때에는 '낫다'이다. '낳는'으로 바로잡아야 한다.

6 **정답 풀이** ④ 받침소리 다음에 모음이 연결될 경우 대체로 받침소리는 다음 음절의 첫소리로 옮아가 발음되는데, 이것을 연음이라고 한다. 다만 받침소리 'ㅇ'은 다음 음절로 연음되지 않는다.

오답 풀이

① [보미]로 발음된다. 받침소리 'ㅁ'이 뒤 음절의 첫소리로 발음된다.

② [달글]로 발음된다. 받침소리 'ㄱ'이 뒤 음절의 첫소리로 발음된다.

③ [가으레]로 발음된다. 받침소리 'ㄹ'이 뒤 음절의 첫소리로 발음된다.

⑤ [구르뮈로]로 발음된다. 받침소리 'ㅁ'이 뒤 음절의 첫소리로 발음된다.

7 **정답 풀이** '맛있다/멋있다'의 경우 '[마딛따/머딛따]'로 발음하는 것을 원칙으로 하고, '[마싣따/머싣따]'로 발음하는 것을 허용하고 있다. '맛없다'는 '[마덥따]'로 발음한다.

문제로 **정복하기**

본문 34~35쪽

1 ④ 2 어법에 맞도록 표기함./단어의 본래 형태를 밝혀 표기함. 3 ② 4 ② 5 ① 6 ⑤ 7 ⑤ 8 ⑤ 9 ④ 10 ④ 11 ④ 12 수페서 모기가 하피리면 무르플 무러써 13 않 → 아니/안, 안았다 → 않았다/아니하였다/아니했다

1 **정답 풀이** ④ '발:밥'과 같이 우리말 음절의 끝소리는 말뜻을 구별해 주는 음운의 역할을 할 수 있다. '빗[빋]:빛[빋]'처럼 단독으로 쓰일 때에는 받침소리가 [ㄷ]으로 일치한다. 하지만, '빗이[비시]:빛이[비치]'처럼 모음이 이어지면 받침소리가 다음 음절의 첫소리로 각각 [ㅅ]과 [ㅊ]으로 발음되므로, 말뜻을 구별해 주는 음운의 역할을 수행한다고 할 수 있다.

오답 풀이

①, ⑤ '빛' 다음에 모음으로 시작하는 조사 '이'가 이어지므로, 받침소리 'ㅊ'이 다음 음절의 첫소리로 옮아가 발음된다. [비치]가 정확한 발음이다.

②, ③ 남학생의 부정확한 발음 때문에 여학생이 남학생의 말을 오해하고 있다. 우리말을 정확하게 발음해야 의사소통을 원활하게 할 수 있다.

2 **정답 풀이** (가)는 발음대로 표기한 형태이고, (나)는 의미를 쉽게 파악하기 위해 단어의 원래 형태를 밝혀 적은 것이다.

3 **정답 풀이** ② '한 점[한점]'은 발음과 표기가 일치한다. 따라서 표준어를 소리대로 적는 표기의 원리가 적용되었다고 할 수 있다.

오답 풀이

①, ③, ④, ⑤ 각각 '하늘을[하느를]', '부끄럼이[부끄러미]', '잎새에[입쌔에]', '바람에도[바라메도]'로, 발음과 표기가 일치하지 않는다. 단어의 원래 형태를 밝혀 적는 표기의 원리가 적용되었다고 할 수 있다.

4 **정답 풀이** ② '닭이'는 겹받침 'ㄺ' 뒤에 모음이 이어져서 겹받침 중 뒤엣것 'ㄱ'이 다음 음절의 첫소리로 옮아가 [달기]로 발음된다. '헤집어'는 받침소리 'ㅂ'이 뒤에 모음이 이어져서 다음 음절의 첫소리로 옮아가 [헤지버]로 발음된다. '놓은'은 받침소리 'ㅎ'이 뒤에 모음이 이어지면서 발음되지 않아서 [노은]으로 발음된다.

5 **정답 풀이** ① '억그제'의 표준어는 '엊그제'이고 표준 발음은 [얻끄제]이다. 'ㅈ'이 받침으로 사용되고 뒤에 자음이 이어지면 'ㅈ'은 [ㄷ]으로 발음된다. 앞말의 받침이 'ㄱ, ㄷ, ㅂ'이고, 뒤에 예사소리 'ㄱ, ㄷ, ㅂ, ㅅ, ㅈ'이 이어질 때 뒤의 예사소리는 자연스럽게 된소리 [ㄲ, ㄸ, ㅃ, ㅆ, ㅉ]으로 발음된다.

오답 풀이

② '좋다고'는 받침소리 'ㅎ'과 다음 음절의 'ㄷ'이 만나 [ㅌ]으로 발음된다. [조:타고]가 정확한 발음이다.

③ '했잖아'는 받침소리 'ㅆ'이 자음 앞에서 [ㄷ]으로 발음된다. 앞말의 받침이 'ㄱ, ㄷ, ㅂ'이고, 뒤에 예사소리 'ㄱ, ㄷ, ㅂ, ㅅ, ㅈ'이 이어질 때 뒤의 예사소리는 자연스럽게 된소리 [ㄲ, ㄸ, ㅃ, ㅆ, ㅉ]으로 발음된다. 겹받침 'ㄶ' 다음에 '-아'라는 모음이 이어지면 'ㅎ'이 발음되지 않는다. [핻짜나]가 정확한 발음이다.

④ '없니'의 겹받침 'ㅄ'은 뒤에 'ㄴ'이 이어지면 [ㅁ]으로 발음한다. [엄:니]가 정확한 발음이다.

⑤ '싫은'의 겹받침 'ㅀ'은 뒤에 모음이 이어지면 'ㅎ'이 발음되지 않는다. [시른]이 정확한 발음이다.

6 **정답 풀이** ⑤ '반드시'는 표기와 발음이 일치하는 표준어이다. 소리대로 적은 것으로 어법에 맞게 단어의 원래 형태를 밝혀 적는 것과는 거리가 있다.

오답 풀이

① '너머[너머]'는 발음과 표기기 일치한다.

② '넘어[너머]'는 발음과 표기가 다르다. 어법에 맞게 적은 것이다.

③ '너머[너머]'와 '넘어[너머]'는 발음이 일치하기 때문에 발음만으로는 의미를 구분할 수 없다.

④ '반듯이[반드시]'는 표기와 발음이 일치하지 않는다. 단어의 뜻을 보다 쉽게 파악하기 위해서 단어의 원래 형태를 밝혀 적은 것이다.

7 **정답 풀이** ⑤ '떡을 볶아 만든 것'이므로 '떡볶이'로 단어의 원래 형태를 밝혀 적는다. '좋은[조:은]'은 받침소리 'ㅎ'이 모음 앞에서 발음되지 않지만 단어의 원래 형태를 밝혀 '좋은'으로 적는다. '짝꿍[짝꿍]'은 발음과 표기가 일치한다. '짝꿍'으로 표기한다. '김치찌개'가 표준어이다. '설거지[설거지]'는 단어의 발음과 표기가 일치한다.

8 **정답 풀이** ⑤ '건드리지도[건:드리지도]'는 발음과 표기가 일치한다. '않는[안는]'은 발음과 표기가 다른데, 단어의 원래 형태를 밝히는 표기의 원리에 따른 것이다.

오답 풀이

① '음식의 맛'으로 바로잡아야 한다.

② '육개장'으로 바로잡아야 한다.

③ '순두부찌개'로 바로잡아야 한다.

④ '오이소박이'로 바로잡아야 한다.

9 **정답 풀이** ④ '문안(問安)하다[무:난하다]'는 '웃어른께 안부를 여쭈다.'를 뜻하고, '무난(無難)하다[무난하다]'는 '별로 어려움이 없다.'를 뜻한다. '맞추다'는 '둘 이상의 일정한 대상들을 나란히 놓고 비교하여 살피다.'를 뜻하고, '맞히다'는 '맞다'의 사동으로 '문제에 대한 답을 틀리지 않게 하다.'를 뜻한다.

오답 풀이

㉠ '닫히다'는 '닫다'의 피동으로 '문이 닫히다'처럼 쓰이고, '다치다'는 상처를 입는다는 뜻으로 '팔이 다치다'처럼 쓰인다.

㉡ '바라다'는 희망한다는 뜻이고, '바래다'는 색깔이 옅어진다는 뜻이다.

㉣ '가르치다'는 '배우다'의 반의어이고, '가리키다'는 지적한다는 뜻이다.

10 **정답 풀이** ④ '맛있다'는 '맛'과 '있다'가 결합한 단어이므로 [마딛따]로 발음하는 것이 원칙인데, 현실 발음을 고려하여 [마싣따]로 발음하는 것도 허용하고 있다.

오답 풀이

③ '맛없다'는 [마덥따]가 표준 발음이다. [마섭따]는 잘못된 발음이다.

11 **정답 풀이** ④ 'ㅚ'와 'ㅓ'가 만나 줄면 'ㅙ'가 된다. '잘되었다'의 준말은 '잘됐다'이다.

오답 풀이

①, ② 'ㅣ'와 'ㅓ'가 만나 줄어서 'ㅕ'가 되었다.

③ 'ㅜ'와 'ㅓ'가 만나 줄어서 'ㅝ'가 되었다.

⑤ 'ㅜ'와 'ㅣ'가 만나 줄어서 'ㅟ'가 되었다.

12 **정답 풀이** 받침소리 뒤에 실질적인 의미가 없이 모음으로 시작되는 말이 이어지면 받침소리가 뒤 음절의 첫소리로 옮아가 발음된다.

13 **정답 풀이** '얼굴도 않 씻고'에서 '않'은 '안(아니)'으로 바로잡아야 한다. '안/아니'는 뒤의 '씻고'를 꾸며 주는 역할을 하는 부사이다. '하지 안았다'는 '하지 않았다(아니하였다, 아니했다)'로 바로잡아야 한다. 받침소리 'ㅎ'이 모음 앞에서 발음되지 않지만 단어의 원래 형태를 밝혀서 표기한다.

문법 놀이터 본문 38쪽

1. 편지, 하늘바라기, 그리움, 느티나무, 사람
2. 패랭이꽃, 덩굴 숲, 한낮, 닻줄
3. 옷에, 앞에총, 빛이, 꽃을 든 남자, 높은음자리, 밭은 소리

05일 정확한 발음과 표기 2-받침의 발음

확인하기 본문 40~41쪽

1 대표음 2 ① 3 ⑤ 4 ③ 5 ② 6 ①
7 모음 8 ㉠ 닥짱, ㉡ 다가래

1 **정답 풀이** 예를 들어 '가, 까, 카'에서 초성(첫소리) 'ㄱ, ㄲ, ㅋ'은 서로 구별되는 자음들인데, '박, 밖, 부엌'처럼 종성으로 쓰일 때에는 'ㄱ, ㄲ, ㅋ'이 모두 [ㄱ]으로 발음된다. 이때 'ㄱ'을 대표음이라고 한다.

2 **정답 풀이** ① 우리말 받침소리로 발음되는 대표음은 'ㄱ, ㄴ, ㄷ, ㄹ, ㅁ, ㅂ, ㅇ' 7개의 자음뿐이다.

오답 풀이

②, ③, ④, ⑤ 'ㅌ, ㅌ, ㅅ, ㅆ'이 받침으로 사용될 때에는 모두 대표음 [ㄷ]으로 바뀌어 발음된다.

3 **정답 풀이** ⑤ '밖'은 [박]으로 발음된다. 받침의 발음이 [ㄱ]이다. 나머지는 '밭[받], 빛[빋], 빗[빋], 곶[곧]'으로 발음되므로, 받침의 발음이 모두 [ㄷ]이다.

4 **정답 풀이** ③ 대표음을 제외한 받침소리가 제 소릿값으로 발음되기 위해서는 모음으로 시작된 형식 형태소(조사나 어미, 접미사)가 결합되어야 한다. 조사 '이'나 '을'은 모음으로 시작되면서 실질적인 의미를 지니지 못한 형식 형태소이다.

오답 풀이

① 단독으로 사용되면 [숟]으로 발음되므로 'ㅊ'이 'ㄷ'으로 바뀌어 발음된다.

②, ⑤ 다른 형태소와 결합하면, 'ㅊ'이 다양하게 발음된다. 자음으로 시작하는 형태소가 오면 '숯도[숟또]', '숯만[순만]'처럼 'ㅊ'이 'ㄷ'이나 'ㄴ'으로 바뀌어 발음된다. 모음으로 시작하는 형태소가 오면 '숯 안[수단]', '숯이[수치]'처럼 'ㅊ'이 'ㄷ'으로 바뀌어 발음되거나 제 소릿값으로 발음된다.

④ '아래'나 '위'는 모음으로 시작하지만 실질적인 의미를 지닌 실질 형태소이다. '숯 아래', '숯 위'가 각각 [수다래], [수뒤]로 발음되므로, 'ㅊ'이 'ㄷ'으로 바뀌어 발음된다.

5 **정답 풀이** ② '닭도[닥또]'와 같이, 겹받침 다음에 자음이 연결되면 겹받침 중 하나만 발음된다.

오답 풀이

③ 겹받침 다음에 모음이 연결되면, 이어지는 말이 실질 형태소인지, 형식 형태소인지에 따라서 겹받침이 둘 다 발음되거나 하나만 발음된다. 예를 들어 '닭이[달기]'는 겹받침이 둘 다 발음되고, '닭 아래[다가래]'는 겹받침이 하나만 발음된다.

④ 우리말 음절의 끝소리로는 7개의 대표음만 발음될 수 있으므로, 겹받침을 사용한 단어들은 표기와 발음이 일치하지 않는다. 단어의 뜻을 쉽게 파악하도록 단어의 원래 형태를 밝혀 겹받침을 사용하여 적는 것이다.

6 **정답 풀이** ① '밟다[밥:따]'로 발음하므로 겹받침 'ㄼ' 중 뒤엣것 'ㅂ'만 발음됨을 알 수 있다.

오답 풀이

② '외곬[외골]'로 발음하므로 겹받침 'ㄳ' 중 앞엣것 'ㄹ'만 발음됨을 알 수 있다.

③ '핥다[할따]'로 발음하므로 겹받침 'ㄾ' 중 앞엣것 'ㄹ'만 발음됨을 알 수 있다.

④ '읽고[일꼬]'로 발음하므로 겹받침 'ㄺ' 중 앞엣것 'ㄹ'만 발음됨을 알 수 있다.

⑤ '값어치[가버치]'로 발음하므로 겹받침 'ㅄ' 중 앞엣것 'ㅂ'만 발음됨을 알 수 있다.

7 **정답 풀이** '흙을[흘글]'에서처럼, 겹받침 뒤에 모음으로 시작되는 형식 형태소가 올 때 겹받침이 둘 다 발음될 수 있다.

8 **정답 풀이** 겹받침 'ㄺ' 다음에 자음이 오거나 모음이 오더라도 실질 형태소일 때에는 겹받침 중 하나만 발음된다. 앞말의 받침이 'ㄱ, ㄷ, ㅂ'이고, 뒤에 예사소리 'ㄱ, ㄷ, ㅂ, ㅅ, ㅈ'이 이어질 때 뒤의 예사소리는 자연스럽게 된소리 [ㄲ, ㄸ, ㅃ, ㅆ, ㅉ]으로 발음된다. 따라서 '닭장'의 정확한 발음은 [닥장]이 아니라 [닥짱]이다. '닭 아래'의 경우 '아래'는 모음으로 시작하지만 실질 형태소이므로 [다가래]로 발음된다.

문제로 정복하기

본문 42~43쪽

1 ④ 2 ⑤ 3 ③ 4 ⑤ 5 ⑤ 6 겹받침 'ㄺ' 뒤에 모음으로 이어지는 말이 실질적인 의미가 없어야 한다. 7 ⑤ 8 ② 9 ① 10 사글 → 삭쓸 11 ④ 12 ① 13 다구리에 가서 달게게 모이를 준다

1 **정답 풀이** ④ 받침 'ㄷ, ㅅ, ㅈ, ㅊ, ㅌ, ㅎ, ㅆ'의 대표음은 [ㄷ]이다.

오답 풀이

① '낟, 낫, 낮, 낯, 낱'은 모두 [낟]이라는 한 음절 단어이고, '히읗[히은]'과 '났다[낟따]'는 두 음절 단어이다.

② 앞말의 받침이 'ㄱ, ㄷ, ㅂ'이고, 뒤에 예사소리 'ㄱ, ㄷ, ㅂ, ㅅ, ㅈ'이 이어질 때 뒤의 예사소리는 자연스럽게 된소리 [ㄲ, ㄸ, ㅃ, ㅆ, ㅉ]으로 발음된다. 따라서 '났다[낟따]'가 정확한 발음이다.

③ 받침 'ㄷ, ㅅ, ㅈ, ㅊ, ㅌ, ㅎ, ㅆ'이 모두 [ㄷ]으로 발음된다.

⑤ 'ㅈ, ㅊ, ㅌ, ㅎ, ㅆ'은 받침소리로 사용될 수 없는 자음들이다.

2 **정답 풀이** ⑤ 대표음이 아닌 'ㅊ'이 제 소릿값으로 발음되려면, 뒤에 모음으로 시작하면서 실질적인 의미가 없는 형식 형태소가 이어져야 한다. 이때 받침소리 'ㅊ'은 다음 음절의 첫소리로 옮아가 발음된다.

3 **정답 풀이** ③ '밭을'에서 '을'은 모음으로 시작하는 조사(형식 형태소)이다. 따라서 '밭'의 받침 'ㅌ'이 다음 음절의 첫소리로 옮아가 [바틀]로 발음해야 한다. '밭 아래[바다래]'는 정확한 발음이다.

오답 풀이

① '닻', '돛'에 이어지는 '을'이 조사(형식 형태소)이므로, 받침소리 'ㅊ'이 뒤 음절의 첫소리로 옮아가 발음된다.

② '에'는 형식 형태소, '안'은 실질 형태소이므로 '부엌에[부어케]', '부엌 안[부어간]'이 정확한 발음이다.

④ '겉옷을'에서 '옷'은 실질 형태소, '을'은 형식 형태소이므로, [거도슬]로 발음한다. '헛웃음이'에서 '웃-'은 실질 형태소, '-음'과 '이'는 형식 형태소이므로, [허두스미]로 발음한다.

⑤ 겹받침 다음에 형식 형태소이면서 모음으로 시작하는 말이 이어지므로, '앉아서[안자서]' '닮은[달믄]'으로 발음한다.

4 **정답 풀이** ⑤ 겹받침 'ㄼ'은 겹받침으로 끝나거나 자음이 이어질 때 앞엣것 'ㄹ'이 선택된다. 다만, '밟다[밥:따]'의 경우 예외적으로 뒤엣것 'ㅂ'이 선택된다. 따라서 '여덟[여덜], [밥:따니]'와 같이 발음한다. 겹받침 'ㄺ'은 겹받침으로 끝나거나 자음이 이어질 때 뒤엣것 'ㄱ'이 선택된다. 다만, '읽다, 묽다, 해맑다'처럼 'ㄺ'이 용언(동사, 형용사)의 어간 끝에 사용되었을 경우에는 발음되는 겹받침의 선택이 약간 달라진다. 즉 뒤에 '-고, -거나'와 같이 'ㄱ'으로 시작하는 어미가 이어지면 앞엣것 'ㄹ'이 선택되고, '-지, -다'와 같은 'ㄱ' 이외의 자음으로 시작하는 어미가 이어지면 뒤엣것 'ㄱ'이 선택된다. 따라서 '읽지[익찌], 읽고[일꼬]'와 같이 발음한다.

5 **정답 풀이** ⑤ '넓다'가 '-적하다'와 어울려 만들어진 단어는 '넓적하다[넙쩌카다]'이다.

오답 풀이

① '깍두기'가 표준어이다.

② '적지 아니하다'의 줄임말은 '적잖다'가 표준어이다.

③ 회의에 안건을 올린다는 뜻으로 쓸 때에는 '부치다'가 표준어이다.

④ '어제저녁'의 줄임말은 '엊저녁'이 표준어이다.

6 **정답 풀이** '닭이[달기]'의 경우에 겹받침 'ㄺ'이 모두 발음되고 있다. 즉 겹받침 다음에 조사 '이'와 같이 모음으로 시작하면서 실질적인 의미가 없는 형식 형태소가 이어질 때 겹받침이 둘 다 발음된다.

7 **정답 풀이** ⑤ 겹받침 'ㄼ' 다음에 모음으로 시작하는 형식 형태소(조사)인 '이다'가 연결되므로, 겹받침이 모두 발음된 [여덜비다]가 정확한 발음이다.

오답 풀이

① 받침 'ㅍ'에 형식 형태소(조사)인 '이'가 연결되므로 [무르피]가 정확한 발음이다.

② 겹받침 'ㄳ'에 형식 형태소(조사)인 '을'이 연결되므로 [목쓸]이 정확한 발음이다. 앞말의 받침이 'ㄱ, ㄷ, ㅂ'이고, 뒤에 예사소리 'ㄱ, ㄷ, ㅂ, ㅅ, ㅈ'이 이어질 때 뒤의 예사소리는 자연스럽게 된소리 [ㄲ, ㄸ, ㅃ, ㅆ, ㅉ]으로 발음된다.

③ 겹받침 'ㄺ'에 형식 형태소(조사)인 '으로'가 연결되므로 [칠그로]가 정확한 발음이다.

④ 겹받침 'ㅄ'에 형식 형태소(조사)인 '을'이 연결되므로 [갑쓸]이 정확한 발음이다. 앞말의 받침이 'ㄱ, ㄷ, ㅂ'이고, 뒤에 예사소리 'ㄱ, ㄷ, ㅂ, ㅅ, ㅈ'이 이어질 때 뒤의 예사소리는 자연스럽게 된소리 [ㄲ, ㄸ, ㅃ, ㅆ, ㅉ]으로 발음된다.

8 **정답 풀이** ② 우리말 받침소리로는 'ㄱ, ㄴ, ㄷ, ㄹ, ㅁ, ㅂ, ㅇ'만 발음되고, 겹받침 'ㄺ', 'ㄻ', 'ㄿ'의 경우 [ㄱ, ㅁ, ㅂ]으로 발음되므로, 겹받침 'ㄻ'을 포함하고 있는 '닮고'는 [담:꼬]가 정확한 발음이다.

오답 풀이
① '넓고'는 [널꼬]가 정확한 발음이다.
③ '묽고'는 [물꼬]가 정확한 발음이다. 겹받침 'ㄺ' 뒤에 '-고, -거나'와 같이 'ㄱ'으로 시작하는 어미가 이어지면 앞엣것 'ㄹ'이 선택된다.
④ '읊고'는 [읍꼬]가 정확한 발음이다.
⑤ '훑고'는 [훌꼬]가 정확한 발음이다.

9 **정답 풀이** ① '얇다'는 [얄:따]가 정확한 발음으로, 겹받침 'ㄼ' 중에 앞엣것이 발음된다.
오답 풀이
② '밟고'는 [밥:꼬]가 정확한 발음으로, 겹받침 'ㄼ' 중에 뒤엣것이 발음된다.
③ '넓죽하고'는 [넙쭈카고]가 정확한 발음으로, 겹받침 'ㄼ' 중에 뒤엣것이 발음된다.
④ '기슭'은 [기슥]이 정확한 발음으로, 겹받침 'ㄺ' 중에 뒤엣것이 발음된다.
⑤ '맑다면'은 [막따면]이 정확한 발음으로, 겹받침 'ㄺ' 중에 뒤엣것이 발음된다.

10 **정답 풀이** '삯을'에서 겹받침 'ㄳ' 뒤에 모음으로 시작하는 형식 형태소 '을'이 이어지므로, 겹받침 중 뒤엣것 'ㅅ'이 뒤 음절의 첫소리로 옮아가 발음된다. 이때 'ㅅ'은 [ㅆ]으로 발음되므로 [삭쓸]이 정확한 발음이다.

11 **정답 풀이** ④ 제14항 단서 조항 '이 경우, 'ㅅ'은 된소리로 발음함.'에 따라서 '없이'는 [업:씨]로 발음한다.
오답 풀이
① 제10항에 따르면 '밟다'의 경우를 제외하고 겹받침 'ㄼ'은 [ㄹ]로 발음한다.
② 제11항에 따르면 겹받침 'ㄻ'은 [ㅁ]으로 발음한다.
③ 제11항에 따르면 용언의 어간 말음(끝소리, 받침소리) 'ㄺ'은 'ㄱ' 앞에서 [ㄹ]로 발음한다.
⑤ 제14항에 따르면 겹받침 'ㄾ'에 모음으로 시작된 어미(형식 형태소)가 결합되는 경우이므로 겹받침 'ㄾ'이 모두 발음된다.

12 **정답 풀이** ① '여덟 개[여덜깨]'에서 겹받침 'ㄼ'은 자음 'ㄱ' 앞에 있으므로 [ㄹ]로 발음된다.
오답 풀이
② '앉아[안자]'에서 겹받침 'ㄵ'은 뒤에 모음으로 시작하는 어미(형식 형태소)가 연결되므로, 겹받침 'ㄵ'이 모두 발음된다.
③ '넓이[널비]'에서 겹받침 'ㄼ'은 뒤에 모음으로 시작하는 접미사(형식 형태소)가 연결되므로, 겹받침 'ㄼ이 모두 발음된다.
④ '밟고[밥:꼬]'에서 겹받침 'ㄼ'의 발음은 제10항의 단서 조항 '다만, '밟-'은 자음 앞에서 [밥]으로 발음한다.'에 따른다.
⑤ '넋을[넉쓸]'에서 겹받침 'ㄳ'은 뒤에 모음으로 시작하는 조사(형식 형태소)가 연결되므로, 겹받침 'ㄳ'이 모두 발음된다. 이때 'ㅅ'은 [ㅆ]으로 발음된다.

13 **정답 풀이** '닭 우리'와 '닭에게'에서 '닭' 다음에 모두 모음이 연결되고 있다. 그러나 '닭' 다음에 이어지는 '우리'는 실질 형태소이므로 겹받침 'ㄺ' 중 'ㄱ'만 발음되고, '에게'는 형식 형태소(조사)이므로 겹받침 'ㄺ'이 둘 다 발음된다.

문법 놀이터 본문 46쪽

※선택된 번호
2, 3, 6, 8, 9, 12, 13, 16, 18, 20, 22, 23, 26, 27, 30, 31, 34, 36, 37

06일 정확한 발음과 표기 3-기타 발음과 표기

확인하기 본문 48~49쪽

1 ⑤ 2 자음 3 ⑤ 4 ㅋ 5 ③ 6 ⑤
7 없슴 → 없음 8 ④

1 **정답 풀이** ⑤ '예, 례' 이외의 'ㅖ'는 [ㅔ]로도 발음한다고 했으므로, '예, 례'의 'ㅖ'는 [ㅖ]로 발음해야 함을 알 수 있다. '차례'의 정확한 발음은 [차례]이다.
오답 풀이
①, ②, ③ 용언의 활용형에 나타나는 '져, 쪄, 쳐'는 [저, 쩌, 처]로 발음한다.
④ '예, 례' 이외의 'ㅖ'는 [ㅔ]로도 발음하므로 '시계'는 [시계] 또는 [시게]로 발음한다.

2 **정답 풀이** '희망', '무늬'와 같이 'ㅢ' 모음의 첫소리로 자음이 사용되었을 경우에는 'ㅢ'를 단모음 [ㅣ]로 발음한다.

3 **정답 풀이** ⑤ 조사 '의'는 [ㅔ]로 발음함도 허용하므로, '불교의'는 [불교의] 또는 [불교에]로 발음한다. 또한 단어의 첫음절 이외의 '의'는 [ㅣ]로 발음함도 허용하므로, '의의'는 [의의] 또는 [의이]로 발음한다. [불교의 으이]는 단어의 첫음절의 '의'를 [ㅡ]로 발음한 것이므로 정확한 발음이 아니다.

4 **정답 풀이** '쌓고[싸코]'에서 알 수 있듯이, 받침 'ㅎ' 뒤에 'ㄱ'이 결합되는 경우에는 'ㅎ'이 뒤 음절 첫소리 'ㄱ'과 합쳐서 [ㅋ]으로 발음된다.

5 **정답 풀이** ③ '넓히다[널피다]'는 겹받침 'ㄼ'의 'ㅂ'과 뒤 음절의 첫소리 'ㅎ'이 합쳐서 [ㅍ]으로 발음된다.

오답 풀이

① '밝히다[발키다]'는 겹받침 'ㄺ'의 'ㄱ'과 뒤 음절의 첫소리 'ㅎ'이 합쳐서 [ㅋ]으로 발음된다.

② '좁히다[조피다]'는 받침 'ㅂ'과 뒤 음절의 첫소리 'ㅎ'이 합쳐서 [ㅍ]으로 발음된다.

④ '꽂히다[꼬치다]'는 받침 'ㅈ'과 뒤 음절의 첫소리 'ㅎ'이 합쳐서 [ㅊ]으로 발음된다.

⑤ '앉히다[안치다]'는 겹받침 'ㄵ'의 'ㅈ'과 뒤 음절의 첫소리 'ㅎ'이 합쳐서 [ㅊ]으로 발음된다.

6 **정답 풀이** ⑤ 한글 자모의 이름은 그 받침소리를 연음하되, 'ㄷ, ㅈ, ㅊ, ㅋ, ㅌ, ㅍ, ㅎ'의 경우에는 특별한 규정에 따라 발음한다. '시옷에[시오세]'는 정확한 발음이다.

오답 풀이

① '피읖이'는 [피으비]로 발음한다.

② '키읔에'는 [키으게]로 발음한다.

③ '치읓을'은 [치으슬]로 발음한다.

④ '디귿이'는 [디그시]로 발음한다.

7 **정답 풀이** '죽다 – 죽음'과 마찬가지로, '없다'에 어미 '-음'이 결합한 형태이므로, 원형을 밝혀 '없음'으로 표기한다.

8 **정답 풀이** ④ '끝을'은 받침소리 'ㅌ' 다음에 모음으로 시작하는 조사(형식 형태소)가 연결되고 있다. 따라서 받침소리 'ㅌ'이 다음 음절의 첫소리로 옮아가 발음되므로, [끄틀]이 정확한 발음이다.

문제로 정복하기 본문 50~51쪽

1 ① **2** ㉠ '의'가 단어 첫음절에 쓰일 때, ㉡ 의지, ㉢ 의, ㉣ 에 **3** ③ **4** ⑤ **5** ① **6** ③ **7** ⑤ **8** 'ㅎ'을 [ㄴ]으로 발음함. **9** ① **10** ③ **11** ② **12** ②

1 **정답 풀이** ① 단어의 첫음절 이외의 '의'는 [ㅢ]로 발음하는 것이 원칙이지만 [ㅣ]로 발음하는 것도 허용한다. 또한 조사 '의'는 [ㅢ]로 발음하는 것이 원칙이지만 [ㅔ]로 발음하는 것도 허용한다. 이에 따르면 어떤 경우에도 '의'는 [ㅡ]로 발음할 수 없다.

2 **정답 풀이** '의'가 단어 첫음절에 쓰일 때에는 [의]로만 발음한다. 조사 '의'는 [ㅢ]로 발음하는 것이 원칙이지만 [ㅔ]로 발음하는 것도 허용한다.

3 **정답 풀이** ③ '예, 례'의 'ㅖ'는 [ㅖ]로 발음하고, '예, 례' 이외의 'ㅖ'는 [ㅖ]로도 [ㅔ]로도 발음할 수 있다. 따라서 '예상[예:상]'에서는 'ㅖ'를 꼭 이중 모음으로 발음해야 한다.

오답 풀이

① '예, 례' 이외의 'ㅖ'는 [ㅖ]로도 [ㅔ]로도 발음할 수 있으므로, '시계'는 [시계] 또는 [시게]로 발음할 수 있다. '시계'의 'ㅖ'는 이중 모음 [ㅖ]로도 단모음 [ㅔ]로도 발음할 수 있다.

② 조사 '의'는 [ㅢ]로 발음하는 것이 원칙이지만 [ㅔ]로 발음하는 것도 허용한다. '너의'는 [너의] 또는 [너에]로 발음할 수 있다. '너의'의 'ㅢ'는 이중 모음 [ㅢ]로도 단모음 [ㅔ]로도 발음할 수 있다.

④ 용언의 활용형에 나타나는 '져, 쪄, 쳐'는 [저, 쩌, 처]로 발음한다. 따라서 '가져야'는 [가저야]로 발음하므로 'ㅕ'가 항상 단모음 [ㅓ]로 발음된다.

⑤ 단어의 첫음절 이외의 '의'는 [ㅢ]로 발음하는 것이 원칙이지만 [ㅣ]로 발음하는 것도 허용한다. 따라서 '유의'는 [유의] 또는 [유이]로 발음할 수 있다. '유의'의 'ㅢ'는 이중 모음 [ㅢ]로도 단모음 [ㅣ]로도 발음할 수 있다.

4 **정답 풀이** ⑤ '좋아요'를 [조아요]라고 발음한 것은 받침 'ㅎ'이 모음으로 시작하는 말과 만나면서 'ㅎ'이 소리 나지 않은 것이다.

오답 풀이

①, ④ 받침 'ㅎ'이 뒤에 자음 'ㄷ, ㅈ'을 만나 합쳐서 각각 [ㅌ, ㅊ]으로 발음되는 것이다.

② 받침 'ㅂ'이 뒤에 'ㅎ'과 만나 합쳐서 [ㅍ]으로 발음되는 것이다.

③ 받침 'ㅎ'이 뒤에 자음 'ㄴ'을 만나 [ㄴ]으로 발음되는 것이다.

5 **정답 풀이** ① 받침 'ㅎ'이 모음으로 시작하는 말과 만나면 'ㅎ'이 소리 나지 않는다. 따라서 '많으실'의 정확한 발음은 [마:느실]이다.

오답 풀이

② '볕을'의 받침 'ㅌ'에 모음으로 시작하는 형식 형태소(조사) '을'이 이어지므로, 'ㅌ'이 뒤 음절의 첫소리로 옮아가 [벼틀]로 발음된다.

③ '없으니'는 겹받침 'ㅄ' 뒤에 모음으로 시작하는 형식 형태소(어미) '-으니'가 이어지므로, 'ㅅ'이 뒤 음절의 첫소리로 옮아가 [업:쓰니]로 발음된다. 앞말의 받침이 'ㄱ, ㄷ, ㅂ'이고, 뒤에 예사소리 'ㄱ, ㄷ, ㅂ, ㅅ, ㅈ'이 이어질 때 뒤의 예사소리는 자연스럽게 된소리 [ㄲ, ㄸ, ㅃ, ㅆ, ㅉ]으로 발음된다.

④ '단계로'에는 '예, 례' 이외의 'ㅖ'가 쓰였으므로 [단계로]로도 [단게로]로도 발음할 수 있다.
⑤ '깨끗이'는 받침소리 'ㅅ' 뒤에 모음으로 시작하는 형식 형태소(접미사) '-이'가 이어지므로, 'ㅅ'이 뒤 음절의 첫소리로 옮아가 [깨끄시]로 발음된다.

6 **정답 풀이** ③ 현실 발음을 인정해서 한글 자모를 읽는 표준 발음을 따로 정한 것이다.

7 **정답 풀이** ⑤ '없음'의 정확한 발음은 [업:씀]이므로 '없슴'은 우리말을 소리대로 표기한 것이 아니다.

8 **정답 풀이** '놓는[논는]'을 살펴보면, 'ㅎ' 뒤에 'ㄴ'이 결합할 때 'ㅎ'을 [ㄴ]으로 발음함을 알 수 있다.

9 **정답 풀이** ① '어떻게[어떠케]'는 받침 'ㅎ'과 뒤에 이어지는 'ㄱ'이 합쳐서 [ㅋ]으로 발음된 것이다.
오답 풀이
② '꽃들[꼳뜰]'처럼 발음한다. 받침 'ㅊ' 뒤에 자음이 이어지므로 'ㅊ'이 [ㄷ]으로 발음된다. 또한 앞말의 받침이 'ㄱ, ㄷ, ㅂ'이고, 뒤에 예사소리 'ㄱ, ㄷ, ㅂ, ㅅ, ㅈ'이 이어질 때 뒤의 예사소리는 자연스럽게 된소리 [ㄲ, ㄸ, ㅃ, ㅆ, ㅉ]으로 발음된다.
③ '꽃에'는 받침소리 'ㅊ' 다음에 모음으로 시작하는 형식 형태소(조사) '에'가 이어진 것이므로, [꼬체]가 정확한 발음이다.
④ '좋았어[조:아써]'는 받침 'ㅎ' 뒤에 모음이 이어져 'ㅎ'이 소리 나는 않은 것이다.
⑤ '끝없는[끄덤는]'은 받침 'ㅌ'에 모음으로 시작하는 실질 형태소(없-)가 이어지므로, 받침 'ㅌ'이 [ㄷ]으로 발음된 것이다. 또한 겹받침 'ㅄ'은 뒤에 'ㄴ'이 이어지면 [ㅁ]으로 발음한다.

10 **정답 풀이** ③ '의무'에서 '의'는 단어 첫음절이므로 [의]로 발음한다. '무예'와 '예절'에서 '예'는 [예]로 발음한다. 따라서 '의무, 무예, 예절'은 각각 [의:무], [무:예], [예절]로 발음하므로, 모두 표기대로 발음해야 한다.
오답 풀이
①, ②, ④, ⑤ '예의'는 [예의] 또는 [예이]로 발음한다. '의의'는 [의:의] 또는 [의:이]로 발음한다. '절의'는 [저릐] 또는 [저리]로 발음한다.

11 **정답 풀이** ② '꽃이[꼬치]'와 '없이[업:씨]'에서는 받침이 다음 음절의 첫소리로 옮아가 발음되지만, '좋아[조:아]'에서는 받침 'ㅎ'이 모음 앞에서 발음되지 않는다.
오답 풀이
① '꽃이[꼬치]', '좋아[조:아]', '꽃[꼳]', '없이[업:씨]'에서 알 수 있듯이 모두 표기와 발음이 일치하지 않는다.
③ '꽃이[꼬치]'와 '꽃[꼳]'에서 받침 'ㅊ'의 발음이 각각 [ㅊ], [ㄷ]으로 서로 다르다.
④ '꽃[꼳]'에 사용된 음절에서는 첫소리 'ㄲ', 가운뎃소리 'ㅗ', 끝소리 'ㄷ'을 사용하고 있다.
⑤ '없이[업:씨]'에서 겹받침 'ㅄ' 중 뒤엣것 'ㅅ'이 [ㅆ]으로 발음됨을 알 수 있다.

12 **정답 풀이** ② '닳고'에서 겹받침 'ㅀ'의 뒤엣것 'ㅎ'이 뒤의 자음 'ㄱ'과 합쳐서 [ㅋ]이 되므로, [달코]가 정확한 발음이다.
오답 풀이
① [널꼬]가 정확한 발음이다.
③ [물꼬]가 정확한 발음이다.
④ [읍꼬]가 정확한 발음이다.
⑤ [훌꼬]가 정확한 발음이다.

문법 놀이터

본문 54쪽

※올바른 발음
시계[시계], 많소[만:쏘], 싫어[시러], 않는[안는], 각하[가카]

07일 품사의 종류와 특성 1-체언

확인하기

본문 56~57쪽

1 ② 2 교과서, 신발, 친구 3 ③ 4 나(민수), 이거(비타민 사탕), 너(진혁) 5 (1) 대명사: 여기, 너, 나 (2) 수사: 둘, 다섯 6 (1) 양수사: 일, 삼십, 백, 하나, 만, 이 (2) 서수사: 셋째, 제일, 제삼, 첫째 7 ④

1 **정답 풀이** ② 체언은 활용하지 않는다. '활용'이란, 단어가 문장에서 쓰일 때 형태가 변하는 것을 뜻하는 용어로, 활용하는 단어에는 용언(동사, 형용사)과 서술격 조사 '이다'가 있다.

2 **정답 풀이** '교과서, 신발, 친구'는 같은 종류의 사물에 붙인 이름인 보통 명사이다.
오답 풀이
'부산(특정 지명), 남대문(특정 건물)'은 고유 명사이다.

3 **정답 풀이** ③ '달'은 구체적인 모습을 갖춘 대상을 나타내는 구체 명사이다.

오답 풀이

①, ②, ④, ⑤ '꿈', '미지', '믿음', '소망'은 모두 추상적인 개념을 나타내는 추상 명사이다.

4 **정답 풀이**

민수: 나 요즘 통 기운이 없고 입맛도 없어.
민수(인칭 대명사)

진혁: 이거 한번 먹어 볼래? 비타민 사탕이야! 피로 회복에 좋대.
비타민 사탕(지시 대명사)

민수: 고마워. 역시 너밖에 없다!
진혁(인칭 대명사)

5 **정답 풀이** 대명사에 해당하는 단어는 지시 대명사인 '여기', 2인칭 대명사인 '너', 1인칭 대명사인 '나'이고, 수사에 해당하는 단어는 양수사인 '둘'과 '다섯'이다.

6 **정답 풀이** '양수사'는 수량을 나타내는 단어이고, '서수사'는 순서를 나타내는 단어이다.

7 **정답 풀이** ④ '식구 모두가'에서 '모두'는 '일정한 수효나 양을 기준으로 하여 빠짐이나 넘침이 없는 전체'를 뜻하는 명사이다.

오답 풀이

① 첫째는(서수사)
② 둘째,(서수사)
③ 하나만(양수사)
⑤ 다섯만(양수사)

문제로 정복하기 본문 58~59쪽

1 ④ 2 ② 3 ① 4 ⑤ 5 ⑤ 6 형태 변화(활용)의 유무 7 ⑤ 8 ① 9 ㉠: 벌레들, ㉡: 지팡이 10 서넛 11 ⑤ 12 예 명사는 '예쁜, 파란'과 같은 단어의 수식을 받을 수 있지만, 수사는 그러한 단어의 수식을 받을 수 없다. / 명사는 형용사의 수식을 받을 수 있지만, 수사는 형용사의 수식을 받을 수 없다. 13 예 (가)에 들어가야 한다. '기차'는 (가)에 제시된 단어들과 마찬가지로 대상의 이름을 나타내기 때문이다.

1 **정답 풀이** ④ '아프다, 아름답다'는 문장 속에서 대상의 상태나 성질을 나타내는 형용사이지만, '어머나'는 놀람과 같은 감정을 나타내는 감탄사이다.

2 **정답 풀이** ② '여러'는 관형사로서 '이/가, 을/를'과 같은 조사와 결합할 수 없고, 뒤에 오는 체언 '가지'를 수식하고 있다.

오답 풀이

① '너'는 대상의 이름을 대신 가리키는 대명사이다.
③ '제주도'는 대상의 이름을 나타내는 명사이다.
④ '오존층'은 대상의 이름을 나타내는 명사이다.
⑤ '첫째'는 순서를 나타내는 수사이다.

3 **정답 풀이** ① ㉠ '이'는 뒤에 오는 체언 '연못'을 꾸며 주는 지시 관형사이다.

오답 풀이

㉡ '여기'는 '연못'을, ㉢ '이것'은 '도끼'를, ㉣ '너'는 '나무꾼'을, ㉤ '저'는 '나무꾼 자신'을 가리키고 있다.

4 **정답 풀이** ⑤ ㉠ '옛날', ㉡ '돼지', ㉢ '엄마', ㉣ '나무'는 모두 대상의 이름을 나타내는 명사이다. ㉤ '금세'는 '지금 바로'라는 뜻으로, '짓고'라는 용언을 수식하고 있는 부사이다.

5 **정답 풀이** ⑤ 체언은 '가, 을, 이다, 이'와 같은 조사와 결합할 수 있다. 그러나 체언은 형태가 변하지 않는다. 형태가 변하는 것은 동사, 형용사, 조사 '이다'이다.

6 **정답 풀이** (가)는 형태가 변하는(활용) 가변어이고, (나)는 형태가 변하지 않는 불변어이다.

7 **정답 풀이** ⑤ <보기>에서는 명사를 '구체적인 모습을 갖춘 대상을 나타내는 구상 명사(구체 명사)'와 '추상적인 개념을 나타내는 추상 명사'로 나누고 있다. '이념'은 우리가 보거나 듣거나 만질 수 없는 추상적인 개념에 해당하므로 추상 명사이고, 나머지는 모두 구상 명사이다.

8 **정답 풀이** ① '철수', '길', '돈' 등 3개의 명사가 사용되었다.

오답 풀이

② 명사 '손수건', '나무'가 사용되었다.
③ 명사 '선생님'이 사용되었다.
④ 명사 '가방'이 사용되었다.
⑤ 명사 '소녀', '눈동자'가 사용되었다.

9 **정답 풀이** '그것'은 사물의 이름을 대신 나타내는 대명사이다. '그것들'에 사용된 '-들'은 셀 수 있는 명사나 대명사 뒤에 붙어 '복수(複數)'의 뜻을 더하는 접미사이다. 따라서 ㉠ '그것들'은 바로 앞의 '벌레들'을, ㉡ '그것'은 바로 앞의 '지팡이'를 가리킴을 확인할 수 있다.

10 **정답 풀이** 사물이나 사람의 수량 또는 순서를 나타내는 단어가 수사이다. '서넛'은 셋이나 넷쯤 되는 수를 가리키고, 뒤에 조사 '이'가 결합하고 있으므로 수사임을 확인할 수 있다.

오답 풀이
'세'는 단위를 나타내는 체언(단위성 의존 명사) '권' 앞에서 '권'을 꾸미면서 그 수량이 셋임을 나타내는 수 관형사이다. '세'에 '가, 를, 의'와 같은 조사가 결합할 수 없다는 점을 통해서도 '세'가 관형사임을 확인할 수 있다.

11 **정답 풀이** ⑤ '한'은 '사람' 앞에서 '사람'을 꾸미면서 그 수량이 하나임을 나타내는 수 관형사이다. '한'에 '이, 을, 의'와 같은 조사가 결합할 수 없다는 점을 통해서도 '한'이 관형사임을 확인할 수 있다.
오답 풀이
① 수사 '하나', '둘'이 사용되었다.
② 수사 '다섯', '둘', '셋'이 사용되었다.
③ 수사 '첫째', '둘째'가 사용되었다.
④ 수사 '하나'가 사용되었다.

12 **정답 풀이** 예문을 통해서 '하늘'이라는 명사는 '예쁜, 파란'과 같이 형용사(관형어로 쓰임)의 수식을 받을 수 있지만, '다섯'이라는 수사는 '예쁜, 파란'과 같은 형용사의 수식을 받을 수 없음을 확인할 수 있다.

13 **정답 풀이** (가)는 사람이나 사물의 이름을 나타내는 명사들이고, (나)는 사물, 장소, 사람의 이름을 대신하여 나타내는 대명사들이다. '기차'는 사물의 이름에 해당하는 명사이다.

문법 놀이터 본문 62쪽

여자 ㉣, 남자 ⑤

08일 품사의 종류와 특성 2-용언

확인하기 본문 64~65쪽

1 ④ 2 ③ 3 ① 4 ③ 5 ⑤ 6 (1) 동사: 모여, 구워, 먹곤, 했다 (2) 형용사: 추운, 맛있게

1 **정답 풀이** ④ 문장에서는 본용언과 보조 용언이 함께 쓰이기도 하고, 보조 용언 없이 본용언 단독으로 쓰이기도 한다.
오답 풀이
① 용언은 '먹다, 먹고, 먹으니, 먹어서'처럼 형태가 변하는 말이다.
② 용언은 '어찌하다/어떠하다'에 해당하는 말로서 문장의 주체(주어)의 행동을 나타내거나, 상태나 성질을 설명한다.
③ '먹다, 먹고, 먹으니, 먹어서'에서 형태가 고정된 '먹-'을 어간, '-다, -고, -으니, -어서'와 같이 어간과 결합하여 변하는 부분을 어미라고 한다. 용언은 항상 어간과 어미가 결합하여 쓰인다.
⑤ 용언의 어간이 종결 어미와 결합하면(예 먹다) 문장이 끝나게 되고, 연결 어미와 결합하면(예 먹어서) 문장이 이어지게 되고, 전성 어미와 결합하면 용언의 성질이 명사(예 먹음)나 관형사(예 먹는), 부사(예 먹듯이)처럼 바뀌게 된다.

2 **정답 풀이** ③ 이 문장은 '내 동생은 정말로 착하다.'와 '내 동생은 정말로 귀엽다.'라는 두 문장이 연결된 것이다. 따라서 '착하고'와 '귀엽다'는 각각 '내 동생'에 대해 서술하고 있으므로 본용언이다.
오답 풀이
① 매달아(본용언)+두었다('앞말이 뜻하는 행동을 끝내고 그 결과를 유지함'을 나타내는 보조 용언)
② 잡아(본용언)+주세요('다른 사람을 위하여 어떤 행동을 함'을 나타내는 보조 용언)
④ 나가(본용언)+버렸다('앞말이 나타내는 행동이 이미 끝났음'을 나타내는 보조 용언)
⑤ 보고(본용언)+싶어요('앞말이 뜻하는 행동을 하고자 하는 마음을 갖고 있음'을 나타내는 보조 용언)

3 **정답 풀이** ① 부사의 꾸밈을 받을 수는 있지만, 관형사의 꾸밈은 받을 수 없다. 관형사는 체언(명사, 대명사, 수사)을 꾸민다.(☞ 본문 72쪽 '관형사' 설명 내용 참고)

4 **정답 풀이** ③ 맑다 – 상태를 나타내는 형용사이다.
오답 풀이
①, ②, ④, ⑤는 모두 동사이다. '-ㄴ-/-는-'을 붙여 보면 쉽게 구분할 수 있다. '맑다'는 '맑는다(×)'처럼 결합이 불가능하므로 형용사이지만, '걷는다, 놓는다, 떨어진다, 공부한다'는 결합이 가능하므로 동사이다.

5 **정답 풀이** ⑤ 자고(자다) – 동사, 떠드는(떠들다) – 동사
오답 풀이
① 짧고(짧다), 길다 – 형용사
② 높고(높다), 푸르구나(푸르다) – 형용사
③ 넓은(넓다), 작은(작다) – 형용사
④ 궁금한(궁금하다), 어려워(어렵다) – 형용사

6 **정답 풀이** 동사 – 모여(모이다), 구워(굽다), 먹곤(먹다), 했다(하다 – 보조 동사)
형용사 – 추운(춥다), 맛있게(맛있다)

문제로 정복하기

본문 66~67쪽

1 ③ 2 형태 변화(활용)의 유무에 따라서 두 단어의 품사를 구분할 수 있다. 3 ④ 4 ③ 5 둥글다 6 ④ 7 ③ 8 ㉠: 형용사, ㉡: 동사 9 ④ 10 ④ 11 ③ 12 동사: 남기다, 보다, 하다, 형용사: 있다 13 ⑤ 14 ③ 15 예 '착하다'는 대상의 '움직임'이 아니라 '상태나 성질'을 나타내는 형용사이다. '상태나 성질'을 나타내는 형용사는 화자가 청자에게 같이 행동할 것을 요청하는 청유문으로 쓸 수 없다.

1 **정답 풀이** ③ 대상의 '움직임'을 나타내는 단어들로 모두 동사에 해당한다.
오답 풀이
①은 수사, ②는 수식언(관형사 또는 부사), ④는 형용사, ⑤는 명사에 해당한다.

2 **정답 풀이** '온갖'과 '많은'은 모두 '물건'을 꾸며 주는 동일한 기능을 하고 있지만, '온갖'은 형태가 변하지 않는 반면에, '많은'은 '많다'가 활용된 형태이다. 따라서 '온갖'과 '많은'을 구분할 수 있는 기준은 형태 변화(활용) 여부라고 할 수 있다.

3 **정답 풀이** ④ '높은(높다)'은 대상의 상태나 성질을 나타내는 형용사이다.

4 **정답 풀이** ③ '먹는구나'의 기본형은 '먹다'이다. '먹는구나'는 동사의 어간 '먹-'에 현재 시제를 나타내는 선어말 어미 '-는-'과 감탄의 뜻을 동반하는 종결 어미 '-구나'가 결합한 형태이다.

5 **정답 풀이** 용언으로 '둥근(둥글다), 떴다(뜨다), 일어나서(일어나다), 닦자(닦다)'가 사용되었고, 이 중에서 대상의 상태나 성질을 나타내는 형용사는 '둥근'뿐이다. 나머지는 대상의 움직임을 나타내는 동사에 해당한다.

6 **정답 풀이** ④ 용언에 명사형 전성 어미 '-ㅁ'이 결합되었을 때에는 서술어로서의 기능이 남아 있기 때문에 주어나 목적어, 부사어와 어울려 문장을 구성할 수 있다. 반면에, 용언에 명사화 접미사 '-ㅁ'이 결합하여 명사가 되었을 때에는 서술어로서의 기능이 사라지고, 체언의 역할을 수행하므로 주어나 목적어, 보어로 사용되고 다른 말의 꾸밈을 받게 된다. '그림'은 각각 '내가 보았던'과 '똑같이 그린'이라는 말의 꾸밈을 받고 있으므로 둘 다 명사임을 알 수 있다.
오답 풀이
① 앞의 '잠'은 명사이고, 뒤의 '잠'은 동사이다. '잠을 그만 잠'을 '잠을 그만 자다'로 바꾸어 보면, 뒤의 '잠'이 목적어 '잠을'을 필요로 하는 서술어임을 알 수 있다.
② 앞의 '춤'은 명사이고, 뒤의 '춤'은 동사이다. '춤을 춤'을 '춤을 추다'로 바꾸어 보면, 뒤의 '춤'이 목적어 '춤을'을 필요로 하는 서술어임을 알 수 있다.
③ 앞의 '꿈'은 명사이고, 뒤의 '꿈'은 동사이다. '꿈을 꿈'을 '꿈을 꾸다'로 바꾸어 보면 뒤의 '꿈'이 목적어 '꿈을'을 필요로 하는 서술어임을 알 수 있다.
⑤ 앞의 '슬픔'은 명사이고, 뒤의 '슬픔'은 형용사이다. '나도 슬픔'을 '나도 슬프다'로 바꾸어 보면, 뒤의 '슬픔'이 주어 '나도'를 필요로 하는 서술어임을 알 수 있다.

7 **정답 풀이** ③ '들여다보려면'의 기본형은 '들여다보다'이다. 따라서 '들여다보려면'은 어간 '들여다보-'와 '어떤 의사를 실현하려고 한다면'의 뜻을 나타내는 연결 어미 '-려면'이 결합한 형태이다.

8 **정답 풀이** '크다'가 형용사로 사용될 때에는 '상태나 성질'을 나타내고, 동사로 사용될 때에는 '움직임'을 나타낸다. ㉠은 가구의 크기, 즉 상태를 나타내고 있으며, ㉡은 '자라다'의 뜻으로 움직임을 나타낸다.

9 **정답 풀이** ④ 〈보기〉에서는 형용사를 설명하고 있다. '고운 말'에 쓰인 '고운(곱다)'은 '상냥하고 순하다'는 뜻으로, 대상의 상태나 성질을 나타낸다.
오답 풀이
① '입었다(입다)'는 동사이다.
② '달렸다(달리다)'는 동사이다.
③ '줄(주다)'과 '샀다(사다)'는 모두 동사이다.
⑤ '차며(차다)'와 '뛰놀았다(뛰놀다)'는 모두 동사이다.

10 **정답 풀이** ④ 빈칸에 들어갈 말은 '팔과 목덜미'의 상태를 나타내는 형용사이어야 한다. 문맥으로 미루어 '하얬다'와 같은 형용사가 올 수 있다.

11 **정답 풀이** ③ 제시문에서는 동사의 명령형('-어라'와 결합), 현재형('-는-'과 결합), 청유형('-자'와 결합)으로 활용된 형태를 보여 주고 있다. 형용사 '즐겁다'는 대상의 상태나 성질을 나타내므로 현재형, 명령형, 청유형으로 활용될 수 없다.

12 **정답 풀이** 제시문에 사용된 용언은 '남기신(남기다), 보기(보다), 하라(하다), 있습니다(있다)'이다. 이 중에서 '있습니다'는 대상의 상태나 성질을 나타내는 형용사이고, 나머지는 대상의 움직임을 나타내는 동사이다.

13 **정답 풀이** ⑤ '없어지다'는 현재 진행의 의미인 '없어지는 중이

다', 명령형 '없어져라', 청유형 '없어지자'와 같이 활용될 수 있는 동사이다. 나머지 '길게(길다), 걱정스러웠다(걱정스럽다), 따뜻하게(따뜻하다), 미안한(미안하다)'은 대상의 상태나 성질을 나타내는 형용사이다.

14 **정답 풀이** ③ 동사 '앉았다(앉다)'는 동작의 주체 '수아'에게만 동작이 미치고 있으므로 자동사이다. 나머지는 각각 '공을 – 찼다(차다)', '돌멩이를 – 던졌다(던지다)', '사진을 – 꺼냈다(꺼내다)', '종이비행기를 – 날렸다(날리다)'에서 알 수 있는 것처럼 동작의 대상에게까지 동작이 미치는 타동사에 해당한다. 타동사는 이렇게 반드시 목적어를 필요로 한다.

15 **정답 풀이** '*착하자'는 형용사 '착하다'의 어간 '착하-'에 청유(어떤 행동을 함께하자)의 뜻을 나타내는 종결 어미 '-자'가 결합한 형태이다. 그런데 형용사는 대상의 상태나 성질을 나타내므로 대상의 움직임과 관련된 청유형 어미 '-자'와 결합할 수 없다. '*착하자'를 '착하게 지내자' 또는 '착해지자'로 고쳐야 자연스러운 문장이 된다.

문법 놀이터 본문 70쪽

- 나에게 어울리는 동사: 예 사랑하다, 나누다, 나아가다 등
- 나에게 어울리는 형용사: 예 기쁜, 행복한, 밝은 등

09일 품사의 종류와 특성 3-수식언

확인하기 본문 72~73쪽

1 ④ 2 ⑤ 3 ④ 4 (보)조사 5 ①, ⑤
6 ② 7 ②

1 **정답 풀이** ④ 관형사와 부사는 문장에서 다른 말을 꾸며 주므로 둘을 묶어서 '수식언'이라고 한다.

오답 풀이
① 부사는 보조사와 결합할 수 있지만, 관형사는 조사와 결합할 수 없다.
② 관형사와 부사는 모두 형태가 변하지 않는 불변어이다.
③ 관형사와 부사는 주로 문장에서 다른 말을 수식하는 구실을 한다.
⑤ 관형사는 문장에서 체언을 수식하여 체언의 뜻을 보충해 주고, 부사는 문장에서 주로 용언을 수식하여 용언의 뜻을 보충해 준다.

2 **정답 풀이** ⑤ '깊은'은 '깊다'가 활용한 형태로, '깊다'는 '겉에서 속까지의 거리가 멀다'의 의미를 가지는 형용사이다. '깊은'이 '바다'를 수식할 수 있는 것은 관형사형 어미 '-(으)ㄴ'이 결합했기 때문이다.

오답 풀이
① '헌'은 '옷'의 상태를 나타내는 성상 관형사이다.
② '두'는 '마리'를 수식하며 사물의 수를 나타내는 수 관형사이다.
③ '다른'은 '섬'의 상태를 나타내는 성상 관형사이다.
④ '열'은 '그루'를 수식하며 사물의 수를 나타내는 수 관형사이다.

3 **정답 풀이** ④ '어느 이상한 집'에서 '어느'는 체언(명사) '집'을 수식하고 있다. 이것은 '어느 이상한 집'에서 '이상한'을 생략해 보면 쉽게 파악할 수 있다.

오답 풀이
① '새'는 체언(명사) '옷'을 수식하는 성상 관형사이다.
② '외딴'은 체언(명사) '집'을 수식하는 성상 관형사이다.
③ '모든'은 체언(명사) '부모'를 수식하는 수 관형사이다.
⑤ '두'는 체언(명사) '사람'을 수식하는 수 관형사이다.

4 **정답 풀이** 관형사는 조사와 결합할 수 없지만 부사는 특별한 뜻을 더해 주는 보조사와 결합할 수 있다. 예를 들어 '철수가 밥을 빨리 먹는다.'에서 부사 '빨리'의 뒤에 보조사 '도, 는, 만' 등이 붙을 수 있다.

5 **정답 풀이** ① '정말'은 '푸르다'라는 형용사를 수식하는 부사이다.
⑤ '만약'은 '과거로 돌아갈 수 있다면'이라는 구절을 수식하는 부사이다.

오답 풀이
② '빨리'는 '학교에'가 아니라 '가거라'라는 동사를 수식한다.
③ '제발'은 '한 번만 도와주세요.'라는 문장을 수식한다.
④ '너무'는 '고파서'라는 형용사를 수식한다.

6 **정답 풀이** ② '저'는 '학교'라는 명사를 수식하므로, 체언을 수식하는 관형사이다.

7 **정답 풀이** ② '신나게'는 용언(동사) '신나다'가 부사형 전성 어미 '-게'와 결합한 것이다. 즉 '신나게'는 형태가 변하는 가변어이므로 부사가 아니라 용언(동사)인 것이다.

오답 풀이

①, ③, ④ '신나게'는 용언이 부사처럼 활용되어서 '추었다'라는 용언을 수식한다. 하지만 용언을 수식한다고 해서 모두 부사인 것은 아니다.

⑤ 부사 '언제나'는 '신나게 춤을 추었다'를 수식하고 있다.

문제로 정복하기

본문 74~75쪽

1 ① **2** (1) ㉠: 수사 (2) ㉡: 관형사 **3** ④ **4** ④ **5** ④ **6** ① **7** 가장, 먼저 **8** ③ **9** ③ **10** ⑤ **11** 부사: 과연, 꾸며 주는 말: 나리가 그 일을 해냈구나. **12** 예 공통점: ㉠과 ㉡은 모두 용언 '청소했다(청소하다)'를 꾸며 주는 역할을 한다. 차이점: ㉠은 형태가 변하지 않는 단어(부사)이고, ㉡은 '말끔하다'가 활용된(형태가 변한) 단어(형용사)이다. **13** ①

1 **정답 풀이** ① '새'는 '가방'을, '무슨'은 '과목'을, '벌써'는 '일어났구나'를, '바짝'은 '말랐다'를, '모든'은 '정성'을 각각 꾸며 주고 있다. 이 중에서 체언을 수식하는 '새, 무슨, 모든'은 관형사이고, 용언을 수식하는 '벌써, 바짝'은 부사이다.

오답 풀이

② '동작이나 상태의 주체'는 문장에서 '누가, 무엇이'에 해당하는 말, 즉 주어를 가리킨다.

③ 문장에 쓰인 단어들의 관계를 나타내는 단어는 조사이다.

④ 사물이나 사람의 '움직임'을 나타내는 단어는 동사, '상태나 성질'을 나타내는 단어는 형용사이다.

⑤ 문장에서 다른 단어와 관계를 맺지 않고 독립적으로 쓰이는 단어는 감탄사이다.

2 **정답 풀이** ㉠은 사물의 수량을 나타내고, 조사 '은'과 결합하는 수사이다. ㉡은 단위성 의존 명사 '명' 앞에서 그 명사를 꾸며 주는 관형사이다. 사물의 수나 양을 나타내는 관형사를 '수 관형사'라고 한다.

3 **정답 풀이** ④ '그'는 명사 '친구'를 꾸며 주는 관형사, '친구'는 명사, '는'은 조사, '정말'은 '빨리'를 꾸며 주는 부사, '빨리'는 '달리는구나'를 꾸며 주는 부사, '달리는구나(달리다)'는 동사이다. 대명사는 사용되지 않았다.

4 **정답 풀이** ④ '온갖'은 명사 '쓰레기'를 꾸며 주는 관형사이다.

오답 풀이

① 부사 '정말'이 사용되었다.

② 부사 '아직'이 사용되었다.

③ 부사 '설마'가 사용되었다.

⑤ 부사 '똑똑'이 사용되었다. '조심스럽게'는 형용사 '조심스럽다'가 활용된 형태이다.

5 **정답 풀이** ④ 〈보기〉는 관형사에 대한 설명이다. '갖은'은 명사 '고생'을 꾸며 주는 관형사이다.

오답 풀이

① 단어로 '구르는/돌/에/는/이끼/가/끼지/않는다'로 나눌 수 있으며, 각각의 품사는 순서대로 '동사/명사/조사/조사/명사/조사/동사/동사'이다.

② 단어로 '모르던/사실/을/하나씩/알게/되었다'로 나눌 수 있으며, 각각의 품사는 순서대로 '동사/명사/조사/수사('씩'은 접미사)/동사/동사'이다.

③ 단어로 '어진/어머니/가/현명한/아들/을/만든다'로 나눌 수 있으며, 각각의 품사는 순서대로 '형용사/명사/조사/형용사/명사/조사/동사'이다.

⑤ 단어로 '토끼/의/빨간/눈/이/아직/도/기억/에/선하다'로 나눌 수 있으며, 각각의 품사는 순서대로 '명사/조사/형용사/명사/조사/부사/조사/명사/조사/형용사'이다.

6 **정답 풀이** ① ㉮에는 관형사가, ㉯에는 부사가 들어갈 수 있다. '모든'은 관형사이고, '훨씬'은 부사이다.

오답 풀이

② '여러'는 관형사, '바람'은 명사이다. '바라-'에 명사형 전성 어미 '-ㅁ'이 결합한 것으로 볼 경우 '바람'은 동사이다.

③ '뜨겁다'는 형용사, '빨리'는 부사이다.

④ '다른'은 관형사이다. '다르다'의 활용형일 경우 '다른'은 형용사이다. '다섯'은 수사 또는 관형사이다.

⑤ '빨리'는 부사, '갖가지'는 명사이다.

7 **정답 풀이** 부사는 용언(동사, 형용사)이나 다른 부사, 관형사, 문장 전체를 꾸며 주는 단어이다. '가장'은 '먼저'라는 부사를 꾸며 주는 부사이고, '먼저'는 용언 '일어나는(일어나다)'을 꾸며 주는 부사이다.

오답 풀이

'쉽게'가 용언 '구할(구하다)'을 꾸며 주고 있으나, '쉽게'는 '쉽다'가 활용된 형태이므로 부사가 아니라 형용사이다.

8 **정답 풀이** ③ '어떤'은 명사 '말'을 꾸며 주는 관형사이다.

오답 풀이

⑤ '선생님'은 '선생'에 '높임'의 뜻을 더하는 접미사 '-님'이 결합된 형태이다. 따라서 '선생'도 명사이고, '선생님'도 명사이다.

9 **정답 풀이** ③ '없이'는 용언 '헬 (듯합니다)'을 꾸며 주는 부사이다. '없이'는 형용사 '없다'의 어간 '없-'에 부사를 만드는 접미사 '-이'가 결합된 파생 부사이다.

10 정답 풀이 ⑤ 형태가 변하지 않으면서 문장에서 다른 말을 꾸며 주는 단어는 수식언(관형사, 부사)이다. 관형사는 어떠한 조사와도 결합할 수 없지만, 부사는 '은/는, 만, 도'와 같은 보조사와 결합할 수 있다. ⑤에서는 '높이', '멀리'라는 부사 2개가 사용되었다.

오답 풀이
① 부사 '천천히'가 사용되었다.
② 부사 '무척'이 사용되었다.
③ 부사 '힘껏'이 사용되었다.
④ 부사가 사용되지 않았다.

11 정답 풀이 부사는 주로 용언(동사, 형용사)을 수식하지만, 경우에 따라서는 다른 부사, 관형사, 문장 전체를 수식하기도 한다. '과연'은 뒤에 이어지는 문장 전체를 수식하고 있다.

12 정답 풀이 ㉠과 ㉡은 모두 용언 '청소했다(청소하다)'를 수식하고 있다. 그러나 ㉠은 형태가 고정된 부사이고, ㉡은 '말끔하다'가 어미 '-게'와 결합하여 활용된 형태이므로 형용사이다.

13 정답 풀이 ① '새'와 '거꾸로'는 모두 형태가 변하지 않는 불변어이다. 활용을 하지 않는다.

10일 품사의 종류와 특성 4-관계언, 독립언

확인하기

본문 80~81쪽

1 ① 2 ② 3 ③ 4 는, 이, 에, 요
5 ① 6 ② 7 ⑤

1 정답 풀이 ① 조사는 여러 개가 겹쳐 쓰일 수 있다.

오답 풀이
② 조사는 홀로 쓰일 수 없고, 항상 다른 말에 붙어 쓰인다.
③ 체언에 어떤 특별한 뜻을 더해 주는 조사는 보조사이다.
④ 체언 뒤에 붙어 일정한 자격을 갖도록 해 주는 조사는 격 조사이다.
⑤ 단어와 단어, 문장과 문장을 같은 자격으로 이어 주는 조사는 접속 조사이다.

2 정답 풀이 ② '진수가 밥을 먹는다.'에서 '가'는 '진수'를 주어로 만들어 주는 주격 조사이다.

오답 풀이
① 여기가 우리 집이다.
→ 서술격 조사('집'을 서술어로 만들어 줌.)
③ 우리의 소원은 통일이다.
→ 관형격 조사('우리'가 '소원'을 꾸며 줌.)
④ 우리 형은 소방관이 되었다.
→ 보격 조사('되다/아니다'의 의미를 보충해 주는 보어로 만들어 줌.)
⑤ 영미야, 오늘은 그만 가는 게 좋겠구나.
→ 호격 조사('영미'를 부름을 나타냄.)

3 정답 풀이 ③ '만'은 '한정'의 의미를 더해 주는 보조사이다.

오답 풀이
①, ② '까지', '조차'는 '또한'의 의미를 더해 주는 보조사이다.
④ '도'는 '역시'의 의미를 더해 주는 보조사이다.
⑤ '부터'는 '시작, 먼저'의 의미를 더해 주는 보조사이다

4 정답 풀이 조사는 주로 체언 뒤에 붙어 그 말과 다른 말과의 문법적인 관계를 나타내거나 특별한 뜻을 더해 주는 구실을 한다. 따라서 조사를 제거해 보아도 원래 문장의 뜻과 크게 달라지지는 않는다. '저는 그 옷이 마음에 들어요.'와 '저 그 옷 마음(에) 들어.'를 비교해 보면 '는, 이, 에, 요'가 조사임을 쉽게 알 수 있다. '는'(강조)과 '요'(존대)는 보조사, '이'는 주격 조사, '에'는 부사격 조사이다.

5 정답 풀이 ① '만큼'은 용언(동사) '알다'가 관형사형으로 활용된 '아는'의 수식을 받고 있는 의존 명사이다.

오답 풀이
② '만'은 다른 것으로부터 제한하여 어느 것을 한정함을 나타내는 보조사이다.
③ '대로'는 앞에 오는 말에 근거하거나 달라짐이 없음을 나타내는 보조사이다.
④ '도'는 이미 어떤 것이 포함되고 그 위에 더함의 뜻을 나타내는 보조사이다.
⑤ '뿐'은 '그것만이고 더는 없음' 또는 '오직 그렇게 하거나 그러하다는 것'을 나타내는 보조사이다.

6 정답 풀이 ② 감탄사는 문장 속에서 다른 성분들과 문법적 관계를 맺지 않는다.

7 정답 풀이 ⑤ '진짜로'는 '꾸밈이나 거짓이 없이 참으로'를 뜻하는 부사이다.

오답 풀이
① '저런'은 안타까움, ② '어머나'는 놀람, ③ '글쎄'는 머뭇거림, ④ '예'는 대답을 나타내는 감탄사(독립언)이다.

문제로 **정복하기** 본문 82~83쪽

1 ⑤ 2 ③ 3 ① 4 ③ 5 ① 6 ④ 7 ③
8 예 다른 말과의 문법적인 관계를 나타낸다. 9 ②
10 예 문장 속에서 다른 성분들과 문법적 관계를 맺지 않고 독립적으로 쓰이기 때문이다. 11 ③ 12 감탄사, 형용사, 명사, 조사, 동사 13 ④ 14 ⑤ 15 ⑤
16 ④

1 **정답 풀이** ⑤ 조사에 대한 설명이다. 제시된 문장을 단어로 '우리/의/삶/에서/정작/중요한/것/은/빠른/속도/가/아니라/올바른/방향/이다'와 같이 나눌 수 있고, 각각의 품사는 '대명사/조사/명사/조사/부사/형용사/(의존) 명사/조사/형용사/명사/조사/형용사/형용사/명사/조사'이다. 따라서 대명사 1개, 조사 5개, 명사 4개, 부사 1개, 형용사 4개로 조사가 가장 많이 사용되었음을 확인할 수 있다.

오답 풀이

① 명사에 대한 설명이다.
② 형용사에 대한 설명이다.
③ 대명사에 대한 설명이다.
④ 동사에 대한 설명이다.

2 **정답 풀이** ③ 문장을 단어로 '우리/반/친구/는/너/보다/훨씬/잘생겼다'로 나눌 수 있으며, 각각의 품사는 '대명사/명사/명사/조사/대명사/조사/부사/형용사'이다. 따라서 조사로는 '는'과 '보다' 2개가 사용되었다.

오답 풀이

① 조사로 '도', '는', '만' 3개가 사용되었다.
② 조사로 '에서', '은', '이야(이다)' 3개가 사용되었다.
④ 조사로 '는', '만', '이든지' 3개가 사용되었다.
⑤ 조사로 '의', '를', '이' 3개가 사용되었다.

3 **정답 풀이** ① 문장을 단어로 '야/함께/가자'로 나눌 수 있고, 각각의 품사는 '감탄사, 부사, 동사'이다. 조사는 사용되지 않았다.

오답 풀이

② 조사 '는'과 '을'이 사용되었다.
③ 조사 '는'과 '이다'가 사용되었다.
④ 조사 '부터'와 '까지', '이다'가 사용되었다.
⑤ 조사 '은'과 '를', '는'과 '을'이 사용되었다.

4 **정답 풀이** ③ 제시된 문장은 단어로 '아휴/나/도/그/친구/처럼/문제/를/쉽게/풀/수/있으면/좋겠다'로 나누어진다. 각각의 품사는 '감탄사/대명사/조사/관형사/명사/조사/명사/조사/형용사/동사/(의존) 명사/형용사/형용사'이다. 부사는 사용되지 않았다.

5 **정답 풀이** ① '도'는 이미 어떤 것이 포함되고 그 위에 더함의 뜻을 나타내는 보조사이다.

오답 풀이

② 다른 단어를 꾸며 주는 품사는 관형사 또는 부사이다.
③ 특정한 문장 성분에만 쓰이는 조사는 격 조사이다.
④ 다른 단어의 형태 변화와 조사는 아무런 관계가 없다.
⑤ 조사는 문장에서 독립적인 역할을 하지 못하는 단어이다.

6 **정답 풀이** ④ '피곤했다'의 주체는 '나(내가)'이다. '엇그제는'의 '는'은 받침 없는 체언이나 부사어, 일부 연결 어미 뒤에 붙어 강조의 뜻을 나타내는 보조사이다.

7 **정답 풀이** ③ '이'는 뒤에 오는 명사 '연극'을 꾸며 주는 관형사이다. 관형사에는 어떠한 조사도 결합하지 않는다.

오답 풀이

① 주격 조사 '가' 등이 결합할 수 있다.
② 서술격 조사 '이다' 등이 결합할 수 있다.
④ 부사격 조사 '에' 등이 결합할 수 있다.
⑤ 접속 조사 '와' 등이 결합할 수 있다.

8 **정답 풀이** '가'가 결합한 명사는 '물었다'의 주체가 되고, '를'이 결합한 명사는 '물었다'의 대상이 되고 있다. 이처럼 격 조사는 단어들의 문법적인 관계를 나타낸다.

9 **정답 풀이** ② '어머나'는 말하는 이의 놀람이나 느낌을 나타내는 감탄사에 해당한다.

10 **정답 풀이** 감탄사는 문장 속에서 다른 성분들과 문법적 관계를 맺지 않고 독립적으로 사용되기 때문에, 감탄사 다음에는 대체로 쉼표(,)나 느낌표(!) 등을 사용한다. 〈보기〉의 첫 번째 예문에서는 문장의 끝에 감탄사가 사용되었기 때문에 감탄사 앞에 쉼표가 사용되었다. 감탄사 단독으로 독립된 문장을 이룰 때에는 마침표(.), 느낌표(!)와 같은 문장 부호를 사용한다.

11 **정답 풀이** ③ '처럼'은 모양이 서로 비슷하거나 같음을 나타내는 부사격 조사이다.

오답 풀이

① '도'는 이미 어떤 것이 포함되고 그 위에 더함의 뜻을 나타내는 보조사이다.
② '만'은 다른 것으로부터 제한하여 어느 것을 한정함을 나타내거나, 무엇을 강조하는 뜻을 나타내는 보조사이다.
④ '는'은 강조의 뜻을 나타내는 보조사이다.
⑤ '부터'는 어떤 일이나 상태 따위에 관련된 범위의 시작임을 나타내는 보조사이다.

12 **정답 풀이** 제시된 문장은 단어로 '그래/느긋하게/큰길/로/걸어가자'로 나눌 수 있다. 각 단어의 품사는 순서대로 '감탄사/형용사/명사/(부사격) 조사/동사'이다.

13 **정답 풀이** ④ 문장에서 독립적으로 사용할 수 없는 단어는 조사이다. 제시된 문장에서는 조사 '이, 로, 는, 요'가 사용되었다.

14 **정답 풀이** ⑤ '토끼야'는 명사 '토끼'에 호격 조사 '야'가 결합된 형태이다. '토끼야'가 부르는 말에 해당하지만 한 단어가 아니므로 감탄사라고 할 수 없다.

15 **정답 풀이** ⑤ 관형사와 부사, 감탄사는 모두 형태가 변하지 않는 불변어에 해당한다.

오답 풀이

① 문장에서 독립적으로 사용되는 것은 감탄사뿐이다. 관형사와 부사는 그 문장에 쓰인 다른 말을 꾸미는 역할을 한다.

② 관형사나 부사도 특별한 상황에서는 단독으로 문장을 이룰 수 있다. 예를 들어 '그 물건 좀 줘.'라는 질문에 '어떤?'이라고 대답한다면 관형사 '어떤'이 단독으로 문장을 이룬 셈이 된다. 부사도 '빨리!'와 같은 경우, 감탄사도 '아!'와 같은 경우 단독으로 문장을 이룰 수 있다.

③ 관형사, 부사, 감탄사는 모두 실질적인 뜻을 가지고 있다.

④ 다른 품사를 꾸며 주는 역할을 하는 것은 수식언(관형사, 부사)이다.

16 **정답 풀이** ④ 관형사와 감탄사는 조사와 결합할 수 없다.

문법 놀이터

본문 86쪽

① 관	㉠ 형	사				㉣ 조
	용			② 감	탄	사
	사					
				㉢ 체		
		③㉡ 수	식	언		
④ 대	명	사				
			㉥ 용			㉤ 부
	⑥ 독	립	언		⑤ 동	사

11일 어휘의 체계와 양상

확인하기

본문 88~89쪽

1 고유어, 한자어, 외래어　2 ③　3 ④　4 표준어　5 ②　6 ③　7 ②

1 **정답 풀이** 우리말 어휘는 어종, 즉 단어의 기원에 따라 고유어, 한자어, 외래어로 나눌 수 있다.

2 **정답 풀이** ③ '소', '뒷걸음치다', '쥐', '잡다'는 모두 고유어이다.

오답 풀이

① '연기(煙氣)'는 한자어이다.

② '과부(寡婦)'와 '사정(事情)'은 한자어이다.

④ '서당(書堂)', '삼(三)', '년(年)', '풍월(風月)'은 한자어이다.

⑤ '호랑(虎狼)이'는 한자어에서 유래한 단어이고, '굴(窟)'은 한자어이다.

3 **정답 풀이** ④ '제도를 고치다.'의 '고치다'는 '개혁(改革)하다' 정도로 바꾸는 것이 적절하다.

4 **정답 풀이** 우리나라에서 공용어로 쓰도록 규범으로 정한 언어가 표준어이다.

5 **정답 풀이** ② 은어는 숨김을 목적으로 하기 때문에 일반 사회에 알려지면 새로운 은어가 생긴다.

오답 풀이

① 유행어는 일시적으로 널리 쓰이다가 나중에는 잘 쓰이지 않는 말이다.

③ 지역 방언은 집단 구성원들의 소속감을 강화하고 유대감을 형성한다.

④ 비속어는 점잖거나 공식적인 말하기에는 적절하지 않다.

⑤ 전문어는 학술이나 전문 분야에서 특별한 의미로 사용한다.

6 **정답 풀이** ③ '상기도염, 부비동염, 충수염'은 의료 분야의 전문어이다. 전문어는 전문 분야에서 명확한 의사소통을 위해 사용하므로, 복잡하고 어려운 개념을 간결하고 정확하게 전달하는 특징을 나타낸다. 따라서 하나의 전문어가 여러 가지 개념을 담고 있는 경우가 드물다.

오답 풀이

① 전문어를 모르는 일반인에게는 은어와 마찬가지로 소외감을 줄 수 있다.

②, ⑤ 해당 분야의 발전에 따라 새말이 활발하게 만들어지

며, 해당 분야의 전문어를 익혀야 전문 지식을 보다 쉽게 쌓을 수 있다.

④ 전문어는 해당 분야에서 주로 사용되기 때문에 그 어휘에 대응하는 일반 어휘가 없는 경우가 많다.

7 **정답 풀이** ② '어떤 모습이 잊혀지지 않고 머릿속에 뚜렷하게 떠오르다'의 의미를 나타내는 관용어는 '눈에 어리다'이다.

오답 풀이

① 눈에 띄다: 두드러지게 드러나다.

③ 눈(을) 씻고 보다: 정신을 바짝 차리고 집중하여 보다.

④ 눈(을) 밝히다: 무엇을 찾으려고 신경을 집중하거나 힘을 넣다.

⑤ 눈(을) 돌리다: 관심을 돌리다.

문제로 정복하기 본문 90~91쪽

1 ⑤ 2 ④ 3 ④ 4 빛고을, 어머니, 새콤달콤, 땅끝, 무지개 5 ⑤ 6 ④ 7 ⑤ 8 ⑤ 9 ② 10 손이 크다(크시다) 11 ④ 12 예 '생선, 문상, 베프'와 같은 또래들 사이의 은어(유행어)를 세대가 다른 사람에게 사용하여 원활한 의사사통이 이루어지지 않았다.

1 **정답 풀이** ⑤ 외국어의 경우에는 그에 대응하는 고유어 또는 한자어가 존재할 수도 있으며, 외래어나 외국어를 사용한다고 해서 의미를 더 분명하게 전달할 수 있는 것은 아니다. 오히려 지나친 외국어의 사용은 국어 생활을 혼란에 빠뜨릴 수 있다.

2 **정답 풀이** ④ 일부 지역 방언에도 우리 민족의 문화와 삶의 지혜가 담겨 있지만, 모든 지역 방언에 우리 민족의 문화와 삶의 지혜가 담겨 있다고 보기는 어렵다. ④는 관용어의 특징이다.

오답 풀이

① 지역 방언의 수만큼 우리말 어휘가 풍부해진다고 할 수 있다.

② 상황에 따라 지역 방언을 사용하기도 하고 표준어를 사용하기도 하기 때문에 둘은 상호 보완적 관계라고 할 수 있다.

③ 지역 방언에는 지역적 특색이 담겨 있다.

⑤ 지역 방언에는 옛말의 흔적이 남아 있는 경우가 많아서 국어의 역사를 연구하는 데 큰 도움이 된다.

3 **정답 풀이** ④ '손을 맞잡다(맞잡고)'가 관용 표현으로 사용될 때에는 '서로 뜻을 같이하여 긴밀하게 협력하다.'의 뜻으로 사용되는데, ④에서는 단순히 '손을 놓치지 않도록 단단히 쥐다.'의 뜻으로 사용되었다.

오답 풀이

① '식은 죽 먹기'는 '거리낌 없이 아주 쉽게 예사로 하는 것'을 뜻한다.

② '발을 들이다'는 '어떤 일에 관계하다.'라는 뜻이다.

③ '콧대를 꺾다'는 '상대편의 자만심이나 자존심을 꺾어 기를 죽이다.'라는 뜻이다.

⑤ '귀에 못이 박히다'는 '같은 말을 여러 번 듣다.'라는 뜻이다.

4 **정답 풀이** '빛고을, 어머니, 새콤달콤, 땅끝, 무지개'가 고유어에 해당한다. '담배'는 포르투갈어 'tabaco'에서 유래한 외래어이다. '티켓'과 '타임', '게스트'는 각각 영어 'ticket', 'time', 'guest'에서 유래한 외래어이다. '빵'은 포르투갈어 'pão'에서 유래한 외래어이다. '학교(學校)'는 한자어이다.

5 **정답 풀이** ⑤ '땅본(숫자 9)'과 '주(숫자 10)' 등은 상인들이 사용하는 은어이다. 은어는 특정 집단의 비밀을 유지하기 위해 만들어 낸 말이다.

오답 풀이

③ 은어는 이를 모르는 사람들에게 긴장감을 불러일으킬 수는 있으나, 일반적으로 재미를 주지는 않는다.

④ 집단 외부에 은어가 널리 알려지면 은어로서의 기능을 상실하게 된다.

6 **정답 풀이** ④ '이태백'이라는 유행어가 '심각한 청년 실업 문제'라는 사회의 모습을 반영하고 있다고 했다. 이처럼 유행어는 당대 사회의 상황이나 분위기를 반영하고 있다.

오답 풀이

① 유행어를 자주 사용하면 개성이 없는 사람이라는 인상을 줄 수 있다.

② 일반 사람들에게 거리감을 주는 것은 은어나 전문어이다.

③ 유행어를 사용하는 것이 유머 감각이 있다는 인상을 줄 수는 있으나, 이는 〈보기〉의 내용과는 밀접한 관련이 없다.

⑤ 일종의 권위를 부여하는 수단이 되는 것은 전문어이다.

7 **정답 풀이** ⑤ '대가리'가 '동물의 머리'나 '주로 길쭉하게 생긴 물건의 앞이나 윗부분'을 가리킬 때에는 비속하고 천박한 어감을 주는 비속어가 아니다. '대가리'가 비속어로 사용될 때에는 사람의 머리를 속되게 이를 때이다.

오답 풀이

① '눈깔'은 '눈'의 비속어이다.

② '손모가지'는 '손'의 비속어이다.

③ '아가리'는 '입'의 비속어이다.

④ '등신' 또는 '병신'은 '모자라는 행동을 하는 사람'을 가리키는 비속어이다.

8 **정답 풀이** ⑤ 산삼을 캐는 심마니들은 자신들만이 알아들을 수 있는 은어를 사용한다. '산개(호랑이), 히디기(눈)'와 같은 단어들은 심마니들의 대표적인 은어이다.

9 **정답 풀이** ② 전문어는 그것을 사용하는 사람들에게 일종의 권위를 부여하기도 하지만, 전문어의 의미를 정확히 알지 못하는 일반인들에게는 거리감을 느끼게 하는 단점을 지니고 있다.

오답 풀이

① 해외와 영향을 주고받는 학술이나 전문 분야의 전문어는 대체로 외래어나 외국어로 이루어진 경우가 많다. 그러나 전문어는 해당 분야의 전문가에게 꼭 필요하므로, 외래어나 외국어가 많은 것을 전문어의 단점으로 보기는 어렵다.

③ 전문어는 해당 분야의 전문가에게 꼭 필요하므로 언어생활에 부정적인 영향을 미친다고 보기 어렵다.

④ 전문어의 특징이지만 단점이 아니다.

⑤ 전문어에 대한 잘못된 진술이다. 전문어를 사용하는 사람들끼리는 원활한 의사소통이 가능하다.

10 **정답 풀이** '손이 크다'는 '씀씀이가 후하고 크다.'라는 뜻을 지닌 관용어로, 〈보기〉에 나타난 엄마의 특성을 잘 드러내고 있다.

11 **정답 풀이** ④ '수확(收穫)'은 '어떤 일을 하여 얻은 성과를 비유적으로 이르는 말'로 사용되었다. 이때에 사용할 수 있는 고유어로는 '열매'가 있다. 관용어 '열매를 맺다'는 '노력한 일의 성과가 나타나다.'라는 의미로 사용된다. '가을걷이'는 한자어 '추수(秋收)'를 대신하기에 적절한 고유어이다.

12 **정답 풀이** '생선, 문상, 베프'는 또래들 사이의 은어 또는 유행어라고 할 수 있다.

문법 놀이터 본문 94쪽

싱크홀 – 함몰구멍, 커플룩 – 짝꿍차림, 푸드뱅크 – 먹거리나눔터, 쓰키다시 – 곁들이찬, 빅데이터 – 거대자료, 카메오 – 깜짝출연(자), 벤치마킹 – 본따르기, 테이크아웃 – 포장판매(구매), 코스프레 – 분장놀이, 올킬 – 싹쓸이

12일 어휘의 의미 관계

확인하기 본문 96~97쪽

1 ③ 2 생물 3 ③ 4 ③ 5 ② 6 ③
7 중심적

1 **정답 풀이** ③ 다의어는 하나의 단어가 서로 관련 있는 여러 가지 뜻을 지니고 있으므로, 사전에서 하나의 표제어 아래 수록된다.

2 **정답 풀이** '잠자리, 고양이, 원숭이, 상어'의 상의어는 '동물'이고, '개나리, 송이버섯'의 상의어는 '식물'이다. '동물'과 '식물'의 상의어는 '생물'이다.

3 **정답 풀이** ③ '동물 – 포유류'는 상하 관계이다. 나머지는 반의 관계이다.

4 **정답 풀이** ③ 제시된 '열다'는 '사업이나 경영 따위의 운영을 시작하다'의 의미이므로 '개업하다'와 의미가 통한다. '폐업하다'는 '영업을 하지 아니하다'의 뜻으로 '개업하다'와 반의 관계이다.

오답 풀이

① '베풀다'는 '일을 차리어 벌이다'의 뜻이고, '잠그다'는 '여닫는 물건을 열지 못하도록 자물쇠를 채우거나 빗장을 걸거나 하다'의 뜻이다.

② '개업하다'는 '영업이 처음 시작되다, 또는 영업을 처음 시작하다'의 뜻이고, '막다'는 '길, 통로 따위가 통하지 못하게 하다'의 뜻이다.

④ '벌리다'는 '둘 사이를 넓히거나 멀게 하다'의 뜻이고, '채우다'는 '자물쇠 따위로 잠가서 문이나 서랍 따위를 열지 못하게 하다'의 뜻이다.

⑤ '잠그다'는 '여닫는 물건을 열지 못하도록 자물쇠를 채우거나 빗장을 걸거나 하다'의 뜻이다.

5 **정답 풀이** ② '타다'의 다양한 의미와 그 용례를 파악하는 것으로 ②가 ㉡의 뜻으로 사용된 것이다.

오답 풀이

①은 ㉣, ③은 ㉤, ④는 ㉠, ⑤는 ㉢의 뜻으로 쓰였다.

6 **정답 풀이** ③ '높다'와 '존귀하다'는 유의 관계이다.

오답 풀이

①, ⑤ '높다 – 낮다'는 반의 관계이다. '높다'와 다른 의미 요소는 같고 어떤 기준점을 대상으로 위에 있는 것이 아니라 아래에 있다는 한 개의 의미 요소가 다른 '낮다'가 반의어가 된다.

② '우뚝하다'는 '두드러지게 높이 솟아 있다, 남보다 뛰어나다'의 뜻을 가진 형용사로, '높다'와 비슷한 뜻을 가진 유의어이다.

④ '높다'는 '아래에서 위까지의 길이가 길다', '품질, 수준, 능력, 가치 따위가 보통보다 위에 있다', '지위나 신분 따위가 보통보다 위에 있다' 등의 다양한 의미를 가지고 있어 이에 따라 다양한 유의어를 가진다.

7 **정답 풀이** 다의어가 지닌 여러 의미 중에서 가장 기본적이

고 핵심적인 의미가 중심적 의미이고, 주변적 의미는 중심적 의미에서 확장된 의미이다. 따라서 모든 다의어는 하나의 중심적 의미와 함께 하나 이상의 주변적 의미를 지니게 된다.

문제로 정복하기

본문 98~99쪽

1 ④ 2 ③ 3 ⑤ 4 ⑤ 5 ③ 6 ① 7 ④ 8 ② 9 ③ 10 싸움 11 ⑤ 12 ② 13 ④ 14 ②

1 **정답 풀이** ④ '남자'와 '아이'의 경우는 '성별, 나이' 등 둘 이상의 의미 자질이 반대되므로 반의 관계가 성립할 수 없다.

오답 풀이

①, ②, ③, ⑤ 공통적인 의미 자질이 있으면서 단지 하나의 의미 자질만 반대되는 반의 관계의 단어들을 보여 주고 있다.

2 **정답 풀이** ③ '가다'와 '떠나다'는 서로 비슷한 뜻을 가지고 있으므로, 두 단어는 유의 관계라고 할 수 있다.

오답 풀이

② '우유의 맛이 가다.'의 경우 '가다'는 '상하다'와 유의 관계이다.

④ '피해가 가다'의 경우 '가다'는 '생기다'와 유의 관계이다.

3 **정답 풀이** ⑤ 한 단어를 대체할 수 있는 말은 적어도 유의 관계에 있어야 한다. '침팬지'와 '유인원'의 경우, '침팬지'가 '유인원'의 일종이므로 두 단어는 상하 관계에 있다. 따라서 '침팬지'를 '유인원'으로 대체할 수 없다. 실제로 '유인원' 중에는 아프리카에서 생활하지 않는 종도 있다.

4 **정답 풀이** ⑤ ㉢'김'을 사전에서 찾아보면, "김[1] [김:] 「명사」 「1」 액체가 열을 받아서 기체로 변한 것. 「2」 수증기가 찬 기운을 받아서 엉긴 아주 작은 물방울의 집합체. 「3」 입에서 나오는 더운 기운. 「4」 맥주나 청량음료 속에 들어 있는 이산화 탄소."로 제시돼 있다. 즉 ㉢은 김[1] 「2」의 뜻으로 사용되었고, ⑤의 '김'은 김[1] 「4」의 뜻으로 사용되었다. 즉, 김[1] 「2」와 김[1] 「4」는 의미상 관련이 있으며, 한 단어가 지닌 여러 가지 뜻에 해당한다.

5 **정답 풀이** ③ 앞의 '감'은 나무 열매를, 뒤의 '감'은 '느낌'을 나타내므로, 두 단어는 서로 의미상 관련이 없는 동음이의 관계에 있다.

오답 풀이

① 앞의 '발'은 '걸음'을 비유적으로 이르는 말이고, 뒤의 '발'은 '사람이나 동물의 다리 맨 끝부분'을 가리킨다. 두 '발'은 의미상 관련이 있다.

② 앞의 '아침'은 '날이 새면서 오전 반나절쯤까지의 동안'을 뜻하고, 뒤의 '아침'은 '아침밥'을 뜻하므로, 두 '아침'은 의미상 관련이 있다.

④ 앞의 '머리'는 '머리털(머리카락)'을 가리키고, 뒤의 '머리'는 '생각하고 판단하는 능력'을 뜻하므로, 두 '머리'는 의미상 관련이 있다.

⑤ 앞의 '소리'는 '사람의 목소리'를 가리키고, 뒤의 '소리'는 '물체의 진동에 의하여 생긴 음파가 귀청을 울리어 귀에 들리는 것'을 가리키므로, 두 '소리'는 의미상 관련이 있다.

6 **정답 풀이** ① 글쓰기에서 다양한 유의어를 사용하면, 같은 단어의 반복으로 생기는 단조로운 단어 사용을 피할 수 있다.

7 **정답 풀이** ④ 상하 관계에 있는 단어 '붕어', '물고기'를 '와'라는 접속 조사를 사용하여 대등하게 연결하고 있다. 상하 관계에 있는 단어는 대등하게 나열할 수 없으므로 의미상 부적절한 문장이다.

오답 풀이

①, ②, ③, ⑤ 각각 상하 관계에 있는 '새 – 독수리', '텃새 – 참새', '개 – 치와와', '가축 – 개'를 적절하게 사용하였다.

8 **정답 풀이** ② '같다'의 반의어는 '다르다'이고, '틀리다'의 반의어는 '맞다 / 옳다'이다.

9 **정답 풀이** ③ '난동, 동란, 전투, 교전' 등은 '전쟁'의 유의어이다. '평화'는 '전쟁'의 반의어이다.

10 **정답 풀이** '전쟁'의 유의어 중에서 어근과 접사가 결합한 파생어이면서 고유어에 해당하는 것은 '싸움'이다. '싸움'은 '싸우다'의 어간 '싸우-'에 명사화 접미사 '-ㅁ'이 결합한 파생어이다.

11 **정답 풀이** ⑤ '날'을 사전에서 찾아보면, "날[1] 「명사」 「1」 지구가 한 번 자전하는 동안. 「2」 하루 중 환한 동안. 「3」 = 날씨[1]. 「4」 = 날짜[1] 「2」. 「5」 어떠한 시절이나 때. 「6」 ('날에는', '날이면' 꼴로 쓰여) '경우'의 뜻을 나타내는 말. 「7」(고유어 수 뒤에 붙어) 앞말에 해당하는 그 날짜를 나타내는 말. // 날[2] 「명사」 연장의 가장 얇고 날카로운 부분."과 같이 설명되어 있다. 〈보기〉의 '날'은 날[1] 「3」의 뜻이다. '날을 세웠다'의 '날'은 날[2]의 뜻이다. 따라서 〈보기〉의 '날'과 '날을 세웠다'의 '날'은 동음이의 관계임을 확인할 수 있다.

오답 풀이

①과 ③은 날[1] 「4」의 뜻이고, ②는 날[1] 「5」의 뜻이고, ④는 날[1] 「2」의 뜻이다.

12 **정답 풀이** ② ㄱ의 '지다'는 '꽃이나 잎 따위가 시들어 떨어지다.'의 뜻이고, ㄴ의 '지다'는 '물건을 짊어서 등에 얹다.'의 뜻이고, ㄷ의 '지다'는 '내기나 시합, 싸움 따위에서 재주나 힘을 겨루어 상대에게 꺾이다.'의 뜻이다. 여기서 ㄱ, ㄴ, ㄷ은 서로 의미상 관련이 없는 동음이의 관계로 별개의 단어임을 확인할 수 있다.

13 **정답 풀이** ④ '손'이 기본적인 의미, 즉 중심적 의미인 '사람의 팔목 끝에 달린 부분.'의 의미로 사용되었다.

오답 풀이

① '손가락'을 뜻한다.

② '사람의 수완이나 꾀'를 뜻한다.

③ '어떤 사람의 영향력이나 권한이 미치는 범위'를 뜻한다.

⑤ '어떤 일을 하는 데 드는 사람의 힘이나 노력, 기술'을 뜻한다.

14 **정답 풀이** ② 〈보기〉의 '배'는 '긴 물건 가운데의 볼록한 부분'을 가리키는 말이다. '배가 고프다'의 '배'는 '사람이나 동물의 몸에서 위장, 창자, 콩팥 따위의 내장이 들어 있는 곳'을 뜻한다. 〈보기〉의 '배'와 '배가 고프다'의 '배'는 의미상 관련이 있으며, '배가 고프다'의 '배'는 중심적 의미, 〈보기〉의 '배'는 주변적 의미에 해당한다.

오답 풀이

①, ⑤ 과일의 하나인 '배'를 의미한다.

③ 탈것의 하나인 '배(선박)'를 의미한다.

④ '갑절' 또는 '곱절'을 뜻하는 '배(倍)'이다.

문법 놀이터 본문 102쪽

13일 문장과 문장 구성의 단위

확인하기 본문 104~105쪽

1 ① 2 ④ 3 (가) 응, 밥이 너무 적어. (나) 나는 학교에 가는 길이야. 4 ③ 5 ①

1 **정답 풀이** ① 문장은 최소한 하나의 주어와 서술어 구조를 가지고 있고, 문장이 끝남을 나타내는 문장 부호를 사용해야 하는데, '나는 정말 공부를'은 서술어가 없고, 문장을 끝내는 문장 부호를 사용하지 않았다.

2 **정답 풀이** ④ '그는'은 '누가', '아니다'는 '어떠하다(형용사)'에 해당한다.

오답 풀이

①, ③ '누가/무엇이 무엇이다(체언+서술격 조사).'의 짜임으로 이루어진 문장이다.

②, ⑤ '누가/무엇이 어찌하다(동사).'의 짜임으로 이루어진 문장이다.

3 **정답 풀이** (가)에서는 주어('밥이')가 생략되었고, (나)에서는 주어('나는'), 관형어('가는'), 서술어('길이야.')가 생략되었다.

4 **정답 풀이** ③ 문장의 어절 수는 띄어쓰기 단위와 일치한다. 따라서 이 문장은 '새/옷이/잘/어울린다.'의 4어절로 이루어져 있다.

5 **정답 풀이** ① '활짝 피었다'는 주어와 서술어의 관계가 성립하지 않기 때문에 '구'에 해당한다.

오답 풀이

② '소리도 없이'는 '소리도 없다.'와 같이 주어와 서술어의 관계가 성립하기 때문에 '절'에 해당한다.

③ '마당이 넓다'는 자체로 주어와 서술어의 관계가 성립하기 때문에 '절'에 해당한다.

④ '어제 내가 산'은 '어제 내가 (책을) 샀다.'와 같이 주어와 서술어의 관계가 성립하기 때문에 '절'에 해당한다.

⑤ '엄마가 오기를'은 '엄마가 오다.'와 같이 주어와 서술어의 관계가 성립하기 때문에 '절'에 해당한다.

문제로 **정복하기** 본문 106~107쪽

1 ② 2 ④ 3 ④ 4 ③ 5 ⑤ 6 ③ 7 ④
8 예 ㉠은 구, ㉡은 절이다. ㉠은 '주어－서술어' 관계가 성립하지 않지만, ㉡은 '주어－서술어' 관계가 성립하기 때문이다. 9 ③ 10 ⑤

1 **정답 풀이** ② '무지개가 무척 곱구나.'는 서술어 '곱구나'가 형용사로서 '어떠하다'에 해당한다. 따라서 이 문장은 '무엇이 어떠하다'로 이루어진 문장이다.

오답 풀이
①, ③ 서술어 '학생이다'와 '백과사전이다'는 '체언＋서술격 조사'로서 '무엇이다'에 해당한다. 따라서 '연우는 멋진 학생이다.'와 '내 별명은 백과사전이다.'의 기본 구조는 '누가/무엇이 무엇이다'이다.
④, ⑤ 서술어 '기어간다'와 '날아간다'는 동사로서 '어찌하다'에 해당한다. 따라서 '개미가 슬금슬금 기어간다.'와 '갈매기가 하늘 높이 날아간다.'의 기본 구조는 '누가/무엇이 어찌하다'이다.

2 **정답 풀이** ④ 서술어 '파랗구나'는 형용사이기 때문에 '누가/무엇이 어떠하다'의 예에 해당한다. 따라서 ㉡의 예로 적절하지 않다.

오답 풀이
① 서술어 '추웠다'는 형용사이기 때문에 '누가/무엇이 어떠하다'의 예로 적절하다.
② 서술어 '빠르다'는 형용사이기 때문에 '누가/무엇이 어떠하다'의 예로 적절하다.
③ 서술어 '한다'는 동사이기 때문에 '누가/무엇이 어찌하다'의 예로 적절하다.
⑤ 서술어 '사실이었다'는 '체언＋서술격 조사'이기 때문에 '누가/무엇이 무엇이다'의 예로 적절하다.

3 **정답 풀이** ④ 어절의 수는 기본적으로 띄어 쓰는 단위와 일치하기 때문에 띄어 쓴 것이 몇 개인지 세면 어절의 수를 파악할 수 있다. '콩 심은 데 콩 나고 팥 심은 데 팥 난다.'는 모두 10개의 어절로 이루어진 문장이다.

오답 풀이
① 모두 6개의 어절로 이루어진 문장이다.
② 모두 5개의 어절로 이루어진 문장이다.
③ 모두 6개의 어절로 이루어진 문장이다.
⑤ 모두 9개의 어절로 이루어진 문장이다.

4 **정답 풀이** ③ 두 개 이상의 어절이 모여 하나의 의미 단위를 이루는 것은 '아버지의 구두'와 '정성껏 닦았다'이다. 둘 모두 주어와 서술어 관계가 나타나지 않기 때문에 '구'에 해당한다.

오답 풀이
① '건이가 모범생임을'은 '건이가 모범생이다'와 같은 주어와 서술어 관계이므로 '절'에 해당한다.
② '별들이 반짝이는'은 '별들이 반짝이다'와 같은 주어와 서술어 관계이므로 '절'에 해당한다.
④ '벼가 잘 자라도록'은 '벼가 잘 자라다'와 같은 주어와 서술어 관계이므로 '절'에 해당한다.
⑤ '친구가 선물한'은 '친구가 선물하다'와 같은 주어와 서술어 관계이므로 '절'에 해당한다.

5 **정답 풀이** ⑤ 서술어 '출전하였다'는 주어뿐만 아니라 '~에'에 해당하는 부사어도 반드시 필요로 하는 두 자리 서술어이다. 주어 '그는'과 부사어 '올림픽에'가 모두 쓰였기 때문에 온전한 문장이라고 할 수 있다.

오답 풀이
① 서술어 '닮았다'는 주어뿐만 아니라 '~와/과'에 해당하는 부사어도 반드시 필요로 하는 두 자리 서술어이다. 그런데 이 문장은 필수적 부사어가 없기 때문에 온전한 문장이 될 수 없다.
② 서술어 '던졌다'는 주어뿐만 아니라 '~을/를'에 해당하는 목적어도 반드시 필요로 하는 두 자리 서술어이다. 이 문장은 목적어가 없기 때문에 온전한 문장이 될 수 없다.
③ 서술어 '물려주었다'는 주어뿐만 아니라 '~을/를'에 해당하는 목적어와 '~에게'에 해당하는 부사어를 반드시 필요로 하는 세 자리 서술어이다. 그런데 이 문장은 목적어가 없기 때문에 온전한 문장이 될 수 없다.
④ 서술어 '고치신다'는 주어뿐만 아니라 '~을/를'에 해당하는 목적어를 반드시 필요로 하는 두 자리 서술어이다. 그런데 이 문장은 목적어가 없기 때문에 온전한 문장이 될 수 없다.

6 **정답 풀이** ③ 제시된 문장 전체의 서술어 '찾았다'는 동사이기 때문에 이 문장은 '누가/무엇이 어찌하다'에 해당하는 문장이다.

오답 풀이
① 어절의 수는 띄어 쓴 개수와 일치하기 때문에 이 문장의 어절의 수는 모두 7개다.
② 문장의 전체 주어는 '소원이가'이고, 이와 호응을 이루는 서술어는 '찾았다'이다.
④ '눈이 큰'은 '눈이 크다'와 같이 주어와 서술어 관계가 성립하기 때문에 '절'에 해당한다.
⑤ '가장 빨리'는 주어와 서술어 관계가 성립하지 않기 때문에 '구'에 해당한다.

7 **정답 풀이** ④ 서술어 '분이시다'는 '체언＋서술격 조사'로서 전체 문장이 '누가/무엇이＋무엇이다'의 구조여야 한다는 ㄱ의 조건을 만족시킨다. 또한 6개의 어절로 이루어졌기

때문에 ㄴ의 조건도 만족시킨다. 그리고 '품성이 무척 고결한'은 '품성이 무척 고결하다'와 같이 주어와 서술어 관계가 성립하여 '절'이 되기 때문에 ㄷ의 조건도 만족시킨다.

오답 풀이

① 6개의 어절로 이루어진 문장이기 때문에 ㄴ의 조건을 만족시키고, '네가 언제나 최선을 다하기(를)'가 절에 해당하기 때문에 ㄷ의 조건을 만족시킨다. 하지만 서술어가 '바란다'이기 때문에 '누가/무엇이+어찌하다'의 구조에 해당한다.

② 7개의 어절로 이루어진 문장이기 때문에 ㄴ의 조건을 만족시키고, '아무나 들어올 수 있는'이라는 절을 포함하고 있기 때문에 ㄷ을 만족시킨다. 그러나 서술어 '아니다'가 형용사이기 때문에 ㄱ의 조건을 만족시키지 못한다.

③ 서술어 '등산하기이다'에서 '등산하기'는 '등산하-(용언의 어간)+-기(명사형 전성 어미)'가 결합한 활용 형태로 ㄱ의 조건을 만족시킨다. 또한 '(주어) 아버지와 함께 등산하기'라는 절을 포함하고 있기 때문에 ㄷ의 조건을 만족시킨다. 그러나 어절 수가 5개이기 때문에 ㄴ의 조건을 만족시키지 못한다.

⑤ 서술어 '남대문이다'가 '체언+서술격 조사'이기 때문에 ㄱ의 조건을 만족시키고, 6개의 어절로 이루어진 문장이기 때문에 ㄴ의 조건을 만족시킨다. 그러나 절을 포함하고 있지 않기 때문에 ㄷ을 만족시키지 못한다.

8 **정답 풀이** ㉠ '수지의 볼'은 '주어-서술어' 관계가 성립하지 않기 때문에 구에 해당하고, ㉡ '이몽룡이 돌아오기'는 '이몽룡이 돌아오다'로 '주어-서술어' 관계가 성립하기 때문에 절에 해당한다.

9 **정답 풀이** ③ '멀리 노루 새끼 ~ 그 먼 나라를 알으십니까?'는 의문형 종결 어미 '-ㅂ니까'가 쓰였기 때문에 의문문에 해당한다. '그 나라에 가실 때에는 부디 잊지 마셔요.'에 쓰인 '-어요'는 종결 어미 '-어'와 보조사 '요'가 결합 형태로 해요할 자리에 쓰여 설명·의문·명령·청유의 뜻을 나타내는 종결 어미이지만, 맥락으로 볼 때 상대방에게 어떤 행동을 요구하고 있기 때문에 명령문에 해당한다. '나와 같이 그 나라에 가서 비둘기를 키웁시다.'에는 청유형 어미 '-ㅂ시다'가 쓰였기 때문에 청유문에 해당한다.

10 **정답 풀이** ⑤ ㄷ과 ㄹ은 모두 의문형 종결 어미 '-니'를 사용한 의문문이다. ㄷ의 경우 '네 말대로만 되면 정말 좋겠다.'라는 생각을 강조하기 위한 의도로 쓰였고, ㄹ의 경우 '저기 있는 가위 좀 집어 달라.'라는 명령의 의도로 쓰였다.

오답 풀이

① ㄱ에는 '-냐', ㄴ에는 '-지', ㄷ과 ㄹ에는 '-니'라는 의문형 종결 어미가 사용되었다. ㄴ에서 '-지'와 결합한 '요'는 보조사이다.

② ㄱ은 단순히 긍정이나 부정의 대답을 요구하는 판정 의문문이다.

③ ㄴ은 상대방에게 '나무의 특성'에 대한 일정한 설명을 요구하는 설명 의문문이다.

④ ㄷ은 형태는 의문문이지만 굳이 대답을 요구하지 않는 수사 의문문이다.

문법 놀이터 본문 110쪽

ⓐ 문장은 생각이나 감정을 완결된 내용으로 표현하는 최소의 언어 형식이다. (○-1)
ⓑ 문장이 끝날 때 문장 부호를 붙이지 않아도 된다. (×-5)
ⓒ 주성분은 어떤 경우에도 절대 생략할 수 없다. (×-9)
ⓓ 문장은 최소한 하나의 주어와 서술어를 가지고 있어야 한다. (○-2)
ⓔ 말할 때보다 글을 쓸 때 문장 성분 생략이 더 많다. (×-8)
ⓕ 어절은 대개 띄어쓰기 단위와 일치한다. (○-3)
ⓖ '푸른 하늘이 매우 아름답다.'는 3어절로 이루어져 있다. (×-7)
ⓗ 구는 둘 이상의 단어가 모여 절이나 문장의 일부분을 이룬다. (○-4)
ⓘ 서술어로는 동사와 형용사만 쓰인다. (×-6)

14일 문장 성분 1-주성분

확인하기 본문 112~113쪽

1 ⑤ 2 ③ 3 ③ 4 ⑤ 5 (1) 예 새가 난다. (2) 예 순희는 철수를 좋아한다. (3) 예 그는 바보가 아니다.

1 **정답 풀이** ⑤ '문장 성분'은 문장에서 주어, 서술어, 목적어, 보어, 관형어, 부사어, 독립어 등 일정한 구실을 하는 요소이다.

오답 풀이

① 구어 상황에서는 문장 성분이 생략될 수 있다.
② 문장의 주성분은 주어, 서술어, 목적어, 보어이다.
③ 문장의 부속 성분에는 관형어와 부사어가 있다.
④ 문장에서 '누구를', '무엇을'에 해당하는 문장 성분은 목적어이다.

2 **정답 풀이** ③ '아버지께서'는 서술어 '칭찬하셨다'의 주체에 해당하므로 주어이다.

오답 풀이

① '너를'은 목적어이다.
② '우리에게'는 부사어이다.
④ '우리'는 관형어이다.
⑤ '화가가'는 보어이다.

3 **정답 풀이** ③ '아니다'는 형용사로, 목적어를 필요로 하지 않는다.

오답 풀이

① '부르다', ② '들어주다', ④ '원망하다', ⑤ '도와주다'는 모두 타동사이기 때문에 빈칸에 목적어가 들어가야 한다.

4 **정답 풀이** ⑤ 주성분은 주어, 서술어, 목적어, 보어로, 이 문장에서 '선생님이'는 주어, '학생들을'은 목적어, '꾸짖으셨다'는 서술어이다.

오답 풀이

① '저'는 관형어, '아주'는 부사어이다.
② '이런'은 독립어이다.
③ '내'는 관형어, '잘'은 부사어이다.
④ '드디어'는 부사어이다.

5 **정답 풀이** (1) 은 '누가/무엇이+어찌하다, 어떠하다, 무엇이다', (2)는 '누가/무엇이+무엇을+어찌하다', (3)은 '누가/무엇이+누가/무엇이+되다/아니다'의 구조로 이루어져야 한다.

문제로 정복하기

본문 114~115쪽

1 ④ 2 ③ 3 ② 4 ② 5 ② 6 ② 7 ㉠ 주어, ㉡ 보어 8 ⑤ 9 ⑤ 10 ⑤ 11 ①

1 **정답 풀이** ④ '아버지와'는 '닮았다'를 꾸며 주는 필수적 부사어이지만 부사어는 문장 성분을 분류할 때 부속 성분에 해당한다.

오답 풀이

① '연우는'은 주어이며, 주어는 주성분이다.
② '내렸다'는 서술어이며, 서술어는 주성분이다.
③ 서술어 '되다' 앞에 쓰인 '영화배우가'는 보어이며, 보어는 주성분이다.
⑤ '약속을'은 목적어이며, 목적어는 주성분이다.

2 **정답 풀이** ③ '행복은 성적순이 아니다.'는 '주어+보어+서술어'로 이루어진 문장으로, 모든 문장 성분이 주성분에 해당한다.

오답 풀이

① '꽃다발이 매우 예쁘다.'는 '주어+부사어+서술어'로 이루어진 문장으로, 부사어는 주성분이 아니라 부속 성분이다.
② '노란 개나리가 피었다.'는 '관형어+주어+서술어'로 이루어진 문장으로, 관형어는 주성분이 아니라 부속 성분이다.
④ '시원한 바람이 솔솔 분다.'는 '관형어+주어+부사어+서술어'로 이루어진 문장으로, 관형어와 부사어는 주성분이 아니라 부속 성분이다.
⑤ '동생은 청소를 열심히 하였다.'는 '주어+목적어+부사어+서술어'로 이루어진 문장으로, 부사어는 주성분이 아니라 부속 성분이다.

3 **정답 풀이** ② 주성분에는 주어, 서술어, 목적어, 보어가 있다. '나무가'는 문장의 주어로서, 문장을 이루는 데 꼭 필요한 주성분이다.

오답 풀이

① '그'는 뒤에 오는 체언 '나무'를 꾸며 주는 관형어이다.
③ '창문'은 뒤에 오는 체언 '밖'을 꾸며 주는 관형어이다.
④ '밖으로'는 용언 '보였다'를 꾸며 주는 부사어이다.
⑤ '얼핏'은 용언 '보였다'를 꾸며 주는 부사어이다.

4 **정답 풀이** ② '반장이'는 서술어 '되다' 앞에서 보격 조사 '이'와 함께 쓰였기 때문에 보어에 해당한다. 이 문장의 주어는 '창재가'이다.

오답 풀이

① '비가'는 서술어 '내렸다'의 주체에 해당하는 주어이다.
③ '사람은'은 서술어 '존재이다'의 주체에 해당하는 주어이다.
④ '독도는'은 서술어 '영토이다'의 주체에 해당하는 주어이다.
⑤ '새가'는 서술어 '잡는다'의 주체에 해당하는 주어이다.

5 **정답 풀이** ② '눈부시게 타오르는 태양이 떴다.'는 '부사어+관형어+주어+서술어'로 이루어진 문장으로, 목적어가 사용되지 않았다.

오답 풀이

① 목적어 '주인을'이 사용되었다.
③ 목적어 '지각은'이 사용되었다. 보조사 '은'을 목적격 조사 '을'로 바꾸었을 때 문장이 자연스럽기 때문에 '지각은'이 목적어라는 것을 확인할 수 있다.
④ 목적어 '운동도'가 사용되었다. 보조사 '도'를 목적격 조사 '을'로 바꾸었을 때 문장이 자연스럽기 때문에 '운동도'가 목적어라는 것을 확인할 수 있다.
⑤ 목적어 '풀을'이 사용되었다.

6 **정답 풀이** ② 보조사가 쓰인 경우 보조사를 격 조사로 바꿔 문장 성분을 파악해야 한다. '친구도'는 서술어 '아니다' 앞

에서 서술어의 뜻을 보충해 주는 역할을 하는 보어이다. 보조사 '도'를 보격 조사 '가'로 바꾸었을 때 문장이 자연스럽기 때문에 '친구도'가 보어라는 것을 파악할 수 있다. 이 문장의 주어는 '너는'이다.

오답 풀이

① '사과는 과일이다.'와 '복숭아는 과일이다.'가 대등하게 이어진 문장으로, '사과와'는 '복숭아는'과 대등한 자격을 갖는 문장 성분이기 때문에 주어에 해당한다.

③ '빵만(을)'은 '먹고'의 대상에 해당하는 성분이기 때문에 목적어에 해당한다.

④ '화가가'는 서술어 '되다' 앞에서 서술어의 뜻을 보충해 주는 역할을 하는 성분이며, 보격 조사 '이/가'가 사용되었기 때문에 보어에 해당한다.

⑤ '얼굴이'는 서술어 '같다'의 주체 역할을 하는 성분이기 때문에 주어에 해당한다.

7 **정답 풀이** ㉠과 ㉡ 모두 격 조사 '이'가 결합되어 있지만, ㉠ '물이'는 서술의 주체에 해당하기 때문에 주어이고, ㉡ '얼음이'는 서술어 '되었다'의 의미를 보충해 주기 때문에 보어이다.

8 **정답 풀이** ⑤ '학교 앞 서점.'은 '나는 참고서를 학교 앞 서점에서 샀다.'에서 서로 알고 있는 주어 '나는'과 목적어 '참고서를', 서술어 '샀다'를 생략한 문장이다.

오답 풀이

① '책 읽어.'는 '영호는 책(을) 읽어.'에서 주어 '영호는'을 생략한 문장이다.

② '영호.'는 '영호가 책을 보고 있어.'에서 목적어 '책을'과 서술어 '보고 있어'를 생략한 문장이다.

③ '귤.'은 '지현이가 귤을 먹고 있어.'에서 주어 '지현이가'와 서술어 '먹고 있어'를 생략한 문장이다.

④ '지현이.'는 '지현이가 귤을 먹고 있어.'에서 목적어 '귤을'과 서술어 '먹고 있어'를 생략한 문장이다.

9 **정답 풀이** ⑤ ㉤에서 주성분에 해당하는 문장 성분은 주어 '네가'와 보어 '외교관이', 목적어 '되기를'과 서술어 '바랄게'이다.

오답 풀이

① ㉠에서 주성분에 해당하는 문장 성분은 주어 '너는'과 목적어 '과목을', 서술어 '좋아하니'이다.

② ㉡에서 주성분에 해당하는 문장 성분은 주어 '난', 보어 '선생님이'와 서술어 '되고 싶어'이다.

③ ㉢에서 주성분에 해당하는 문장 성분은 주어 '너는'과 보어 '뭐가', 서술어 '되고 싶니'이다.

④ ㉣에서 주성분에 해당하는 문장 성분은 주어 '난'과 목적어 '공부를', 서술어 '하고 있어'이다.

10 **정답 풀이** ⑤ ㄷ의 서술어 '주었다'는 주어 '그녀는'과 부사어 '나에게', 목적어 '선물을'을 필요로 하는 세 자리 서술어이다. ㅁ의 서술어 '넣었다'는 주어 '그녀는'과 목적어 '책을', 부사어 '가방에'를 필요로 하는 세 자리 서술어이다.

오답 풀이

ㄱ의 서술어 '가르쳤다'는 주어 '그녀는'과 목적어 '학생들을'을 필요로 하는 두 자리 서술어이다. ㄴ의 서술어 '되었다'는 주어 '그녀는'과 보어 '선생님이'를 필요로 하는 두 자리 서술어이다. ㄹ에는 목적어 '잠을'이 생략되어 있으며, 서술어 '잤다'는 주어 '그녀는'과 목적어를 필요로 하는 두 자리 서술어이다.

11 **정답 풀이** ① 서술어 '좋아한다'는 주어와 목적어를 필요로 하는 두 자리 서술어이다. 따라서 ㉠에는 목적어가 들어가야 한다. '아니다'는 주어와 보어를 필요로 하는 두 자리 서술어이다. 따라서 ㉡에는 보어가 들어가야 한다.

문법 놀이터

본문 118쪽

2 ○ 5 × 7 ○ 10 ○ 13 ○ 16 × 17 ○ 20 ×
22 ○ 24 ○

15일 문장 성분 2-부속 성분, 독립 성분

확인하기

본문 120~121쪽

1 ⑤ 2 ③ 3 ② 4 ③ 5 ㉠은 뒤에 오는 체언을 꾸며 주는 역할, ㉡은 뒤에 오는 용언을 꾸며 주는 역할을 한다.

1 **정답 풀이** ⑤ 어미 '-(으)ㄴ' 또는 '-(으)ㄹ'이나 '-던' 등이 붙어 관형어가 되는데, 이를 통해 시간 표현을 나타내기도 한다. 그러나 부사어는 '이미', '벌써'와 같은 부사를 통해 시간 표현을 나타내기도 하지만, 시제 선어말 어미가 붙지는 않는다.

2 **정답 풀이** ③ ㉢은 주성분인 서술어이다.

오답 풀이

㉠과 ㉤은 부사어, ㉡과 ㉣은 관형어로 이들은 부속 성분이다.

3 **정답 풀이** ② '인생은(주어) 짧고(서술어), 예술은(주어) 길다(서술어).'에는 독립어가 쓰이지 않았다.

오답 풀이
①의 '영희야', ③의 '네', ④의 '여보', ⑤의 '청춘'은 모두 독립어이다.

4 **정답 풀이** ③ ㉠은 뒤에 오는 체언인 '아침'을, ㉣은 뒤에 오는 체언인 '우산'을 수식하는 관형어이다. ㉡과 ㉢은 서술어 '걸어갑니다'를 수식하는 부사어이다.

5 **정답 풀이** ㉠ '까만'은 뒤에 오는 체언인 '눈동자'를 꾸며 주는 관형어 역할을 하고, ㉡ '초롱초롱'은 뒤에 오는 용언인 '빛났다'를 꾸며 주는 부사어 역할을 한다.

문제로 **정복하기**

본문 122~123쪽

1 ③ **2** ② **3** ③ **4** ④ **5** ② **6** ① **7** ④
8 ㉠의 문장 성분은 관형어이고, 품사는 형용사이다. ㉡의 문장 성분은 부사어이고, 품사는 형용사이다. **9** ①
10 ③ **11** ⑤

1 **정답 풀이** ③ 관형어는 체언 앞에서 체언을 꾸며 주는 구실을 하는 문장 성분이다. 용언 '빠르다' 앞에서 그 말을 꾸며 주는 성분으로는 부사어가 와야 자연스럽다.
오답 풀이
① 체언 '신발'을 꾸며 주는 관형어가 올 수 있다.
② 체언 '하늘'을 꾸며 주는 관형어가 올 수 있다.
④ 체언 '선생님'을 꾸며 주는 관형어가 올 수 있다.
⑤ 체언 '선물'을 꾸며 주는 관형어가 올 수 있다.

2 **정답 풀이** ② '빨간'은 체언 '장미꽃'을 꾸며 주는 관형어이고, '예쁘게'는 용언 '피었다'를 꾸며 주는 부사어이다.
오답 풀이
① '정말'은 부사어 '빨리'를 꾸며 주는 부사어, '빨리'는 용언 '달린다'를 꾸며 주는 부사어이다. 관형어가 쓰이지 않았다.
③ '소녀의'와 '까만'은 모두 체언 '눈동자'를 꾸며 주는 관형어이다. 부사어가 쓰이지 않았다.
④ '너에게'는 용언 '주었니'를 꾸며 주는 부사어이다. 관형어가 쓰이지 않았다.
⑤ '준호의'는 체언 '책'을 꾸며 주는 관형어이다. 부사어가 쓰이지 않았다.

3 **정답 풀이** ③ '부사어+관형어+주어+관형어+보어+서술어'로 이루어진 문장이다. 〈보기〉에서 설명하고 있는 문장 성분인 독립어가 쓰이지 않았다.
오답 풀이
① '아'는 감탄을 나타내는 말로, 독립어에 해당한다.
② '네'는 응답을 나타내는 말로, 독립어에 해당한다.
④ '어머나'는 놀람을 나타내는 말로, 독립어에 해당한다.
⑤ '훈기야'는 부름을 나타내는 말로, 독립어에 해당한다.

4 **정답 풀이** ④ 〈보기〉에서 설명하는 문장 성분은 부사어이다. ④는 '주어+관형어+서술어'로 이루어진 문장으로 부사어가 쓰이지 않았다.
오답 풀이
① '제발'은 뒤에 오는 문장 전체를 꾸며 주는 부사어이다.
② '졸졸'은 용언 '흐른다'를 꾸며 주는 부사어이다.
③ '힘없이'는 용언 '쓰러졌다'를 꾸며 주는 부사어이다.
⑤ '매우'는 관형어 '낡은'을 꾸며 주는 부사어이다.

5 **정답 풀이** ② '겨우'는 용언 '등교했다'를 꾸며 주는 부사어이다. 주로 체언을 꾸며 주는 역할을 하는 문장 성분은 관형어이다.
오답 풀이
① 부사어 중에는 '친구에게, 방에서, 가위로' 등과 같이 '체언+부사격 조사'의 형태도 있다.
③ 부사어는 다른 부사어를 꾸며 줄 수 있다.
④ 서술어에 따라서는 부사어를 필수적으로 요구하는 서술어가 있다. 예를 들어, '나는 친구에게 꽃을 주었다.'에서 부사어 '친구에게'는 서술어 '주었다'가 반드시 필요로 하는 부사어이다. 이러한 부사어를 필수적 부사어라고 한다.
⑤ '과연, 설마, 제발, 부디' 등과 같이 주로 문장 앞에서 뒤에 오는 문장 전체를 꾸며 주는 부사어를 문장 부사어라고 한다.

6 **정답 풀이** ① 앞 문장의 '명수가'와 뒤 문장의 '명수가'는 둘 다 주어에 해당한다.
오답 풀이
② 앞 문장의 '이런'은 독립어, 뒤 문장의 '이런'은 체언 '장난'을 꾸며 주는 관형어이다.
③ 앞 문장의 '빨갛게'는 용언 '열렸다'를 꾸며 주는 부사어, 뒤 문장의 '빨간'은 체언 '감'을 꾸며 주는 관형어이다.
④ 앞 문장의 '범인이'는 용언 '아니다' 앞에서 의미를 보충해 주는 보어, 뒤 문장의 '범인이'는 서술어 '나타났다'의 주체에 해당하는 주어이다.
⑤ 앞 문장의 '사과만(를)'은 서술어 '먹는다'의 대상이 되는 목적어, 뒤 문장의 '사과만(가)'은 '팔리다'의 주체가 되는 주어이다.

7 **정답 풀이** ④ '매우'는 뒤에 오는 부사어 '아름답게'를 꾸며 주는 부사어이다.

오답 풀이

① 서술어 '피었다'는 동사이기 때문에 〈보기〉 문장의 기본 구조는 '무엇이 어찌하다'이다.
② 〈보기〉의 문장은 '관형어+주어+부사어+부사어+서술어'로 이루어진 문장이다. 여기에서 주성분에 해당하는 말은 주어인 '들국화가'와 서술어인 '피었다' 둘뿐이다.
③ '노란'은 뒤에 오는 체언 '들국화'를 꾸며 주는 관형어이다.
⑤ 〈보기〉의 문장에서 문장 전체의 주어는 '들국화가'이고, 문장 전체의 서술어는 '피었다'이다.

8 **정답 풀이** ㉠ '하얀'은 형용사 '하얗다'의 어간에 관형사형 어미 '-ㄴ'이 결합된 관형어이다. ㉡ '파랗게'는 형용사 '파랗다'의 어간에 부사형 어미 '-게'가 결합된 부사어이다.

9 **정답 풀이** ① ㉠은 "나는 지금 마트에 간다."에서 주어 '나는'과 부사어 '지금', 서술어 '간다'를 생략한 문장이다. ㉡은 "나는 네 아빠 넥타이를 사려고(한다)."에서 주어인 '나는'과 서술어 '사려고(한다)'를 생략한 문장이다. ㉢은 "글쎄…… 나는 일곱 시쯤 와."에서 주어인 '나는'과 서술어 '와'를 생략한 문장이다. 결국 ㉠~㉢에서 공통적으로 생략된 문장 성분은 주어와 서술어이다.

10 **정답 풀이** ③ '내'는 뒤에 오는 체언 '얼굴'을 꾸며 주는 관형어이다.

오답 풀이

① 〈보기〉의 문장은 '관형어+관형어+주어+관형어+부사어+부사어+서술어'로 이루어진 문장이다. 주성분에 해당하는 것은 주어인 '모자가'와 서술어인 '어울렸다' 둘뿐이다.
② '빨간'과 '새'는 모두 뒤에 오는 체언 '모자'를 꾸며 주는 관형어이다.
④ '얼굴에'와 '잘'은 모두 용언 '어울렸다'를 꾸며 주는 부사어이다.
⑤ '어울렸다'는 주어와 '~에'에 해당하는 부사어를 반드시 필요로 하는 두 자리 서술어이다.

11 **정답 풀이** ⑤ ㉤은 '나도 응원할 테니 너도 열심히 해.'에서 주어 '너도(는)'를 생략한 표현이다. '너'에 해당하는 인물이 대화 상대방이기 때문에 주어 '너도(는)'를 생략할 수 있다. 따라서 주어 '나도'와 중복되어 '나도'를 생략했다는 설명은 적절하지 않다.

오답 풀이

① ㉠에서 '은서야'는 부름에 해당하는 말로 독립어이다.
② ㉡은 '나는 지금 학교 가.'에서 주어인 '나는'과 부사어 '지금', 서술어 '가'를 생략한 표현이다.
③ ㉢에서 '합창곡은(을)'은 목적어이고, 서술어 '정했니'는 목적어를 필요로 하는 말이기 때문에 목적어 '합창곡은'을 꼭 써야 한다.
④ ㉣에서 '최우수반이'는 서술어 '되다' 앞에서 그 의미를 보충해 주는 역할을 하기 때문에 보어이다.

문법 놀이터 본문 126쪽

■ – 주어(서술어)
▲ – 서술어(주어)
● – 부사어

16일 문장 성분의 올바른 사용

확인하기 본문 128~129쪽

1 ⑤ **2** ④ **3** 과반수 이상의 → 과반수의(절반 이상의) **4** ② **5** (1) 탐스러웠다 → 탐스럽지 않았다 (2) 내킨다 → 내키지 않는다 **6** ④

1 **정답 풀이** ⑤에서는 '지니고 다녀야 한다'의 주체에 해당하는 주어가 생략되어 있다. '신분증은'은 목적어에 해당한다.

오답 풀이

① '하늘이'가 주어이다.
② '눈이'와 '길이'가 주어이다.
③ '동생은'이 주어이다.
④ '나는'이 주어이다. '물리학자가'는 보어에 해당한다.

2 **정답 풀이** ④ '보내다'는 '누구에게'에 해당하는 부사어를 필요로 하는 서술어이다. 따라서 ④는 필수적 부사어를 갖춰 쓰지 못한 문장이다.

오답 풀이

① '닮다'는 '누구와'에 해당하는 부사어를 필요로 하는 서술어이다.
② '주다'는 '무엇을'에 해당하는 목적어와 '무엇에/누구에게'에 해당하는 부사어를 필요로 하는 서술어이다.
③ '삼다'는 '무엇을'에 해당하는 목적어와 '무엇으로'에 해당하는 부사어를 필요로 하는 서술어이다.
⑤ '방문하다'는 '어디를'에 해당하는 목적어를 필요로 하는 서술어이다.

3 **정답 풀이** '과반수'는 '절반이 넘는 수'를 뜻하기 때문에 이 말 뒤에 '이상'이라는 말을 불필요하게 덧붙일 필요가 없다.

4 **정답 풀이** ② '땅덩이가 넓다'는 가능하지만, '인구가 넓다'는 불가능하기 때문에 주어와 서술어의 호응이 적절하지 않은 문장이다. '중국은 인구가 많고 땅덩이가 넓다.'로 고쳐 써야 한다.

5 **정답 풀이** (1) 부사어 '여간'은 부정의 의미를 나타내는 서술어와 호응을 이루기 때문에 '탐스러웠다'를 '탐스럽지 않았다'로 고쳐야 한다.
(2) 부사어 '별로'는 부정의 의미를 나타내는 서술어와 호응을 이루기 때문에 '내킨다'를 '내키지 않는다'로 고쳐야 한다.

6 **정답 풀이** '책을 읽는다'는 자연스럽지만 '바둑을 읽는다'는 어색하다. 목적어 '바둑을'에 해당하는 서술어가 따로 있어야 한다. 따라서 ④는 '그는 쉬는 시간에 바둑을 두거나 책을 읽는다.'로 고쳐야 한다.

오답 풀이
① 목적어 '연극을'과 서술어 '관람하였다'가 호응을 이룬다.
② 목적어 '청소와 빨래를'과 서술어 '하였다'가 호응을 이룬다.
③ 목적어 '야구와 테니스를'과 서술어 '좋아한다'가 호응을 이룬다.
⑤ 목적어 '책이나 옷을'이 서술어 '기증받고 있다'와 호응을 이룬다.

문제로 정복하기

본문 130~131쪽

1 ③ **2** ③ **3** ① **4** ① **5** ⑤ **6** 주어 '자화상'과 서술어 '그렸다'가 호응을 이루지 않는다. '자화상은 화가가 자신의 모습을 그린 그림이다.'로 고쳐 써야 한다. **7** ⑤ **8** ① **9** ⑤

1 **정답 풀이** ③ 밑줄 친 '일부는'은 앞에 쓰인 '일부는'과 가리키는 대상이 서로 다르기 때문에 생략할 수 없다.

오답 풀이
① 밑줄 친 '동생은'은 앞에 나온 '동생은'과 같은 대상이기 때문에 생략할 수 있다.
② 밑줄 친 '그는'은 앞에 나온 '그는'과 같은 대상이기 때문에 생략할 수 있다.
④ 밑줄 친 '나는'은 앞에 나온 '나는'과 같은 대상이기 때문에 생략할 수 있다.
⑤ 밑줄 친 '우리나라는'은 앞에 나온 '우리나라는'과 같은 대상이기 때문에 생략할 수 있다.

2 **정답 풀이** ③ 불필요하게 의미가 중복된 단어가 쓰이지 않았다. 만약 '미리 마련해'를 '미리 예비해'라고 쓰면 밑줄 친 부분의 예에 해당한다. '예비하다'라는 말에 '미리'라는 뜻이 포함되어 있기 때문이다.

오답 풀이
① '연휴'는 '이틀 이상 계속되는 휴일'을 뜻하기 때문에 그 앞에 '계속되는'이라는 관형어를 쓸 필요가 없다.
② '요약하다'는 '말이나 글의 요점을 잡아서 간추리다'를 뜻하기 때문에 '간단히'라는 부사어를 쓸 필요가 없다.
④ '소음'은 '불규칙하게 뒤섞여 불쾌하고 시끄러운 소리'를 뜻하기 때문에 '시끄러운'이라는 관형어를 쓸 필요가 없다.
⑤ '온정'은 '따뜻한 사랑이나 인정'을 뜻하기 때문에 '따뜻한'이라는 관형어를 쓸 필요가 없다.

3 **정답 풀이** ① '만나다'는 주어 외에 '누구를'에 해당하는 목적어만 필요로 하는 서술어이기 때문에 부사어인 '공원에서'는 생략해도 된다.

오답 풀이
② '보관하다'는 '무엇을'에 해당하는 목적어와 '어디에'에 해당하는 부사어를 필요로 하는 서술어이다. 따라서 부사어 '냉장고에'는 생략할 수 없다.
③ '삼다'는 '누구를'에 해당하는 목적어와 '무엇으로'에 해당하는 부사어를 필요로 하는 서술어이다. 따라서 부사어 '사위로'는 생략할 수 없다.
④ '흡사하여'는 '무엇과'에 해당하는 부사어를 필요로 하는 서술어이다. 따라서 부사어 '사진과'는 생략할 수 없다.
⑤ '넣어라'는 '무엇을'에 해당하는 목적어와 '어디에'에 해당하는 부사어를 필요로 하는 서술어이다. 따라서 부사어 '우체통에'는 생략할 수 없다.

4 **정답 풀이** ① '전혀'는 부정하는 뜻을 나타내는 서술어와 호응을 이루는 부사어이다. 따라서 ①은 '지성이는 축구하는 것을 전혀 싫어하지 않는다.'나 '지성이는 축구하는 것을 정말 싫어한다.'로 고쳐 써야 한다.

오답 풀이
② '도저히'는 부정하는 뜻을 나타내는 서술어와 호응을 이루는 부사어이다. 따라서 '용서할 수 없다'와 자연스럽게 호응한다.
③ '만약'은 가정의 뜻을 나타내는 말과 호응을 이루는 부사어이다. 따라서 '온다면'과 자연스럽게 호응한다.
④ '마치'는 서술어 '같다'와 호응을 이루는 부사어이다.
⑤ '차마'는 부정하는 뜻을 나타내는 서술어와 호응을 이루는 부사어이다. 따라서 '없었다'와 자연스럽게 호응한다.

5 **정답 풀이** ⑤ '결코'는 '어떤 경우에도 절대로'를 뜻하는 말로 '아니다', '없다', '못하다' 따위의 부정어와 함께 쓰인다. 그런데 '제출해야 합니다'와 같이 긍정의 의미를 지닌 서술어와 쓰였기 때문에 부사어와 서술어의 호응이 자연스럽지 않다. '결코'를 '반드시'로 고쳐 써야 한다.

오답 풀이
① 주어가 생략되어 있다.
②, ④ 서술어 '제출해야 합니다'의 대상이 되는 목적어 '작품을'은 생략되지 않았고, 둘 사이의 호응은 이루어지고 있다.
③ 불필요하게 의미가 중복되는 문장 성분은 없다.

6 **정답 풀이** 주어인 '자화상은'과 서술어 '그렸다'가 자연스럽게 연결되지 않는다. '자화상'이 그리는 것은 아니기 때문이다. 따라서 이 문장은 '자화상은 화가가 자신의 모습을 그린 그림이다.'와 같이 주어와 서술어가 호응되도록 고쳐 써야 한다.

7 **정답 풀이** ⑤ ⓜ은 주어인 '가장 좋은 것은'과 호응하지 않는다. 그런데 ⓜ을 '가려 쓰자'로 고친다 해도 주어와 자연스럽게 연결되지 않기 때문에 ⓜ은 '가려 쓰는 것이다'로 고치는 것이 좋다.
오답 풀이
① '다투다'는 '누구와'에 해당하는 부사어를 필요로 하는 서술어이다. 따라서 '친구들과'를 추가해야 한다.
② '틀림없이'는 '조금도 어긋나는 일이 없이'를 뜻하는 말로 뒤에 단정적인 내용이나 확신을 갖는 내용이 나와야 한다. 그런데 뒤에 오는 서술어가 '서먹해질 수도 있다'와 같이 추측과 관련한 내용이므로 부사어와 서술어의 호응이 자연스럽지 않다.
③ 앞에 있는 목적어 '너를'과 호응하기 위해서는 서술어를 타동사인 '미워해서'로 고쳐 써야 한다.
④ '풀리도록'과 짝을 이루는 주어가 생략되어 있기 때문에 주어 '오해가'를 추가해야 한다.

8 **정답 풀이** ① 주어와 서술어, 목적어와 서술어가 호응을 이루고 있다.
오답 풀이
② '새들이 지저귀고 있다'는 자연스럽지만, '다람쥐가 지저귀고 있다'는 자연스럽지 않다. 따라서 '숲에서는 다람쥐가 뛰놀고 새들이 지저귀고 있다.'로 고쳐 써야 한다.
③ '몸무게가 많이 나간다'는 자연스럽지만, '키가 많이 나간다'는 자연스럽지 않다. 따라서 '동생은 나보다 키가 크고 몸무게가 많이 나간다.'로 고쳐 써야 한다.
④ 주어인 '내 꿈은'과 서술어인 '도우려고 한다'가 호응하지 않고 있다. '내 꿈은 변호사가 되어 억울한 사람을 돕는 것이다.'로 고쳐 써야 한다.
⑤ 주어인 '선물은'과 서술어인 '것이다'가 호응하지 않고 있다. '청소년들이 가장 원하는 선물은 스마트폰이다.'로 고쳐 써야 한다.

9 **정답 풀이** ⑤ '이 지역의 토양은 벼농사에 적합하다.'는 주어와 서술어의 호응이 자연스러운 문장이다.

오답 풀이
① 서술어 '시작될지'와 짝을 이루는 주어가 빠져 있다. '우리도 언제 공연이 시작될지 모른다.'로 고쳐 써야 한다.
② 서술어 '먹는다'는 '무엇을'에 해당하는 목적어를 필요로 하는데, 목적어가 빠져 있다. '학생들이 식당에서 밥을 맛있게 먹는다.'로 고쳐 써야 한다.
③ 서술어 '되어 있다'는 '무엇으로'에 해당하는 부사어를 필요로 하는데, 부사어가 빠져 있다. '이 나라는 국토가 대부분 사막으로 되어 있다.'로 고쳐 서야 한다.
④ 서술어가 '하지 마세요'와 같이 부정의 뜻을 지니고 있는 만큼 '절대로'나 '결코'와 같은 부사어를 써야 자연스럽다.

문법 놀이터

본문 134쪽

1. ①: '봄꽃 축제를 열기로 했다.'에서는 '누가'에 해당하는 주어가 생략되어 있다.
2. ③, ⑤: '던지다'와 '질문하다'는 '…에/에게'에 해당하는 부사어와 '…을/를'에 해당하는 목적어를 필요로 한다.
3. ③: '결코'는 '어떤 경우에도 절대로'를 뜻하는 부사로, 뒤에 '아니다', '없다', '못하다' 등의 부정어가 온다.
4. ①: ②에서 '바이올린'은 '켜다'라는 서술어가 필요하다. 따라서 ②는 '수지는 바이올린을 잘 켜고, 피아노를 잘 친다.'로 고쳐 써야 한다.

*비빔밥에 들어갈 재료: ⓐ계란, ⓔ애호박, ⓖ산나물, ⓙ볶은 고기, ⓚ고추장

17일 문장 구조의 짜임과 표현 효과

확인하기

본문 136~137쪽

1 ① 2 ⑤ 3 ③

4 저 차는 내 동생의 것이다.
- 저 차는 / 내 동생의 것이다.
- 저 / 차는 / 내 동생의 / 것이다.
- 내 / 동생의

5 ㉮ – ㉡, ㉯ – ㉢, ㉰ – ㉠

1 **정답 풀이** ① 주어는 '학생들이'로 이를 포함한 앞부분은 주어부, 뒷부분은 서술부에 해당한다.

오답 풀이

② 이 책은/청소년들에게 매우 유익하다.
③ 차가운 바람이/나무를 흔들고 있었다.
④ 철수는/더 이상 우리 학교의 학생이 아니다.
⑤ 골목길에서 청소를 열심히 하는 아이는/민호다.

2 **정답 풀이** ⑤ 주어인 '사람이'까지가 주어부이므로, 서술부는 '범인이다' 한 어절로 이루어져 있다.

오답 풀이

① '나는'이 주어부, '짜장면을 좋아한다'가 서술부에 해당한다.
② '종이비행기가'가 주어부, '높이 솟구쳤다'가 서술부에 해당한다.
③ '선생님께서'가 주어부, '우리에게 문제를 내셨다'가 서술부에 해당한다.
④ '내 친구는'이 주어부, '벌써 집에 갔다'가 서술부에 해당한다.

3 **정답 풀이** ③ 먼저 '흰 새가/파란 하늘로 날아올랐다.'의 주어부와 서술부로 나누어야 한다. 2단계는 주어와 주어를 꾸미는 부분, 서술어와 서술어를 꾸미는 부분으로 나누어야 한다. 즉 '흰/새가'와 ' 파란 하늘로/날아올랐다.'로 나눈다. 3단계는 꾸미는 말을 다시 꾸미는 말과 꾸밈을 받는 말로 나누어야 한다. 즉 '파란/하늘로'로 나누어야 한다. 이런 과정을 도식화하면 다음과 같다.

흰 새가 파란 하늘로 날아올랐다.

1단계 흰 새가 / 파란 하늘로 날아올랐다.

2단계 흰 / 새가 / 파란 하늘로 / 날아올랐다.

3단계 파란 / 하늘로

4 **정답 풀이** 먼저 '저 차는/내 동생의 것이다.'의 주어부와 서술부로 나눈 후, '저/차는', '내 동생의/것이다'로 나눈다. 그리고 마지막으로 '내/동생의'로 나눈다.

5 **정답 풀이** ㉮는 홑문장에 대한 설명이고, ㉯는 겹문장 중 이어진문장에 대한 설명이며, ㉰는 겹문장 중 안은문장에 대한 설명이다.

㉠ '내가 좋아하는'은 체언인 '공'을 꾸며 준다. 따라서 ㉠은 관형절을 안은 문장이다.
㉡ 주어('아버지께서')와 서술어('주셨다') 관계가 한 번만 나타난 홑문장이다.
㉢ '이것은 장미이다.'와 '저것은 국화이다.'의 두 문장이 대등하게 결합한 이어진문장이다.

문제로 정복하기 본문 138~139쪽

1 ② **2** ② **3** ③ **4** ① **5** 홑문장이다. 주어와 서술어 관계가 한 번만 나타나 있기 때문이다. **6** ② **7** ③ **8** ③ **9** ② **10** ⑤

1 **정답 풀이** ② 주어부와 서술부로 나누기 위해서는 문장 전체의 주어가 무엇인지를 찾아야 한다. 제시된 문장의 서술어인 '피었다'와 호응을 이루는 주어는 '들국화가'이다. 따라서 '노란 들국화가'가 주어부, '한적한 시골길에 아름답게 피었다'가 서술부에 해당한다.

2 **정답 풀이** ② 주어는 '사람은'이다. 따라서 '이 사람은'은 주어부, '우리 회사 사원이 아니다'는 서술부에 해당한다.

오답 풀이

① '영호는'이 주어이기 때문에 '영호는'이 주어부, '언제나 공부를 열심히 한다'가 서술부이다.
③ '사과가'가 주어이기 때문에 '빨간 사과가'가 주어부, '나무에 주렁주렁 열렸다'가 서술부에 해당한다.
④ '사람이'가 주어이기 때문에 '결국 열심히 노력하는 사람이'가 주어부, '성공한다'가 서술부에 해당한다.
⑤ '청소년들은'이 주어이기 때문에 '우리 청소년들은'이 주어부, '이상을 지니고 있어야 한다'가 서술부에 해당한다.

3 **정답 풀이** ③ '물건은 좋다.'와 '값이 비싸다.'와 같이 주어와 서술어 관계가 두 번 나타나기 때문에 겹문장이다.

오답 풀이

① '주어+부사어+서술어'로 이루어진 문장으로, 주어와 서술어 관계가 한 번만 나타나는 홑문장이다.
② '주어+부사어+부사어+서술어'로 이루어진 문장으로, 주어와 서술어 관계가 한 번만 나타나는 홑문장이다.
④ '부사어+주어+목적어+서술어'로 이루어진 문장으로, 주어와 서술어 관계가 한 번만 나타나는 홑문장이다.
⑤ '주어+부사어+목적어+서술어'로 이루어진 문장으로, 주어와 서술어 관계가 한 번만 나타나는 홑문장이다.

4 **정답 풀이** ① '주어+부사어+목적어+서술어'로 이루어진 문장으로 주어와 서술어 관계가 한 번만 나타나는 홑문장이다.

오답 풀이

② '눈이 내린다.'와 '바람이 분다.'로 나눌 수 있다. 주어와 서술어 관계가 두 번 나타나기 때문에 겹문장이다.
③ '(주어 생략) 지리산을 등산하다.'와 '(주어 생략) 일찍 일어났다.'로 나눌 수 있다. 주어와 서술어 관계가 두 번 나타나기 때문에 겹문장이다.
④ '우리 팀이 승리하다.'와 '(주어 생략) 간절히 기원했다.'로 나눌 수 있다. 주어와 서술어 관계가 두 번 나타나기 때문에 겹문장이다.

⑤ '나는 밖에 안 나갔다.'와 '바람이 세게 불었다.'로 나눌 수 있다. 주어와 서술어 관계가 두 번 나타나기 때문에 겹문장이다.

5 **정답 풀이** 제시된 문장에서 '나는'은 주어, '나만의'는 관형어, '삶을'은 목적어, '나만의'는 관형어, '방식으로'는 부사어, '산다'는 서술어이다. 주어와 서술어 관계가 한 번만 나타나기 때문에 홑문장에 해당한다.

6 **정답 풀이** ② ㉠은 '관형어+관형어+부사어+주어+서술어'로 이루어진 문장으로 부사어가 쓰였다. ㉡은 '주어+관형어+부사어+부사어+주어+서술어'로 이루어진 문장으로 부사어가 쓰였다.

오답 풀이

① ㉠은 주어와 서술어 관계가 한 번만 나타나기 때문에 홑문장이고, ㉡은 '내가 태어나다.'와 '월드컵이 열렸다.'에서 주어와 서술어 관계가 두 번 나타나기 때문에 겹문장이다.

③ ㉠의 주어부는 '그의 집 정원에 장미꽃이'이고, 서술부는 '피었다'이다. ㉡의 주어부는 '내가 태어난 2002년에 우리나라에서 월드컵이'이고, 서술부는 '열렸다'이다. ㉠과 ㉡은 모두 서술부가 하나의 어절로 이루어져 있다.

④ ㉠의 서술어 '피었다'와 ㉡의 문장 전체의 서술어 '열렸다'는 모두 주어 하나만을 필요로 하는 한 자리 서술어이다.

⑤ ㉠에 쓰인 주어는 '장미꽃이' 하나이고, ㉡에 쓰인 주어는 '내가'와 '월드컵이' 둘이다.

7 **정답 풀이** ③ ㉢은 '주어+부사어+서술어'로 이루어진 문장으로 주어와 서술어 관계가 한 번만 나타나는 홑문장이다. ㉣은 '관형어+관형어+부사어+관형어+관형어+목적어+서술어'로 이루어진 문장으로 주어와 서술어 관계가 한 번만 나타나는 홑문장이다.

오답 풀이

㉠ '(말이) 발(이) 없다.'와 '말이 천 리 간다.'로 나눌 수 있으며, 앞 문장은 서술절을 안은 문장이므로 이 문장은 주어와 서술어 관계가 두 번 이상 나타나는 겹문장이다.

㉡ '까마귀(가) 난다.'와 '배(가) 떨어진다.'로 나눌 수 있으며, 주어와 서술어 관계가 두 번 나타나기 때문에 겹문장이다.

㉤ '가는 말이 곱다.'와 '오는 말이 곱다.'로 나눌 수 있으며, 각 문장에서 다시 '말이 간다.'와 '말이 온다.'를 추가적으로 분리해 낼 수 있다. 주어와 서술어 관계가 두 번 이상 나타나기 때문에 겹문장이다.

8 **정답 풀이** ③ ㉠은 '(나는) 등산모를 벗었다.'와 '(나는) 탑 앞에 섰다.'가 연결 어미 '-고'로 이어진 문장이다. ㉢은 '그러나 (나는) 한 발 옆으로 옮겨 보았다.'와 '(나의) 가슴 한구석이 허전하다.'가 연결 어미 '-니'로 이어진 문장이다. ㉥은 '(나는) 석탑을 손으로 쓰다듬어 봤다.'와 '(나의) 손끝에 (석탑의) 온기가 느껴진다.'가 연결 어미 '-니'로 이어진 문장이다.

오답 풀이

㉡ '탑의 위용이 당당하다.'가 절의 형태로 안겨 있는 문장이다.

㉣ 주어와 서술어 관계가 한 번만 나타나는 홑문장이다.

㉤ '환자가 주사를 맞고 있다.'가 절의 형태로 안겨 있는 문장이다.

9 **정답 풀이** ② 제시된 문장 전체의 주어는 '친구들은'이다. 따라서 '친구들은'이 주어부에 해당하고, '내가 그 대회에서 우승하기를 바란다'는 서술부에 해당한다.

오답 풀이

① 서술어 '바란다'는 동사이기 때문에 '누가+어찌하다'에 해당하는 문장이다.

③ '친구들은 ~를 바란다.'와 '내가 그 대회에서 우승하다.'로 나눌 수 있으며, 주어와 서술어 관계가 두 번 나타나기 때문에 겹문장이다.

④ '그'는 체언 '대회'를 꾸며 주는 관형어, '대회에서'는 '우승하기'를 꾸며 주는 부사어이다.

⑤ '바란다'는 주어 '친구들은'과 목적어 '우승하기를'을 반드시 필요로 하는 두 자리 서술어이다.

10 **정답 풀이** ⑤ ㉠은 '내가 (그림을) 그렸다.'가 관형사절의 형태로 안겨 있는 문장이고, ㉡은 '약속 시간이 지났다.'와 '그는 오지 않았다.'가 연결 어미 '-지만'으로 이어진 문장이다.

오답 풀이

① ㉠은 '코가 무척 길다.'가 서술절로 안겨 있는 문장이고, ㉡은 '(공책의) 표지가 빨갛다.'가 관형사절로 안겨 있는 문장이다.

② ㉠은 '가을이 오다.'와 '산이 붉게 물들었다.'가 연결 어미 '-니'로 이어진 문장이다. ㉡은 주어와 서술어 관계가 한 번만 나타나는 홑문장이다.

③ ㉠은 '인생은 짧다.'와 '예술은 길다.'가 연결 어미 '-지만'으로 이어진 문장이다. ㉡은 '구름이 걷히다.'와 '멀리에 산이 나타났다'가 연결 어미 '-자'로 이어진 문장이다.

④ ㉠은 '내가 아직 책을 읽지 않았다.'가 관형사절로 안겨 있는 문장이고, ㉡은 '비가 오다.'가 명사절로 안겨 있는 문장이다.

문법 놀이터 본문 142쪽

㉠ 7 ㉡ 5 ㉢ 2 ㉣ 3 ㉤ 4 ㉥ 1 ㉦ 6

18일 문장의 짜임 1-이어진문장

확인하기

본문 144~145쪽

1 ④ 2 ① 3 (1) 나열: 장미는 바다로 휴가를 갔고, 국희는 산으로 휴가를 갔다. (2) 대조: 장미는 바다로 휴가를 갔으나(갔지만), 국희는 바다로 휴가를 갔다. 4 ⑤ 5 (1) 눈이 와서 길이 미끄럽다. (2) 그는 집을 마련하려고 저축을 한다.

1 **정답 풀이** ④ '민지는 집에 갔다.'와 '영희는 남아 있었다.'의 두 문장이 결합된 이어진문장이다.

오답 풀이

①, ② 홑문장이다.

③ 서술절('아버지가 영화감독이다.')을 안은 문장이다.

⑤ 명사절('자신의 소망이 실현될 것')을 안은 문장이다.

2 **정답 풀이** ① '도로에 차가 많아서 걷기가 힘들었다.'는 앞 절이 뒤 절의 원인이 되는 문장이다. 즉 종속적으로 이어진 문장이다.

오답 풀이

②, ⑤ 나열 관계로 대등하게 이어진 문장이다.

③, ④ 대조 관계로 대등하게 이어진 문장이다.

3 **정답 풀이** 앞 절과 뒤 절이 나열 관계로 연결될 때에는 '-고', '-며' 등의 연결 어미를 사용하면 되고, 대조 관계로 연결될 때에는 '-나', '-지만' 등의 연결 어미를 사용하면 된다.

4 **정답 풀이** ⑤ '양보'를 나타내는 이어진문장은 앞 절과 뒤 절이 '설사 그렇다고 가정하여도 다른 경우와 마찬가지로 상관없음'을 의미하는 내용으로 연결된 것으로, '양보'의 의미 관계를 나타내는 연결 어미로는 '-(으)ㄹ지라도'가 있다.

오답 풀이

①은 원인, ②는 조건, ③은 배경, ④는 의도 관계로 앞 절과 뒤 절이 연결된 이어진문장이다.

5 **정답 풀이** 앞 절이 뒤 절의 원인에 해당하는 문장을 만들 때에는 주로 연결 어미 '-(아)서'가 쓰이고, 의도에 해당하는 문장을 만들 때에는 주로 연결 어미 '-(으)려면/-(으)려고'가 쓰인다. 앞 절과 뒤 절에 반복되는 내용은 생략할 수 있다.

문제로 정복하기

본문 146~147쪽

1 ② 2 나는 지금 잠을 잔다. 나는 꿈을 꾼다. 나는 지금 공부한다. 나는 꿈을 이룬다. 3 ③ 4 ② 5 ③ 6 ④ 7 ④ 8 ③ 9 ④

1 **정답 풀이** ② '멀리 있는 친척은 가까이 있는 이웃만 못하다.'는 '친척이 멀리 있다.'와 '이웃이 가까이 있다.'가 각각 관형사절로 안겨 있는 문장이다.

오답 풀이

① '작은 물이 모이지 않다.'와 '(물이) 강을 이룰 수 없다.'가 연결 어미 '-으면'으로 종속적으로 이어진 문장이다.

③ '의심스런 사람은 쓰지 마라.'와 '쓰게 된 사람은 의심하지 마라.'가 연결 어미 '-며'로 대등하게 이어진 문장이다.

④ '거울은 몸을 살필 수 있게 한다.'와 '과거는 지금을 알 수 있게 한다.'가 연결 어미 '-고'로 대등하게 이어진 문장이다.

⑤ 연결 어미 '-으면'으로 종속적으로 이어진 문장인 '물이 너무 맑으면 고기가 없다.'와 '사람이 너무 살피면 친구가 없다.'가 연결 어미 '-고'로 대등하게 이어진 문장이다.

2 **정답 풀이** 제시된 문장은 '지금 잠을 잔다.'와 '꿈을 꾼다.', '지금 공부한다.', '꿈을 이룬다.' 4개의 홑문장이 결합하여 이루어진 이어진문장이다.

3 **정답 풀이** ③ '경기가 진행될수록 긴장감이 더 높아졌다.'는 앞 절과 뒤 절의 의미가 독립적이지 못하고, 앞 절의 정도에 따라 뒤 절의 상황에 영향을 끼치는 종속적인 관계에 있기 때문에 종속적으로 이어진 문장이다.

오답 풀이

① '남편은 친절하다.'와 '아내는 인정이 많다.'가 대등하게 이어져 있다.

② '그는 키는 크다.'와 '(그는) 민첩성이 떨어진다.'가 대등하게 이어져 있다.

④ '여하튼 산으로 가든지 하자.'와 '여하튼 바다로 가든지 하자.'가 대등하게 이어져 있다.

⑤ '엄마 친구의 딸은 공부도 잘한다.'와 '(엄마 친구의 딸은) 운동도 잘한다.'가 대등하게 이어져 있다.

4 **정답 풀이** ② '그의 몸은 늙었다.'와 '(그의) 정신은 여전히 젊다.'가 대조의 의미로 이어져 있다. 두 문장이 대조의 의미를 지닌 연결 어미 '-지만'으로 이어져 있기 때문에 대등하게 이어진 문장이다.

오답 풀이

① '(준기가) 발에 땀이 나다.'가 부사절로 안겨 있는 문장이다.

③ '그는 집을 마련한다.'와 '(그는) 평소에 열심히 저축을

했다.'가 의도의 의미를 지닌 연결 어미 '-려고'에 의해 종속적으로 이어져 있는 문장이다.

④ '네가 고집을 부린다.'와 '어머니 기분만 나빠질 뿐이야.'가 심화의 의미를 지닌 연결 어미 '-ㄹ수록'에 의해 종속적으로 이어져 있는 문장이다.

⑤ '내가 텔레비전을 보고 있다.'와 '전화벨이 시끄럽게 울렸다.'가 배경의 의미를 지닌 연결 어미 '-는데'에 의해 종속적으로 이어져 있는 문장이다.

5 **정답 풀이** ③ '산에 오르다.'와 '다리가 뻐근해졌다.'를 이어 주는 연결 어미 '-ㄹ수록'은 정도가 더해지는 것을 의미한다. 의도나 목적의 의미를 지닌 연결 어미는 '-(으)려고'이다.

오답 풀이

① '비가 오다.'와 '내일 행사는 취소된다.'가 조건의 의미를 지닌 연결 어미 '-면'으로 이어져 있다.

② '재호는 너무 기쁘다.'와 '(재호는) 만세를 외쳤다.'가 이유의 의미를 지닌 연결 어미 '-어서'로 이어져 있다.

④ '문법이 어렵다.'와 '(너는) 절대 포기하지 마라.'가 양보의 의미를 지닌 연결 어미 '-더라도'로 이어져 있다.

⑤ '비가 내리다.'와 '이제는 눈이 온다.'가 중단의 의미를 지닌 연결 어미 '-다가'로 이어져 있다.

6 **정답 풀이** ④ '그는 아무것도 못 먹었다.'와 '그는 배가 몹시 고팠다.'는 의미상 인과 관계에 해당하기 때문에 '그는 아무것도 못 먹어서 배가 몹시 고팠다.'라고 이어 써야 한다.

오답 풀이

① 두 문장이 시간의 선후 관계를 맺고 있기 때문에 '나는 서점에 가서 만화책을 샀다.'와 같이 이어진문장으로 나타낼 수 있다.

② 두 문장이 배경의 의미 관계를 맺고 있기 때문에 '가을이 되자 날씨가 서늘해졌다.'와 같이 이어진문장으로 나타낼 수 있다.

③ 두 문장이 나열의 의미 관계를 맺도록 '민수는 도서관에 가고 경미는 집에 갔다.'와 같이 이어 쓴 문장이다. 대조의 의미 관계로 이어 쓰면 '민수는 도서관에 갔지만 경미는 집에 갔다.'로 쓸 수 있다.

⑤ 두 문장이 시간의 선후 관계를 맺고 있기 때문에 '나는 수현이를 만나 함께 영화를 보러 갔다.'와 같이 이어진 문장으로 나타낼 수 있다.

7 **정답 풀이** ④ '도훈이는 체육관에 가려고 한다.'와 '지수는 도서관에 가려고 한다.'가 결합된 문장으로 앞 절과 뒤 절의 서술어가 같아서 앞 절의 서술어를 생략했으므로 ㉡의 예에 해당한다.

오답 풀이

① '내년에 나는 고등학생이 된다.'와 '내년에 동생은 중학생이 된다.'가 결합된 문장으로 부사어와 서술어가 같기 때문에 앞 절의 서술어를 생략한 문장이다.

② '나는 야구를 좋아한다.'와 '형주는 야구를 좋아하지 않는다.'가 결합된 문장으로 목적어가 같기 때문에 뒤 절의 목적어를 생략한 문장이다.

③ '나는 닭고기는 잘 먹는다.'와 '나는 돼지고기는 못 먹는다.'가 결합된 문장으로 주어가 같아서 뒤 절의 주어를 생략한 문장이다.

⑤ '나는 순기와 짝꿍이다.'와 '나는 순기를 좋아하지 않는다.'가 결합된 문장으로 주어가 같아서 뒤 절의 주어를 생략하였으며, 목적어가 같아서 뒤 절의 목적어를 '그를'로 대치한 문장이다.

8 **정답 풀이** ③ '죽어서'는 주어만을 필요로 하는 한 자리 서술어이지만, '남긴다'는 주어뿐만 아니라 '~을'에 해당하는 목적어를 필요로 하는 두 자리 서술어이다.

오답 풀이

① '호랑이는 죽어서 가죽을 남기지만'과 '사람은 죽어서 이름을 남긴다.'는 각각 종속적 연결 어미 '-어서'로 이어져 있는 문장이다.

② ㉡과 ㉣의 주어는 각각 '호랑이는'과 '사람은'인데, 앞 절의 주어와 일치하기 때문에 생략하였다.

④ '호랑이는 죽어서 가죽을 남긴다.'와 '사람은 죽어서 이름을 남긴다.'가 대조의 의미를 지닌 연결 어미 '-지만'으로 대등하게 이어져 있다.

⑤ '호랑이는 죽는다.', '(호랑이는) 가죽을 남긴다.', '사람은 죽는다.', '(사람은) 이름을 남긴다.'와 같이 주어와 서술어 관계가 모두 네 번 나타나 있다.

9 **정답 풀이** ④ '소원이는 춤도 잘 춘다.'와 '소원이는 노래도 잘한다.'가 나열의 의미를 지닌 연결 어미 '-고'로 이어진 문장이다. 앞 절과 뒤 절의 주어가 일치하여 뒤 절에서 주어를 생략하였으며, 앞 절과 뒤 절의 서술어의 품사가 동사로 같다. 또한 목적어와 서술어의 호응이 자연스럽다.

오답 풀이

① '중국은 인구가 많다.'와 '중국은 땅덩이가 넓다.'가 접속 조사 '와'에 의해 이어진 문장이다. 앞 절의 서술어와 뒤 절의 서술어가 일치하지 않기 때문에 앞 절의 서술어를 생략하면 안 된다.

② '바다는 넓다.'와 '창재는 부지런하다.'가 나열의 의미를 지닌 연결 어미 '-고'로 결합된 문장이다. 두 문장의 의미가 서로 연관이 없기 때문에 이어진문장을 만드는 것이 자연스럽지 않다.

③ '어제는 바람이 몹시 많이 불었다.'와 '어제는 비가 몹시 많이 내렸다.'가 접속 조사 '과'에 의해 이어진 문장이다. 두 문장의 서술어가 일치하지 않기 때문에 앞 절의 서술어를 생략하면 안 된다.

⑤ '아버지는 엄하시다.'와 '어머니는 주무신다.'가 대조의 의미를 지닌 연결 어미 '-지만'으로 이어져 있는 문장이다. 두 문장의 서술어의 품사가 다르기 때문에 이어진문장을 만드는 것이 자연스럽지 않다.

문법 놀이터 본문 150쪽

한솔이는 숙제를 하려 했는데, 숙제 할 게 사라졌다. 밤늦게야 한솔이는 숙제 공책을 학교에 두고 왔다는 걸 알았다. 한솔이는 학교로 가서 가져오려고 했지만, 밤이라 무서웠다. 그래도 한솔이는 학교로 갔다. 학교에 가던 중, 어떤 할머니가 공책을 삼천 원에 팔고 있었다. 공책이 비싸서 한솔이는 그냥 지나갔다. 그러나 한솔이는 무서워 학교로 들어가지 못했고, 문구점을 갔는데 그곳도 문이 다 닫혀 있었다. 한솔이는 혹시나 하는 마음에 할머니가 있던 장소로 갔는데, 할머니는 역시 있었다. 그런데 할머니는 이렇게 말했다. "공책을 사려면 이 말을 지켜야 해. 집에 갈 때까지 공책 뒤를 절대 보지 마." 할머니는 공책 뒤를 보면 쓰러질 것이라고 했다. 공책을 사고 돌아오던 한솔이는 무서웠다. 그러나 호기심을 억누르지 못했다. 쓰러지더라도 공책 뒤를 보기로 했다. 한솔이는 공책을 봐서 결국 쓰러졌다. 공책 뒤엔 이렇게 쓰여 있었다. '삼백 원'

19일 문장의 짜임 2-안은문장

확인하기 본문 152~153쪽

1 ② 2 ③ 3 ④ 4 밤이 깊도록 5 ④

1 **정답 풀이** ② '바람이 불었다.'와 '비가 쏟아졌다.'의 두 문장이 대등하게 이어진 문장이다.

오답 풀이

① '코가 매우 길다'는 서술절이다.

③ '내가 오기'는 목적어의 기능을 하는 명사절이다.

④ '발에 땀이 나도록'은 부사절이다.

⑤ '자기가 함께 가겠다'는 인용절이다.

2 **정답 풀이** ③ ㄱ의 '그가 무죄임'은 문장에서 목적어의 기능을 하고, ㄴ의 '그 일을 성공하기'는 문장에서 주어의 기능을 한다. ㄷ의 '밥을 먹기'는 문장에서 부사어의 기능을 한다.

3 **정답 풀이** ④ '자식이 행복하기'는 명사절로, 문장에서 목적어의 기능을 한다.

오답 풀이

① '색깔이 희기'는 문장에서 주어의 기능을 하는 명사절이다.

② '몸에 좋은'은 뒤에 오는 '약'을 수식하는 관형사절이다.

③ '인정이 많으시다'는 문장에서 서술어의 기능을 하는 서술절이다.

⑤ "내 사전에 불가능이란 없다."는 남의 말을 직접 인용한 인용절이다.

4 **정답 풀이** 제시된 문장은 '희수는 책을 읽었다.'라는 문장에 '밤이 깊었다.'라는 문장이 부사어처럼 안겨 있는 구조이다. 즉, 부사절을 안은 문장에 해당하며, 부사절은 '밤이 깊도록'이다.

5 **정답 풀이** ④ '소리도 없이'는 뒤에 오는 '다가와'라는 용언을 꾸며 주므로 부사절에 해당한다.

오답 풀이

① '서산에 물든'은 '노을'을 수식하는 관형사절이다.

② '그 모습이 아름다워서'가 뒤 절의 원인에 해당하는 문장으로, 종속적으로 이어진 문장이다.

③ 앞 절 '장관을 ~ 바라보았지만'과 뒤 절 '눈이 ~ 않았다.'가 의미상 대조되는 문장으로, 대등하게 이어진 문장이다.

⑤ 앞 절과 뒤 절이 의미상 대등한 문장으로, 대등하게 이어진 문장이다.

문제로 정복하기 본문 154~155쪽

1 ④ 2 ② 3 ② 4 ③ 5 ② 6 ② 7 ②
8 ④ 9 ②

1 **정답 풀이** ④ '새가 일찍 일어난다.'가 '새가 벌레를 잡는다.'에 관형어처럼 안겨 있는 문장이다. 즉, 관형사절을 안은 문장이다.

오답 풀이

① '주어+관형어+서술어'로 이루어진 홑문장이다.

② '주어+서술어+주어+서술어'로 이루어진 이어진문장이다.

③ '주어+관형어+부사어+서술어'로 이루어진 홑문장이다.

⑤ '목적어+서술어+목적어+부사어+서술어'로 이루어진 이어진문장이다. 주어는 생략되어 있다.

2 **정답 풀이** ② '우산도 없다.'가 '종수는 빗속을 걸었다.'에 부사어처럼 안겨 있는 문장이다. 즉, '우산도 없이'는 부사절에 해당한다.

오답 풀이

① '차가 좋다.'가 관형사절로 안겨 있다.

③ '내가 집에서 태어났다.'가 관형사절로 안겨 있다.

④ '(여러분의) 마음이 따뜻하다.'가 관형사절로 안겨 있다.

⑤ '지금 노래가 들려온다.'가 관형사절로 안겨 있다.

3 **정답 풀이** ② 문장 전체의 주어는 '그는'이다. 따라서 주어부는 '그는'이다.

오답 풀이

① 제시된 문장은 '그는 나에게 ~ 물었다.', '건이가 다쳤

다.', '(너는) ~ 아느냐.'와 같이 세 개의 홑문장으로 이루어진 겹문장이다.

③ 문장 전체의 서술어는 '물었다'이고, 이 서술어는 주어('그는')와 부사어('나에게'), 목적어(인용절 '건이가 다쳤음을 아느냐')를 필요로 하는 세 자리 서술어이다.

④ '건이가 다친 것을 아느냐'는 '그'가 '나'에게 한 말을 간접 인용한 것이다.

⑤ '건이가 다쳤다.'라는 문장이 '-(으)ㅁ'과 결합하여 명사절로 쓰였다. 명사절 뒤에 목적격 조사 '을'이 붙어 있으므로 안긴문장의 서술어 '아느냐'의 목적어 역할을 한다.

4 **정답 풀이** ③ '두 볼에 흐르는'에 생략된 주어는 그것이 꾸미고 있는 '눈물'이다. 즉, '눈물이 두 볼에 흐른다.'라는 문장이 관형사절로 안기면서 주어가 생략된 것이다.

오답 풀이

① '두 볼에 흐르는'은 관형사절, '밤이 새도록'은 부사절, '그가 대학에 합격했음'은 명사절이다.

② 밑줄 친 부분이 ㄱ에서는 체언을 꾸며 주고 있기 때문에 관형어 구실을, ㄴ에서는 용언을 꾸며 주고 있기 때문에 부사어 구실을, ㄷ에서는 서술어의 주체에 해당하기 때문에 주어 구실을 하고 있다.

④ ㄴ의 문장 전체의 주어는 '의원들은'이고, 밑줄 친 부분의 주어는 '밤이'이다.

⑤ '알려졌다'는 주어와 '…에게'에 해당하는 필수적 부사어를 필요로 하는 두 자리 서술어이다.

5 **정답 풀이** ② '소원이는 성격이 무척 좋다.'는 '성격이 무척 좋다.'가 서술절로 안겨 있는 문장이다.

오답 풀이

① '(그는) 아는것도 없다.'가 부사절로 안겨 있는 문장이다.

③ '비가 오다.'가 명사절로 안겨 있는 문장이다.

④ '우리가 돌아왔다.'가 관형사절로 안겨 있는 문장이다.

⑤ '모든 인간이 존귀하다.'가 인용절로 안겨 있는 문장이다.

6 **정답 풀이** ② 전체 문장에 안겨 있는 문장인 '그가 범인이다.'는 의미상 '확신'의 내용에 해당하고 문장 성분의 생략 없이 관형사절로 쓰였기 때문에 '그가 범인이라는'은 동격 관형사절이다.

오답 풀이

① '꽃이 향기가 좋다.'라는 문장이 관형사절로 안기면서 주어 '꽃이'가 생략되었다.

③ '우리가 일을 했다.'라는 문장이 관형사절로 안기면서 목적어 '일을'이 생략되었다.

④ '내가 학교에서 공부했다.'라는 문장이 관형사절로 안기면서 부사어 '학교에서'가 생략되었다.

⑤ '내가 그해에 태어났다.'라는 문장이 관형사절로 안기면서 부사어 '그해에'가 생략되었다.

7 **정답 풀이** ② ㉡에 안겨 있는 명사절은 '신용을 얻음'이다. 뒤에 주격 조사 '이'가 결합되어 있으므로 명사절이 주어 역할을 하고 있음을 알 수 있다.

오답 풀이

① 명사절 '너를 보기' 뒤에 주격 조사 '가'가 결합되어 있으므로 ㉠의 명사절은 주어 역할을 하고 있다.

③ 명사절 '네가 하기' 뒤에 부사격 조사 '에'가 결합되어 있으므로 ㉢의 명사절은 부사어 역할을 하고 있다.

④ 명사절 '지리산 정상에 오르기' 뒤에 서술격 조사 '이다'가 결합되어 있으므로 ㉣의 명사절은 서술어 역할을 하고 있다.

⑤ 명사절 '그의 말이 옳았음' 뒤에 목적격 조사 '을'이 결합되어 있으므로 ㉤의 명사절은 목적어 역할을 하고 있다.

8 **정답 풀이** ④ '전주는 ~ 도시야.'라는 문장 속에 '(전주는) 옛 모습이 아름답다.'와 '도시(전주)가 옛 모습을 간직하였다.'가 각각 관형사절로 안겨 있다. 즉, 두 개의 관형사절을 안고 있는 문장이다.

오답 풀이

① 제시된 문장 속에는 '선생님께서는 ~ 말씀하셨다.', '전주는 ~ 도시야.', '(전주는) 옛 모습이 아름답다.', '도시(전주)가 옛 모습을 간직하였다.'와 같이 '주어 – 서술어' 관계가 네 번 나타나 있다.

② 인용절에서 인용절 전체의 주어는 '전주는'이고, 서술어는 '도시야'이다.

③ 큰따옴표와 조사 '라고'를 사용하여 선생님의 말씀을 직접 인용하였다.

⑤ '선생님께서는'이 문장 전체의 주어로 쓰였으며, '말씀하셨다'는 문장 전체의 서술어로 쓰였다.

9 **정답 풀이** ② 간접 인용절이기 때문에 조사는 '라고'가 아니라 '고'를 써야 한다. 즉 '아직도 네가 잘했다고 생각하느냐?'가 적절한 문장이다.

오답 풀이

① 간접 인용절에서는 '이다고'가 아니라 '이라고'로 나타나기 때문에 '학생이라고'는 옳은 표현이다.

③, ④ 작은따옴표 또는 큰따옴표를 사용한 직접 인용절이기 때문에 뒤에 조사 '(이)라고'를 사용한다.

⑤ 간접 인용절이기 때문에 말하는 사람의 표현으로 바꾸고, 뒤에 조사 '고'를 사용한다.

문법 놀이터 본문 158쪽

1. 예　2. 아니요　3. 예　4. 예　5. 아니요

• 궁금이네 식탁에 차려진 음식: 빵, 과자, 김밥, 아이스크림, 토마토

담화의 개념과 특징

확인하기 본문 160~161쪽

1 ⑤ 2 ② 3 ⑤ 4 ㉠-㉣, ㉡-㉢, ㉤-㉥
5 ③

1 **정답 풀이** ⑤ 담화의 유형은 '정보 제공, 호소, 약속, 사교, 선언 담화'로 나눌 수 있는데, 이는 듣는 이의 태도가 아니라 말하는 이의 의도에 따라 나눈 것이다.

2 **정답 풀이** ② 제시된 문장은 듣는 이인 '선생님'에게 발화에 담긴 내용을 수행하겠다는 다짐을 나타낸 것이기 때문에 '약속'에 해당한다.

3 **정답 풀이** ⑤ 약속 담화는 발화에 담긴 내용을 수행하겠다는 다짐의 의도를 담은 담화로 대표적인 사례로는 맹세, 선서 등이 있다.

오답 풀이

① 사교 담화의 사례로는 잡담, 인사말 등이 있다.
② 정보 제공 담화의 사례로는 강의, 뉴스, 보고서 등이 있다.
③ 호소 담화에는 상대방을 설득하려는 의도가 담겨 있다.
④ 선언 담화는 의견, 주장 등을 외부에 정식으로 밝히는 담화이다.

4 **정답 풀이** 창호에게 가까이 있는 '㉠ 이 책'은 민지에게는 멀리 있는 '㉣ 그 책'이고, 창호에게 멀리 있는 '㉡ 그 책'은 민지에게는 가까이 있는 '㉢ 이 책'이다. 그리고 창호와 민지에게 모두 멀리 있는 책은 '㉤, ㉥의 저 책'이다.

5 **정답 풀이** ③ 찬영이 소라에게 '참 잘하셨네요.'라고 갑자기 말을 높인 것은 소라와의 상하 관계를 확인하여 소라를 높이려는 의도가 아니라 소라를 조롱하려는 의도를 담고 있다.

오답 풀이

① ㉠에서 찬영은 소라가 과자를 먹었다고 의심하면서 이를 확인하려 하고 있다.
② ㉡을 통해 소라는 과자를 먹은 사람이 정화라는 정보를 찬영에게 전달하고 있다.
④ ㉣을 말할 때 소라의 행위로 미루어 볼 때, 소라의 말에는 제안의 의미가 담겨 있다.
⑤ ㉤은 빵을 주려는 찬영의 제안에 이미 '밥 먹었다'며 사양하고 있다.

문제로 정복하기 본문 162~163쪽

1 ⑤ 2 ⑤ 3 ① 4 ⑤ 5 ② 6 ④ 7 ⑤

1 **정답 풀이** ⑤ '아침 자습 시간에 독서를 하도록 하겠'다는 것을 정식으로 알리고 있으므로 선언의 기능에 해당한다.

오답 풀이

① 상대에게 어떤 행동을 함께할 것을 권유하는 기능에 해당한다.
② 사실을 있는 그대로 말하는 정보 전달 기능에 해당한다.
③ 상대에게 어떤 행동을 할 것을 약속하는 기능에 해당한다.
④ 궁금한 것에 대한 답을 요구하는 기능에 해당한다.

2 **정답 풀이** ⑤ 대화 장면을 고려할 때, 은태의 발화 의도가 창문을 열어 달라고 요구하는 것이기 때문에 동주의 반응은 자연스럽다.

오답 풀이

① 승호의 발화는 약속 시간에 늦은 자신에게 화가 난 준태의 의도를 제대로 파악하지 못한 것이다.
② 민정이의 발화는 떡볶이를 먹고 싶다는 승지의 의도를 제대로 파악하지 못한 것이다.
③ 찬수의 발화는 행동을 조심하지 않아 다친 것을 나무라는 아버지의 의도를 제대로 파악하지 못한 것이다.
④ 소희의 발화는 밤늦게 들어온 자신을 나무라는 어머니의 의도를 제대로 파악하지 못한 것이다.

3 **정답 풀이** ① 일기 예보는 대중에게 날씨에 대한 정보를 전달해 준다는 점에서 정보 전달 기능을 수행하는 것으로 볼 수 있다.

오답 풀이

② 약속 담화에 해당한다.
③ 사교 담화에 해당한다.
④ 선언 담화에 해당한다.
⑤ 호소 담화에 해당한다.

4 **정답 풀이** ⑤ 장면(맥락)을 고려할 때, 선생님의 발화에 담긴 의도는 시간이 지나면 겨울이 가고 봄이 오듯이 힘든 시기를 이겨 내면 좋은 시기가 올 것이라며 학생을 격려하는 것이다. 따라서 ⑤와 같은 반응이 가장 자연스럽게 어울린다.

5 **정답 풀이** ② 〈보기〉에 제시된 장면(맥락)을 고려할 때, 지현이가 영화 보는 것을 좋아하지 않는다는 것은 확인할 수 없다. 지현이는 범준이와 함께 영화 보러 가는 것에 대해 주저하고 있는 것이다.

오답 풀이

① 지현이는 범준이의 발화에 영화를 함께 보러 가자는 의도가 담겨 있음을 이해하고 당황하였다.

③ 지현이의 발화 내용을 고려할 때, 지현이는 범준이와 함께 영화 보러 가는 것을 부담스럽게 생각한다.
④ 범준이가 직설적으로 영화를 보러 가자고 말하지는 않았지만, 범준이의 발화에는 지현이와 함께 영화를 보러 가고 싶다는 마음이 담겨 있다. 이와 같이 돌려 말하는 것을 우회적 표현이라고 한다.
⑤ 지현이는 범준이의 기분을 고려하여 자신의 생각을 직접적으로 밝히지 않고 있다.

6 정답 풀이 ④ ㉣은 인터넷 대화창에서 이루어진 발화이기 때문에 더 이상 인터넷 대화를 할 수 없다는 상황을 전달하는 것이다.

7 정답 풀이 ⑤ ㉤ '거기'는 '혜인'과 '승미'가 모두 알고 있는 장소이며, 현재 담화 공간에서는 보이지 않는 장소를 가리키는 표현이다.

오답 풀이
① '이건(이것은)'은 말하는 이에게 가까이 있는 대상을 가리킬 때 사용된다.
② '거기'는 듣는 이에게 가까이 있는 대상을 가리킬 때 사용된다.
③ '여기'는 말하는 이가 있는 공간을 가리킬 때 사용된다.
④ '저건(저것은)'은 말하는 이와 듣는 이 모두에게서 좀 멀리 떨어져 있는 대상을 가리킬 때 사용된다.

문법 놀이터 본문 166쪽

틀린 설명에 해당하는 문장: 3, 7, 9, 13

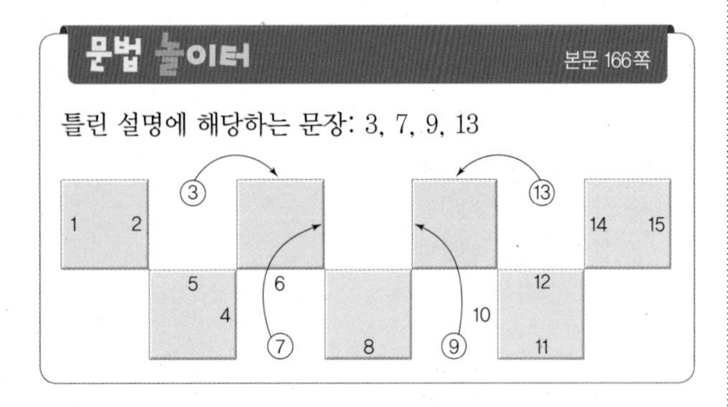

21일 한글의 창제 원리

확인하기 본문 168~169쪽

1 (1) ㉢ (2) ㉡ (3) ㉠ 2 ㉠ ㅁ, ㉡ ㅅ, ㉢ ㅌ, ㉣ ㅎ, ㉤ ㆍ, ㉥ ㅜ, ㅓ 3 ① 4 ①

1 정답 풀이 이 세 글자는 모두 '상형의 원리'로 만든 글자로서 ㉢ 'ㄱ'은 혀뿌리가 목구멍을 막는 모양, ㉡ 'ㆍ'는 하늘의 둥근 모양, ㉠ 'ㅅ'은 이의 모양을 본뜬 것이다.

2 정답 풀이 자음의 기본자에서 입술소리는 'ㅁ', 잇소리는 'ㅅ'이며 혓소리에 두 번 가획하면 'ㅌ', 목구멍소리를 두 번 가획하면 'ㅎ'이 된다. 모음의 기본자에서 하늘의 모양을 본뜬 것은 'ㆍ'이며 초출자로 'ㅗ, ㅏ, ㅜ, ㅓ'가 있다.

3 정답 풀이 ① 모음에서 기본자의 창제 원리는 '상형', 초출자, 재출자 등의 글자를 만드는 원리는 '합성'이며, '가획의 원리'는 해당하지 않는다.

오답 풀이
② 모음과 자음의 기본자의 창제 원리는 '상형의 원리'이다.
③ 자음에서 'ㅇ'은 목구멍의 모양을 본떠 만든 글자이다.
④ 모음 'ㅏ'는 기본자를 합성한 초출자이다.
⑤ 자음에서 'ㆁ', 'ㄹ', 'ㅿ'은 획을 더하였으나 소리의 세기와 상관 없는 이체자로 분류한다.

4 정답 풀이 ① 한글은 당시 널리 사용하던 한자를 모방하지 않고 독창적으로 새롭게 글자를 만들었다.

오답 풀이
② 자판에 나온 한정된 글자를 합해서 많은 소리를 표현할 수 있으므로 경제적이다.
③ 'ㄱ, ㅋ'과 같이 하나의 자판에 기본자와 가획자가 있으며, 이는 유사한 모양의 글자에 가획을 해서 소리의 세기만 달라진다는 점에서 과학적인 문자라는 것을 알 수 있다. 참고로 'ㅅ, ㅎ'은 기본자와 가획자의 관계는 아니지만 발음 방법이 유사한 '마찰음'이므로 하나의 자판에 배치했다.
④ 'ㄱ'과 'ㅋ', 'ㄴ'과 'ㄷ' 등 발음 위치가 같은 글자는 모양도 비슷하다는 점에서 제자 원리가 체계적으로 구성되어 있다는 것을 알 수 있다.
⑤ 자판에 나온 글자를 활용하면 다양한 말소리를 표현할 수 있으므로 정보화 시대에 활용 가치가 높다고 할 수 있다.

문제로 정복하기 본문 170~171쪽

1 ⑤ 2 ② 3 ④ 4 ④ 5 ③ 6 ⑤ 7 ⑤ 8 ④ 9 예 알파벳은 한 글자가 여러 가지 소리를 나타내지만, 한글은 한 글자가 하나의 소리만을 나타낸다는 점에서 한글이 알파벳보다 우수하다.

1 **정답 풀이** ⑤ ㉠과 ㉡을 비교해 보면, '隱(숨다 은)'은 '숨다'라는 뜻이 아니라 '은'이라는 소리로 읽어야 함을 알 수 있다.

2 **정답 풀이** ② ㉠의 '主主'를 '주님'으로 읽는 것만 보아도 우리말과 한자가 일대일 대응을 이루고 있지 않음을 알 수 있다.

3 **정답 풀이** ④ 세종대왕이 '사대주의' 즉, 당시 강대국인 명(明)나라를 섬기기 위해서 한글을 창제했다는 것은 제시문에서 추론할 수 없다. 오히려 '우리나라 말이 중국과 달라서'를 통해 알 수 있듯이 자주적인 태도가 반영되었다.

오답 풀이

① '우리나라 말이 중국과 달라서'라는 표현에서 '자주성'을 읽어 낼 수 있다.

② '새로 스물여덟 글자를 만드니'에서 '독창성'을 읽어 낼 수 있다.

③ '모든 사람들로 하여금 쉽게 익혀서 날마다 쓰는 데 편하게 하고자'에서 '실용주의'를 읽어 낼 수 있다.

⑤ '글자를 모르는 백성들이 말하고자 하는 바가 있어도 마침내 제 뜻을 능히 펴지 못하는 사람이 많다. 내가 이것을 가엾게 여겨'에서 '애민 정신'을 읽어 낼 수 있다.

4 **정답 풀이** ④ 백성들이 재미있게 배우게 하기 위해 글자 모양을 서로 비슷하게 만든 것은 아니다. 자음의 글자 모양이 비슷한 것은 비슷한 소리를 내기 때문이다.

오답 풀이

① 자음은 'ㄱ, ㅋ, ㆁ(옛이응), ㄴ, ㄷ, ㅌ, ㄹ, ㅁ, ㅂ, ㅍ, ㅅ, ㅈ, ㅊ, ㅿ(반치음), ㅇ, ㆆ(여린히읗), ㅎ'으로 모두 17자이다. 모음은 'ㆍ(아래아), ㅡ, ㅣ, ㅗ, ㅏ, ㅜ, ㅓ, ㅛ, ㅑ, ㅠ, ㅕ'로 모두 11자이다.

② 'ㅿ(반치음), ㆆ(여린히읗), ㆍ(아래아), ㆁ(옛이응)' 등은 오늘날 표기에 사용되지 않는다.

⑤ 'ㅸ(순경음 비읍), ㅘ'와 같은 글자들은 28자를 바탕으로 만들어진 것이다.

5 **정답 풀이** ③ 훈민정음 창제 이전에는 표의 문자인 한자를 사용할 수밖에 없었는데, 표의 문자는 글자 수가 많고 모양이 복잡해서 생업에 종사해야 하는 일반 백성이 익히기 어려웠다. 이에 반해 표음 문자인 훈민정음(한글)은 익혀야 할 글자 수가 획기적으로 적고 글자 모양도 단순하면서 과학적으로 설계되었기 때문에, 백성들이 쉽게 글자를 익힐 수 있었다.

6 **정답 풀이** ⑤ 기본 자음자는 발음 기관을 상형하였지만, 기본 모음자는 '천, 지, 인' 삼재(三才), 즉 하늘(ㆍ), 땅(ㅡ), 사람(ㅣ)을 상형하였다.

7 **정답 풀이** ⑤ 훈민정음 자음의 기본자는 'ㄱ(어금닛소리, 아음), ㄴ(혓소리, 설음), ㅁ(입술소리, 양순음), ㅅ(잇소리, 치음), ㅇ(목구멍소리, 후음)'이다. 'ㅅ'은 이 모양을 본뜬 글자이다.

8 **정답 풀이** ④ ⓞ에서 '초성과 중성, 종성을 합해 적기로 하였다.'는 한글의 음절별 모아쓰기를 설명한 것이다. 한글은 모아쓰기를 함으로써 정보를 음절 단위로 빠르고 정확하게 처리할 수 있게 되어 있다.

9 **정답 풀이** 그림을 참고하면, 한글 'ㅏ'는 '[아]'라는 소리만 나타내지만, 알파벳 'a'는 경우에 따라서 [애, 에이, 아아] 등의 소리를 나타냄을 알 수 있다. 글자와 소리의 일대일 대응, 하나의 음운(글자)이 하나의 소리로만 발음된다는 것은 한글이 알파벳보다 우수한 점이라고 할 수 있다.

문법 놀이터 본문 174쪽

우수한, 독창적인, 과학적인, 체계적인, 실용적인, ……
(앞에서 배운 내용을 토대로 여러분이 생각하는 한글의 우수한 면을 표현할 수 있는 말을 써 보세요!)

22일 남북한의 언어

확인하기 본문 176~177쪽

1 ㉠ 표준어, ㉡ 문화어 2 다소 차이는 있지만, 같은 한국어를 사용하기 때문이다. 3 ① 4 ⑤ 5 ①

1 **정답 풀이** 남한에서는 서울말을 공통어로 삼아 표준어라고 부르고 있으며, 북한에서는 평양말을 공통어로 삼아 문화어라고 부르고 있다.

2 **정답 풀이** 남북한의 언어에 어느 정도 차이가 생겼다고는 하지만, 기본적으로 남한과 북한 모두 한국어를 사용하기 때문에 남한 사람과 북한 사람 사이에 기본적인 의사소통이 가능하다.

3 **정답 풀이** ① '동무'라는 단어가 남한과 북한에서 서로 다른 의미로 쓰인다는 것을 보여 준다. 이를 통해 남북한의 어휘

중에는 말은 같지만 의미가 다른 경우가 있다는 것을 알 수 있다.

4 **정답 풀이** ⑤ 북한에서는 외래어를 가급적 고유어로 바꾸어 사용하는 편이다.

오답 풀이

① 남한어에서는 두음 법칙을 인정하지만 북한어에서는 두음 법칙을 인정하지 않는다.

② 남한에서는 합성어를 표기할 때 사이시옷을 적지만, 북한에서는 사이시옷을 적지 않는다.

③ 북한어는 의존 명사를 앞말과 붙여 쓰는 등 남한어에 비해 띄어쓰기를 적게 하는 편이다.

④ 북한어는 남한어에 비해 강하고 드센 느낌을 주는 어조를 사용한다.

5 **정답 풀이** ① 남한에서는 '패스', '드리블', '소시지' 등과 같이 외래어를 그대로 사용하는 경우가 많지만, 북한에서는 이들을 각각 '련락', '곱침', '고기순대' 등과 같이 고유어로 바꾸어 쓰려는 경향을 보인다.

문제로 정복하기 본문 178~179쪽

1 ③ 2 ④ 3 ⑤ 4 ③ 5 ④ 6 ② 7 ④ 8 ② 9 북한에서는 한자어를 순우리말로 고쳐서 사용하려 한다. 10 ⑤

1 **정답 풀이** ③ 〈보기〉에서 글쓴이는 남북한이 분단 이후 독일보다 더 오랜 세월 교류 없이 살았기 때문에 남북한의 언어 차이가 생각보다 다양하게 나타난다고 하였다. 이를 통해 남북한 언어의 이질화가 심화된 원인을 분단 이후 오랫동안 서로 교류가 없었다는 데에서 찾을 수 있다.

오답 풀이

① 남과 북의 정치 체제가 서로 다르기 때문에 언어에서도 일부 차이가 생겼지만 근본적인 원인으로 보기 어렵다.

② 남한 내에서도 지역에 따라 언어에 차이가 있듯이 남북한 사이에도 지역적인 차이로 인해 차이가 있을 수 있다. 하지만 이것을 근본적인 원인이라고 보기 어렵다.

④ 남과 북이 서로 다른 언어 정책을 시행하였기 때문에 언어에서도 일부 차이가 생겼지만 근본적인 원인으로 보기 어렵다.

⑤ 북한의 통신 상황이 남한에 비해 뒤떨어졌다는 것이 남북한의 언어 차이를 심화시킨 원인이라고 볼 수는 없다.

2 **정답 풀이** 남한에서는 '장맛비'와 같이 합성어에서 사이시옷을 적지만 북한에서는 사이시옷 없이 '장마비'라고 적는다.(ㄹ) 남한에서는 두음 법칙을 적용하여 '예년'이라고 발음하지만, 북한에서는 두음 법칙을 인정하지 않기 때문에 '례년'이라고 발음한다.(ㄱ) 남한에서는 '커질 것이다'와 같이 의존 명사를 관형어와 띄어 쓰지만, 북한에서는 '커질것이다'와 같이 관형어와 의존 명사를 붙여 쓴다.(ㄴ)

오답 풀이

ㄷ. 제시된 자료에 외래어를 순우리말로 바꾸어 사용하는 것을 보여 주는 어휘는 쓰이지 않았다.

3 **정답 풀이** ⑤ ㉠은 어휘의 형태나 발음은 같지만 남한과 북한에서 서로 다른 의미로 사용되는 경우를 설명한 것이다. '소행'이라는 어휘는 남한과 북한에서 같은 형태나 발음으로 쓰이지만, 주로 부정적 의미로 쓰이는 남한과 달리 북한에서는 긍정적 의미로 쓰이기 때문에 ㉠의 사례로 적절하다.

오답 풀이

① '화장실 – 위생실'은 같은 의미를 뜻하지만 형태가 서로 다른 경우의 사례로 적절하다.

② '노인 – 로인'은 같은 의미를 뜻하지만 형태나 발음이 서로 다른 경우의 사례로 적절하다.

③ 북한어에서 부정어를 강하게 발음하는 것은 남북한 언어의 억양 차이를 보여 주는 사례로 적절하다.

④ '노크 – 손기척'은 외래어 수용의 차이를 보여 주는 사례로 적절하며, 〈보기〉에서는 같은 의미를 뜻하지만 형태가 서로 다른 경우의 사례로 적절하다.

4 **정답 풀이** ③ 〈보기〉에서는 남한과 북한 사이에 농구 경기에서 사용하는 용어가 서로 다른 경우를 보여 주고 있다. 남한에서는 국제 규칙에 따라 영어 용어를 대부분 사용하고 있지만, 북한에서는 대부분 순우리말로 된 용어를 사용한다. 이렇게 되면 남한 선수들과 북한 선수들이 단일팀을 이루거나 서로 경기를 할 때 의사소통이 원활하지 않을 수 있다.

5 **정답 풀이** ④ 제시된 만화의 내용을 통해 '아재'라는 말이 북한과 남한에서 서로 다른 의미로 쓰인다는 것을 알 수 있다.

오답 풀이

① 표기와 발음이 같지만 의미가 서로 달라 오해가 생기는 상황이라고 볼 수 있다.

② 남한에서도 '아재'라는 말을 사용하기 때문에 북한에서 남한에 비해 고유어를 많이 사용하는 사례로 보기 어렵다.

③ 북한은 남한에 비해 직접적인 표현을 많이 사용하는 것은 맞지만, 제시된 만화의 상황이 생각의 직접적인 표현으로 인해 오해가 생긴 상황으로 볼 수는 없다.

⑤ 억양의 차이가 아니라 '아재'의 의미에 차이가 있어 오해가 생긴 것이다.

6 **정답 풀이** ② 남북한의 언어에서 어조와 발음의 차이가 있기는 하지만 의사소통이 불가능할 정도라고 보기는 어렵다. 남북한의 언어에서 가장 큰 차이를 보이는 것은 어휘이며, 어휘의 차이로 인해 의사소통에 불편을 겪을 수 있다.

오답 풀이

①, ⑤ 문법과 어순은 남북한의 언어에서 큰 차이가 없다.

7 **정답 풀이** ④ 제시된 설명은 두음 법칙에 관한 것이다. 남한에서는 두음 법칙을 인정하지만, 북한에서는 인정하지 않는다는 내용이다. '두음'은 단어의 첫소리를 뜻하기 때문에 '규율 – 규률'은 두음 법칙의 인정 여부를 설명하는 예로 볼 수 없다.

8 **정답 풀이** ② 북한어는 남한어에 비해 단어 사이를 붙여 쓰는 경우가 많다.

오답 풀이

① 남한어와 달리 두음 법칙을 인정하지 않기 때문에 단어의 첫소리에 'ㄴ'과 'ㄹ'을 그대로 발음한다.

③ 북한어에서는 '장마비', '나루배'와 같이 합성어에서 사이시옷을 표기하지 않는다.

9 **정답 풀이** 남한에서는 '치어', '훈제', '주택'과 같이 한자어를 그대로 사용하지만, 북한에서는 이를 각각 '새끼고기', '내굴찜', '살림집'과 같이 순우리말로 바꾸어 사용하고 있다. 제시된 자료들은 모두 남한과 달리 북한에서는 한자어를 순우리말로 바꾸어 사용하는 것을 보여 준다.

10 **정답 풀이** ⑤ 남북 언어의 차이를 극복하기 위해서는 정부 차원의 교류도 필요하지만 이에 못지 않게 민간 차원의 교류도 활성화되어야 상대방의 언어를 이해하며 차이를 좁혀 나갈 수 있다.

오답 풀이

① 국어 관련 학술 교류를 통해 상대방의 언어를 이해하고, 언어의 차이를 극복하고 통합할 수 있는 방안을 마련할 수 있다.

② 남북 언어의 차이를 극복하기 위해서는 먼저 차이의 실상을 정확하게 인식해야 한다.

③ 《겨레말큰사전》과 같이 남북한의 어휘를 담은 통합 사전을 편찬하고, 이를 보급하고 교육하면 언어의 차이를 극복하는 데 도움이 된다.

④ 남북의 어문 규정을 조화시킨 통일안을 만들고, 그 통일안을 바탕으로 언어를 다듬어 나가면 언어의 차이를 극복하는 데 도움이 된다.

문법 놀이터

본문 180쪽

[시작] 표준어: '문화어'는 북한에서 공통어로 제정한 것이다.

3 남한: 남한에서는 두음 법칙을 적용하여 '양심', '노인'과 같이 발음하지만, 북한에서는 두음 법칙을 인정하지 않기 때문에 '량심', '로인'과 같이 발음한다.

6 ○: 북한에서는 '고기순대(소시지)', '과일단물(주스)', '곱침(드리블)' 등과 같이 외래어를 고유어로 바꾸어 쓰려고 노력하고 있답니다.

9 남한말: 북한말은 상대적으로 강한 느낌을 준답니다.

12 차굴: 남한에서 '터널'이라는 말과 같은 뜻으로 쓰이는 북한말은 '차굴'입니다.

15 남한: 북한에서는 '나무잎', '나루배'와 같이 합성어에서 사이시옷을 표기하지 않아요.

16 ○: 남북한의 언어 차이를 극복하기 위해서는 〈겨레말큰사전〉과 같이 남북한 공동의 사전을 함께 만드는 것도 필요합니다.

더 알아두기 1 음운의 변동 1-교체

확인하기 본문 182~183쪽

1 교체 2 ① 3 ⑤ 4 ⑤ 5 ③ 6 ③
7 ④ 8 ㄱ, ㄷ, ㅂ

1 정답 풀이 우리말 음운의 변동은 그 양상에 따라서 교체, 축약, 탈락, 첨가로 나눌 수 있다.

2 정답 풀이 ① '난[난:]'으로 표기와 발음이 일치하므로 음운의 변동이 일어나지 않는다.

오답 풀이
② '낫[낟]'으로 'ㅅ → ㄷ'의 교체(음운의 변동)를 확인할 수 있다.
③ '낮[낟]'으로 'ㅈ → ㄷ'의 교체(음운의 변동)를 확인할 수 있다.
④ '낯[낟]'으로 'ㅊ → ㄷ'의 교체(음운의 변동)를 확인할 수 있다.
⑤ '낱[낟:]'으로 'ㅌ → ㄷ'의 교체(음운의 변동)를 확인할 수 있다.

3 정답 풀이 ⑤ '칼날[칼랄]'에서는 'ㄹ+ㄴ → ㄹ+ㄹ'의 유음화를 확인할 수 있다.

오답 풀이
① '밥물[밤물]'에서는 'ㅂ+ㅁ → ㅁ+ㅁ'의 비음화를 확인할 수 있다.
② '국물[궁물]'에서는 'ㄱ+ㅁ → ㅇ+ㅁ'의 비음화를 확인할 수 있다.
③ '종로[종노]'에서는 'ㅇ+ㄹ → ㅇ+ㄴ'의 비음화를 확인할 수 있다.
④ '백로[뱅노]'에서는 'ㄱ+ㄹ → ㅇ+ㄴ'의 비음화를 확인할 수 있다.

4 정답 풀이 ⑤ '국민'은 [궁민]으로 발음되므로, 'ㄱ+ㅁ → ㅇ+ㅁ'의 비음화를 확인할 수 있다.

오답 풀이
①, ②, ④ '사람[사:람]', '눈물[눈물]', '썰물[썰물]'에서는 음운의 변동을 확인할 수 없다.
③ '격정[격쩡]'에서는 'ㄱ+ㅈ → ㄱ+ㅉ'의 된소리되기를 확인할 수 있다.

5 정답 풀이 ③ '맏이[마지]'와 '붙이다[부치다]'에서는 각각 잇몸소리 'ㄷ'과 'ㅌ'이 뒤의 'ㅣ' 모음의 영향으로 센입천장소리(구개음) 'ㅈ'과 'ㅊ'으로 바뀌었다. 이러한 현상을 '구개음화'라고 한다.

6 정답 풀이 ③ 구개음화 현상은 'ㅣ' 모음의 영향으로 생기는 것이다.

오답 풀이
① 구개음화 현상이다.
② 잇몸소리가 센입천장소리로 바뀌는 현상이다.
④ '굳이'의 '이'는 형식적인 뜻을 지닌 말이기 때문에 [구지]로 발음되는 것이다.
⑤ [가티]가 [가치]가 되는 것은 'ㅌ' 소리보다 'ㅊ' 소리가 'ㅣ' 모음에 가깝기 때문이다.

7 정답 풀이 ④ '넓다[널따]'에서 'ㅂ'의 탈락(자음군 단순화)과 함께 'ㄷ → ㄸ'의 된소리되기를 확인할 수 있다.

오답 풀이
① '밖[박]'에서는 'ㄲ → ㄱ'의 음절의 끝소리 규칙을 확인할 수 있다.
② '값[갑]'에서는 'ㅄ → ㄱ'의 음절의 끝소리 규칙(자음군 단순화)을 확인할 수 있다.
③, ⑤ '흙을[흘글]'과, '부엌에[부어케]'에서 끝소리가 연음되지만, 음운의 변동은 일어나지 않는다.

8 정답 풀이 우리말 음절 끝소리로 발음될 수 있는 자음은 'ㄱ, ㄴ, ㄷ, ㄹ, ㅁ, ㅂ, ㅇ' 7개이다. 이 중 뒤의 예사소리(ㄱ, ㄷ, ㅂ, ㅅ, ㅈ)를 만나서 뒤의 예사소리를 예외 없이 된소리(ㄲ, ㄸ, ㅃ, ㅆ, ㅉ)로 만드는 것은 'ㄱ, ㄷ, ㅂ'이다.

문제로 정복하기 본문 184쪽

1 ④ 2 ① 3 ④ 4 ④ 5 예 ㉠에서는 음절의 끝소리 규칙에 따라서 음절의 끝소리 'ㅊ'과 'ㅌ'이 모두 'ㄷ'으로 바뀌었다. ㉡에서는 된소리되기에 따라서 'ㅂ'이 'ㅃ'으로 바뀌었다. 6 국기, 국밥, 앞길

1 정답 풀이 ④ '밖'이 [박]으로, '밑'이 [믿]으로 발음되는 현상 역시 음절의 끝소리 규칙에 해당한다. '부엌[부억]', '옷[옫]', '빛[빋]', '앞[압]'을 통해 음절의 끝소리가 'ㄱ'과 'ㄷ'으로 발음되는 예로 '밖[박]'과 '밑[믿]'을 추가할 수 있음을 알 수 있다.

오답 풀이
① '부엌'이 [부억]으로 발음되기에 ㉠은 잘못된 내용이다.
② '옷[옫]', '빛[빋]'의 경우는 예사소리이지만 대표음으로 바뀌었다.
③ '옷[옫]', '빛[빋]'의 경우는 'ㄷ'으로 바뀌었다.
⑤ 음절 끝에서 자음은 'ㄱ, ㄴ, ㄷ, ㄹ, ㅁ, ㅂ, ㅇ'의 7개 소리로만 발음된다.

2 **정답 풀이** ① '날이 장날[나리장날]'로 표기와 발음이 일치하므로 음운의 변동이 일어나지 않는다.

오답 풀이

② '떡 먹기[떵먹끼]'로 'ㄱ → ㅇ'의 교체(비음화)와 'ㄱ → ㄲ'의 교체(된소리되기)를 확인할 수 있다.

③ '침 뱉기[침밷:기→침밷:끼]'로 'ㅌ → ㄷ'의 교체(음절의 끝소리 규칙)와 'ㄱ → ㄲ'의 교체(된소리되기)를 확인할 수 있다.

④ '말뚝 박기[말뚝빡끼]'로 'ㅂ → ㅃ'과 'ㄱ → ㄲ'의 교체(된소리되기)를 확인할 수 있다.

⑤ '숭늉 찾기[숭늉찯기 → 숭늉찯끼]'로 'ㅊ → ㄷ'의 교체(음절의 끝소리 규칙)와 'ㄱ → ㄲ'의 교체(된소리되기)를 확인할 수 있다.

3 **정답 풀이** ④ 〈보기〉에서는 동화의 방향에 따라 자음 동화를 셋으로 나누고 있다. '칼날[칼랄]'에서는 앞의 자음의 영향으로 뒤의 자음이 변하는 순행 동화를 확인할 수 있다. 반면에 '① 진리[질리], ② 속마음[송마음], ③ 국물[궁물], ⑤ 닫는[단는]'에서는 뒤의 자음의 영향으로 앞의 자음이 변하는 역행 동화를 확인할 수 있다.

4 **정답 풀이** ④ 끝소리 'ㄷ, ㅌ'이 형식 형태소 'ㅣ' 모음을 만나 'ㅈ, ㅊ'으로 바뀌어 소리 나는 것을 구개음화라고 한다. 구개음화는 뜻을 지닌 최소의 단위인 형태소와 형태소 사이에서 일어나고, '티끌, 잔디'와 같은 하나의 형태소 안에서는 일어나지 않는다. '해돋이[해도디 → 해도지]'에서 'ㄷ'이 형식 형태소 'ㅣ' 모음을 만나 'ㅈ'으로 바뀐 구개음화를 확인할 수 있다. '디'와 '지'를 비교해 보면, '지'로 발음할 때 혀가 덜 움직여 발음이 좀 더 편하고 쉬움을 알 수 있다.

오답 풀이

①, ② '티끌'과 '잔디'는 하나의 형태소로 이루어진 단어로 구개음화와 같은 음운의 변동이 일어나지 않는다.

③ '갖바치[갇바치 → 갇빠치]'로 발음되므로 음절의 끝소리 규칙과 된소리되기가 일어난다.

⑤ 음절의 끝소리가 모음으로 시작되는 음절의 첫소리로 이어져 '달맞이[달마지]'로 발음된다.

5 **정답 풀이** ㉠에서는 음절의 끝소리 규칙에 따라서 음절의 끝소리 'ㅊ'과 'ㅌ'이 모두 'ㄷ'으로 바뀐 것을 확인할 수 있다. ㉡에서는 된소리되기에 따라서 안울림 예사소리인 'ㄷ'에 이어지는 안울림 예사소리 'ㅂ'이 'ㅃ'으로 바뀐 것을 확인할 수 있다.

6 **정답 풀이** 〈보기 1〉에서는 된소리되기를 설명하고 있다. '된소리되기'는 받침의 예사소리(ㄱ, ㄷ, ㅂ) 뒤에 예사소리(ㄱ, ㄷ, ㅂ, ㅅ, ㅈ)가 이어질 때, 뒤의 예사소리가 된소리(ㄲ, ㄸ, ㅃ, ㅆ, ㅉ)로 발음되는 현상이다. 〈보기 2〉의 단어들은 '국기[국끼], 국밥[국빱], 논밭[논받], 앞길[압길 → 압낄], 맏며느리[만며느리]'와 같이 발음된다. 이 중 '국기[국끼], 국밥[국빱], 앞길[압길 → 압낄]'에서 된소리되기를 확인할 수 있다. '논밭[논받]'에서는 음절의 끝소리 규칙을 확인할 수 있다. '앞길[압길 → 압낄]'에서는 된소리되기 외에도 음절의 끝소리 규칙을 확인할 수 있다. '맏며느리[만며느리]'에서는 자음 동화(비음화)를 확인할 수 있다.

더 알아두기 2 음운의 변동 2-축약, 탈락, 첨가

확인하기

본문 188~189쪽

1 ②　2 ①　3 ②　4 ②　5 'ㄴ'　6 ③
7 ④　8 콧날, 콘날, 'ㄴ' 첨가(자음 / 음운 첨가)

1 **정답 풀이** ② '놓다[노타]'는 'ㅎ'과 'ㄷ'이 합쳐져서 'ㅌ'으로 축약된 것이다.

오답 풀이

① 교체: 어떤 음운이 환경에 따라 다른 음운으로 바뀌는 것

③ 첨가: 형태소 또는 단어가 결합할 때 그 사이에 음운이 덧붙는 것

④ 탈락: 두 음운 중에서 어느 하나가 없어지는 것

⑤ 동화: 한쪽의 음운이 다른 쪽 음운의 성질을 닮는 것

2 **정답 풀이** ① '높이[노피]'는 '-이'가 문법적 의미를 지닌 형태소이기 때문에 앞 자음 'ㅍ'이 그대로 이어져서 발음된다.

오답 풀이

② '하얗다[하:야타]'는 'ㅎ'과 'ㄷ'이 결합해서 'ㅌ'으로 발음되는 축약 현상이다.

③ '밝혀[발켜]'는 'ㄱ'과 'ㅎ'이 결합해서 'ㅋ'으로 발음되는 축약 현상이다.

④ '굽혀[구펴]'는 'ㅂ'과 'ㅎ'이 결합해서 'ㅍ'으로 발음되는 축약 현상이다.

⑤ '젖히다[저치다]'는 'ㅈ'과 'ㅎ'이 결합해서 'ㅊ'으로 발음되는 축약 현상이다.

3 **정답 풀이** ② '목화[모콰]'에서는 'ㄱ'과 'ㅎ'이 결합하여 ㅋ이 된 자음 축약이 일어났다. ①, ③, ④, ⑤에서 자음(ㄹ) 탈락이 일어난 것과 다르다.

오답 풀이

① '딸+-님'이 결합하여 '따님'이 되었으므로 'ㄹ' 탈락을 확인할 수 있다.

③ '바늘+-질'이 결합하여 '바느질'이 되었으므로 'ㄹ' 탈락을 확인할 수 있다.
④ '활+살'이 결합하여 '화살'이 되었으므로 'ㄹ' 탈락을 확인할 수 있다.
⑤ '불+삽'이 결합하여 '부삽'이 되었으므로 'ㄹ' 탈락을 확인할 수 있다.

4 **정답 풀이** ② '좋고[조:코]'는 'ㅎ'과 'ㄱ' 소리가 만나 'ㅋ'으로 축약되어 소리 난다.
오답 풀이
① '입술[입쑬]'은 'ㅂ'과 'ㅅ'이 겹치면서 뒤의 예사소리가 된소리가 된 음운의 교체이다.
③ '담력[담:녁]'은 'ㅁ+ㄹ → ㅁ+ㄴ'으로 된 비음화이다.
④ '솜이불[솜:니불]'은 '솜'과 '이불'이 결합하면서 'ㄴ' 소리가 덧나는 음운의 첨가이다.
⑤ '국화[구콰]'는 'ㄱ+ㅎ' 소리가 축약되어 'ㅋ'으로 발음 나는 것이다.

5 **정답 풀이** '솜이불[솜:니불]'에서 'ㄴ'이 첨가됨을 확인할 수 있다. '꽃잎[꼳입 → 꼳닙 → 꼰닙]'에서 두 번의 음절의 끝소리 규칙(ㅊ → ㄷ, ㅍ → ㅂ), 'ㄴ' 첨가, 비음화(ㄷ+ㄴ → ㄴ+ㄴ)를 확인할 수 있다. 따라서 '솜이불'과 '꽃잎'에서 공통적으로 첨가된 음운은 'ㄴ'이다.

6 **정답 풀이** ③ '앉아야'는 [안자야]로 발음되는데, 발음되는 과정에서 탈락하는 음운이 없다.
오답 풀이
① '열-+닫다'에서 'ㄹ'이 탈락했다.
② '고프-+-아'에서 'ㅡ'가 탈락했다.
④ '울-+-니'에서 'ㄹ'이 탈락했다.
⑤ '담그-+-아'에서 'ㅡ'가 탈락했다.

7 **정답 풀이** ④ ㉠은 'ㄱ'과 'ㅎ'이 만나 축약되어 'ㅋ'으로 소리 난다.
오답 풀이
①, ② ㉠은 축약이고, ㉡은 탈락이다.
③ ㉠은 발음할 때 'ㄱ'과 'ㅎ'이 만나 거센소리인 'ㅋ'으로 축약되었지만, ㉡은 '솔'과 '나무'가 결합하면서 'ㄹ'이 탈락한 것이다.
⑤ '솔+나무'에서 'ㄹ'이 탈락한 것이다.

8 **정답 풀이** 합성어나 파생어, 또는 단어와 단어 사이에서 'ㄴ'이 첨가되어 발음되는 경우가 있다. 특히 합성어의 경우 두 말 가운데 하나가 고유어이고 앞말이 모음으로 끝났을 경우 사이시옷을 표기에 사용한다.

문제로 정복하기 본문 190쪽

1 ④ 2 ⑤ 3 [수지가 화다네 구콰를 시먼따]
4 ⑤ 5 ④ 6 예 ㉠은 자음 축약이고 음운 변동의 결과를 표기에 반영하지 않는다. ㉡은 'ㄴ' 첨가이고 음운 변동의 결과를 표기에 반영하지 않는다.

1 **정답 풀이** ④ '부니[부:니]'는 '불다'의 어간 '불-'에 어미 '-니'가 결합한 형태이므로 'ㄹ' 탈락이 일어난 것을 확인할 수 있다. '우짖고(우짖다)[우짇꼬]'는 '울다'와 '짖다'가 결합한 형태이므로 'ㄹ' 탈락이 일어난 것을 확인할 수 있다. '우짖고[우짇고 → 우짇꼬]'에서는 음절의 끝소리 규칙과 된소리되기도 일어난다.

2 **정답 풀이** ⑤ '좋-+-지만 → 좋지만[조치만]'에서는 'ㅎ'과 'ㅈ'이 만나 'ㅊ'으로 바뀌는 자음 축약을 확인할 수 있다.
오답 풀이
①에서는 'ㄹ'이, ②에서는 'ㅎ'이, ③에서는 'ㅡ'가, ④에서는 'ㅏ'가 각각 탈락한 것을 확인할 수 있다.

3 **정답 풀이** '화단에'에서는 '단'의 음절 끝의 'ㄴ'이 뒤의 모음에 이어져 '[화다네]'로 발음된다. '국화를[구콰를]'에서는 'ㄱ'과 'ㅎ'이 줄어들어 'ㅋ'으로 발음되면서 자음 축약이 일어난다. '심었다[시먼다 → 시먼따]'에서는 음절의 끝소리 규칙에 따라 음절 끝의 'ㅆ'이 'ㄷ'으로 바뀌고, 된소리되기에 따라 'ㄷ'이 'ㄸ'으로 바뀌어 발음된다.

4 **정답 풀이** '답답하면'은 [답따파면]으로 발음되는데, 'ㅂ'뒤에서 'ㄷ'이 된소리 'ㄸ'으로 바뀌고(된소리되기), 'ㅂ'과 'ㅎ'이 만나 'ㅍ'으로 바뀐다(자음 축약).
⑤ '묵직하다[묵찌카다]'에서도 된소리되기와 자음 축약이 일어난다.
오답 풀이
① '국밥[국빱]'에서는 된소리되기만 일어난다.
② '단단히[단단히]'에서는 음운의 변동이 일어나지 않는다.
③ '끝소리[끋쏘리]'에서는 음절의 끝소리 규칙과 된소리되기가 일어난다.
④ '지혜롭다[지혜롭따]'에서는 된소리되기만 일어난다.

5 **정답 풀이** ④ '똑똑히'는 '[똑또키]'로 발음된다. 'ㄱ'과 'ㅎ'이 결합하여 'ㅋ'으로 축약되었음을 확인할 수 있다.
오답 풀이
① '솔+나무 → 소나무'에서는 'ㄹ' 탈락이 일어난다.
② '같이[가티 → 가치]'와 '굳이[구디 → 구지]'에서는 'ㄷ, ㅌ'이 형식 형태소 'ㅣ' 모음을 만나 'ㅈ, ㅊ'으로 바뀌어 소리 나는 구개음화가 일어나고 있다.

③ '연륜'은 'ㄴ'이 유음인 'ㄹ'의 영향으로 유음인 'ㄹ'로 바뀌는 유음화가 일어나 [열륜]으로 발음된다.

⑤ '소나무(솔+나무)'는 'ㄹ'이 탈락하여 음운의 개수가 하나 줄어들고, '똑똑히[똑또키]'는 'ㄱ'과 'ㅎ'이 만나 'ㅋ'으로 축약되어 음운의 개수가 하나 줄어든다.

6 **정답 풀이** 국어사전의 내용을 보면 '극히'는 자음이 축약되어 [그키]로 발음되지만, '극히'로 표기하였다. '맨입'은 'ㄴ'이 첨가되어 [맨닙]으로 발음되지만, '맨입'으로 표기하였다. 둘 다 음운 변동의 결과를 표기에 반영하지 않는다.

더 알아두기 3 문장의 호응 1-높임, 시간 표현

확인하기 본문 194~195쪽

1 (1) - ㉢ (2) - ㉡ (3) - ㉠ **2** ④ **3** ②
4 ④ **5** (1) - ㉠ (2) - ㉢ (3) - ㉡ **6** (1) 보았다
(2) 할 것이다 **7** ③

1 **정답 풀이** (1) 말을 듣는 대상인 선생님께 '하겠습니다'라는 격식체를 사용했으므로 상대 높임에 해당한다.
(2) 목적어인 '할아버지를'을 높인 것으로 객체 높임에 해당한다.
(3) 주어인 '어머니'에 '께서'라는 주격 조사를 사용하고 '주셨다(주시었다)'에서 '-시-'를 사용하여 행동의 주체를 높였으므로 주체 높임에 해당한다.

2 **정답 풀이** ④ '말씀'은 '교장 선생님'과 관련된 것에 해당하므로 간접 높임이며, 이를 서술하는 '있다'에 '-(으)시-'를 사용하여 높임을 표시한다.

오답 풀이

① '오시래'는 '오시라고 해'의 준말로 주체인 '궁금이'를 높이게 되므로 잘못된 문장이다. 선생님을 높이기 위해서는 '오라고 하셔.' 또는 이의 준말인 '오라셔'를 써야 한다.

② '키'는 선생님의 신체와 관련된 말이므로 간접 높임을 사용하여 '크시다'로 써야 한다.

③ '주다'의 대상이 '어머니'이므로 객체 높임을 사용하여 '드렸다'로 써야 한다.

⑤ '이십니다'를 쓰면 선어말 어미 '-시-'의 높임 대상이 '화초'가 되므로 '할머니께서 기르시는 화초입니다'로 써야 한다.

3 **정답 풀이** ② 주체인 '아버지'를 높이기 위해 '자다'의 높임 표현에 해당하는 '주무시다'를 사용했으므로 바르게 고친 것이다.

오답 풀이

① 주체인 '어머니'를 높여야 하므로 '집' 대신 어머니와 관련된 대상을 높이는 특수한 어휘인 '댁'을 써야 하고, 주체가 사람이므로 '있으시다'가 아닌 '계시다'를 써야 한다.

③ '나오셨어요.'나 '나오셨습니다.'를 쓰면 주어인 '음료'를 높이게 되므로 잘못된 표현이다. '나왔어요.' 또는 '나왔습니다.'를 써야 한다.

④ '선생님'이 '빌려 준' 행동의 주체이므로 '선생님께서'를 써야 하며, '빌려 준' 대신 '빌려 주신'을 써야 한다.

⑤ '어머니'가 주체이며 '동생'이 객체이므로 '주셨다'라는 주체 높임으로 고쳐야 한다.

4 **정답 풀이** ④ '앞으로도'라는 부사어를 사용했다는 점에서 '-ㄹ 것이다'는 미래의 상황을 표현한 것이다.

오답 풀이

① '내일은'이라는 부사어를 고려할 때, '그를 만나고'의 사건은 미래에 일어날 일이다.

② '(조금) 전에'라는 부사어와 선어말 어미 '-였-'을 고려할 때, 기차가 도착한 사건은 과거에 일어난 일이다. '하다'나 '하다'가 붙은 용언의 경우 과거 시제 선어말 어미는 '-았-/-었-'이 아니라 '-였-'을 사용한다.

③ 선어말 어미 '-ㄴ-'을 고려할 때 공전하는 사건은 현재의 일이다.

⑤ '어젯밤'이라는 부사어와 선어말 어미 '-었-'과 '-더'를 고려할 때, '꿈에 네가 복권에 당첨'된 사건은 과거에 일어난 일이다.

5 **정답 풀이** (1) '지금'이라는 부사와 '가다'에 현재 시제를 나타내는 선어말 어미 '-ㄴ-'을 사용했다.
(2) '내일'이라는 부사와 '-겠-'이라는 미래 시제 선어말 어미를 사용했다.
(3) '하다'에 '-였-'이라는 과거 시제 선어말 어미를 사용했다. '했다'는 '하였다'의 준말이다.

6 **정답 풀이** (1) '어제'가 있으므로 '보다'에 '-았-'을 활용한 과거 시제를 써야 한다.
(2) '앞으로'라는 미래 시제를 나타내는 부사어가 있으므로 '할 것이다'라는 미래 시제를 써야 한다.

7 **정답 풀이** ③ '파랗다'는 형용사로서 선어말 어미를 붙이지 않고 그대로 현재 시제를 표현한다.

오답 풀이

① '부르다'에 과거 시제 선어말 어미 '-었-'을 사용하여 과

거 시제를 나타내고 있다.
② '마셔 버렸다'는 과거 시제이며 동작의 완료를 나타내는 완료상을 표현하고 있다.
④ '-겠-'을 사용하여 미래 시제를 나타내고 있다.
⑤ '-더-'를 사용하여 과거를 회상하는 의미를 나타내고 있다.

문제로 정복하기

본문 196쪽

1 ② 2 ④ 3 ② 4 ④ 5 ③

1 **정답 풀이** ② '오다'의 행위의 주체는 '혜민'이기 때문에 주체 높임 선어말 어미 '-시-'를 쓰면 안 된다. 그리고 혜민이를 오라고 말을 한 주체는 '선생님'이기 때문에 '했어'는 주체 높임 선어말 어미 '-시-'를 사용하여 '하셨어'로 고쳐야 한다.

오답 풀이
① 높임의 대상인 '할머니'를 높이기 위하여 객체 높임을 위한 특수 어휘 '모시다'를 사용하였다.
③ '낳다'의 주체는 '작은어머니'로 높임의 대상이기 때문에 주격 조사 '께서'를 사용하고, '낳았어'에 주체 높임 선어말 어미 '-시-'를 사용하여 '낳으셨어'로 표현하였다.
④ '사장님'을 높이기 위하여 '인사 말씀'을 '있으시다'와 같은 높임 표현을 사용하여 간접 높임을 실현하였다.
⑤ 높임의 대상인 '할아버지'를 높이기 위하여 주격 조사 '께서'와 선어말 어미 '-시-'를 사용하여 주체 높임 표현을 실현하였다.

2 **정답 풀이** ④ '말씀'은 '나'와 '선생님'이 아닌 '은수'가 한 말을 가리킨다. 이런 경우에는 '말씀' 대신 '말'을 사용해야 한다.

오답 풀이
① 말하는 이가 자신을 낮추기 위하여 '나' 대신 '저'를, '말' 대신 '말씀'을 사용하였다.
② '아버님'을 높이기 위하여 '말씀'을 사용하였다.
③ 말하는 이가 자신을 낮추기 위하여 '말씀'을 사용하였다.
⑤ '선생님'을 높이기 위하여 '말씀'을 사용하였다.

3 **정답 풀이** ② '할아버지'와 '아버지' 중에서 '할아버지'가 더 높여야 할 대상이기 때문에 주체인 '아버지' 대신 듣는 이인 '할아버지'를 높이는 표현을 사용하였다.

오답 풀이
① 주체인 '아버지'를 높이기 위해서는 '자고'를 대신해서 '주무시고'를 사용해야 한다.
③ 주체인 '할아버지'를 높이기 위해서는 '먹고'를 대신해서 '잡수시고'나 '드시고'를 사용해야 한다.
④ 주체인 '할머니'를 높이기 위해서는 '아파서'를 대신해서 '아프셔서'나 '편찮으셔서'를 사용해야 한다.
⑤ 객체인 '선생님'을 높이기 위해서는 '물어'를 대신해서 '여쭈어'를 사용해야 한다.

4 **정답 풀이** ④ 과거를 나타내는 선어말 어미 '-었-'이 쓰였으므로 ㉠의 예로 적절하다.

오답 풀이
① 과거를 나타내는 선어말 어미 '-았-'이 쓰였으므로 ㉠의 예로 적절하다.
② 부사어 '어제'와 과거를 나타내는 선어말 어미 '-았-'이 쓰였으므로 ㉠의 예로 적절하다.
③ 부사어 '지금'과 현재를 나타내는 선어말 어미 '-ㄴ-'이 쓰였으므로 ㉡의 예로 적절하다.
⑤ 부사어 '(잠시) 후'와 미래를 나타내는 선어말 어미 '-겠-'이 쓰였으므로 ㉢의 예로 적절하다.

5 **정답 풀이** ③ ㉠ '괴로워했다'는 과거 시제 선어말 어미 '-였-'을 사용하여 사건시가 발화시 이전에 일어난 것임을 나타내었다.
㉡ '걸어가야겠다'는 미래 시제 선어말 어미 '-겠-'을 사용하여 사건시가 발화시 이후에 일어날 것임을 나타내었다.
㉢ '스치운다'는 현재 시제 선어말 어미 '-ㄴ-'을 사용하여 사건시와 발화시가 일치함을 나타내었다.

더 알아두기 4 문장의 호응 2 – 피동 · 사동, 부정 표현

확인하기

본문 200～201쪽

1 ㉠ 사동 표현, ㉡ 피동 표현 2 ② 3 ④
4 (1) – ㉠ (2) – ㉡ 5 (1) 못 (2) 안 (3) 말고 6 ④

1 **정답 풀이** ㉠ '보였는데'는 문장의 주체인 '궁금이'가 나에게 그 책을 보게 했다는 의미이므로 사동 표현이다. ㉡ '보이지'는 문장의 주체인 '제목'이 나에 의해 보이게 된다는 의미이므로 피동 표현이다.

2 **정답 풀이** ② ㉠의 '걸리다'와 '찢어지다'는 문장의 주체인 '옷'이 못에 의해 '걸려지다', '찢겨지다'라는 의미이고, ㉢의 '들리다'도 문장의 주체인 '음악 소리'가 '(화자에게) 들려지다'라는 의미이다.

오답 풀이
㉡은 주체인 '궁금이'가 '닭'으로 하여금 '날게 하다'라는 의미이고, ㉣은 주체인 '선생님'께서 '궁금이'로 하여금 '남게 하다'라는 의미이므로 ㉡과 ㉣은 모두 사동 표현이다.

3 **정답 풀이** ④ 〈보기〉의 '익혀서'는 드러나지 않은 주어가 문장의 주체인 '고기'를 '익게 하여' 먹는 것이므로 '-히-'는 사동 접사이다. ④에서도 주체인 '이순신 장군'이 '성벽'을 '높이 쌓게 했다'는 의미가 있으므로 '높였다'의 '-이-'는 사동 접사이다.

오답 풀이

① '화살'이 누군가에 의해 박힘을 당했으므로 '-히-'는 피동 접사이다.

② '나무'가 강풍에 의해서 뽑힘을 당했으므로 '-히-'는 피동 접사이다.

③ '문법 문제'가 누군가에 의해서 풀림을 당했으므로 '-리-'는 피동 접사이다.

⑤ '출입문'이 닫힘을 당했으므로 '-히-'는 피동 접사이다.

4 **정답 풀이** 용언 앞에 '안'이나 '못'을 사용하면 짧은 부정문이고, 용언 어간에 '-지 않다', '-지 못하다'를 사용하면 긴 부정문이다.

5 **정답 풀이** (1) 주체의 능력이 부족해서 불가능한 일이므로 '못' 부정문을 사용한다.

(2) 주체가 의지에 의해서 하지 않는 일이므로 '안' 부정문을 사용한다.

(3) 두 개의 명령문이 이어진 문장이다.('게임만 하지 마라.'와 '공부도 좀 해.') 따라서 앞부분에도 명령문이나 청유문에 사용하는 '말다' 부정문을 사용해야 한다.

6 **정답 풀이** ④ '용돈을 아끼겠다'는 주체의 의지를 나타낸다. 이에 따라 '안' 부정문을 긴 부정문 형태로 사용했으므로 적절하다.

오답 풀이

① 단순 부정이므로 '않았으면'을 써야 한다.

② 청유문의 부정문에는 '-지 말자'를 써야 한다.

③ 명령문의 부정문에는 '-지 마라'를 써야 한다.

⑤ '전화하다'는 '-하다'로 끝나는 용언이므로 짧은 부정문을 사용하면 어색한 문장이 된다. 따라서 '전화하지 못했다'로 긴 부정문으로 써야 어법에 맞다.

문제로 **정복하기**

본문 202쪽

1 ② **2** ⑤ **3** **예** (가)는 단순 부정이나 준호의 의지에 의한 부정을, (나)는 준호의 능력으로 어찌하지 못하는 상황에 의한 부정을 뜻한다. **4** ④ **5** ⑤

1 **정답 풀이** ② '말리다'는 '다른 사람이 하고자 하는 어떤 행동을 못하게 방해하다.'라는 뜻을 가진 동사로 주체가 스스로 어떤 동작을 행하는 능동 표현에 해당한다.

오답 풀이

① '놓이다'는 '놓다'에 피동 접미사 '-이-'가 결합된 피동사이다.

③ '쌓이다'는 '쌓다'에 피동 접미사 '-이-'가 결합된 피동사이다.

④ '뽑히다'는 '뽑다'에 피동 접미사 '-히-'가 결합된 피동사이다.

⑤ '흔들리다'는 '흔들다'에 피동 접미사 '-리-'가 결합된 피동사이다.

2 **정답 풀이** ⑤ '놓이다'는 '놓다'에 피동 접미사 '-이-'가 결합된 피동사이다.

오답 풀이

① '돋우다'는 '돋다'에 사동 접미사 '-우-'가 결합된 사동사이다.

② '녹이다'는 '녹다'에 사동 접미사 '-이-'가 결합된 사동사이다.

③ '뜯기다'는 '뜯다'에 사동 접미사 '-기-'가 결합된 사동사이다.

④ '들리다'는 '들다'에 사동 접미사 '-리-'가 결합된 사동사이다.

3 **정답 풀이** '안' 부정문은 단순 부정이나 주체의 의지에 의한 부정을 의미하고, '못' 부정문은 주체의 능력 부족 또는 외부의 원인에 의한 부정을 의미한다.

4 **정답 풀이** ④ '못' 부정문을 '안' 부정문으로 바꾼다고 해서 부정의 의미가 강해지거나 약해지는 것은 아니다.

오답 풀이

① ㄴ과 ㄷ은 본용언과 보조 용언의 짜임으로 이루어진 긴 부정문이다.

② '말다' 부정문은 원칙적으로 긴 부정문만 가능하다.

③ '안' 부정문과 달리 '못' 부정문은 주체의 능력 부족이나 외부의 원인에 의한 부정의 의미를 지니고 있다.

⑤ 청유문과 명령문의 부정 표현에는 '말다' 부정문이 사용된다.

5 **정답 풀이** ⑤ '축구해'도 용언이지만 그 앞에 '못'이 쓰여 비문이 되었다.

오답 풀이

① '안' 부정문은 단순 부정이나 주체의 의지에 의한 부정을, '못' 부정문은 주체의 능력 부족이나 외부의 원인에 의한 부정을 의미한다.

② 긴 부정문을 만들 때에는 '-지 못하다/아니하다'의 형태를 쓴다.

③ 형용사 앞에는 부사 '못'이 올 수 없다.
④ 형용사를 '못' 부정문으로 부정하면 어떤 상태나 성질에 대해 말하는 이가 아쉬워하는 의미가 담기게 된다.

더 알아두기 5 형태소, 어근과 접사

확인하기

본문 206~207쪽

1 10개 2 ⑤ 3 ⑤ 4 ⑤ 5 ④ 6 가난뱅이, 생각하다, 덮개, 따님 7 ②

1 정답 풀이 나, 는, 산, 에서, 주먹, 밥, 을, 먹-, -었-, -다 (총 10개)

2 정답 풀이 ⑤ 잡는다: 잡-+-는-+-다 → 3개
오답 풀이
① 안개꽃: 안개+꽃 → 2개
② 꽃밭: 꽃+밭 → 2개
③ 이야기책: 이야기+책 → 2개
④ 푸르다: 푸르-+-다 → 2개

3 정답 풀이

형태소	가을	하늘	은	매우	높-	-고	푸르-	-다
자립성 유무에 따라	자립	자립	의존	자립	의존	의존	의존	의존
실질적 의미의 유무에 따라	실질	실질	형식	실질	실질	형식	실질	형식
보충 해설	명사	명사	조사	부사	형용사		형용사	
					어간	어미(연결)	어간	어미(종결)

4 정답 풀이 어근은 형태소가 결합할 때 실질적인 의미를 나타내며 의미상 중심이 되는 부분을 말한다. ⑤ '날고기'의 '날-'은 '말리거나 익히거나 가공하지 않은'의 뜻을 더하는 접두사이다.
오답 풀이
① 지우-(어근)+-개(일부 동사 뒤에 붙어 '사람' 또는 '간단한 도구'의 뜻을 더하고 명사를 만드는 접미사)
② 먹-(어근)+-보('그러한 특성을 지닌 사람'의 뜻을 더하는 접미사)
③ 욕심(어근)+-쟁이('그것이 나타내는 속성을 많이 가진 사람'의 뜻을 더하는 접미사)
④ 나무(어근)+-꾼('어떤 일을 전문적 또는 습관적으로 하는 사람'의 뜻을 더하는 접미사)

5 정답 풀이 ④ 헛고생: '헛-'은 '보람 없는'의 뜻을 더하는 접두사이다.
오답 풀이
① 아드님: '-님'은 '높임'의 뜻을 더하는 접미사이다.
② 바느질: '-질'은 '그 도구를 가지고 하는 일'의 뜻을 더하는 접미사이다.
③ 귀염둥이: '-둥이'는 '그러한 성질이 있거나 그와 긴밀한 관련이 있는 사람'의 뜻을 더하는 접미사이다.
⑤ 소나무: '솔(어근)+나무(어근)'로 접사가 포함되지 않은 단어이다.

6 정답 풀이 가난+-뱅이('그것을 특성으로 가진 사람이나 사물'의 뜻을 더하는 접미사)
생각+-하다(명사를 동사로 만들어 주는 파생 접미사)
덮-+-개(동사를 명사로 만들어 주는 파생 접미사)
딸+-님('높임'의 뜻을 더하는 접미사)
오답 풀이
맨-('오직 그것뿐'의 뜻을 더하는 접두사)+손
개-('야생 상태의, 질이 떨어지는, 흡사하지만 다른'의 뜻을 더하는 접두사)+살구

7 정답 풀이 ② 달리-(어근)+-기(일부 동사나 형용사 어간 뒤에 붙어 명사를 만드는 접미사)
오답 풀이
① 늦-(용언의 어간)+더위(어근)
③ 배(어근)+나무(어근)
④ 짓-(일부 동사 앞에 붙어 '마구, 함부로, 몹시'의 뜻을 더하는 접두사)+누르-(어근)+-다(어미)
⑤ 큰-(주로 친족 관계를 나타내는 명사 앞에 붙어 '맏이'의 뜻을 더하는 접두사)+아버지(어근)

문제로 정복하기

본문 208쪽

1 ③ 2 나무 3 ③ 4 3개 5 ③ 6 ③ 7 ⑤

1 정답 풀이 ③ 〈보기〉는 문장을 뜻을 지닌 가장 작은 단위인 형태소로 나누고 있다.
오답 풀이
① 띄어쓰기의 최소 단위는 어절이다. 〈보기〉의 문장을 어절에 따라 나누면 '오늘은/김밥이/참/맛있다'이다.
② 홀로 쓰일 수 있는 말의 최소 단위는 단어이다. 〈보기〉의 문장에 쓰인 단어는 '오늘/은/김밥/이/참/맛있다' 6개이다.

④ 단어에서 실질적인 의미를 나타내는 부분은 어근(실질 형태소)이다.
⑤ 말의 뜻을 구별해 주는 소리의 최소 단위는 음운이다. 〈보기〉의 문장에서 발음되는 음운은 총 23개이다.

2 **정답 풀이** '나무'를 더 이상 쪼개면 그 의미가 사라지므로 하나의 형태소로 이루어진 단어임을 알 수 있다.
오답 풀이 '꿈'은 동사 어간 '꾸-'와 명사화 접미사 '-ㅁ'이 결합한 형태이다. '먹이'는 동사 어간 '먹-'과 명사화 접미사 '-이'가 결합한 형태이다. '물병'은 '물'과 '병'이 결합한 형태이다. '선생님'은 '선생'과 접미사 '-님'이 결합한 형태이다. '햇곡식'은 접두사 '햇-'과 '곡식'이 결합한 형태이다. '땅바닥'은 '땅'과 '바닥'이 결합한 형태이다. 따라서 모두 2개의 형태소로 이루어져 있음을 확인할 수 있다. '짚신벌레'는 '짚신'과 '벌레'가 결합한 형태이고, '짚신'은 '짚'과 '신'이 결합한 형태이다. 따라서 '짚신벌레'는 3개의 형태소로 이루어져 있음을 알 수 있다.

3 **정답 풀이** ③ 〈보기 1〉의 ㉮에는 실질 형태소이면서 자립 형태소가, ㉯에는 실질 형태소이면서 의존 형태소가 들어가야 한다. 〈보기 2〉의 문장을 형태소로 분석하면, '바다/에서/먹-/-은/고등어/회/는/이/맛/이/아니-/-다'로 나눌 수 있다. 이 중에서 실질 형태소이면서 자립 형태소는 '바다, 고등어, 회, 이, 맛'이다. 또한 실질 형태소이면서 의존 형태소는 '먹-, 아니-'이다.

4 **정답 풀이** 제시된 문장을 형태소로 분석하면 '아침/에/바람/이/불-/-었-/-다'로 나눌 수 있다. 이 중에서 실질 형태소에 해당하는 어근은 '아침, 바람, 불-'이다.

5 **정답 풀이** ③ '햇-'은 '당해에 난'의 뜻을 더하는 접두사이다. 접두사는 어근의 뜻을 제한하는 형식 형태소이다.

6 **정답 풀이** ③ '톱질'에는 '그 도구를 가지고 하는 일'의 뜻을 더하는 접미사 '-질'이 사용되었지만, 나머지 단어들에는 접두사가 사용되었다.
오답 풀이
① '군-'은 '쓸데없는'의 뜻을 더하는 접두사이다.
② '맨-'은 '다른 것이 없는'의 뜻을 더하는 접두사이다.
④ '짓-'은 '마구, 함부로, 몹시'의 뜻을 더하는 접두사이다.
⑤ '새-'는 '매우 짙고 선명하게'의 뜻을 더하는 접두사이다.

7 **정답 풀이** ⑤ '-꾼'은 '어떤 일을 전문적으로 하는 사람' 또는 '어떤 일을 잘하는 사람'의 뜻을 더하는 접미사로 어근의 뒤에 붙지만, 단어의 품사를 바꾸지는 않는다.
오답 풀이
① '-답다'는 일부 명사 뒤에 붙어 '성질이나 특성이 있음'의 뜻을 더하고 형용사를 만드는 접미사이다.
② '-기'는 일부 동사나 형용사 어간 뒤에 붙어 명사를 만드는 접미사이다. '먹기, 좋아하기'에서처럼 '-기'가 명사형 전성 어미로 사용될 때와 '달리기, 크기'에서처럼 '-기'가 명사 파생 접미사로 사용될 때를 구별할 수 있어야 한다.
③ '-음'은 'ㄹ'을 제외한 받침 있는 용언(동사, 형용사)의 어간 뒤에 붙어 명사를 만드는 접미사이다. '낮음, 넓음'에서처럼 '-음'이 명사형 전성 어미로 사용될 때와 '믿음, 죽음'에서처럼 '-음'이 명사 파생 접미사로 사용될 때를 구별할 수 있어야 한다.
④ '-보'는 몇몇 동사, 형용사 어간 뒤에 붙어 '그러한 행위를 특성으로 지닌 사람'의 뜻을 더하고 명사를 만드는 접미사이다.

더 알아두기 6 합성어와 파생어

확인하기

본문 212~213쪽

1 ②　2 (1) 단일어: 하늘, 시골, 춥다 (2) 합성어: 떡국, 밤송이, 감나무, 오가다, 꽃병　3 ①　4 ⑤　5 (1) - ㉣ (2) - ㉡ (3) - ㉠ (4) - ㉢　6 여닫다, 갖가지, 달걀, 뛰어나다　7 ③　8 ⑤

1 **정답 풀이** ② 단일어는 접사 없이 하나의 어근으로만 이루어진 단어이므로, 대부분의 단일어는 하나의 형태소로 이루어져 있다. 다만 '먹다, 같다, 예쁘다'와 같이 하나의 어근이 어간이 되는 용언은 어미(-다)를 포함하여 형태소가 2개임에도 단일어로 취급한다.

2 **정답 풀이** '하늘, 시골, 춥다'는 단일어, '떡국(떡+국), 밤송이(밤+송이), 감나무(감+나무), 오가다(오(다)+가다), 꽃병(꽃+병)'은 합성어이다.

3 **정답 풀이** ① 뛰놀다 → 뛰다(어근)+놀다(어근)
오답 풀이
② 높이다 → 높-(어근)+-이-(접미사)+-다(어미)
③ 밝히다 → 밝-(어근)+-히-(접미사)+-다(어미)
④ 새롭다 → 새(어근)+-롭-(접미사)+-다(어미)
⑤ 자연스럽다 → 자연(어근)+-스럽-(접미사)+-다(어미)

4 **정답 풀이** ⑤ '피땀'은 '노력과 정성'이라는 새로운 의미로 바뀐 융합 합성어이다.

오답 풀이

①, ②, ③, ④는 한쪽의 어근이 다른 어근에 종속되어 있는 종속 합성어이다.

① 물+걸레, ② 나무+상자, ③ 돌+다리, ④ 책+가방

5 **정답 풀이** ㉠ 슬기롭다: 명사 '슬기'에 접미사 '-롭다'가 붙어 형용사로 파생됨.

㉡ 공부하다: 명사 '공부'에 접미사 '-하다'가 붙어 동사로 파생됨.

㉢ 조용히: 형용사 '조용하다'의 어근 '조용-'에 접미사 '-히'가 붙어 부사로 파생됨.

㉣ 쓰기: 동사 '쓰다'에 접미사 '-기'가 붙어 명사로 파생됨.

6 **정답 풀이** 여닫다(열다+닫다) → 받침 'ㄹ' 탈락

갖가지(가지+가지) → 첫 어근의 끝 모음 탈락

달걀(닭+알) → 소리 나는 대로 표기하여 표기가 달라짐.

뛰어나다(뛰다+나다) → 어미 '-어'가 끼어들어 결합

오답 풀이

'쇠사슬(쇠+사슬), 코피(코+피), 팔다리(팔+다리)'는 모두 형태가 달라지지 않은 합성어이다.

7 **정답 풀이** ③ 애호박 → 애-('어리고 앳됨'의 뜻을 더하는 접두사)+호박

오답 풀이

① 마음씨 → 마음+-씨('태도' 또는 '모양'의 뜻을 더하는 접미사)

② 도둑질 → 도둑+-질('좋지 않은 행위를 비하'하는 뜻을 더하는 접미사)

④ 새롭다 → 새+-롭('그러함' 또는 '그럴 만함'의 뜻을 더하고 형용사를 만드는 접미사)+-다(어미)

⑤ 자연히 → 자연+-히(형용사의 어근이나 '-하다'가 붙어 형용사가 되는 어근 뒤에 붙어 부사를 만드는 접미사)

8 **정답 풀이** ⑤ 어근들이 완전히 하나로 융합하여 본래의 뜻과 전혀 다른 뜻을 지니게 된 것은 융합 합성어이다. '강산(강+산)'은 나라의 영토를 이르는 융합 합성어이다.

오답 풀이

① '돌다리(돌+다리)'는 종속 합성어이다.

② 오가며(오-+가-+-며)'는 대등 합성어이다.

③ '솔방울(솔+방울)'은 종속 합성어이다.

④ '나뭇잎(나무+잎)'은 종속 합성어이다.

문제로 정복하기

본문 214쪽

1 ③ 2 ⑤ 3 ② 4 ④ 5 ① 6 ④ 7 ③

1 **정답 풀이** ③ '예쁘다'는 어간 '예쁘-'가 하나의 어근으로 이루어져 있기에 단일어로 취급한다.

오답 풀이

① '꿈'은 어근 '꾸-'에 명사화 접미사 '-ㅁ'이 결합한 파생어이다.

② '날개'는 어근 '날-'에 도구의 뜻을 더하면서 명사를 만드는 접미사 '-개'가 결합한 파생어이다.

④ '목소리'는 어근 '목'과 '소리'가 결합한 합성어이다.

⑤ '오가다'는 어근 '오-'와 '가-'에 어미 '-다'가 결합한 것으로 '어근+어근'으로 이루어진 합성어이다.

2 **정답 풀이** ⑤ '고인돌'은 '고이다(괴다)'의 어간(어근) '고이-'에 어미 '-ㄴ', 어근 '돌'이 결합한 형태로 각 형태소가 결합하기 이전의 형태를 유지하고 있다.

오답 풀이

① '달걀'은 어근 '닭'과 '알'이 결합하면서 형태가 변하였다.

② '따님'은 어근 '딸'과 접미사 '-님'이 결합하면서 'ㄹ'이 탈락하였다.

③ '이튿날'은 어근 '이틀'과 '날'이 결합하면서 형태가 변하였다.

④ '바느질'은 어근 '바늘'과 접미사 '-질'이 결합하면서 'ㄹ'이 탈락하였다.

3 **정답 풀이** ② '논밭'은 어근 '논'과 '밭'의 결합, '김밥'은 어근 '김'과 '밥'의 결합, '소나무'는 어근 '솔'과 '나무'의 결합으로 모두 합성어이다. '샛노랗다'는 어근 '노랗-'과 '매우 짙고 선명하게'의 뜻을 더하는 접두사 '샛-'이 결합한 파생어이고, '개살구'는 어근 '살구'와 '야생 상태의'의 뜻을 더하는 접두사 '개-'가 결합한 파생어이다.

4 **정답 풀이** ④ '울보'는 어근 '울-'과 접미사 '-보', '헛기침'은 접두사 '헛-'과 어근 '기침', '생각하다'는 어근 '생각'과 접미사 '-하다'가 결합한 형태이다. 따라서 '울보, 헛기침, 생각하다'는 모두 어근과 접사가 결합한 파생어이다.

오답 풀이

① '가방'은 단일어이고, '손발(손+발)'과 '눈물(눈+물)'은 모두 어근과 어근이 결합한 합성어이다.

② '군소리'와 '군침'의 '군-'은 '쓸데없는'의 뜻을 더하는 접두사이다. 따라서 '군소리'와 '군침'은 접두사와 어근이 결합한 파생어이다. 반면 '군밤'은 '구운밤'의 형태가 변화한 것으로 '굽다'의 어근(어간) '굽-'과 어미 '-ㄴ', 어근 '밤'이 결합한 형태이다. 따라서 '군밤'은 어근과 어근이 결합한 합성어이다.

③ '개살구'와 '개떡'의 '개-'는 '야생 상태의' 또는 '질이 떨어지는', '흡사하지만 다른'의 뜻을 더하는 접두사이다. 따라서 '개살구'와 '개떡'은 접두사와 어근이 결합한 파생어이다. 반면 '개집'은 어근 '개'와 어근 '집'이 결합한 합성어이다.

⑤ '돌다리(돌+다리)'와 '구름다리(구름+다리)'는 모두 어근과 어근이 결합한 합성어이다. '헛다리'의 '헛-'은 '이유 없는', '보람 없는'의 뜻을 더하는 접두사이므로, '헛다리'는 접두사와 어근이 결합한 파생어이다.

5 **정답 풀이** ① 〈보기 1〉에서 설명하고 있는 합성어는 종속 합성어이다. ㉠ '도랑물'은 어근 '도랑'과 '물'이 결합한 것으로, '도랑에 흐르는 물'이라는 뜻이므로 종속 합성어이다.

오답 풀이

② ㉡ '몸집'의 '-집'은 '크기' 또는 '부피'의 뜻을 더하는 접미사이므로, '몸집'은 파생어이다.

③ ㉢ '뛰놀다(뛰놀기)'는 어근 '뛰-'와 어근 '놀-', 명사형 전성 어미 '-기'가 결합한 형태로 '이리저리 뛰어다니며 놀다.'의 뜻을 나타내고 있으므로 대등 합성어이다.

④ ㉣ '앞뒤(앞+뒤)'는 앞과 뒤를 아울러 이르는 말이므로 대등 합성어이다.

⑤ ㉤ '오르내리다(오르내릴)'는 어근 '오르-'와 '내리-'가 결합하여 '올라갔다 내려갔다 하다.'의 뜻을 나타내므로 대등 합성어이다.

6 **정답 풀이** ④ '위아래'는 '위'와 '아래'가 대등하게 결합된 대등 합성어이다. '산나물(산+나물)'은 '산의 나물'을 뜻하므로 종속 합성어이다. '가시방석(가시+방석)'은 앉아 있기에 아주 불안스러운 자리를 비유적으로 이르는 융합 합성어이다.

오답 풀이

① '시골길(시골+길)'은 종속 합성어, '팔다리(팔+다리)'는 대등 합성어이다.

⑤ '물걸레(물+걸레)'는 종속 합성어이다.

7 **정답 풀이** ③ 한쪽의 어근이 다른 한쪽의 어근을 수식하는 것은 종속 합성어이다. '손발(손+발)'은 손과 발이 대등하게 연결되어 있으므로, 종속 합성어가 아니라 대등 합성어이다.

오답 풀이

①에서 '쇠못(쇠+못)', ②에서 '옛날(옛+날)'과 '가죽신(가죽+신)', ④에서 '쓰레기통(쓰레기+통)', ⑤에서 '손수건(손+수건)'은 모두 종속 합성어이다.

Memo